Maxime Chattam

Né en 1976 à Herblay, dans le Val-d'Oise, Maxime Chattam fait au cours de son enfance de fréquents séjours aux États-Unis, à New York, à Denver, et surtout à Portland (Oregon), qui devient le cadre de *L'âme du mal*. Après avoir écrit deux ouvrages (qu'il ne soumet à aucun éditeur), il s'inscrit à 23 ans aux cours de criminologie dispensés par l'université Saint-Denis. Son premier thriller, *Le 5e règne*, publié sous le pseudonyme Maxime Williams, paraît en 2003 aux éditions Le Masque. Cet ouvrage a reçu le prix du Roman fantastique du festival de Gérardmer. Maxime Chattam se consacre aujourd'hui entièrement à l'écriture. Après la trilogie composée de *L'âme du mal*, *In tenebris*, et *Maléfices*, il a écrit *Le sang du temps* (Michel Lafon, 2005) et *Le cycle de la vérité* en trois volumes aux éditions Albin Michel : *Les arcanes du Chaos* (2006), *Prédateurs* (2007) et *La théorie Gaïa* (2008). Le premier volet de la nouvelle série *Autremonde*, *L'alliance des trois*, a paru chez le même éditeur.

Retrouvez toute l'actualité de l'auteur sur :
www.maximechattam.com

PRÉDATEURS

MAXIME CHATTAM

PRÉDATEURS

ALBIN MICHEL

Le papier de cet ouvrage est composé de fibres naturelles, renouvelables, recyclables et fabriquées à partir de bois provenant de forêts plantées et cultivées durablement pour la fabrication du papier.

© Éditions Albin Michel, 2007
ISBN 978-2-266-18878-4

« L'homme est un loup pour l'homme. »

PLAUTE

Si au plaisir de la lecture vous souhaitiez ajouter celui de l'ambiance musicale, voici les thèmes principaux qui m'ont accompagné pendant l'écriture :

— *La Ligne rouge*, de Hans Zimmer.

— *Le Silence des agneaux*, de Howard Shore.

— *Munich*, de John Williams.

Bienvenue dans ce récit. Puissiez-vous y embarquer sans retenue… et survivre à la violence de cette guerre.

Edgecombe, le 2 janvier 2007
www.maximechattam.com

1

Le ciel était d'un gris uniforme, il retenait la lumière comme un filet diaphane, ne laissant à la terre qu'une clarté atone.

Les milliers de soldats de la base attendaient dans leur tente, les uns jouant aux cartes ou aux dés, mégot ou cure-dent au coin des lèvres, les autres conversant autour de caisses en bois.

Certains régiments avaient déjà embarqué et vivaient à bord des navires de guerre amarrés aux quais devenus campement.

L'attente les consumait.

L'attente du signal.

Il prendrait d'abord la forme d'une rumeur, se propagerait depuis le poste de commandement ou du mess des officiers. Et en quelques minutes les milliers d'hommes entassés ici seraient au courant, équipement paré.

Alors il faudrait former les rangs. Partir vers le sud, vers un avenir tristement binaire : survivre sous le feu ou périr par le feu.

Surplombant le port, le bâtiment des officiers généraux se dressait : briques rouges aux joints, arêtes et corniches blanches.

Dans une salle du deuxième étage le lieutenant Craig Frewin, face à la fenêtre, considérait ce grand rassemblement monochrome d'éclats de rire, de ronflements et de jurons, organisé autour de cabanes en bois d'où montaient à toute heure de la journée les fumées de bassines de nourriture.

Frewin avait les mains croisées dans le dos, sa chemise militaire tendue sur les puissants muscles de son torse. Un homme imposant, aux épaules larges et épaisses. Les cheveux, d'un blond gris, les traits rustiques sous une barbe naissante, qu'un nez fin et des lèvres charnues adoucissaient, lui donnaient un charme certain tandis qu'il approchait doucement la quarantaine. Un éclat noir dans ses yeux noisette ajoutait encore à cette apparence qu'on n'oubliait pas.

Il écoutait le discours de son major général Colin Toddwarth :

— Craig, toi et moi nous nous connaissons depuis un moment, soyons francs : je sais que ça ne t'enchante pas, mais nous n'avons pas le choix. On n'a pas assez d'effectifs dans la PM pour conserver les équipes telles qu'elles sont. Chaque homme de ton service sera affecté à une section, ou une compagnie entière si je n'en ai pas assez.

Frewin, immobile, répondit avec tout le flegme qui le caractérisait, d'une voix trop posée pour être polie :

— Nous ne servirons à rien dispersés dans des sections d'assaut, Colin. C'est une aberration. Nous sommes des enquêteurs, pas des combattants.

Colin Toddwarth se mit à piaffer, martelant ses mots :

— Je sais tout ça. Seulement… les temps changent. Une fois là-bas, votre présence dans ces groupes maintiendra la cohésion, et ce ne sera pas facile. On s'attend à un enfer. Il y aura des envies de désertion. Vous les empêcherez et, s'il le faut, vous sévirez, les consignes sont claires. Votre statut de Police Militaire est une priorité, mais restez en accord avec le commandant de l'unité concernée.

— Je ne me suis pas engagé dans la PM pour ça, rappela Frewin, toujours aussi calme. Pas pour jouer au chien de garde.

— Ce n'est pas moi qui décide, je suis désolé. Mais j'ai veillé à ce que toi et tes hommes soyez affectés à des sections qui ne débarquent pas en première ligne. Le gros du grabuge sera passé…

— En somme, tout est déjà décidé, lâcha-t-il froidement.

Le major général se caressa la moustache avant de lui lancer :

— Tu seras dans la compagnie Drake, section à définir. Vous embarquerez sur le *Swordfish*, un destroyer.

Frewin se tourna enfin, face à son supérieur.

— Tu permets au moins que ce soit moi qui prévienne mes hommes ?

Toddwarth attendit une dizaine de secondes avant de donner son accord d'un clignement de paupières. Il contemplait ce grand gaillard avec un étrange mélange d'affection paternelle et de fascination. Frewin était le seul à cultiver un tel intérêt pour l'investigation. La plupart des hommes de la Police Militaire aimaient leur rôle pour le pouvoir qu'il leur conférait. Frewin, lui, fuyait ces missions, préférant les enquêtes, aussi morbides fussent-elles, toujours volontaire pour aller examiner un cadavre et traquer l'agresseur. Avec ses méthodes à lui, bien particulières. Frewin était le seul militaire à demander des permissions afin d'assister à des colloques de psychologie. Un jour, Toddwarth avait compris qu'il *aimait* le contact avec la mort violente. Pas celle de la guerre, qu'il jugeait obscène, mais, disait-il, la mort de l'ombre, intime et secrète. Toddwarth lui avait demandé la raison de cette attirance. Il n'oublierait jamais sa réponse : « *Parce que toute la vie est là, en résumé, dans ce subtil moment où un être décide d'en mettre un autre à mort.* »

Dès qu'un crime était commis dans l'enceinte militaire, Frewin accourait, sans un mot, l'œil brillant et inquisiteur.

Alors devant son lieutenant, Toddwarth éprouva un étrange sentiment, une sorte de crainte. La personnalité trop complexe inquiétait dans ce corps surpuissant.

Sur le seuil, Frewin se retourna pour demander :

— *C'est* prévu pour quand ?

L'officier général secoua la tête.

— L'état-major décidera. La mer est mauvaise pour l'heure. Mais… le départ semble imminent, voilà tout ce que je peux te dire.

Craig Frewin se fraya un chemin à travers le maillage de haubans, parmi les soldats en attente, dans la dissonance des harmonicas et des exclamations. Les hommes tuaient le temps. Il retrouva sa tente, au milieu de celles de son équipe. Le jeune Matters au visage bosselé – les restes d'une acné dévastatrice –, aux membres trop longs pour savoir qu'en faire, était assis à l'écart sur un tabouret pliant, lisant un journal de bandes dessinées. Il était le sergent de Frewin, attentif et dévoué. Ceux qu'on surnommait « les jumeaux », Clauwitz et Forrell, deux rouquins couverts de taches de rousseur, et qui n'avaient de fraternel que l'apparence, parlaient

autour d'une pile de photographies de femmes préle-
vées dans un magazine douteux.

Kevin Matters leva les yeux au passage de son supérieur, attendant qu'il lui adresse la parole. Frewin n'en
fit rien et disparut sous son auvent en refermant le cordon de la porte. Il avait besoin de réfléchir, de prendre
du recul pour digérer les nouvelles. Ne jamais parler à
ses hommes sous le coup de la colère, c'était la règle
qu'il s'imposait.

Un nimbe pâle filtrait au travers de la toile, insuffi-
sant pour y voir correctement. Frewin alluma sa lampe à
huile et se posa sur une chaise de fortune, face à la table
qui lui servait de bureau. Il s'empara de son stylo et
d'un calepin puis commença à griffonner : « *Ma tendre
Patty, Je reviens vers toi...* » Il posa son front dans sa
paume et prit le temps de calmer l'afflux de mots qui
chahutaient sous son crâne. Il barra la première phrase,
puis froissa soudain la feuille pour en prendre une
vierge. Cette fois il s'élança d'une seule traite :

Ma douce,

*Te rappelles-tu l'horloge dans notre chambre chez ta
mère ? Son balancier lancinant rappelant le temps qui
fuit aux heures d'insomnie dont tu me parlais si souvent ? La rumeur de la vie sur le camp résonne à mes
oreilles avec le même entêtement obsédant. Presque une
anxiété. Tout le monde s'excite ici, la peur au ventre.*

*Nous attendons le signal du grand départ, vers une
terre où se prépare le commerce le plus vertigineux
jamais inventé par l'homme : le troc de nos existences.
Prendre des vies afin de sauver les nôtres. Pour imposer une liberté. Nous sommes maudits, chérie. Le mal
que nous nous faisons est si grand, que je me demande*

si cette malédiction ne transpirera pas sur les générations à venir. Dimanche dernier, en accompagnant le ravitaillement du mess au village, j'ai croisé deux enfants. J'ai eu honte en les voyant. Honte de nous. De l'histoire qu'on leur inculque. Toute cette civilisation, tous ces progrès, ces promesses pour en arriver à résoudre nos querelles par le massacre. Sais-tu seulement que la plupart de nos hommes ne savent même pas pourquoi nous partons en guerre ? Je suis certain qu'il en est de même de l'autre côté des canons !

Pardonne-moi. Je n'arrive pas à écrire correctement aujourd'hui, les passions sont trop vives, je te prie de m'en excuser. J'essaierai ce soir ou demain matin. Tu me manques.

Mais ça, tu le sais.

Ton Craig.

Frewin reposa son stylo et plia sa feuille en trois après avoir vérifié que l'encre ne lui avait pas taché les doigts. Puis il inscrivit un nom sur l'enveloppe : « *Patty Frewin* », sans y ajouter d'adresse, avant d'aller ouvrir une malle métallique de couleur verte. À l'intérieur, bien à l'abri sous une épaisse couverture, s'accumulaient une soixantaine d'enveloppes similaires : même destinataire sans destination. Certaines, dont le papier avait jauni, semblaient dormir là depuis des mois.

Elle s'en alla rejoindre les autres.

2

Sortir du sommeil fut comme crever la surface de l'eau après une apnée profonde : un bouleversement des sens et des repères. Ann Dawson émergea de ses rêves en reprenant son souffle.

Les murs se déplièrent, le plafond s'immobilisa.

Elle était dans… dans…

Sa chambre, à l'infirmerie.

Elle s'était endormie après avoir dîné au lit d'une soupe, un roman à la main. La lumière était allumée… non. Pas sur sa table de chevet. Quand l'avait-elle éteinte ? Elle ne s'en souvenait pas. C'était l'ampoule du couloir qui s'invitait dans la pièce.

Un contact, une voix l'avaient extraite de sa nuit.

La main était encore posée sur son épaule, elle glissa en arrière.

Un visage, un chuchotement.

— Ann… Ann, réveille-toi.

Grosses joues, sourcils épais, cheveux raides et longs. Ombre chinoise trapue. Clarice. Elle portait son uniforme blanc d'infirmière, frappé de la croix rouge. Ann peinait à reprendre ses esprits. Quelle heure pouvait-il bien être ? Elle avait l'impression de n'avoir dormi que deux heures.

— Il y a de l'agitation en bas, annonça Clarice. Il s'est passé quelque chose.

— Quoi donc ? demanda Ann d'une voix ensommeillée.

— Je ne sais pas, c'est la Police Militaire qui est sur le coup, le camp dort encore.

Ann redressa sa nuque raide de fatigue pour distinguer les aiguilles de son réveil. Une heure et demie du matin.

— On vient de nous prévenir à l'instant, ils n'ont pas demandé de médecin, juste des brancardiers, c'est mauvais signe.

Ann tira sur ses couvertures. Ses cuisses fines apparurent, saisies par le froid.

— Désolée de te surprendre si tard, s'excusa Clarice. Tu m'avais demandé de te prévenir si la Police Militaire intervenait sur une affaire violente. Je crois bien que c'est le cas.

Ann hocha la tête :

— Je sais. Merci…

Elle se leva pour aller s'asperger le visage au-dessus de sa vasque en faïence. Une phrase arrachée à un livre était collée au bas du miroir : « *Rien n'est figé. L'individu est au moins maître de lui-même.* » Ann la relut pour la millième fois, souffla en projetant des perles brillantes sur la glace.

Elle s'observa un instant, palpant ses traits gonflés de fatigue, si fins d'habitude. Ses boucles blondes s'enroulaient autour de ses tempes pour descendre jusqu'à ses épaules.

— Ça se passe où ? demanda-t-elle.

— Sur un croiseur, le *Seagull*.

— Et qui est dépêché sur place, tu le sais ?

— Non. Mais ça semblait grave. Le soldat qui est venu nous prévenir était pâle comme un linge. Et il a demandé qu'on reste très discrets.

Ann s'humecta les lèvres. *Grave*, songea-t-elle. Pas de temps à perdre. Elle attrapa sa blouse blanche et sa jupe de la veille et s'habilla à la hâte.

— Merci, Clarice, tu peux retourner en bas. Laisse-moi un quart d'heure avant d'envoyer les brancardiers. Et pas un mot de tout ça aux autres, s'il te plaît.

Ann sortit de l'immeuble et traversa le camp de toile en se repérant aux lampes suspendues. Dans le brouillard compact qui nappait toute la base, les flammes n'étaient plus que des halos flous. L'infirmière parvint au quai sur lequel s'entassaient des pyramides de matériel, de vivres et de munitions. Des baraquements s'alignaient comme des stands à frites l'été sur les plages, à cette différence près qu'ici les relents de graisse étaient remplacés par ceux de la peur. Une peur aigre qui tordait les tripes des soldats, à en vomir, à en teinter leurs excréments, jusqu'à empuantir le port d'une acidité écœurante.

Le brouillard s'entrouvrait un peu sur le clapotis des eaux, plusieurs mètres en contrebas.

Les imposants bâtiments de guerre surgirent, carcasses pareilles à des squelettes dans la nuit de brume. Les cheminées massives, les filins, les fanions, les tourelles, les canons élancés, toute l'ossature de ces géants des mers émergea au sommet des coques vertigineuses.

Ann repéra la passerelle d'accès du *Seagull* au groupe d'hommes qui tenaient lanternes à huile et lampes-torches électriques. En s'approchant, elle distingua le profil d'un officier de la PM sur les premières lattes de la passerelle : cheveux courts en bataille, mâchoire carrée, épaules puissantes, silhouette de colosse. Il était en pleine conversation avec deux gardes armés et un officier de la marine. Un soldat roux avec le brassard PM se tenait en retrait, en compagnie d'un très jeune sergent arborant lui aussi le brassard policier.

Ann prit une inspiration, redressa le buste et sortit de l'ombre d'un pas assuré.

— Bonsoir, fit-elle doucement.

Matters sursauta et la dévisagea aussitôt.

— On m'a dit que vous aviez besoin de moi, poursuivit l'infirmière.

Frewin délaissa son interlocuteur pour se tourner vers elle.

— Qu'est-ce que vous faites là ?

Elle haussa les sourcils et se donna l'air étonné.

— J'étais de permanence à l'infirmerie, et on m'a ordonné de venir ici de toute urgence.

Frewin sembla tout à coup excédé. Il secoua vivement la tête.

— C'est d'une civière et de deux hommes pour la porter dont j'ai besoin ! Pas d'une infirmière !

Ann lut alors le nom sur sa veste kaki. « C. FREWIN. » Elle cilla. Le lieutenant Frewin. Celui qui avait arrêté plus d'une trentaine de meurtriers dans l'armée. Personne ne s'intéressait vraiment à ses exploits. Sauf Ann. Comment avait-elle fait pour ne pas le reconnaître ? Elle s'était tellement renseignée sur lui, sur le mécanisme qu'il utilisait pour conduire ses enquêtes. On le disait vaniteux et fantasque, renfermé et audacieux. L'occasion était trop belle de constater par elle-même. Elle ne pouvait la laisser passer.

— J'ai dû mal comprendre, lâcha-t-elle sans bouger.

Mais elle sentait qu'il n'allait pas la laisser monter à bord. Clarice n'avait pas enjolivé, ça semblait vraiment grave. Et embarrassant, pensa-t-elle en jouant une nouvelle carte :

— Les hommes que vous voulez, je leur dis de prendre une couverture pour dissimuler le corps ou ça ne sera pas nécessaire ?

Cette fois, Frewin descendit d'un pas vers elle.

— Qui vous a parlé d'un corps ? s'inquiéta-t-il.

Elle le fixa sans ciller, vérifiant mentalement qu'elle se tenait bien droite, sûre d'elle.

Il aime les déductions logiques et la pertinence. Et surtout : il aime s'entourer de personnel médical ! Il se sert de toutes les disciplines possibles pour ses investigations !

— La Police Militaire me demande à deux heures du matin de faire venir des brancardiers et c'est vous en personne, lieutenant, qui êtes présent. Je doute qu'on vous réveille à cette heure lorsqu'il s'agit d'un soldat ivre ou d'un garde qui s'est cassé la cheville en patrouillant. Je me trompe ?

Le silence embarrassé qui suivit lui confirma qu'elle avait fait mouche.

— Matters, finit par dire Frewin, allez me chercher ce foutu brancard. (Il pivota pour faire face à l'infirmière.) Vous, venez, vous pourrez peut-être nous éclairer sur ce qui nous attend là-dedans.

Ann contint sa joie. Elle avait réussi. Matters soupira dans son dos.

— Et à partir de maintenant, tout ce que vous verrez ou entendrez devra rester secret, ajouta le lieutenant. Suis-je bien clair ?

— Très clair.

D'un mouvement de la tête il l'invita à le suivre et ils gravirent les niveaux jusqu'à atteindre le pont du croiseur.

— Vous vous appelez ? demanda-t-il.

— Ann Dawson.

Une cloche sonna dans la brume du port.

Ann n'en revenait pas.

Il fallait se concentrer maintenant, être précise, efficace. Et surtout, faire attention à tout ce qu'elle allait dire. Ne pas aller trop vite. Se faire discrète. *Mais pertinente !* Que pouvait-il y avoir de si grave sur ce navire ?

Ce fut seulement à bord du *Seagull* qu'elle remarqua combien l'officier de marine qui les accompagnait était pâle.

À bien y regarder, il tremblait.

La cloche lointaine sonna encore une fois.

Et l'écoutille se referma sur eux.

3

L'escalier qui s'enfonçait dans les entrailles du croiseur était abrupt, les marches de métal amplifiant l'écho des pas qui les dévalaient, un degré après l'autre, toujours plus bas.

Craig Frewin enjambait les portes étanches, tournait dans ce dédale de coursives éclairées par les veilleuses blanchâtres sans perdre un mètre sur l'officier qui le conduisait à toute vitesse.

Le navire était silencieux, pas un murmure, pas un bourdonnement de machine, rien ne résonnait dans les couloirs jalonnés de tuyaux.

Frewin avait presque vingt ans d'armée, dans la PM. Son esprit logique et son aplomb lui avaient rapidement permis de monter dans la hiérarchie et de diriger sa propre équipe. Il gérait essentiellement des affaires de mauvaise conduite, des rixes entre soldats. Parfois des agressions. Et de temps à autre des homicides. Il connaissait son travail. Il connaissait l'armée et ses mentalités ; sa rigueur. Tout était fonctionnel, organisé. Les enquêtes s'en trouvaient grandement facilitées. La plupart des crimes élucidés procédaient des mêmes motifs : brutalités qui dépassaient l'intention. Plus rares et souvent couverts par la hiérarchie : les viols suivis de meurtres. Quant à l'homosexualité, elle provoquait des étincelles dans l'armée. Le machisme et le culte de la virilité étant ici les seules religions tolérées et encouragées.

Cette fois, témoignait l'officier de permanence, le garde qui avait découvert le corps était paniqué. Il avait perdu les pédales et était parti dans des délires, décrivant un corps mi-homme, mi-bête et hurlant que le diable était à bord. L'officier l'avait fait descendre à l'infirmerie aussitôt – celle du navire, par souci de discrétion. Mais la rumeur s'était propagée parmi les soldats de garde. L'officier avait alors décidé de se rendre compte par lui-même. Il n'avait pas retrouvé ses couleurs depuis.

Il avait prévenu Frewin : « Préparez-vous, ce qu'il y a en bas, c'est… incroyable. C'est… diabolique ! Il faut trouver les coupables, et vite ! »

Frewin repensait à ces mots à mesure qu'ils s'enfonçaient dans les profondeurs du croiseur. L'officier avait insisté sur le terme *diabolique*, il avait pris le temps de le choisir. Et il avait parlé de *coupables* au pluriel… Qu'est-ce qui pouvait bien les attendre en bas ?

L'officier Coolidge ralentit au milieu d'une très longue coursive et s'immobilisa devant une porte fermée. On la devinait, dans une zone d'ombre, entre deux veilleuses éloignées.

Coolidge se retourna et attendit que Frewin, Ann Dawson et Clauwitz soient tous là pour poser sa main sur la poignée froide.

— Mademoiselle, vous devriez peut-être attendre…

— J'ai le cœur bien accroché, le coupa Ann en remarquant un filet de sueur sur le front de l'officier.

Coolidge n'insista pas et se contenta de plisser les lèvres. Il abaissa la poignée et poussa.

Frewin regarda son soldat et lui ordonna :

— Vous restez ici et personne n'entre, sauf Matters quand il sera là.

À la grande surprise de Frewin, la pièce était plongée dans les ténèbres. Pas la moindre source lumineuse.

— C'est vous qui avez éteint ? s'enquit-il aussitôt.

— Non, c'était exactement comme ça quand on l'a trouvé. (Sa voix tremblante leva des échos, la salle devait être vaste.) J'ai allumé l'interrupteur et l'ai rabaissé en partant.

Frewin enjamba la contremarche et fit quelques pas avant de s'immobiliser.

Les ampoules se mirent à briller d'un seul coup, aveuglantes.

Les bancs et les tables apparurent, puis le présentoir à couverts et le long comptoir. *Le réfectoire*, comprit Frewin. De quoi attabler une centaine de personnes en même temps.

Au milieu de la salle, quatre membres pendaient mollement, dans un uniforme kaki taché de sinistres auréoles sombres. Un corps humain. Surmonté d'une tête de monstre. Deux gros yeux noirs, des cornes recourbées, un mufle humide. Aux lèvres arrachées pour dévoiler une mâchoire menaçante.

Ce minotaure semblait flotter dans l'air.

Ann étouffa un petit cri derrière ses mains.

Deux crochets à viande posés sur les poutrelles métalliques tenaient grâce au poids du cadavre, embroché par les épaules.

Frewin s'approcha lentement, sans croire ce qu'il voyait.

— Attention où vous marchez ! prévint Coolidge.

Frewin baissa les yeux juste à temps pour distinguer une flaque de sang. Il retint son pied en se maudissant. Ça ne lui ressemblait pas, lui d'habitude si méticuleux. Son attention revint à l'homme-bête. Jamais il n'avait vu pareille chose. On avait décapité la victime ; la tête animale avait été ajustée sur le cou avec beaucoup de soin. Du sang recouvrait entièrement la peau à cet endroit. Tout le haut de l'uniforme était souillé.

— Je vous avais prévenus, fit Coolidge avec un peu plus d'assurance, comme si le malaise des autres le réconfortait. Il faut qu'on arrête vite ces porcs.

Frewin fronça les sourcils.

— Qu'est-ce qui vous fait croire qu'ils sont plusieurs ? s'enquit-il.

— Eh bien… Il faut de l'organisation pour voler un corps, je n'imagine pas un homme seul capable de…

— Voler un corps ? répéta Frewin. Je ne vous suis pas.

— Oui (il désigna le cadavre), c'est évident ! C'est un vol commis à la morgue, une plaisanterie très douteuse.

Ann guetta la réaction de l'enquêteur, surprise par cette théorie. Frewin fixa l'officier de marine.

— J'aimerais vous suivre dans vos déductions optimistes, dit-il posément, mais il ne s'agit pas d'un vol de cadavre. J'ai bien peur que ce soit un homicide.

Coolidge risqua un sourire crispé.

— Non, bien sûr que non, enfin, c'est… non. Qui ferait une chose… pareille ? Nous sommes sur un navire de l'armée ici, pas dans un asile ! Regardez ! Cette tête de… bouc, là, c'est l'œuvre d'un groupe d'excentriques à l'humour regrettable, et vous savez pourquoi ? Parce qu'un meurtrier ne ferait pas ça ! Enfin, c'est évident ! Une tête de bouc, c'est grotesque !

— De bélier, je crois, murmura Ann. C'est une tête de bélier.

Sans un regard pour elle, Frewin observa autour de lui, ignorant Coolidge. Une grande mare de sang croupissait à côté, entre deux tables. Des projections vermillon mouchetaient le sol, traits et pointillés rappelant comment la vie s'était enfuie du corps sous la pression des artères crevées. Le lieutenant fit le tour du mort, examinant et mémorisant. Aucune émotion ne se lisait sur ses traits, pourtant il serrait et desserrait nerveusement le poing gauche.

Après une inspection attentive, Frewin s'assit sur une table pour contempler le carnage.

Les crochets étaient plantés dans les omoplates.

— La porte est fermée à clé, la nuit ? demanda-t-il sans se détourner du cadavre.

— Non, ça ne craint rien et les hommes sont supposés dormir. J'ai quatre gardes qui patrouillent sur le pont, c'est la procédure imposée par notre capitaine de vaisseau en temps de guerre, mais seulement deux à l'intérieur, pas besoin de plus. En ce moment, nous abritons à bord trois compagnies, pas loin de six cents hommes en plus de l'équipage normal, ça fait un sacré paquet de monde, plus tous les officiers qui vont avec. S'il y avait du grabuge, ils l'entendraient.

Frewin désigna les mains tachées de sang de la victime.

— Vous voulez dire qu'on ne pourrait pas se battre ici sans se faire repérer ? insista-t-il.

— Eh bien… il n'y a pas de cabine à proximité, néanmoins il ne faudrait pas que ça dure longtemps. Un soldat de surveillance passe dans cette coursive toutes les quinze ou vingt minutes environ. (Coolidge hésita avant d'ajouter à regret :) Vous êtes convaincu qu'il s'agit d'un homicide, n'est-ce pas ? Qu'est-ce que c'est pour vous, une bagarre qui a mal tourné ?

Frewin jeta un bref coup d'œil vers l'officier. Celui-ci n'était pas à son aise, tiraillé entre sa conception rigoureuse de l'armée et cette folle hypothèse qu'on voulait lui faire admettre. Il cherchait à tout prix à rationaliser l'horreur de cette mise en scène. Frewin décida de ne plus le ménager.

— Vous avez déjà vu deux hommes se battre et planter une tête de bélier sur le corps du perdant ?

Coolidge ne répondit pas. Ann recula, pour obtenir une vue d'ensemble. Elle avait enfoncé ses mains dans les poches de sa blouse, les bras collés au corps comme si elle avait froid.

Coolidge avait le front plissé, dubitatif.

— Alors vous… croyez *vraiment* à un meurtre ? interrogea-t-il, pas rassuré.

Frewin prit le temps de réfléchir avant de répondre :

— Il y a beaucoup de sang sur le sol. Et des projections. Ça veut dire que le cœur battait encore lorsqu'on a perforé les artères et les veines. Ce n'était pas un cadavre volé à la morgue. Désolé.

Coolidge se tut, ruminant les faits sans parvenir à les accepter.

— Pire, c'était prémédité, ajouta Frewin.

— Comment… ? balbutia l'officier de garde.

— Vous avez des béliers à bord ? Parce que cette tête est fraîche, c'est assez évident. Approchez-vous.

Coolidge, resté à l'entrée du réfectoire, se redressa et posa ses mains sur sa ceinture mais sans avancer. Frewin l'épargna en enchaînant :

— La surveillance de nuit passe par cette pièce à chaque ronde ?

— Non... Il y a tellement de coursives, de niveaux et de salles qu'ils patrouillent partout mais ne vérifient les salles qu'en début, milieu et fin de ronde. J'ai demandé aux deux hommes qui montaient la garde cette nuit, l'un avait inspecté le réfectoire vers vingt-deux heures, puis plus rien, jusqu'à une heure ce matin.

— Ce qui nous laisse trois heures. Le type qui a fait ça connaissait bien les habitudes du navire.

Le lieutenant croisa les bras sur sa poitrine pour réfléchir à ce qu'il voyait.

— Vous êtes vraiment sûr qu'il était vivant ? insista l'officier.

— Regardez la longueur des projections au sol. Un bon mètre cinquante, voire deux mètres. Le cœur battait, il propulsait le sang dans ce corps lorsqu'on l'a ouvert profondément. Le cœur a continué de battre, de pomper tout ce sang et de le renvoyer...

Il fit trois pas en arrière et désigna la mare rouge, non loin de l'entrée.

— La victime s'est fait surprendre ici, entre les tables.

Ann s'approcha subitement et s'accroupit pour vérifier ce qu'elle venait d'apercevoir.

— Il y a des lettres là, annonça-t-elle.

Frewin se pencha pour les distinguer. Après la mare principale, une succession de petites flaques et de traînées traçaient un sillage jusqu'à l'endroit où l'homme pendait. On l'avait traîné ou porté maladroitement. Ann montra du doigt deux dessins sanglants :

10

— O.T., lut-elle tout haut. Le début d'un mot ?

— Ou des initiales, ajouta Frewin.

Ann inspira par le nez, cela l'aidait à garder son calme. Au début de sa carrière d'infirmière elle avait pensé qu'elle s'habituerait à la vue du sang. C'était une erreur. Elle avait appris à s'endurcir, à évoluer dans un monde de chairs ouvertes, mais pour découvrir qu'en réalité on ne s'habituait pas. On acceptait. Certaines de ses collègues ne manifestaient plus aucune émotion devant le sang, Ann les plaignait. Elles avaient acquis une telle distance avec ce qu'elles voyaient ou faisaient qu'elles en avaient oublié l'essentiel : la vie. Lorsque le sang coule, c'est la vie à l'état pur qui se disperse, il est la semence de l'âme, et chaque goutte brille comme l'étendard de l'existence. Ann cultivait un rapport au sang très particulier. Chaque confrontation était un travail sur l'autre, un travail sur soi. Et parce qu'il y avait cette bataille permanente, cette conscience du sang, Ann s'estimait à sa place dans sa profession.

— Il a voulu laisser un message, pour démasquer son agresseur ? hasarda-t-elle.

Frewin demeura silencieux.

— Vous ne croyez pas ? s'étonna-t-elle. Il a les mains ensanglantées, le bout des doigts aussi.

Le lieutenant secoua la tête.

30

— Mademoiselle Dawson, vous n'avez jamais vu une sentinelle se faire couper la gorge, enchaîna-t-il sombrement. L'homme panique dans ces cas-là, la terreur le déchire tout autant que le fer qui s'enfonce dans sa chair et sectionne peau, muscles, veines, artères, cordes vocales. Le sang se met à dégouliner à l'intérieur, dans la trachée, et à l'extérieur. L'homme ressent autant de douleur que de terreur à la découverte de ce chemin de mort qui le tranche en deux. Personne dans un cas comme celui-là ne penserait à laisser un indice pour démasquer son assaillant. Croyez-moi, personne. Sauf dans les romans. En vrai, il n'y a que gargouillis, souffrance et peur incommensurable.

— Alors qu'est-ce que c'est ? Vous voyez bien que ce ne sont pas des marques aléatoires !

Il ouvrit les mains devant lui comme pour souligner l'évidence.

— L'assassin l'a écrit lui-même.

Ann fronça les sourcils.

— Pourquoi ferait-il ça ? (Elle se tourna et désigna le sol.) C'est presque caché sous le banc.

— Je ne sais pas. C'est une éventualité, voilà tout.

Il avait prononcé cette dernière phrase distraitement, l'attention captée par autre chose. Il prit la direction du mur et montra la veilleuse. Elle était brisée et des éclats de verre brillaient sur le sol.

— C'est là qu'ils se seraient battus ? demanda Coolidge.

— Non, il n'y a pas de sang ici. Et je ne pense pas qu'ils se soient battus. On égorge quelqu'un par-derrière en général. J'imagine que notre victime est arrivée ici dans la nuit, pour une raison à déterminer. Il faisait totalement noir puisque la veilleuse avait été brisée. Pourquoi n'a-t-il pas allumé les grosses lampes ? Pour ne pas se faire repérer par la patrouille ?

Coolidge fit signe qu'il n'était pas d'accord.

— Non, la porte est étanche, la lumière ne filtre pas, il pouvait très bien allumer sans se faire remarquer.

Frewin se mit à réfléchir tout haut :

— Pourtant la victime est entrée dans le noir absolu et y est restée. Elle s'est même avancée de plusieurs mètres, jusque-là. (Il pointa un doigt vers la flaque et les pointillés de sang.) Soit le gars voulait rester dans l'obscurité, soit il ne savait pas où trouver l'interrupteur.

— Un homme étranger au navire ?

Frewin acquiesça mollement.

— L'agresseur a surgi dans son dos. Les projections sont très localisées, ça n'a pas duré longtemps, la victime n'a pas résisté, elle a été surprise.

— On lui a tendu un piège…, lâcha Ann.

— Ça m'en a tout l'air. Il est venu ici parce qu'on l'y a invité. L'assassin avait préparé son coup en brisant la veilleuse.

Coolidge intervint, sûr de lui :

— C'est l'assassin qui a éteint derrière lui, en quittant les lieux !

Frewin jeta un coup d'œil circulaire.

— La pièce ne comporte aucun recoin, même sous les tables c'est bien trop large pour qu'on puisse s'y dissimuler sans être vu de l'entrée.

— Enfin…, insista Coolidge : je ne comprends pas votre entêtement, lieutenant ! La lumière pouvait tout à fait être allumée ! Si c'est réellement un homicide, alors c'est un règlement de comptes, les deux hommes se connaissaient certainement, il a suffi que la victime ait tourné le dos un instant à son agresseur pour que le drame surgisse !

Frewin pointa le menton vers les débris de la veilleuse :

— Pourquoi la briser alors ? Si on a pris soin de le faire, c'était pour plonger la pièce dans le noir total. Pour ne pas être vu. En espérant sauter à la gorge du pauvre diable qui s'aventurerait là. Et celui qui a arrangé cette ampoule savait que la victime allait venir sans allumer. Je ne sais pas pourquoi, mais il le savait !

La porte s'ouvrit alors et Matters se profila sur le seuil.

— Lieutenant, les brancardiers sont là…

Il se tut en apercevant le cadavre à tête d'animal.

— Entrez, Matters, ordonna Frewin.

Le jeune homme s'exécuta, sans lâcher du regard la créature suspendue.

— Matters, aidez-moi à sonder la pièce, je veux m'assurer qu'on n'y a rien laissé traîner. Ann ! (L'infirmière sursauta et tourna la tête vers lui.) Joignez-vous à nous, regardez sous les tables.

Ils obéirent. Ann, surprise d'être sollicitée, en éprouvait un certain soulagement. Cela allait lui permettre de respirer un peu, de tourner ses pensées vers autre chose que le cadavre à tête de bélier.

Tout était propre, soigneusement rangé. Une porte ouvrait sur la pièce attenante : une immense cuisine et ses dépendances. Ils ne trouvèrent rien de significatif. Frewin ne cachait pas sa déception.

— Matters, dites à Clauwitz d'aller réveiller Forrell à notre campement, et passez la cuisine au peigne fin ensemble. Retournez tout, placards, meubles, et n'oubliez pas les poubelles. Ce type n'a certainement pas décapité un homme sans avoir eu besoin d'instruments et de se nettoyer ensuite.

Matters s'exécuta et passa la tête dans le couloir.

— S'il avait prémédité le coup, il avait peut-être apporté son matériel, hasarda Ann.

Observer le cadavre n'était pas écœurant en soi, c'était ce qu'il dégageait qui la dérangeait. La souffrance du meurtre. Rien à voir avec les blessures de guerre. Ici, chaque goutte de sang renvoyait à l'acte volontaire qui procure un certain plaisir. Jusqu'à remplacer la tête par celle d'une bête.

— S'il a préparé à ce point son acte, alors on peut se faire du souci, mademoiselle. Venez avec moi, j'aimerais que vous examiniez le cadavre de plus près, pour me donner votre avis professionnel.

Elle prit une grande bouffée d'air avant de le suivre, d'une démarche qu'elle espérait assurée.

Frewin monta sur un banc situé à côté des jambes pendantes et invita l'infirmière à en faire autant sur le banc opposé. À une dizaine de centimètres du mort.

— Regardez le cou, demanda Frewin, la peau est entaillée à plusieurs endroits. On dirait que sa main a dévié.

Ann fixa son attention sur le bourrelet de chair. Des grumeaux rouges pendouillaient sur les bords. La peau avait été déchiquetée par à-coups, témoignant de la violence de l'agression. Pas de geste sec et précis mais une succession d'entailles mal assurées pour tuer lentement, au prix de souffrances barbares. Ann avait l'habitude des visions macabres, c'était son métier. Pourtant elle ne parvenait pas à se détacher des circonstances, de l'idée de torture.

Et elle savait très bien pourquoi.

Elle n'était pas venue ici par hasard. Elle avait long-temps attendu cet instant. Se confronter à un… *tueur*.

— La tête de bélier ne devrait pas tenir toute seule, fit-elle en se penchant pour distinguer la nuque. Je vois un objet métallique, peut-être un couteau ou une four-chette plantée pour tenir les deux morceaux. Je…

Elle ferma les yeux pour se concentrer. Son cœur battait plus vite qu'à l'accoutumée.

Une main se posa sur son bras. Elle rouvrit les pau-pières aussitôt.

Frewin la fixait.

— Ça va, descendez.

— Non, je peux…

— N'insistez pas, Ann, descendez.

Il fit signe à Matters de venir l'aider. Puis il exa-mina à nouveau le mort. Il remarqua le collier militaire qui dépassait sous l'uniforme.

— Il a ses plaques, commenta-t-il en tirant douce-ment dessus, pour lire l'identité. Il s'appelle… Fergus Rosdale… vingt-… cinq ans.

Frewin descendit et croisa le regard déçu de l'infir-mière. Elle voulait aider davantage, prouver sa valeur.

— Faites entrer les brancardiers, lança-t-il à son adjoint. On va ramener Mlle Dawson à sa chambre, elle en a assez vu comme ça. On s'occupera du corps ensuite.

Ann ouvrit la bouche pour protester, mais elle lut la détermination sur les traits de Frewin. L'ordre ne souf-frait aucune contestation.

Matters fit claquer sa langue pour signifier qu'il avait compris, mais hésita encore avant de s'éloigner.

Frewin scrutait toujours le cadavre ballant.

— Ça... va, lieutenant ? osa-t-il.

— Oui..., répondit Frewin, du bout des lèvres.

Matters n'en crut pas un mot. Il le voyait bien, quelque chose n'allait pas chez son lieutenant. Lui-même n'était pas à son aise. Il leva les yeux vers l'homme à tête de bélier.

Les gencives rouges brillaient dans la lumière crue.

Matters sentit son cœur comprimer sa poitrine. Une pensée, puis un malaise le chaviraient : si la victime avait l'apparence d'un monstre, alors à quoi pouvait bien ressembler le meurtrier ?

4

Ils nommaient leur quartier général la Ruche.

Partout où se rendaient Frewin et ses hommes, leur priorité était de trouver l'endroit idéal pour accueillir la Ruche. Dès que l'enquête débutait, le lieu se mettait à grouiller, on y centralisait les informations, les axes d'investigation, on y affichait les données sur de larges panneaux en liège ou sur des tableaux noirs, dans une atmosphère tiède à l'odeur de café.

La Ruche était composée d'une grande tente centrale, d'environ dix mètres sur cinq, et de quatre autres plus petites, reliées par des sas de toile, qui servaient soit de bureaux, soit de dortoirs d'appoint. Les interrogatoires s'effectuaient à l'extérieur selon les ordres de Frewin. Il avait expliqué à Matters, la première fois, qu'il était souvent utile de déstabiliser un soldat, surtout les gros durs, en l'entraînant dans un bois, loin de tout regard. Isolé, craignant le pire, le sujet perdait son assurance.

Il faisait encore nuit, des lanternes brûlaient, suspendues à l'armature métallique de la Ruche, projetant l'ombre impressionnante de Frewin sur le sol recouvert de tapis vert sombre.

Sept hommes de la Police Militaire étaient assis sur les tabourets pliants, dont Clauwitz et Forrell, les grands gaillards roux. Matters restait debout, prêt à assister son supérieur.

Le lieutenant Frewin prit une craie et inscrivit le nom de la victime sur un des tableaux.

— Fergus Rosdale, lut-il. Il faisait partie de la compagnie Gold, section 2. C'était un simple soldat. Retrouvé mort à une heure du matin. Égorgé et décapité. Je précise qu'on n'a pas retrouvé sa tête. (Il décrivit sans trop de détails la tête de bélier, puis insista sur les éléments découverts sur place.) Maintenant qu'il est identifié, nous savons que Fergus Rosdale n'avait rien à faire à bord de ce navire, il n'aurait pas dû y monter. Ou bien il l'a fait dans le dos des patrouilles, ou bien il connaissait un garde, ou bien encore il en a soudoyé un. À vous de me débusquer une réponse. (Il inscrit au tableau : « Comment Rosdale est-il monté sur le *Seagull* ? ») Je pense que son assassin l'attendait dans le noir. Il l'a égorgé dès qu'il est entré dans la pièce. Il a pris la peine de briser la veilleuse pour obtenir l'obscurité complète, il savait donc que Rosdale n'allumerait pas en entrant. Pourquoi ?

Phil Conrad, le doyen de l'équipe – il approchait de la cinquantaine – s'avança sur son tabouret.

— Ils avaient peut-être rendez-vous.

— Pourquoi dans le noir ? ajouta Baker, un brun musclé.

— Un rendez-vous galant, proposa Donovan, nouveau venu dans la PM.

— Sur un bateau ? s'étonna Conrad en grattant l'une de ses tempes grisonnantes.

— Qui sait ? Rosdale se cachait, il attendait peut-être un… homme ?

— Il pouvait aussi avoir de mauvaises intentions, envisagea Larsson, l'autre géant du groupe. Un rendez-vous pour échanger de la drogue ou je ne sais quoi. Il ne serait pas le premier !

Frewin siffla pour faire taire l'enthousiasme de ses hommes. Il attendit quelques secondes pour s'assurer leur attention, puis inscrivit : « Comment l'assassin s'y est-il pris pour faire venir Rosdale à lui ? Comment l'a-t-il tué dans l'obscurité ? »

Tapotant du bout de sa craie, Frewin insista :

— Réfléchissons. Notre homme n'est pas magicien, il ne voit pas sans lumière. De plus, il est très organisé, on n'a rien retrouvé sur place, ni couteau, ni arme, rien. Matters a relevé quelques traces de sang dans un évier de la cuisine attenante, ça veut dire que l'assassin a pris le temps de se laver avant de sortir. Il a apporté ses instruments, en tout cas la tête de bélier et probablement les crochets de boucher pour suspendre la victime. Tout ça était prémédité, et notre tueur n'était pas inquiet. Il savait que la patrouille ne viendrait pas contrôler le réfectoire avant une heure du matin environ. C'est donc un homme d'équipage. Vous allez commencer par interroger les sentinelles de garde cette nuit et les trois précédentes.

Frewin parlait vite, allait à l'essentiel. Matters, qui l'avait assisté sur beaucoup d'enquêtes, dont une demi-douzaine d'homicides en deux ans, n'avait jamais perçu en lui une telle tension. Lui-même se sentait mal à l'aise, tourmenté par une peur inhabituelle.

Cette fois, le tueur s'était… amusé.

Matters leva un index timide pour prendre la parole.

— Je... Je crois, mon lieutenant, qu'on pourrait préciser que nous recherchons un individu costaud. Il a fallu de la force pour hisser le corps sur des crochets de boucher et le suspendre.

— Bien vu, Matters ! conclut Frewin. Vous m'ôtez les mots de la bouche. (Il se tourna vers les autres :) En fouillant les cuisines, Matters a trouvé également une serpillière ayant servi à nettoyer du sang.

Forrell leva le bras à son tour :

— Vous n'avez pas dit qu'il y avait du sang partout ? Il... le tueur, il ne s'est tout de même pas lavé avec une serpillière ?

— J'ai en effet une théorie à ce sujet : parce qu'il y avait beaucoup de sang au sol, je n'arrive pas à croire que personne n'ait marché dedans pendant l'affrontement. Et en portant le cadavre. On aurait donc pu trouver des empreintes de chaussures. Pourtant non. Rien. Le tueur a pensé à les effacer avant de partir.

— Vous croyez qu'il est si... *prévoyant* que ça ? s'étonna Donovan.

— Il a tendu un piège à cet homme, il est venu avec de quoi lui couper la tête et la remplacer par celle d'un animal, et il l'a plantée sur des crochets. Alors oui, je crois qu'il est prévoyant. Ce n'est pas un cas à aborder comme on le fait d'habitude, j'insiste là-dessus. Pas un règlement de comptes ou une bagarre qui a dégénéré. C'est un meurtre avec préméditation.

Cette fois, ce fut au tour de l'autre rouquin couvert de taches de rousseur, Clauwitz, de s'exclamer :

— S'il a pensé à nettoyer les empreintes de ses chaussures, pourquoi il n'en a pas profité pour tout effacer ? Il aurait pu aussi cacher le corps !

Matters devança son supérieur :

— Parce qu'il tient à exhiber le cadavre de sa victime ! Il nettoie ce qui est compromettant, mais il veut montrer à tout le monde ce qu'il a fait.

— Exactement, approuva Frewin. Ce qui n'est pas une bonne nouvelle. Un client sérieux pour nous. Un vrai furieux. J'insiste : nous devons l'identifier rapidement. Ce type ne s'arrêtera pas là. (Il jaugea ses hommes avant d'ajouter :) Messieurs, vous avez deux heures pour dormir, ensuite je veux vous voir sur ce foutu rafiot à interroger tout ce beau monde. Matters collectera vos infos et fera la liaison. Allez-y et ne négligez rien, il y a dans nos rangs un assassin qu'il faut neutraliser sans tarder. Je vous rappelle que nous sommes sur le point d'embarquer pour le sud, on ne peut pas se permettre de partir sans avoir mis ce malade hors course.

Tandis que les hommes sortaient de la Ruche, Donovan vint marcher au côté de Matters.

— Hey ! Dis, tu le connais bien le lieutenant, on dirait ? demanda le bleu en repoussant ses lunettes sur le nez.

— Ça fait presque deux ans que je suis sous ses ordres.

— Alors tu dois savoir, toi, il faisait quoi avant, il était inspecteur de police, c'est ça ?

Matters observa son compagnon tout en se dirigeant vers sa tente.

— Non, il est engagé dans l'armée depuis vingt ans maintenant.

— Ah bon ? Pourtant… il a l'air de rudement savoir s'y prendre avec les assassins, et dans l'armée… bah on peut pas dire qu'il y ait beaucoup d'enquêtes pour se faire la main…

— Tu crois qu'entre tous ces hommes qu'on entraîne à tuer, et qui vivent les uns sur les autres vingt-quatre heures sur vingt-quatre, ça ne dégénère jamais ?

Donovan se gratta l'oreille en réfléchissant.

— C'est sûr, concéda-t-il. Mais j'aurais cru que c'était pas le meilleur endroit pour apprendre. C'est que… pas d'offense, hein ? Je me disais que les inspecteurs de la PM ça devait pas être les meilleurs, tu vois… Je dis ça parce que moi, après la guerre, j'aimerais entrer dans la police, civile je veux dire, et je me demandais si la PM c'était vraiment efficace… Je suis volontaire, tu vois.

— Volontaire fébrile on dirait…

— Quoi, comment ça ?

— Laisse tomber, soupira le jeune Matters en accélérant le pas.

Donovan se hâta de le rattraper :

— Hey, c'est vrai ce qu'on dit à son propos ?

Matters fronça les sourcils :

— Quoi donc ?

— Tu sais bien… la rumeur…

Matters s'immobilisa soudain, les traits durs.

— Arrête ça tout de suite ! ordonna-t-il. Et laisse pourrir les ragots ! Personne ne lui arrive à la cheville. Alors je te conseille de la fermer et d'aller reposer ta carcasse ! Demain on verra de quoi t'es capable !

Le soleil du petit matin peinait à réchauffer les corps engourdis qui se bousculaient entre les préfabriqués des douches. Plus loin, des grappes de soldats s'agglutinaient autour de leurs quarts de café fumant sur les rangées de bancs des réfectoires en plein air.

Ann fonçait entre les odeurs de mauvaise sueur et de savon bon marché, ignorant les remarques lubriques et autres sifflets admiratifs. Elle avait appris à décrypter le comportement des hommes à la veille d'une bataille : ils oubliaient leurs bonnes manières, régressant vers leurs instincts, vers leur part la plus sauvage, pour se préparer à tuer.

Elle bifurqua dans une allée jalonnée d'un fil tendu entre des piquets où pendaient des vêtements militaires par dizaines, et pénétra sur le territoire de la PM, une douzaine de tentes serrées autour de la Ruche. Celle de Frewin était au fond. Ann frappa sur le montant en acier.

— Entrez, fit une voix rauque.

Ann s'exécuta. Deux lampes à huile se balançaient au plafond. Frewin était allongé sur son lit de camp, un livre à la main. Il ne dissimula pas sa surprise en découvrant le visage angélique de l'infirmière. Celle-ci, curieuse, pencha la tête pour saisir le titre du livre. *Les Archives de Sherlock Holmes* par Conan Doyle.

— Ne me dites pas que vous lisez ça !

Piqué au vif, Frewin se redressa et déposa avec soin son roman sur la caisse qui servait de table de chevet.

— Il y a beaucoup à apprendre de cette littérature, justement.

Ann s'en voulait déjà… débuter leur entrevue par une moquerie. C'était bien elle, ça…

— Je ne voulais pas vous vexer, désolée.

Frewin se leva pour lui faire face. Il la dominait de deux têtes et pesait deux fois son poids.

— Que puis-je faire pour vous ? s'enquit-il.

43

— À vrai dire, j'espère que c'est moi qui vais pouvoir vous aider. Je suis allée voir le cadavre à la morgue de l'infirmerie.

Frewin secoua la tête, manifestement confus :

— N'en faites pas davantage, mademoiselle Dawson, je ne vous ai pas épargnée. La suite ne regarde que moi.. et le médecin qui l'examinera.

Ann se mordit la lèvre. Puis elle se lança :

— Écoutez, je.. je ne veux pas dénigrer le travail des médecins mais… ils portent bien plus d'intérêt aux blessés qu'aux morts. Je les connais bien, vous savez, et la guerre étant ce qu'elle est, ils sont trop sollicités. Leur énergie va vers les vivants… c'est normal !

Un rictus fronça les lèvres de Frewin.

— Vous les avez bien cernés, on dirait, lâcha-t-il. Pour une jeune infirmière, vous êtes lucide, c'est bien. Ça vous évitera les désillusions.

Ignorant le ton paternaliste qui l'agaçait, Ann continua :

— C'est que je les vois tous les jours…

Frewin acquiesça, et l'invita à poursuivre d'un geste de la main.

— J'ai pris la peine d'aller revoir le cadavre à la morgue. J'ai examiné les entailles sur le cou. L'homme ne s'y connaissait pas en médecine, ça a été laborieux. Et… je pense qu'il est droitier.

Cette fois le rictus de Frewin disparut.

— Qu'est-ce qui vous le fait supposer ?

— Les plaies causées par le couteau. On peut remarquer leur forme effilée, avec d'un côté le dos de la lame là où c'est le plus évasé, et le tranchant de l'autre, à l'entaille plus fine. Elles ressemblent à une sorte d'ovale étiré et pointu à une extrémité. Toutes dans le même sens, c'est-à-dire que le dos du couteau – le bord large – est tout le temps du même côté. Et sur les entailles qui ont dérapé on peut remarquer que les stries sont fines, marquant le sens de la… coupe. Comme j'ai trouvé deux gros hématomes sur les omoplates, votre hypothèse se confirme : l'assaillant était derrière lorsqu'il a planté sa lame dans la gorge. Rosdale a dû tomber et l'agresseur a continué une fois au sol, en s'appuyant, peut-être des genoux, sur les omoplates du pauvre diable. Toutes les marques présentent un dos de lame allant de gauche à droite… S'il était bien derrière, en toute logique ça fait de lui un droitier.

— Pour une infirmière vous êtes fichtrement compétente en la matière.

— C'est que… je suis très attentive, ça m'intéresse.

— Au point d'aller examiner un cadavre toute seule ?

Craignant d'en avoir trop fait, elle leva les mains en signe d'excuse :

— Si je suis allée trop loin à vos yeux…

Frewin la coupa :

— Bon travail, mademoiselle Dawson.

La jeune femme redressa le buste, un sourire dans le regard.

— Ann, appelez-moi Ann.

— Merci pour ces précisions.

Un silence embarrassé suivit. Ann le rompit :

— Je voulais aussi vous dire que j'ai été un peu… fébrile cette nuit, face au corps. Ça ne se reproduira plus, je vous le promets.

— Qu'entendez-vous par « ça ne se reproduira plus » ?

Elle répondit précipitamment :

— Oui, pour la suite. Vous et moi savons très bien que les médecins ne se déplacent pas pour les enquêtes de la PM, et une assistance médicale peut vous être utile, j'ai des connaissances suffisantes pour répondre aux questions urgentes. Mes collègues parlent souvent de vous. Si vous faites appel à quelqu'un pour aller sur les scènes de crime, je voudrais que ce soit moi. Je me rendrai disponible. À toute heure du jour et de la nuit.

Frewin la contempla sans broncher. Il admirait la détermination qui enflammait ce visage doux et passionné.

— Je suis navré de vous décevoir, fit-il avec un maximum de gentillesse dans la voix, mais je n'ai pas besoin d'une infirmière en permanence…

— Pour cette affaire, je pense que si. Je vous donnerai un point de vue différent.

— Vous l'avez déjà fait. Maintenant, si vous voulez bien m'excuser…

— L'affaire est loin d'être bouclée, lieutenant ! Il y aura un autre meurtre, bientôt, je le sais !

Frewin se raidit.

— Pourquoi ça ? questionna-t-il.

Ann déglutit avant de formuler ses conclusions à voix haute pour la première fois :

— Rosdale n'a pas été tué, il a été massacré. Et exposé. On l'a exhibé. Un homme ne fait pas ça normalement. Tuer est un acte honteux pour tous. Même en temps de guerre. Alors massacrer… mutiler et… *déguiser* son cadavre sont autant de preuves qu'il s'agit d'un esprit en déroute.

Frewin hochait lentement la tête.

— Il pourrait s'agir d'une vengeance. Terrible, oui, mais juste une vengeance, qui ne ferait pas craindre un autre meurtre…

Au ton, Ann comprit qu'il n'y croyait pas lui-même, il la testait.

— Trop de préparation. Et surtout : il a eu beaucoup de sang-froid : il a dû tellement imaginer son crime, qu'il ne paniquait plus au moment d'agir. Il a même pensé à effacer ses empreintes de pas.

— Comment savez-vous ça, vous n'étiez plus là lorsque nous avons…

— J'ai demandé au soldat Forrell, le coupa-t-elle. Ne lui en veuillez pas, une femme, sur une base militaire, n'a pas grand mal à se faire confier des informations. Quoi qu'il en soit, le tueur a eu un sang-froid incroyable, et pas beaucoup de temps pour se ressaisir, c'est donc qu'il est resté serein juste après le meurtre. Je ne crois pas qu'un homme vindicatif l'aurait pu après une telle barbarie.

Frewin croisa les bras sur sa poitrine.

Ils se toisèrent en silence.

Ann baissa les yeux tout à coup. L'excitation retombant, elle réalisait combien son culot pouvait être mal interprété.

— D'accord, concéda enfin Frewin. Si j'ai besoin de quelqu'un c'est vous que j'appellerai. Entendons-nous bien, ce n'est pas une promesse.

Les traits de l'infirmière embellirent encore tandis qu'elle souriait à pleines dents.

— Vous ne le regretterez pas !

Elle jeta un rapide regard à la tente, austère et parfaitement rangée, et fit demi-tour. Avant qu'elle ne sorte, Frewin l'interpella :

— Ann !

Il chercha ses mots un instant.

— Comment... Comment une femme comme vous peut-elle cerner à ce point le comportement d'un... meurtrier ?

Sans se départir de son sourire, elle rétorqua :

— J'ai mes petits secrets.

— Eh bien, soyez prête. J'ai peur que vous n'ayez raison : si on ne l'arrête pas très vite, il recommencera.

5

— Un futur récidiviste ? tonna le major général Toddwarth. Il ne manquerait plus que cela ! Enfin, c'est l'armée ici !

Toddwarth tourna le dos à Frewin et s'approcha de la fenêtre pour observer les bâtiments et les tentes. Au loin les cheminées, les passcrelles de commandement des navires de guerre se balançaient sur le gris de la mer.

— Regarde ! ordonna-t-il. Ces hommes crèvent d'inquiétude à la seule idée de notre départ. Et tu veux parler d'un meurtrier qui serait prêt à recommencer… ? Qu'est-ce qui te prend ? C'est le mythe de Jack l'Éventreur que tu poursuis ?

— Je dois être affecté au *Seagull*, insista Frewin. Si le signal du départ est lancé avant que je trouve le coupable, je veux être à bord. C'est là qu'il est. J'en suis sûr.

— Si tu en es si sûr, arrête-le !

— Je me base sur une logique de déduction. Et celle-ci m'amène à croire que le tueur est un homme du bord. Il connaissait le rythme des patrouilles, c'est pour ça qu'il a eu le temps de tout mettre en scène, sans commettre d'impair, sans précipitation. C'est un homme du bord, j'en suis certain, ou un soldat embarqué.

Le major général lissa sa moustache et à nouveau fit face à Frewin.

— Je vais voir ce que je peux faire. Mais, par le diable, cesse de parler de crimes qui n'existent pas ! Tu es dans la Police Militaire, pas dans la voyance !

— Il ne s'agit pas de devinettes, Colin, mais de déductions ! Un homme qui en tue un autre marque la scène de crime de son caractère, aussi sûrement qu'une empreinte digitale marque l'arme. Il suffit de savoir lire les lieux. Et ce que j'ai vu, la nuit dernière, me fait dire que cet homme est un tueur fier de son acte. Et qui ne pense qu'à recommencer !

— Tout ça c'est du vent, de l'abstrait ! Tu as un crime à élucider, alors vas-y, et avec des preuves concrètes, bon sang, pas imaginaires !

Craig Frewin retrouva la Ruche bourdonnante en fin de matinée. Matters avait déjà couvert un tableau de notes en colligeant les différents rapports, et continuait sur le second.

Tous les gardes avaient été interrogés, et tous avaient confirmé, catégoriques : rien à signaler. Cependant, ils avouaient qu'il était possible de monter à bord en douce. Les patrouilles étaient censées mettre au pas les soldats resquilleurs, les fêtards, pas empêcher une intrusion.

Clauwitz avait fouillé les affaires de la victime (la compagnie faisait partie des privilégiés logés dans des bâtiments près des quais). Rosdale ne cachait rien de particulier, sinon plusieurs paquets de cigarettes que ses camarades identifièrent comme les trophées d'une victoire au poker. On ne lui connaissait aucun ennemi, du moins on ne l'avait vu se quereller avec personne. Le soir de sa disparition, il était allé se coucher assez tôt, personne ne l'avait revu ensuite. Sa couchette était intacte, il n'y avait pas dormi. Sortir sans se faire remarquer, au dire des soldats, relevait d'un jeu d'enfant, les fenêtres n'avaient pas de barreaux. Tous s'accordaient à dépeindre un garçon agréable, un joyeux plaisantin. Très sociable, il connaissait beaucoup de monde sur la base, écumant les tables de jeu où il excellait au poker. Deux camarades ajoutèrent qu'il se faisait volontiers coureur de jupons lors de ses permissions. Et le soldat qui dormait au-dessus de lui dans la tente soupçonnait Rosdale de fricoter avec une secrétaire de l'état-major, une certaine Lisa Hiburgh, ce que confirma l'enquête. Clauwitz rendit visite à la jeune femme. Elle n'était pas au courant du meurtre et s'effondra en l'apprenant. C'était bien la maîtresse de Rosdale. Quand ses larmes devinrent torrent et avant qu'elle ne fasse une crise de nerfs, Clauwitz appela des infirmières pour l'évacuer.

En recopiant les grandes lignes de ce rapport sur le tableau noir, Matters inscrivit en capitales : « ROSDALE = SOCIABLE, ENJOUÉ ; PAS D'ENNEMI. » Puis il ajouta : « S'EST-ON SERVI DE LISA HIBURGH POUR TENDRE LE PIÈGE À ROSDALE ? »

En lisant la question, Frewin apprécia d'un geste subtil du menton. Matters ne cessait de le surprendre, il apprenait vite.

Un autre soldat de la PM, Eliot Monroe, entra à son tour, l'air bourru, son carnet de notes à la main.

— J'ai interrogé le responsable de l'approvisionnement de la base, lança-t-il en tendant ses notes à Matters. Ils ont des animaux dans des enclos, à l'ouest, derrière les entrepôts. Poules, cochons… j'aurais jamais cru ça ! Mais pas de bélier. La tête ne venait pas de là. Et sur le site militaire il ne pouvait se la procurer nulle part ailleurs.

Frewin prit une craie à son tour et inscrivit sur un tableau vierge : « Tueur en autorisation de sortie le jour/la veille du crime. »

— Je croyais qu'aucune permission n'était accordée ? s'étonna Matters.

Frewin se fendit d'une grimace :

— Pour éviter que le stress de l'attente ne fasse craquer les hommes, on distribue des autorisations de sortie pour tout et rien : aller en ville chercher des provisions, le courrier ou tout autre prétexte. Deux cents hommes sont ainsi à l'extérieur chaque jour, avec pour obligation d'être de retour avant seize heures. Tout départ imminent aurait lieu de nuit.

— Il est peut-être sorti avant, fit remarquer Monroe.

Frewin secoua la tête.

— Non, la tête de bélier était fraîche. Croyez-moi, je l'ai vue d'assez près. (Se tournant vers Matters, il ajouta :) D'après l'officier de bord, trois compagnies vivent sur le *Seagull*, plus les hommes d'équipage. Soit environ mille cinq cents âmes. Je veux la liste de tous ceux qui ont été autorisés à quitter la base dans les quarante-huit heures précédant le meurtre, et parmi eux, je veux tous les droitiers.

— Je m'en occupe, annonça Monroe sans perdre une seconde.

Frewin croisa les bras sur son torse puissant. Ils avançaient vite. Pourtant, ce n'était pas suffisant. Il sentait l'imminence du départ, bientôt, il n'aurait plus à sa disposition son équipe bien rodée. De combien de jours, d'heures, s'il fallait en croire les sous-entendus de Toddwarth, disposait-il ? Et puis une pensée le tourmentait : il était tenté d'envoyer Clauwitz ou Forrell enquêter sur cette infirmière. Pourquoi cet intérêt pour le meurtre ? Comment en était-elle arrivée à si bien cerner la personnalité du tueur ? Mais il hésitait, ils n'avaient pas le temps... Il devrait faire avec, pour l'instant. Elle était perspicace et pourrait lui être utile.

Matters le sortit de ses pensées :

— Et pour les initiales O.T. je fais quoi ? Un listing de tous les noms à bord du navire ?

Frewin acquiesça mollement, pas très optimiste en vertu du peu de temps dont ils disposaient.

— On va commencer par là... Et tenez-moi au courant s'il y a une urgence, je serai dans le bâtiment médical.

Sur quoi il s'envola littéralement. Il traversa le damier de tentes jusqu'à l'esplanade sur laquelle flottaient des drapeaux. Le hall de l'hôpital sentait le détergent. Frewin se faufila vers un escalier et parvint devant un comptoir verni. Une femme aux cheveux grisonnants leva le nez :

— Oui ?

— Vous disposez des dossiers médicaux de tous les soldats, n'est-ce pas.

C'était une affirmation plus qu'une question.

— Ceux de cette base. Ensuite chaque compagnie est rattachée à une base qui gère ses hommes.

Frewin fit la grimace. Ses doigts tapotèrent nerveusement le bois du comptoir.

— Si je vous donne le nom d'une compagnie, vous pouvez m'obtenir les dossiers ?

La secrétaire observa son brassard PM avant de répondre :

— Dossier militaire oui, pour le dossier médical c'est seulement avec l'autorisation d'un médecin, je suis navrée.

— Je cherche d'éventuelles notes sur le comportement, une évaluation psychiatrique par exemple. Elle serait archivée dans le dossier militaire ou dans le volet médical ?

Elle ouvrit de grands yeux marron :

— J'imagine que ça dépend…

Il se massa le front un instant puis secoua la tête. Il perdait son temps. Il remercia la secrétaire et rebroussa chemin en maugréant. Frewin était convaincu que l'individu qu'il traquait était un soldat atypique. Pour tendre un piège, tuer et décapiter froidement un solide gaillard, et avoir la perversité d'échanger la tête avec celle d'un animal, il fallait posséder un esprit particulier. Un champ de conscience fragile, un potentiel de cruauté machiavélique soutenu par un intellect construit, réfléchi. Un soldat pareil ne pouvait passer inaperçu au sein d'un groupe. Peut-être avait-il déjà éveillé la méfiance de ses supérieurs. La piste médicale n'aboutirait pas, il se perdrait dans les méandres de la hiérarchie. Il lui fallait resserrer l'étau et interroger les officiers. Directement.

Frewin avala une gamelle de haricots au jambon sur un banc des réfectoires en plein air et croisa Forrell qui le cherchait depuis quelques minutes.

— Les trois compagnies à bord du *Seagull* vont être débarquées cet après-midi, expliqua-t-il. Les officiers vont procéder à un appel général, trier les permissions récentes puis les droitiers, comme vous l'avez demandé. Le colonel a estimé que ce serait un exercice bénéfique pour ses hommes qui croupissent dans la coque. Pour l'équipage, ils procéderont de la même manière sur le pont du navire, par petits groupes. En attendant, ils dressent les listes des troupes, on aura tous les noms et prénoms.

— Parfait, allons-y, lança Frewin en abandonnant son repas et en croquant le quignon de pain pour tout dessert.

La rumeur commençait à se propager. On parlait d'un mort. Un meurtre à bord du *Seagull*. Frewin sentait sur lui des regards insistants. On savait pourquoi la PM s'agitait et ça ne plaisait pas. La mort devait venir du camp ennemi, pas de l'intérieur.

Tout l'après-midi, Frewin assista au défilé des trois compagnies, l'une après l'autre, deux cents soldats chaque fois. Un capitaine faisait l'appel, longuement. Puis on demandait à tous les hommes ayant reçu un droit de sortie dans les quarante-huit heures de s'écarter. On expliqua à Frewin que ces autorisations pouvaient être accordées par roulement, compagnie après compagnie, section après section. Au final, seulement deux sections – les 3e et 4e – de la compagnie Raven étaient concernées, soit environ soixante-dix hommes. On demanda aux gauchers de faire un pas en avant : moins de vingt personnes au total.

Matters, qui assistait à ce déploiement avec une certaine jubilation, avait demandé à son lieutenant s'il ne craignait pas la fraude ; le coupable pouvait s'inquiéter et se faire passer pour un gaucher… Frewin lui répondit d'un sourire énigmatique et lui désigna les quais.

— C'est pour ça qu'on appelle les gauchers d'abord, dit-il, on fait croire qu'on s'intéresse à eux. Et puis vous sous-estimez la vie de groupe, Matters. Les hommes entre eux se connaissent. S'ils voient l'un d'eux, qu'ils savent droitier, se faire passer pour un gaucher, ça reviendra tôt ou tard à nos oreilles. Soyez-en certain. Et ils le savent. Je ne pense pas que le… tueur, s'il est bien là, prendra le risque d'être repéré de cette manière. Il a apporté trop de soin à son crime pour ça.

À la surprise générale, le capitaine ordonna aux gauchers de remonter à bord, laissant une petite cinquantaine d'hommes face à lui. Il se tourna vers Frewin :

— C'est fait ! Parmi les trois compagnies voici les droitiers qui étaient de sortie lors des dernières quarante-huit heures. Nous allons prendre leurs noms et vous pourrez les interroger.

L'opération fut répétée avec les hommes d'équipage, bien qu'elle fût cette fois moins intéressante : aucun membre du *Seagull* n'avait quitté la base au cours des deux derniers jours. La piste s'orientait à présent vers la seule compagnie Raven et sa cinquantaine de soldats droitiers ayant obtenu un droit de sortie. Frewin devait étudier chacun d'eux. Le temps lui était compté.

À dix-huit heures, il était assis à son bureau dans la Ruche, occupé à rassembler les listes éparpillées devant lui, lorsque le major général Toddwarth entra brusquement. Il fonça droit sur lui et, sans préambule, jeta d'une voix grave :

— C'est pour cette nuit, Craig. Nous appareillons cette nuit.

Un silence glacial tomba sur la tente, frémissante d'activité un instant plus tôt.

— Et j'ai ce que tu voulais, ajouta-t-il. Tu embarques sur le *Seagull*.

Deux heures plus tard, Kevin Matters tirait sur la sangle de son sac à dos. Toutes ses affaires étaient empaquetées. Il venait juste de recevoir son ordre de départ. Il avait rendez-vous à vingt-deux heures devant la passerelle avant du *Seagull*. Le lieutenant Frewin avait réussi. Ils resteraient ensemble.

L'enquête était prise au sérieux.

Kevin s'assit délicatement sur le lit de camp. Ils partaient. L'heure avait enfin sonné. Une sensation curieuse l'habitait. De la peur ? De l'excitation ? Il savait qu'il ne monterait pas en première ligne. Son rôle n'était pas de faire usage de la poudre mais de surveiller les hommes. D'une certaine manière, tous ces soldats seraient bientôt des tueurs… et lui le berger des tueurs.

Kevin Matters frissonna à cette idée. Il sentait poindre un début d'érection. C'était cette sensation-là qu'il n'arrivait pas à expliquer ! Cette excitation non pas nerveuse, mais sexuelle.

Il enfonça ses ongles dans ses paumes. Ne pas penser à ça. Fuir ces pensées malsaines qui le submergeaient de flashes violents… Des corps qui se percutent. De la peau nue, des cris… Non !

Matters bondit sur ses pieds et saisit un récipient d'eau fraîche. Il s'arrosa le visage abondamment.

Nettoyer les images, laver l'esprit, inonder jusqu'à la dernière idée pour la noyer, la diluer jusqu'à l'oubli.

Il inspira profondément et ferma les yeux. Des gouttes roulèrent sur ses joues. Son cœur battait fort.

Son sexe se dressait toujours, impérieux.

Matters serra les dents. Il ne parvenait pas à refréner ses ardeurs. Le bourdonnement de l'excitation montait jusqu'à ses tempes à présent. Il savait ce que ça voulait dire. Sa raison allait peu à peu céder du terrain à ses pulsions.

Avec les mois, les désirs s'étaient transformés en flashes. Depuis qu'il vivait en base tout s'était accentué. Ce qu'il avait pris au début pour un besoin ignoble, il l'avait assouvi, en se disant que ça ne se reproduirait plus. Pourtant ça s'était transformé en spirale.

Et il se faisait engloutir.

Mais ce soir, pas question. Trop de monde. Il devait s'en empêcher, par tous les moyens.

Matters serra les dents.

Il fallait agir vite. Avant qu'il ne soit trop tard.

Matters alla jusqu'au pan de tissu servant de porte, et le noua pour qu'on ne puisse pas entrer. Il allait s'empêcher de recommencer.

Il défit sa ceinture.

Lorsque son sexe fut à l'air libre, une intense sensation de liberté envahit Matters. Son membre palpitait dans l'ombre.

Il s'en saisit et serra. Très fort, jusqu'à s'en faire blanchir les doigts. Et commença alors à se masturber sans relâcher la violente pression.

Malgré l'étau de chair il ne tarda pas à jouir en longues traînées filantes qui se répandirent sur la table pliante. Haletant, l'écume aux lèvres, il rouvrit les yeux.

Sa vision était meilleure. Il discernait les détails avec plus d'acuité malgré l'obscurité ambiante.

Il respirait fort. Une sensation de puissance gonflait son torse. Mais son sexe en exigeait encore. L'excitation n'était pas retombée.

Dans quelques minutes ces flashes obsédants le traverseraient à nouveau et il ne pourrait plus penser à rien d'autre.

Secouant la tête, haletant, Matters reprit son mouvement. Il se masturba à nouveau. Avec rage.

Oui, il était différent. Ça il le savait bien.

Mais combien de temps encore parviendrait-il à le dissimuler ?

6

Craig Frewin bouscula deux sous-officiers qui se précipitaient vers leur section. Il remontait à contre-courant dans ce flot humain qui coulait vers les quais pour embarquer. Il parvint à l'entrée sud de l'hôpital et manqua de renverser deux infirmières qui sortaient, un ballot blanc sur l'épaule.

Même l'accueil était fébrile depuis l'annonce du départ. Le hall tout entier résonnait sous l'écho des pas précipités. Frewin s'adressa à la fille de permanence :

— Pouvez-vous prendre un message pour Ann Dawson ?

— Elle doit être à l'étage, vous voulez…

— Non, pas le temps. (Il lui tendit une petite enveloppe au nom de l'infirmière.) C'est très important.

Et il fit demi-tour.

Dans sa lettre il lui demandait de se tenir prête, dès lors qu'il disposerait d'une liste de suspects avérés, il lui ferait parvenir les noms et comptait sur elle pour se procurer sans attendre les dossiers militaires et si possible médicaux.

Il terminait par une phrase de remerciement mal rédigée qui pouvait être interprétée comme le regret de ne pas travailler à ses côtés plus longuement. En réalité, Frewin était déçu de ne pas avoir plus de temps pour la comprendre et cerner ses vraies motivations.

Dehors, il retrouva le port et sa foule d'uniformes. Plusieurs milliers d'hommes regroupés par sections et compagnies piétinaient devant les navires qui devaient les transporter. Une odeur de sueur, aux relents d'essence et de mazout, se mêlait aux fragrances de la mer qui frappait les coques avec régularité. Les abords du *Seagull* n'étaient pas plus calmes, bien que les hommes fussent déjà à bord depuis quelques jours. L'état-major avait décidé d'ajouter deux compagnies au dernier moment.

Frewin fut frappé par le silence des hommes.

La plupart ne se regardaient même pas, les yeux dans le vague, posés sur le sac du voisin. Bien trop préoccupés pour échanger ne serait-ce qu'un mot. Ils fixaient l'instant, la gorge serrée ou le cœur battant, en suivant la cadence frénétique des embarquements. Ils savouraient le soir, sachant qu'au matin, lorsqu'ils retrouveraient l'air libre, celui-ci serait saturé de poudre et du crépitement des armes, les âmes quittant les corps en si grand nombre qu'elles en tresseraient des chaînes vibrantes sur l'horizon, altérant le ciel et leur mémoire pour toujours... s'ils survivaient.

Frewin grimpa sur le pont du *Seagull* où il se fit indiquer le minuscule réduit qui allait lui servir de cabine avec Matters, le temps de la traversée. Ce dernier n'était pas encore là, bien que ses affaires fussent entassées au pied du hamac.

La tension était palpable, des milliers d'hommes s'affairaient, produisant une excitation si dense qu'elle saturait l'air, nouant les tripes et plombant les estomacs. Frewin avait l'impression que la moindre étincelle sur ces murs de fer provoquerait un embrasement général. Il voulut remonter sur le pont, traversa couloirs et coursives, et parvint à un escalier où l'on déchargeait les dernières caisses. Lorsqu'il réussit à refaire surface, les deux tiers du pont étaient occupés par des grappes de soldats. Frewin se cala contre le bastingage d'où il surplombait les quais encore fourmillant d'uniformes. Les lampes n'éclairaient plus assez pour qu'il puisse repérer les visages. De plus, il ne pouvait scruter que la foule embarquant par la passerelle avant, l'arrière étant trop éloigné et plongé dans une myriade de halos noir et ambre.

Un sous-officier de bord vint vers lui, et le salua.

— Mon lieutenant, il va falloir descendre, la traversée s'effectuera à l'abri.

— C'est ce qu'on m'a dit, murmura Frewin. (Il se racla la gorge et se redressa :) Mais je suis de la PM et en enquête, je dois rester ici pour l'instant.

Le sous-officier, déconcerté par le brassard et ne sachant quelle attitude adopter, préféra acquiescer et reculer.

— Très bien…

Après un rapide coup d'œil vers Frewin, il retourna s'assurer que tous les nouveaux arrivants prenaient bien le chemin des niveaux inférieurs.

Frewin resta vainement à guetter Matters parmi cette foule de visages inconnus. Jusqu'à ce qu'un groupe d'hommes portant des brassards blancs à croix rouge arrivent, accompagnés d'infirmières, et qu'ils se présentent en bas de la passerelle. Le médecin-chef tendit un papier au responsable des affectations et toute la cohorte se mit à grimper. Frewin reconnut alors Ann Dawson qui ouvrait de grands yeux sur tout ce qui l'entourait. En quelques enjambées, il réussit à la rejoindre tandis qu'elle posait le pied sur le pont. Un sous-officier du bord relut les papiers du médecin-chef et vérifia sur sa liste.

— Que faites-vous ici ? interpella Frewin.

Ann le dévisagea un court instant avant de lui sourire.

— Je me suis fait muter sur le *Seagull*, dit-elle, presque enjouée, je serai affectée à l'une des trois compagnies du bord, je ne sais pas encore laquelle.

Frewin la fixa intensément.

— J'ignorais que vous deviez partir avec les soldats, dit-il après un court silence.

Le regard de la jeune femme se fit plus aigu. Ses boucles blondes jouaient dans le vent malgré les barrettes et le képi blanc.

— Si je peux me permettre, il y a beaucoup de choses que vous ignorez de moi, lieutenant. Je vous l'ai dit : je veux vous aider dans cette enquête.

— Qu'est-ce que…

Le sous-officier l'interrompit :

— Mademoiselle, vous ne pouvez pas rester là, il faut descendre, dépêchez-vous, allez ! Suivez vos camarades.

Il joignit le geste à la parole en la poussant sans ménagement vers la porte où s'engouffraient les autres membres de l'unité médicale.

Ann fixa Frewin et ses lèvres esquissèrent un sourire énigmatique.

En moins d'une heure, tous les hommes furent installés à bord. Les dernières caisses chargées, le *Seagull* se prépara à appareiller.

Frewin n'avait pas aperçu Matters, sans s'en inquiéter toutefois, songeant que son second avait dû rejoindre leur cabine.

Comme le *Seagull* levait l'ancre, le ciel s'éclaircit soudain. L'eau autour du navire se mit à bouillonner, la coque frémit. La fumée jaillit des cheminées comme l'encre d'une étrange pieuvre d'acier et le quai commença lentement à s'éloigner. La sirène assourdissante fit vibrer l'air, semblable au long cri d'un monstre marin. D'autres lui répondirent, l'une après l'autre.

Un soldat prit position sur la passerelle de commandement et souffla dans sa cornemuse. Les écoutilles étaient restées ouvertes pour brasser l'air frais, et la mélodie mélancolique parvint aux centaines d'oreilles attentives.

Frewin contemplait le ballet des dragueurs de mines, des destroyers, des croiseurs et des frégates qui s'animaient dans la nuit du port militaire, saturés d'hommes et de munitions, la ligne de flottaison au plus bas.

L'armada mit une demi-heure à sortir de la rade, puis les moteurs s'emballèrent et le vent prit son élan pour hurler dans les couloirs. La musique se tut. On verrouilla les écoutilles et le vrai voyage commença.

L'aube serait blanche comme le cœur des explosions, puis écarlate.

Frewin lâcha le bastingage lorsque les lueurs de la côte ne furent plus que des points incertains dans le lointain.

Il songeait que parmi ces hommes qui allaient devoir tuer pour survivre se cachait un tueur, un vrai, qui torturait pour le plaisir.

Comment s'y prendre pour le démasquer ? D'ici quelques heures, le navire se viderait pour envoyer ses troupes en sections éparses vers des plages de cauchemar. Les hommes seraient éparpillés en autant de pistes à suivre sous les balles ennemies. Comment procéder ?

Finalement, s'il voulait retrouver sa piste au milieu de toute cette confusion, il devrait attendre que le tueur resserre l'étau lui-même.

Attendre le prochain meurtre.

Frewin serra les poings d'impuissance

7

Lancinant balancement.

Ténèbres reposantes. Moiteur réconfortante. Frewin s'est endormi. Heures de grâce.

Respiration lente, profonde.

Cœur au repos.

Pas d'émotions conscientes, rien que l'oubli réparateur du sommeil. Puits salvateur.

Le hurlement féroce surgit du néant.

Le cœur de Frewin s'emballe d'un coup, si violemment qu'une douleur éclate dans sa poitrine.

Un soleil rouge palpite au-dessus de lui.

La conscience rassemble à toute vitesse ses repères.

Les parois d'acier... Un navire. Le *Seagull*.

La sirène rugit à nouveau, transperçant les tympans. Les ampoules rouges sont allumées.

Une torpille ennemie ? Un bombardement imminent ?

Le lieutenant bondit de son hamac et découvrit Matters dans le sien, le visage mangé par la peur. Au moins un point positif, son jeune sergent était de retour.

L'officier de la PM chaussa ses rangers qu'il ferma à moitié et fit signe à son second de ne pas bouger.

La sirène braillait sa stridence à intervalles réguliers.

Personne en vue dans la coursive.

Frewin demeura ainsi, immobile… Attendre. Rester en place, ne pas gêner l'équipage. Il se concentrait pour deviner les mouvements du bâtiment de guerre, pour déceler un changement de cap, sans succès. Tout juste percevait-il un tangage à peine marqué. Il se boucha les oreilles des deux mains. Pourquoi ne coupait-on pas cette fichue sirène ?

Un matelot apparut, aussitôt hélé d'un geste vif.

— Que se passe-t-il ? hurla Frewin.

Le matelot secoua vivement la tête et disparut.

Enfin la sirène se tut, délivrant les tympans meurtris. Seule persista la lumière rouge.

Pendant un court moment, Frewin ne perçut que le bourdonnement feutré des machines. Puis des murmures s'élevèrent un peu partout. L'inquiétude se faufila à bord comme un courant d'air brûlant. Frewin risqua quelques pas dans la coursive.

Il entendit alors un roulement rythmé. On courait dans l'escalier. Plusieurs personnes. Quatre sous-officiers apparurent et éclatèrent en deux groupes au niveau de Frewin pour consigner les soldats dans leurs quartiers.

Les haut-parleurs se mirent à cracher :

« Votre capitaine vous parle. À tous les hommes à bord : restez au poste que l'on vous a assigné et n'en bougez sous aucun prétexte. À l'équipage : restez dans vos quartiers. Nous sommes en état d'alerte. »

Les sous-officiers se ruèrent pour faire respecter les ordres, s'assurant que chaque porte était fermée.

Un sergent stoppa devant Frewin et, remarquant son grade, se fit respectueux mais pressant :

— Mon lieutenant, vous devez entrer dans votre cabine, ce sont les ordres.

Frewin recula pour signifier qu'il obéissait, tout en profitant de sa carrure pour boucher le passage :

— Savez-vous ce qui se passe ? Nous sommes attaqués ?

— Non, vous ne craignez rien… Je crois.

— Comment ça vous croyez ? insista-t-il.

Le sergent tendit le bras pour écarter l'imposant lieutenant.

— Dans votre cabine, esquiva-t-il en fuyant son regard. Fermez derrière vous ! Personne dehors ! commanda l'homme en s'éloignant.

— Vous avez une idée de ce qui se passe ? demanda Matters sans parvenir à dissimuler sa peur.

— Pas la moindre, rétorqua Frewin.

Penché en avant, il s'efforçait de découvrir ce qui se déroulait dans le couloir.

— Ils… ils ont dit qu'il fallait fermer, osa rappeler Matters.

Frewin haussa les épaules. Quand plus personne ne fut en vue, il ressortit.

— Lieutenant ! Qu'est-ce…

— Ça ne ressemble pas à une attaque. Je jette un œil, restez là.

Frewin marcha jusqu'à l'escalier. Les corridors étaient déserts, baignés de cette oppressante lumière rouge. Les sous-officiers n'étaient pas venus d'en haut où se trouvait le poste de commandement mais d'en bas. Frewin décida de s'enfoncer vers la quille. Il agrippa fermement la main courante pour le cas où le navire subirait un impact et rejoignit l'étage inférieur. Son instinct lui disait qu'il n'y aurait ni explosion ni coup de canon, le sergent qu'il avait croisé ne réagissait pas comme s'il connaissait ce genre de situation, ce que son grade induisait pourtant, non, il semblait… effrayé. Frewin hocha la tête, c'était ça : il avait peur. Il ne contrôlait pas la situation. Et le message du capitaine aurait dû envoyer tout le monde aux postes de combat. Au lieu de cela, il consignait ses hommes. Il y avait un problème.

Il parvint à un chemin en T ouvrant le bateau de la proue à la poupe. Une succession de sas ouverts dessinait une perspective étourdissante dans la lumière pourpre. Personne. Craig Frewin soupira. Que faisait-il là à déambuler comme s'il s'agissait de sa vie ? Il pourchassait le spectre de ses propres angoisses, voilà ce qu'il faisait !

Il allait rebrousser chemin lorsqu'une série de tranches lumineuses balaya le plafond depuis un autre escalier. Des hommes équipés de lampes-torches couraient sur le pont inférieur. Frewin s'empressa de gagner l'escalier et s'accroupit dessous.

La coursive était arrosée de taches blanches qui dansaient chaotiquement sur les murs. Frewin distingua trois, puis quatre silhouettes d'hommes en armes filant à vive allure. Après qu'ils eurent pris une bonne avance, Frewin descendit dans leurs traces. Vingt mètres de métal, d'ampoules à l'éclat sanglant, de contremarches à enjamber, de tuyaux rampant au plafond. Puis un angle droit d'où provenaient les voix et les lueurs blanches.

Sans chercher à se cacher, Frewin s'engagea dans le couloir perpendiculaire. Plusieurs officiers du bord se tenaient près d'une porte, la mine défaite. Frewin eut à peine le temps d'apercevoir l'un des soldats armés de fusils-mitrailleurs s'engouffrer dans la pièce qu'un officier le remarqua.

— Vous n'avez rien à faire là ! s'écria-t-il.

Frewin anticipa la suite en désignant son brassard de la PM :

— Police Militaire, que se passe-t-il ?

L'officier, circonspect, baissa le ton pour demander :

— C'est le capitaine qui vous envoie ?

— Le major général Toddwarth.

Les yeux de l'officier s'agrandirent à l'évocation d'un tel grade, bien qu'il s'agisse de l'armée de terre. Et Frewin y lut une certaine confusion. En temps normal la question ne se serait pas posée, ils étaient sur un bâtiment de la marine. Mais la présence des troupes en mission singulière pouvait modifier la donne. L'officier observa une dernière fois le brassard de la PM et estima que la situation nécessitait qu'on accélère :

— On est en train de sécuriser la zone, expliqua-t-il.

Frewin se rapprocha, deux autres officiers étaient en retrait, l'un d'eux tenait un combiné relié au mur.

— Que se passe-t-il ? s'enquit l'enquêteur.

— C'est… un homme là-dedans. Il est… Il est mort. Et, euh… (Le malaise le faisait bafouiller.) C'est pas croyable, je veux dire : ce qu'on lui a fait.

Le sang quitta brutalement le visage de Frewin qui devint, dans cette atmosphère rougeoyante, celui d'un fantôme.

L'officier ajouta sur le même ton :

— Mais on va choper l'ordure qui a fait ça. Fort probable qu'il soit encore quelque part, derrière cette porte !

8

Trois autres soldats lourdement armés apparurent dans le couloir et entrèrent dans la pièce.

Frewin enchaîna :

— Qui a découvert le corps ? Et quand ?

— C'est un… passager, il dit qu'il est passé devant en cherchant à retrouver sa section après s'être rendu aux toilettes. Il a paniqué et tiré l'alarme. C'était il y a moins de vingt minutes.

Frewin guettait la porte entrouverte. Des flashes de lampes-torches en jaillissaient régulièrement.

— Qu'est-ce qui vous fait dire que le meurtrier pourrait encore se trouver sur place ?

Rassuré par la présence d'un enquêteur professionnel qu'il pensait dépêché pour le drame, l'officier s'empressa de préciser :

— Il s'agit d'une salle de repos dont vous voyez ici même l'unique accès. S'il en est sorti, il n'a pu prendre que deux directions : par là (il désignait le couloir d'où était venu Frewin) il serait tombé sur des hommes d'équipage, et apparemment, d'après les premiers interrogatoires, personne n'est passé. Et de l'autre côté, (cette fois la continuité de la coursive) ça mène tout droit vers une succession de salles qui servent de dortoirs. Il serait difficile d'entrer ou de sortir sans se faire remarquer. Au bout il y a une partie très surveillée : les armureries. Impossible d'échapper aux sentinelles.

Frewin se tut. Comment pouvait-on recueillir des avis fiables en un quart d'heure ?

— Vous avez identifié la victime ?

L'officier fit non de la tête. Frewin s'approcha de l'ouverture.

— Vous devriez attendre…, avertit l'officier.

— Je prends le risque.

Frewin se glissa de l'autre côté et fut immédiatement arrêté par un soldat qui braqua sur lui sa lampe-torche.

— Lieutenant Frewin de la Police Militaire, se présenta-t-il en grimaçant.

L'aveuglante clarté s'abaissa aussitôt, accompagnée d'une voix chuchotée :

— L'endroit n'est pas encore sûr, monsieur.

— Je reste à l'entrée, trancha Frewin en constatant que la pièce était plongée dans l'obscurité. C'est vous qui avez tout éteint ?

— Non, c'était comme ça.

Le soldat éclaira alors le sol et des fragments de verre se mirent à scintiller. Ampoule cassée.

Frewin se sentit frémir.

Pas déjà. Pas si vite.

— Le corps ? fit-il entre deux inspirations.

Le faisceau monta et ouvrit une paupière blafarde sur les ténèbres. Des banquettes en mousse se faisaient face, séparées par des tables en bois laqué. Une ouverture donnait sur d'autres pièces, des petits salons vers lesquels avançaient avec précaution plusieurs hommes armés et équipés de lampes.

Le halo de lumière revint au niveau de Frewin et glissa jusqu'à la table la plus éloignée.

Un être amorphe la recouvrait. Seule la main dépassant de l'amas sombre en révélait l'origine humaine. L'avant-bras jaillissait vers le plafond et la main pendait mollement, les doigts repliés sous la paume, comme une araignée mourante ramène ses pattes sous son corps. Frewin vint se poster tout près. À chaque pas, il découvrait un peu plus l'atrocité.

Une ranger s'extirpait de cette masse. La victime avait été allongée dos contre la table, les membres ballants. Jusqu'à ce qu'on l'enserre de ruban adhésif. D'un modèle large et noir. Des dizaines de mètres pour ficeler le corps au meuble, pour l'arrimer, pour le fondre dedans. Il y avait tant d'emmaillotage, tant d'épaisseur que la forme de l'homme avait disparu. Six rouleaux vides étaient abandonnés par terre.

Le bout d'une chaussure, une main et la bouche, voilà tout ce qui restait visible sous cette carapace collante.

Une bouche disloquée.

On avait tiré sur les lèvres pour y enfoncer des clous courbes, jusqu'à les coudre entre elles et sceller la cavité buccale.

Frewin se pencha. Son nez n'était plus qu'à vingt centimètres de la mutilation. Le soldat l'éclairait toujours mais depuis l'entrée. Frewin dut frotter un briquet pour y voir clair. La petite flamme repoussa les ombres.

Le sang avait coulé depuis les orifices des clous, des dizaines de sillons sombres, bouche barbelée d'un masque barbare. Frewin savait ce que signifiait l'abondante présence de sang autour d'une blessure : la victime était vivante au moment du sévice. Le sang ne circule pas après la mort. Et l'homme avait trop saigné pour que ce soit le seul effet de la gravité.

Soudain, un frisson de terreur glissa de son crâne jusqu'à ses reins et du bout des doigts il fouilla sous le ruban adhésif pour palper le cou. Avait-on pris soin de vérifier s'il était mort ? La peau était chaude. Encore vivant ou décédé depuis peu ? Frewin ne trouvait pas de pouls. Il dut se tordre le poignet pour enfoncer ses phalanges tâtonnantes. Rien. Après une longue minute de recherche, Frewin se résigna et retira sa main de la gangue crissante.

Il scruta chaque plaie, encore suintante.

Le briquet devenait chaud entre ses doigts.

C'est alors qu'il remarqua de minuscules déchirures au niveau de la joue gauche. Frewin força sur le ruban adhésif pour mieux voir. Il en compta six. À peine un demi-centimètre de chair crevée. La peau était percée… – Frewin fronça les sourcils – … et repoussée. Les blessures avaient été pratiquées depuis *l'intérieur* de la bouche ! D'autres clous ? Frewin se redressa. Avait-on contraint la victime à mâcher des objets tranchants ?

Que s'est-il vraiment passé ici…

Le briquet devint brûlant et il l'éteignit en refermant le clapet.

Un halo rouge provenait de la porte entrouverte, et les lampes-torches des soldats découpaient des tranches d'ivoire dans ce sarcophage de ténèbres. Frewin essuya son front moite d'un revers de manche.

Les hommes en armes revinrent vers l'entrée.

— Négatif, c'est vide ici, il n'y a plus personne, commenta le chef de patrouille à l'intention de son supérieur.

Frewin sortit à son tour. Un officier venait de reprendre le combiné accroché au mur et parlait, probablement au capitaine du navire. Un autre fit signe aux soldats de s'éclipser.

— Laissez un de vos hommes devant l'entrée et disposez.

Frewin leva la main.

— Si cela ne vous dérange pas, leur présence pourrait m'être utile, pour sonder la salle à la recherche d'indices. Ils ont des lampes et sont méthodiques.

L'officier approuva.

— Ils sont à vous dans ce cas.

Frewin se tourna vers le groupe :

— Je vais attribuer à chacun de vous une zone de recherche. Vous scrutez tout, du sol au plafond. Si vous apercevez quoi que ce soit, gouttelette, morceau d'étoffe, débris, vous me le signalez, ne négligez rien.

— Y a une procédure pour chercher ? s'enquit le plus grand.

— Commencez par un panorama large, puis rapprochez-vous, jusqu'à examiner des carrés de plus en plus petits. N'oubliez pas : le moindre élément apparaît et vous me faites signe. Je suis le lieutenant Frewin.

Les hommes hochèrent la tête et entrèrent dans la salle obscure après que Frewin eut attribué à chacun une zone.

— Vous m'avez dit qu'il y avait des dortoirs au bout de cette coursive ? demanda Frewin à l'officier.

— En effet.

— Qui y loge ?

— Des hommes embarqués pour l'assaut, armée de terre.

75

— Vous savez quelle compagnie ?

Un autre officier, celui qui tenait le combiné un instant plus tôt, répondit :

— Compagnie Alto et compagnie Raven.

Frewin retint un sursaut. La compagnie Raven. Celle qui contenait une cinquantaine de droitiers ayant obtenu un droit de sortie au cours des quarante-huit heures précédant le premier crime.

— Toutes les sections de la compagnie Raven sont au bout de ce couloir ? insista Frewin.

— Non, seulement la 3e section, à l'entrée des dortoirs. Les autres sont au niveau inférieur, il faut faire tout le tour pour y accéder, et on a fermé les écoutilles pour éviter qu'on ne circule.

Cette fois tout s'emboîtait. Seules les 3e et 4e sections de la compagnie Raven avaient bénéficié de ces droits de sortie. La liste des suspects se réduisait. Le meurtrier ne pouvait venir d'ailleurs, il se serait fait remarquer ou arrêter à déambuler sur le navire en pleine nuit, et il n'aurait pas pris ce risque. Il devait appartenir à la 3e section. Celle du bout de ce couloir.

Frewin ouvrait la bouche pour répondre, lorsqu'un petit homme chauve, au visage barré de rides profondes, arriva dans son uniforme impeccable : le capitaine, accompagné d'un officier. Les hommes d'équipage se mirent au garde-à-vous brièvement avant d'échanger quelques mots à voix basse. Enfin, le capitaine tourna la tête vers Craig Frewin et prit un air sévère. Il vint vers l'enquêteur qui le salua.

— Lieutenant, fit le maître des lieux en lui intimant de s'écarter un peu des autres.

— Capitaine, je suis à bord à la demande du major…

Le petit homme l'interrompit d'un geste.

— Je sais très bien tout ça, laissez tomber. Vous êtes entré là-dedans ?

— Oui, capitaine. C'est l'œuvre du même tueur. Les deux crimes sont liés.

Frewin se sentit rassuré, face à cet homme intelligent qui allait droit à l'essentiel.

— Écoutez-moi, lieutenant. Loin de moi l'idée de vous mettre des bâtons dans les roues, vous êtes de la PM, vous pouvez enquêter sur mon navire. En revanche, j'ai la charge de presque deux mille âmes à bord et je dois en livrer une bonne partie dans moins de trois heures sous les canons ennemis. J'aimerais ne pas ajouter à la tension. Vous voyez où je veux en venir ?

— Discrétion ?

— Et en dehors des officiers, aucune question aux hommes. Désolé, on n'a pas le temps. Quand tout ce beau monde sera à terre, vous ferez ce que bon vous semblera. En attendant, le champ d'action que je vous concède se limitera à la pièce où s'est produit le crime et à votre cabine.

— Capitaine, le tueur va frapper à nouveau. Très vite. Deux crimes en deux nuits et…

Le petit homme se rapprocha et, sur le ton de la confidence :

— Si on l'avait pris sur le fait, il serait déjà aux fers, soyez-en sûr. Hélas ! ce n'est pas le cas. À l'aube tous ces gars vont devoir aller flinguer les types d'en face. Inutile d'en rajouter. N'allez pas leur secouer la cervelle et les faire douter du copain qui les couvre.

Frewin perçut dans ce discours la volonté de l'état-major. On redoutait une panique interne. On craignait la paranoïa.

— C'est entendu ? insista le capitaine.

Frewin approuva en silence.

— Puis-je néanmoins avoir l'assistance du médecin de bord ? demanda-t-il.

— Je devrais vous obtenir ça. Faites-moi savoir si votre enquête aboutit, et débrouillez-vous pour ne plus être là à cinq heures du matin. Le *Seagull* sera en état d'alerte pour débarquer ses troupes, et votre place sera dans votre cabine, à attendre votre tour.

Le capitaine s'adressa ensuite à son second, puis il s'éloigna avec lui.

Frewin remarqua alors qu'un soldat armé l'attendait sur le seuil de la scène de crime. Il le fit patienter un instant, demanda qu'on fît venir le sergent Matters de toute urgence, puis se tourna enfin vers l'homme en tenue de combat.

— On a fini. RAS sauf une lampe un peu… bidouillée.

— Bidouillée ? répéta Frewin en entrant dans la pièce toujours obscure, bien qu'émaillée de franges blanches et mouvantes.

Un des gardes se tenait devant le corps, tétanisé, capturant la masse écœurante dans le faisceau de sa lampe. La main qui dépassait, les doigts recourbés, projetait une ombre menaçante sur le mur.

Frewin fit un signe au groupe qui l'attendait et s'approcha du soldat.

— Ça va ? demanda-t-il.

Le soldat hocha la tête, sans quitter des yeux cette main monstrueuse.

— Je m'interrogeais, répondit-il enfin. Qui ça peut être là-dessous ? Sûr qu'on le connaît.

— Pourquoi dites-vous ça ?

Il haussa les épaules.

— Sais pas. Je me pose la question, c'est tout. C'est… c'est le premier mort que je vois, alors… je croyais pas que ce serait…

Frewin s'étonna de cette confidence. Le soldat n'avait pas l'air si jeune et la guerre durait depuis assez longtemps pour que la plupart des combattants aient eu leur part de visions macabres. Il le gratifia d'une tape amicale sur l'épaule et revint vers les hommes qui sortaient dans le couloir.

Se penchant vers Frewin, un moustachu lui confia tout bas :

— Il débarque, vous en faites pas, lieutenant, il va vite s'habituer.

Dans la coursive, un jeune soldat tout blond était en grande discussion avec un marin :

— Non, on ne passe pas, retourne au dortoir.

— Je voulais pisser de ce côté, les pissotières chez nous sont dégueu…

Le soldat blond s'interrompit en voyant la PM sur les lieux.

— Putain, c'est grave alors ? fit-il.

Frewin lui tourna le dos. Un des hommes qui avaient fouillé la pièce lui tendit sa trouvaille : une lampe-torche militaire dont un long câble sortait par le bouton-interrupteur.

— C'est tout ce qu'on a découvert, dit-il. Il y a bien six mètres de fil. Et ça tout au bout.

Frewin prit ce qui ressemblait à une petite poire en plastique avec un commutateur au sommet. On avait bricolé cette lampe pour la faire fonctionner à distance. Frewin pressa le bouton et la lampe s'alluma dans les mains du soldat.

Son regard fut aussitôt attiré par la lueur. Une pastille de couleur bleue était glissée devant l'ampoule, chaque lampe-torche contenait son lot de pastilles colorées pour les besoins variés des missions et des signaux visuels à transmettre. Ces pastilles reposaient dans la partie inférieure du manche dévissable. Le tueur n'avait rien inventé, il s'était servi de ce qu'il avait sous la main.

Puis Frewin réalisa ce qu'il venait de faire.

Et il comprit.

Il comprit à quoi avait servi cette lampe. Un des mystères venait de s'éclaircir.

— Lieutenant ?

C'était la voix de Matters, il se trouvait dans la coursive. Frewin sortit à sa rencontre.

— Je crois que j'ai…, commença Matters.

— Il me faut les listings des noms relevés cet après-midi, le coupa Frewin. On vous les a transmis ?

— Avant le départ, oui, fit Matters en agitant devant lui une fine liasse de feuillets. Tous les hommes de la compagnie Raven, avec les droitiers en permission ces deux derniers jours soulignés en rouge.

— Matters, vous avez lu dans mes pensées.

Le sergent allait répondre mais fut devancé par le sentiment d'urgence de son supérieur qui enchaînait :

— Il me faut les noms de ceux qui font partie de la 3ᵉ section.

— 3ᵉ section ? s'étonna Matters, l'œil soudain brillant.

Pressentant un imprévu, Frewin demanda :

— Ça pose un problème ?

— Au contraire, murmura Matters. Je… je crois que je sais qui c'est. Le tueur… Je l'ai identifié.

9

Matters déroula ses listes pour s'arrêter à la 3e section.

— Quand vous êtes parti, j'ai occupé mon cerveau pour ne pas… m'angoisser, et j'ai repris le listing pour vérifier une fois encore s'il n'y avait pas dans les noms soulignés en rouge quelqu'un ayant O. T. pour initiales. Rien. Je m'étais dit : Et si Rosdale, dans la panique de ses blessures, avait tout de même eu la présence d'esprit de démasquer son agresseur ? Après tout, ces initiales étaient à peine ébauchées et cachées sous un banc, comme s'il avait voulu les dissimuler à son ass…

Frewin voulait en arriver au fait. Il accepta l'hypothèse sèchement :

— D'accord. Et ?

— Bien… Et si Rosdale n'avait pas eu le temps de finir ? Et si, au lieu d'un O. T., il avait voulu écrire Q. T. ? Or, j'ai justement un certain Quentin Trenton dans la compagnie Raven, droitier et en sortie la veille du premier meurtre. Et vous savez quoi ? Il est dans la 3e section.

Frewin prit cinq secondes pour réfléchir avant de poser une main de géant sur l'épaule du sergent et de

81

l'entraîner à l'écart. Il venait de constater que plusieurs personnes pouvaient les entendre.

— Perspicace, Matters. C'est une très bonne piste.

Le jeune sergent arbora un sourire fier.

— J'ai une bonne nouvelle aussi, continua Frewin en apercevant la silhouette de celui qui devait être le médecin de bord, et à qui on indiquait la pièce sombre. Je sais comment le tueur s'y prend pour piéger ses victimes dans le noir. Il les fait venir à lui – le moyen reste à découvrir – dans une salle aveugle dont il s'est assuré qu'elle le restera. La victime entre – referme-t-elle la porte ou est-ce le tueur qui le fait en partant à l'assaut ? – et après une ou deux secondes dans le noir, une lampe-torche s'allume dans un coin. Que fait la victime ?

Le sergent Matters se gratta une joue couverte de crevasses en grimaçant. Il n'en savait rien.

— Vous êtes dans le noir et soudain une lumière apparaît ! Vous vous tournez pour la regarder ! C'est humain. Et là, non seulement le tueur repère sa victime, mais il peut lui sauter dessus par-derrière.

— S'il allume la lampe-torche, il ne peut pas être derrière la victime…

Frewin s'éloigna pour prendre la lampe bricolée des mains du soldat qui patientait à quelques pas de là.

— Sauf s'il a installé une rallonge pour l'allumer à distance ! dit-il en relevant le long fil devant eux.

— C'est… machiavélique.

Frewin approuva vivement.

— C'est là notre homme : brillant et pervers. Montez au poste de commandement, demandez à parler soit au capitaine soit à son second pour qu'on vous donne des informations sur ce Trenton, tout ce qu'ils peuvent obtenir et en vitesse.

Matters salua son supérieur et partit d'un pas rapide, accompagné du sous-officier qui l'avait conduit jusqu'à la salle.

Le ton montait entre le marin qui gardait l'accès au couloir et le soldat blond.

Un sous-officier se précipita vers lui et lui demanda s'il avait un problème. Le blond, mâchoires serrées, tourna enfin les talons.

— C'est bon, j'y vais ! lâcha-t-il, écœuré.

Une forte tête, songea Frewin en se tournant pour accueillir le médecin.

— Lieutenant Frewin, de la PM, se présenta-t-il en lui tendant la main pour éviter le salut militaire.

— Docteur Carrhus, répondit le quadragénaire aux tempes grisonnantes et grosses lunettes sur un visage bouffi. On m'a relaté la situation, qu'attendez-vous de moi ?

Frewin s'empara d'une lampe-torche et prit le médecin par le bras pour l'entraîner dans la pièce.

— Je n'ai que peu de temps pour avancer mon enquête et je ne peux pas envisager d'interrogatoires. Donc, j'ai besoin de procéder autrement.

Le cercle de lumière blanche guida leurs pas jusqu'au corps que Frewin illumina. Le médecin fronça les sourcils.

— Lorsque ni le lieu du crime ni les hommes ne parlent, il ne reste qu'une solution…, poursuivit Frewin.

Le médecin le dévisagea subitement.

— Quoi ? Une autopsie ? Maintenant ? Ça ne va pas ?

— C'est tout ce que j'ai.

— Non, non, non ! Je ne vais pas ouvrir un type encore chaud ! Et ce n'est pas de mon ressort, je suis médecin, pas légiste !

— Vous êtes le chirurgien du bord, ça me suffira.

Frewin, dont l'ombre de la carrure couvrait deux fois son vis-à-vis, saisit le médecin par l'épaule.

— Le dément qui a fait ça va recommencer, bientôt, et moi je dois l'arrêter. Toute information est précieuse. Alors vous allez faire cette autopsie, et sans tarder. Maintenant, venez, nous n'avons pas une minute à perdre.

Il s'élança vers la sortie, laissant le médecin dans le noir.

— Où allez-vous ? lança la voix contrariée de Carrhus.

— Voir le capitaine. Si moi je n'ai pas le pouvoir de vous contraindre, lui le peut.

Seul le bourdonnement tranquille des machines rappelait à Frewin qu'il se trouvait sur un navire de guerre.

La salle d'opération du *Seagull* était exiguë, d'un bleu-gris qui raccourcissait encore les perspectives. Des armoires en fer étaient rivées aux murs, et seul le scialytique au-dessus de la table d'opération brillait. Un rideau de séparation créant une seconde salle du même type se balançait doucement face à la porte d'entrée. Frewin tenait son carnet de notes dans une main, de l'autre il s'accrochait au bord surélevé de la table. Le Dr Carrhus venait de disposer son peloton de scalpels à côté de lui et croisa ses bras pour observer ce qui ressemblait à un énorme cafard noir. Le soldat mutilé avait été soulevé dans son écorce après qu'on eut décollé le ruban adhésif de la console sur laquelle il reposait, en prenant soin de ne pas dissocier le corps de son enveloppe. Cette peau noire scintillait sous la lumière, la main toujours repliée en un dernier appel au secours, ultime tentative de l'homme avant d'être absorbé par cette chitine épaisse.

— Pourquoi avoir voulu conserver tout ce... cet amas sur le cadavre ? s'enquit le médecin.

— C'est un adhésif, par conséquent ça colle à tout ce qui s'en approche. Il aura fallu de sacrés mouvements pour momifier ce pauvre gars, et de l'énergie. On perd facilement quelques cheveux dans ce genre de situation, et avec un peu de chance on pourra les retrouver là-dessous, ça nous donnera la pigmentation du coupable.

Carrhus leva les yeux – rougis par la fatigue et jaunis par ce que Frewin pensait être l'abus d'alcool.

— Vous êtes du genre malin, vous ! lança-t-il. C'est à l'école de la PM qu'on vous apprend des trucs pareils ?

Sans quitter la victime du regard, Frewin répondit de sa voix calme :

— Un minimum d'expérience vous donne des idées.

Carrhus saisit une pince, approcha une large loupe à bras articulé et se pencha vers le cadavre.

— Quand on vous voit, dit-il sur le ton bas et lent de celui qui se concentre, on imagine plutôt des interrogatoires virils. Vous avez le corps et la taille d'un lutteur !

— Ce qui suppose d'être courtois, rétorqua Frewin sur le même mode placide.

— Vous faites de la lutte ? s'enthousiasma Carrhus en levant un œil dans sa direction. Moi aussi j'en faisais à l'université !

Il écartait des morceaux de ruban à l'aide de sa pince mais la manœuvre n'était pas aisée, l'ensemble adhérait fortement. Il attrapa un scalpel pour découper les lamelles superposées afin d'en scruter l'intérieur, la face adhésive.

Frewin, qui ne perdait pas un geste du médecin, ne répondit pas. Il avait cloisonné au fil des années son travail dans l'armée et ce qu'il était, l'individu privé, au-delà du brassard de la Police Militaire. Cela lui avait permis de rester froid avec ses suspects, lui qui détestait les cris et les coups, Craig Frewin, le jeune homme entré à l'école des officiers parce que brillant à l'école et doté de belles dispositions physiques. Il s'était engagé dans l'armée, ça lui semblait noble et respectable, une carrière d'officier. Il avait rencontré Patty quelques mois auparavant, il voulait l'impressionner. Leur premier baiser avait eu raison de ses velléités de dessinateur, de ses rêves de créer des bandes dessinées. En un baiser fougueux il s'était transformé en jeune homme responsable, soucieux d'assurer l'avenir de celle qu'il aimait et d'une famille à venir. Il avait troqué papier et crayons contre une école d'officiers. Au détour d'un cours on avait évoqué la Police Militaire et sa nature curieuse avait été captivée, il avait su dès lors ce qu'il ferait dans l'armée.

Les premiers mois furent un enfer. Il dut apprendre à refouler son ironie naturelle pour n'offrir qu'une mine impassible, se forçant à oublier sa gentillesse pendant les heures de service. L'essentiel de son travail consistait alors à remettre dans le droit chemin les fortes têtes. Pour s'encourager et se faire respecter, il se mit à la boxe. Il fréquenta la salle de sport et étoffa encore son gabarit, occupant le ring plus que de raison, élimant le rose candide de ses joues, creusant des rides de fatigue et de souffrance dans ce visage de jouvenceau. Au grand regret de sa femme qui voyait son jeune mari s'endurcir, s'altérer physiquement et mentalement. L'armée fit ressortir sa part d'ombre, remonter ses angoisses, ses doutes, pour les comprendre et s'en servir.

Au fil des mois, puis des premières années, Craig se construisit une citadelle de muscles et de détermination, pour se couper du monde. Le Craig Frewin qu'il avait été jusqu'à vingt ans se replia sur lui-même pour se terrer au fond d'un jardin secret dont seule Patty avait la clé.

Plus surprenant encore, avec les années, il découvrit que sa femme *était* la clé de ce sanctuaire, de sa personnalité sensible. Elle devint la seule capable de savoir comment lui parler, le toucher. Il lui suffisait d'un clin d'œil espiègle et d'un sourire charmant pour que Craig renoue avec sa vraie nature. Le bunker s'entrouvrait et le jeune homme ingénu ressurgissait.

Patty...

— ... toujours adoré, et ça date de la Grèce antique, la lutte ! Et vous, vous la pratiquez ?

Frewin évacua ses souvenirs. Son visage n'avait rien trahi, rompu qu'il était désormais à cet exercice nécessaire. Seuls ses yeux brillaient intensément.

— De la boxe, articula-t-il après avoir avalé sa salive. Je fais de la boxe.

Le médecin s'était arrêté, il fixait un point obscur sous une bande de ruban adhésif.

— Je crois que j'ai quelque chose. Là... on dirait des cheveux, ou plutôt des poils. Attendez...

Il parvint à saisir un minuscule agglomérat de fibres entortillées qu'il porta sous la loupe du bout de sa pince.

— Non. Plutôt un petit nœud de poils, mais je peux affirmer que c'est synthétique.

La trouvaille permit à Frewin de réintégrer vivement le présent.

— De quelle origine ? demanda-t-il.

Carrhus le dévisagea par-dessus sa grosse monture.

— Aucune idée. Peut-être qu'au microscope… Je vous dirai ça plus tard.

Ils avaient l'autopsie à pratiquer et plus beaucoup de temps. Frewin approuva d'un signe de tête.

Carrhus déposa son précieux indice dans une boîte en fer et poursuivit son examen de la carapace, sans rien remarquer d'autre. À la grande déception du lieutenant.

— C'est tout. On aura pris soin d'emballer ce pauvre bougre sans perdre un cheveu !

— Impossible, on ne peut pas se démener autant sans laisser quelque trace.

— Vous avez bien vu, il n'y a rien. Ou le type était chauve, ou il portait une cagoule, c'est tout ce que je peux vous dire. Ou peut-être qu'il a eu beaucoup de chance, tout simplement.

Il posa ses instruments pour saisir des ciseaux qu'il fit claquer.

Peu à peu, les bandes cédèrent.

Peu à peu, le corps se dévoila.

D'abord la tête. Les cheveux agrippés aux rubans, moites et poisseux. Le front, les joues striées des marques rouges des entraves. Le nez était tuméfié, aplati par la compression, probablement cassé par la violence de cette momification singulière. C'était là ses seules rides, le mort était jeune, à peine plus de vingt ans.

Frewin fixait ses yeux.

Deux globes exorbités.

Entièrement noirs.

Le sang avait afflué là, obscur, jusqu'à faire exploser les vaisseaux. Jusqu'à teinter la sclérotique et lui donner cette apparence inquiétante. Frewin ne parvenait plus à distinguer l'iris. Ce n'était plus un homme, allongé dans cette enveloppe opaque, mais un monstre. Aux yeux ténébreux. À la gueule crochetée de pointes effilées d'où dégoulinait une bave vermillon.

Carrhus ne toucha pas aux clous enfoncés dans les lèvres. Il s'employa à défaire les liens sur la gorge et les épaules.

La gorge était violette. Un large sillon sombre creusait une ravine sur les deux tiers avant du cou.

— Je crois qu'on a trouvé la cause du décès, souffla le médecin. Strangulation par… un objet fin et irrégulier, deux à trois centimètres de large selon les endroits.

— La strangulation peut avoir provoqué cet effet sur les yeux ?

— Tout à fait. Encore que… ils sont particulièrement noirs. Peut-être que l'agresseur s'est assis ou accroupi sur le torse, la compression thoracique provoque ce genre de dégâts. Difficile encore d'en déduire un scénario. Attendons la suite, voulez-vous ?

Frewin se redressa et réalisa qu'il tenait toujours son carnet de notes en main. Il commença à y rapporter les premières constatations.

Carrhus termina de libérer le corps de ses bandages. La victime était en uniforme kaki et le médecin se pencha pour saisir la chaîne qui pendait à son cou. Il tira à lui les plaques militaires et lut :

— « Gavin Tomers », et son matricule, ça devrait vous servir, lieutenant.

Il se décala pour permettre à Frewin de recopier les informations, reculant d'un pas pour observer l'ensemble.

Le bras droit était appuyé sur la table jusqu'au coude puis partait à angle droit vers le plafond, comme s'il cherchait à désigner quelque chose dans le ciel d'acier, de sa main ballante. Carrhus saisit le poignet et en testa la résistance.

— On dirait que la rigidité cadavérique a déjà bien commencé.

— Ça vous étonne ?

— D'après ce qu'on m'a dit, le meurtre a été commis il y a moins de trois heures. Trop récent pour une telle rigidité du bras. Voyez-vous, elle débute normalement dans la zone nuque-mâchoires, puis descend, bras, mains, tronc, abdomen et ainsi de suite. Mais à ma connaissance, elle ne commence que vers la troisième ou quatrième heure, pour être complète après huit à douze heures.

— Et dire que vous refusiez de pratiquer l'autopsie ! Pour un non-légiste je vous tire mon chapeau…

— Pas légiste en effet, mais j'en vois passer des cadavres, vous savez. Quoi qu'il en soit, celui-ci est déjà bien avancé et ça me surprend… À moins que…

Il posa la main sur le menton du mort et tâta les joues.

— Non, c'est bien ça… Il s'agit bien de rigidité. Bon. Il y a peut-être une autre explication.

— Oui ?

— J'ai déjà constaté que des hommes très tendus, qui couraient par exemple en tous sens depuis un moment, développaient des rigidités très rapides lorsqu'ils se faisaient tuer pendant l'effort. Un exercice musculaire intense semble accélérer le processus.

— Il ne pouvait pas faire du sport à ce moment-là, sauf s'il se battait lorsqu'il est mort. Il aura résisté, lutté.

— Sûrement ! Désolé, mais c'est tout ce que je peux en dire pour l'heure.

— Intéressant…, murmura Frewin, pensif.

Il y pensait depuis le premier meurtre. Ils avaient affaire à un tueur très puissant. Capable de soulever un cadavre pour l'accrocher en hauteur dans le cas de Rosdale, et apte à contenir un homme luttant pour sa survie dans celui de Tomers. En plus de la force musculaire, avait-il la technique ? Fallait-il chercher du côté des commandos entraînés à neutraliser l'ennemi en un éclair ?

— Je vais ouvrir cette bouche, annonça Carrhus.

Il pinça les lèvres du mort et tira sur l'un des clous qui glissa en arrière au travers de la peau tendre. En sortant, la pointe de fer libéra une petite rigole de sang d'un bordeaux foncé qui coula sur le menton. Carrhus procéda ainsi avec tous les clous. Le dernier retiré, les lèvres restèrent collées par les fluides en train de sécher. Tout le pourtour de la cavité buccale était mutilé de déchirures humides. Carrhus saisit une lèvre dans chaque main et tira pour ouvrir ce rideau qui se fendit avec le chuintement de deux crêpes qui se décollent.

Il pressa en même temps sur les deux mâchoires pour forcer la rigidité et desserrer les arcs osseux. La langue apparut.

Ce qu'il en restait.

— Mon Dieu…, murmura le médecin. Regardez-moi l'intérieur de cette bouche !

Le palais était creusé de nombreuses plaies, à l'image des gencives, disloquées par endroits. Les joues étaient perforées et tuméfiées.

— Que lui a-t-on fait ? s'inquiéta Frewin. Vous avez déjà vu ça ?

91

Carrhus répondit par la négative sans développer. Il attrapa une lampe-torche pour sonder le fond de la gorge. Du sang s'était accumulé par toutes petites flaques et coulait au moindre mouvement. La victime avait beaucoup saigné pendant les tortures.

— On pourrait croire qu'il a mangé – non, mâché ! – des aiguilles et des lames de rasoir.

— Vous avez un moyen d'en savoir plus ?

— En examinant son estomac, peut-être, répondit Carrhus en s'emparant d'un scalpel.

Il découpa ses vêtements militaires en deux minutes et après un rapide examen extérieur posa la pointe de son instrument sous le menton du cadavre.

— Prêt ? demanda-t-il.

Frewin se contenta de le fixer droit dans les yeux et le médecin enfonça son scalpel dans la chair qu'il creva d'un geste sec. À petits coups saccadés il conduisit la lame jusqu'au sternum puis prolongea vers le nombril, qu'il contourna, pour s'arrêter au seuil des poils pubiens. Un très léger filet pourpre apparut le long de cette ligne de mort. Sans ménagement, Carrhus entailla l'épaisseur de la peau qui s'ouvrit comme de la pâte à pain, fragile malgré son élasticité et molle sous les doigts.

Le torse était rouge et solide tandis que l'abdomen n'était qu'un enchevêtrement d'organes visqueux entortillés les uns autour des autres.

Désignant les taches sombres au niveau de la cage thoracique, le médecin précisa :

— Ecchymose interne. Ça confirme ce qu'on supposait : pression importante sur la poitrine. L'agresseur se serait assis sur lui que ça ne m'étonnerait pas.

Frewin avait déjà assisté à une autopsie, il avait vu un nombre certain de cadavres, de mutilations et de blessures de guerre horribles, pourtant il ne se sentait pas à son aise, le regard sans cesse attiré par cette main en l'air que le médecin n'avait pas encore cherché à abaisser. Gavin Tomers semblait en vie.

Comme pour le lui confirmer, Carrhus fit remarquer :

— Il est encore chaud, lieutenant ! Je vous remercie pour ce souvenir inoubliable que vous offrez à mes vieux jours.

Il s'appliqua à découper les muscles, un par un, pour les examiner avant de les replier sur les bords du corps pour avoir accès à ses profondeurs. Il en vint à découper les côtes avec une pince coupante, une à une, prenant son temps pour achever le travail. Il sectionna le diaphragme et souleva le plastron sterno-costal, qu'il déposa sur le chariot attenant, à l'instar d'un capot de voiture.

Carrhus posa son majeur sous le menton de Gavin Tomers et l'enfonça comme un crochet pour faire basculer le bas du visage en arrière. L'accès à la gorge était ouvert. Le scalpel s'enfonça sous le masque de Gavin et trancha le plancher de la bouche. Une poignée de secondes plus tard, Carrhus tirait sur un gros tube de chair et fit apparaître la langue mutilée.

— Plus facile pour l'examen, marmonna-t-il.

Il tenait l'organe dans son gant rougi, et le pharynx débutait derrière.

C'est alors que la gorge se souleva doucement.

Elle se mit à bouger toute seule, comme pour déglutir.

Puis les mouvements de la chair s'amplifièrent.

10

Craig Frewin se raidit.

— Qu'est-ce qui se passe ?

Le médecin secoua doucement la tête, recula d'un pas sans lâcher son sinistre tube de chair terminé par une langue écharpée et pendante. *Ça* bougeait. Quelque chose à l'intérieur se déplaçait.

Carrhus, tétanisé, fixait les mouvements sous les muscles.

Puis, remontant depuis l'œsophage, le passager clandestin apparut, s'extrayant par l'orifice près de cette langue rouge.

Une pince recourbée. Un corps plat. Des pattes articulées, fines et mobiles. Une longue queue qui se redressa au-dessus de la tête, le dard menaçant et pointu en position d'attaque.

Un scorpion marron clair.

Carrhus lâcha tout et fit un bond en arrière. Le scorpion retomba dans la cavité thoracique et glissa entre les organes jusqu'à disparaître.

— Sainte Marie mère de Dieu ! s'exclama le médecin. Vous avez vu ? Vous avez vu ce qu'il avait dedans ?

Frewin acquiesça. La surprise passée, il calmait son cœur en essayant de reprendre ses esprits.

— C'est ce scorpion qui a mutilé la bouche de Gavin Tomers, n'est-ce pas ?

Le médecin haletait, toujours figé. Il guettait le cadavre.

— Je crois…, souffla-t-il. Je crois qu'on peut le dire. Cette… fichue bestiole m'a fait une peur de tous les diables !

Il expira longuement pour se ressaisir et se rapprocha enfin de sa table d'opération. Frewin l'observait.

— Les lèvres fermées par des clous… les dégâts à l'intérieur… les boursouflures là où il a frappé de son dard. Oui, le scorpion a été enfermé dans la bouche scellée et il a tout ravagé pour tenter de sortir. Avant de finalement passer par le seul endroit possible : l'œsophage.

— Tout le sang sous la langue et dans les recoins, ça signifie que Gavin était vivant ? fit remarquer Frewin.

Carrhus battit des paupières en contemplant le visage terrible du jeune soldat.

— J'en ai bien peur.

Frewin ferma et rouvrit les poings à toute vitesse. Un réflexe lorsqu'il réfléchissait et que des idées lui venaient. Le tueur avait trafiqué la lampe-torche, afin de surprendre ses victimes, et ne pas avoir à les affronter de face. L'hypothèse d'un corps à corps n'était pas logique. La rigidité du cadavre était due à un effort intense : lorsque Gavin Tomers, momifié, s'était fait mutiler par le scorpion. N'importe quel homme serait devenu fou. Pendant de longues secondes, Gavin avait tenté de s'extraire de sa camisole, bandant ses muscles à l'extrême. Jusqu'à périr. Il n'y avait pas eu d'affrontement direct, l'assaillant s'était arrangé pour l'éviter.

— Il faut récupérer ce… cette horreur, fit le médecin en attrapant un seau qu'il disposa à ses pieds. Si vous voulez bien prendre ces longues pinces, derrière vous, et me les tenir à la verticale pour écarter ce morceau d'intestin…

Frewin s'exécuta en faisant le vide dans sa tête. Ne pas penser. Juste faire. Sans émotion. Se concentrer sur le geste, pas sur le sens. Une pince s'enfonça sous un morceau d'entrailles roses. Puis la seconde. Petit bruit humide similaire à celui d'une langue qui se décolle du palais.

Le scorpion était au-dessous, les pinces ravageant l'organe pour se frayer un chemin.

Carrhus dut s'y reprendre à trois fois avant de saisir la queue avec sa pince. Il leva dans les airs l'arachnide qu'il inspecta attentivement. Six centimètres de long, se tortillant pour échapper à son étau. Puis le médecin le lâcha dans le seau.

Carrhus releva la tête vers Frewin qu'il dévisagea à travers ses grosses lunettes.

— Maintenant que nous nous sommes occupés de ce problème, commença-t-il, je vais tenter d'analyser pour vous ce qui s'est réellement passé dans ce réfectoire, il y a trois heures.

Il contempla le corps ouvert comme une figue et ajouta :

— J'ai déjà ma petite idée, mais ça ne va pas vous plaire, lieutenant.

Kevin Matters se balançait dans son hamac, une jambe dans le vide. Il tapotait son crayon contre son bloc, attendant l'inspiration. Deux heures plus tôt, lorsque le lieutenant Frewin l'avait envoyé se renseigner sur Quentin Trenton, il avait réussi à accéder à la passerelle de commandement, à s'entretenir un court instant avec le capitaine avant qu'un officier le conduise dans un bureau, trois niveaux plus bas. Là il avait pu consulter le chef de section qui connaissait Trenton. Il en avait dressé un portrait peu flatteur. Matters avait tout recopié, sans rien omettre.

Puis il avait réintégré ses quartiers, attendant le retour de son supérieur. Le temps avait passé. L'excitation et le léger roulis l'empêchaient de se rendormir. La météo ne devait pas être bonne dehors.

Frewin n'était toujours pas réapparu. L'autopsie s'éternisait.

Matters avait tourné cette affaire dans tous les sens, analysé tous les éléments dont ils disposaient pour leur trouver une cohérence. Mais il ne voyait rien. Juste ces initiales. Q.T. et non O.T. Déjà un bon point. Quoi d'autre ?

Matters rejeta la tête en arrière. Il avait les yeux irrités de fatigue. Il vit ses affaires dans un coin de la pièce, sa malle en fer avec son précieux contenu, ses sacs. Puis ceux de Frewin. Sa malle.

L'idée lui vint en la voyant.

Y jeter un coup d'œil furtif. Simplement pour mieux cerner la personnalité du lieutenant. Rien qu'un bref regard. Après tout ce temps passé ensemble, il n'avait jamais eu cette opportunité.

Non, bien sûr que non !

Pourtant Matters se redressa pour distinguer le mécanisme d'ouverture. Pas de cadenas, rien que la poignée.

Ça ne prendrait qu'un instant.

Non, impossible.

Matters observa la porte fermée puis la malle.

Juste pour voir… Rien qu'une seconde. Sans fouiller, juste voir et refermer.

Matters sauta de son lit de fortune et s'agenouilla devant le coffre d'acier qu'il tira vers lui.

Il saisit la poignée d'ouverture et l'actionna. Le battant se leva.

Une grosse couverture remplissait l'espace avec une gourde et quelques rations.

Matters fronça les sourcils. C'était décevant. Rien d'autre ? Rien de plus excitant ?

Il guetta la porte d'entrée avant de soulever la couverture.

Plusieurs dizaines d'enveloppes apparurent. Toutes fermées et adressées à la même personne. *Patty Frewin.* Kevin Matters reconnut l'écriture du lieutenant. Il avala sa salive. Pourquoi toutes ces lettres ? Pourtant la femme du lieutenant était…

Matters fut tenté d'en ouvrir une.

Non ! Pas ça !

Frewin s'en rendrait compte, il était trop fort à ce petit jeu d'observation. Que se passerait-il s'il se rendait compte qu'on avait violé son secret ? La rumeur à son sujet était inquiétante. Matters s'interrogea soudain sur la capacité du lieutenant à être violent. Une telle masse de muscles, ce gabarit colossal. Il lui briserait les reins d'une pichenette. Le lieutenant Frewin impressionnait même les unités d'élite, et personne ne bronchait lorsqu'il entrait dans une pièce pour faire respecter l'ordre. Matters l'avait vu une fois, une seule, empoigner un soldat par la veste tandis que celui-ci, totalement ivre, lui manquait de respect. Le soldat avait décollé du sol en une seconde, avec une telle violence qu'il avait dessaoulé avant même que son nez soit collé à celui du lieutenant.

En lire une. *Rien qu'une*. Matters était troublé par la vague de chaleur qui inondait sa poitrine. Plus que de la curiosité il éprouvait… de l'envie. Que disait le lieutenant à sa femme ? Le sexe du jeune sergent se mit à frémir doucement.

La porte s'ouvrit dans son dos.

Matters relâcha d'un même geste la couverture sur les lettres et le couvercle de la malle et se redressa pour faire face à la tempête, le cœur affolé.

La surprise s'ajouta à la peur subite : ce n'était pas le lieutenant mais l'infirmière qui venait d'entrer.

— Je suis désolée de n'avoir pas frappé, s'excusa-t-elle, c'est la troisième porte que j'ouvre et chaque fois je réveille les rares hommes capables de somnoler. Pas facile de vous trouver.

Elle était dans sa tenue immaculée, ses cheveux blonds tirés en arrière pour tresser une longue natte.

— Qu'est-ce que… Je peux vous aider ? demanda Matters en s'éloignant de la malle.

— Je voulais parler à votre lieutenant.

— Il n'est pas là, il y a un message ?

Ann hésita. Elle lissa sa jupe blanche d'une main nerveuse.

— Il va revenir bientôt ?

— Je ne peux pas vous dire.

Elle prit un air suspicieux.

— Pourquoi ? Il s'est passé quelque chose ?

— Je l'ignore, mademoiselle, je peux prendre un message ?

— C'était pour savoir…, balbutia-t-elle, où vous alliez être affectés. Je me suis arrangée pour choisir mon secteur, mais si je veux vous aider, je dois savoir auprès de quelle compagnie vous serez.

Matters ne sut que répondre. Le lieutenant semblait partisan de l'inclure dans l'enquête.

— Compagnie Raven, finit par avouer Matters. On a un suspect, Quentin Trenton.

Après tout, le lieutenant l'aimait bien, il partageait ses informations avec elle, et Ann pourrait peut-être leur apporter autre chose.

— Raven, Trenton… Très bien. Je m'en occupe de suite. Merci.

Elle le salua, très vite, et sortit en refermant la porte précipitamment comme s'il en avait trop dit. Matters réalisa qu'il n'était pas à son aise en sa présence. Il n'aimait pas la façon qu'elle avait de l'observer. Il en perdait ses moyens, voilà pourquoi il lui avait donné si vite le nom de Trenton. Il serait plus prudent dorénavant de l'éviter. Oui, ne pas multiplier les rencontres inutiles. Ce serait plus sage. Il ne l'aimait pas. Son regard, son attitude. Cette femme le dérangeait.

Moins de cinq minutes plus tard, Frewin entra à son tour, le visage fermé, fidèle à son habitude. Matters se saisit aussitôt de son carnet.

— Alors, cette autopsie ? Vous avez trouvé quelque chose ?

Frewin alla droit sur ses affaires et Matters fut transpercé par un courant glacial. Et s'il remarquait qu'on avait fouillé ? Le lieutenant y prit une gourde pour se renverser de l'eau sur le visage et se massa les paupières.

— La victime s'appelle Gavin Tomers, dit-il doucement. Je viens à l'instant de vérifier : un soldat de la compagnie Alto. Celle-ci était logée avec une section d'une autre compagnie, devinez laquelle ?

— Raven ?

— Exactement. Et il n'y avait que la 3e section, ce qui réduit à présent notre champ d'investigation. Facile pour le tueur d'attirer sa victime dans un piège puisque la compagnie Alto et la 3e section de Raven logent au même endroit du navire. Il a été étranglé par-derrière, assez sauvagement pour l'étourdir mais pas pour le tuer. Lorsqu'il a été sonné, son agresseur l'a allongé sur une table pour le momifier avec du ruban adhésif. Il s'est ensuite assis sur lui pour lui mettre un scorpion vivant dans la bouche qu'il a fermée en y enfonçant des clous. Tomers a lutté à mort pour s'extraire de ses liens, tandis que la créature paniquée s'acharnait à se découper un passage avant de le piquer. Il y avait tant de plaies dans ses gencives, ses joues et son palais qu'il est impossible d'être précis. Voilà la triste chronologie des faits, telle qu'on peut la déduire du cadavre.

Matters, qui percutait vite, fit remarquer :

— Un scorpion vivant ? C'est… au moins le tueur n'avait plus besoin d'être là, il se peut qu'il soit parti avant la mort.

Frewin secoua la tête.

Non. Je pense qu'il est resté. Le médecin a souligné combien on avait été violent avec Gavin, sans pour autant aller jusqu'à le tuer. Ni la strangulation, ni l'écrasement n'étaient mortels. On l'a brutalisé de diverses manières pour le sonner, afin de procéder à la mise en scène du scorpion.

— La *mise en scène ?*

Frewin hocha la tête.

— C'en est une. Même par vengeance, on ne tue pas comme ça. Il utilise tout un processus froidement calculé pour parvenir à cette seule finalité : le scorpion dans la bouche qui sera l'instrument de mort. Rappelez-vous ce que je vous ai appris : le langage du sang.

Matters s'en souvint immédiatement. Frewin était convaincu que la violence criminelle était une expression de l'esprit contrarié, malmené ou mal construit. La violence était un langage. Elle s'écrivait sur une scène de crime avec des lettres de sang, d'ecchymoses, une ponctuation d'objets brisés, saccagés, et même parfois avec des figures de style : lorsque le criminel déplaçait le corps ou les objets. Chaque crime se devait d'être lu et analysé afin de comprendre ce qu'on avait voulu dire, afin de remonter à son auteur par le cheminement de son esprit, l'essentiel de cette écriture étant inconscient chez le criminel. Décrypter une scène de crime c'était décrypter son auteur, être à même de cerner sa personnalité.

Frewin synthétisa toutes ses lectures et ses connaissances pour les transposer :

— Si je pousse mon raisonnement jusqu'au bout, alors on peut envisager que le… *tueur* est un homme qui ne s'est pas développé comme vous et moi, il est plus limité que nous dans son expression. Sauf lorsqu'il s'exprime par le meurtre. Là, ses limites explosent, là, il peut dire tout ce qu'il veut, avec une pleine et totale liberté enivrante. Et pour l'heure, nous pouvons dire que c'est un pervers, qui a un rapport malsain avec la violence, il aime aller à la lisière de la mise à mort et s'en éloigner pour y revenir. Pourquoi ? Une seule alternative : premièrement, le pouvoir seul. Il veut se prouver qu'il peut tuer ou laisser vivre. Il tente de se convaincre lui-même. C'est un être qui n'a aucune confiance en lui, qui veut savoir chaque fois jusqu'où il est capable d'aller. La victime n'a aucune importance en soi, elle n'est là que pour servir sa pulsion, elle n'existe pas en tant que personne, et le tueur s'arrange pour limiter ses rapports à ce qu'il recherche : se rassurer, contempler l'étendue de ses capacités. Deuxièmement : en imposer à sa victime, mais là elle aurait son rôle à jouer. Il veut *lui montrer* qu'il peut en faire ce que bon lui semble, qu'il est tout-puissant. Droit de vie et de mort. Ça rejoindrait la première hypothèse, se prouver son pouvoir, mais autrement : par le regard de l'autre. Il doit le terroriser pour se satisfaire. La relation à sa victime est différente, là il ne l'ignore pas, il s'en sert comme d'un miroir. Même si sa qualité d'être humain n'existe plus pour lui, la victime reste un important outil de travail sur soi.

Matters n'en croyait pas ses oreilles :

— Comment… Comment pouvez-vous affirmer ça avec autant d'assurance, juste à partir d'un corps ?

Frewin posa lentement ses mains énormes sur ses hanches.

— Simples déductions logiques si on va au bout de mon raisonnement sur le langage du sang. Les actes parlent, il faut les lire. Les livres de psychologie servent à ça. À saisir les fonctionnements humains, les déviances et leurs conséquences pour établir ce type de profils. Cependant, je m'interroge sur la perception à avoir de lui : est-il uniquement centré sur lui-même, ou la victime et ses réactions ont-elles une incidence sur ce qu'il recherche, et donc sur ce qu'il fait ?

— Quelle différence pour nous ?

— Énorme. L'homme ne sera pas le même. S'il est uniquement et totalement centré sur lui-même, nous traquons un timide, un introverti qui parle peu, un asocial. Si au contraire il a besoin des réactions de sa victime, de lui en imposer, de guetter sa réaction, de l'humilier, alors c'est un extraverti, peut-être même qu'il en fait trop, une grande gueule ou un « chauffeur de salle », comme disent les soldats.

Frewin s'essuya le visage avec le bas de son tee-shirt kaki.

— Des informations sur Quentin Trenton ? enchaîna-t-il.

Matters brandit son calepin.

— C'est une boule de nerfs. D'après son chef de section, Trenton est un dur à cuire, bagarreur et impulsif. Mais il se donne à fond sur le terrain. Il s'est engagé pour éviter la prison après avoir grièvement blessé trois personnes dans une dispute qui a mal tourné.

Frewin fixa son sergent.

— Je vous dois des excuses, le coupa-t-il. J'avais pensé que les initiales trouvées sur la scène de crime de Rosdale étaient une signature macabre du tueur, je crois maintenant que vous aviez raison : c'est Rosdale qui a eu le temps d'écrire le nom de son agresseur. Trenton correspond tout à fait au profil que nous recherchons.

— Et il est assez solitaire, compléta Matters. Un type violent, le seul dont les initiales correspondent, un droitier qui avait une autorisation de sortie la veille du premier crime. Il a donc pu se procurer une tête de bélier, et… un scorpion. Il fait partie de la compagnie Raven, à bord du *Seagull* la nuit du premier meurtre, et il est dans la 3ᵉ section, tout près de la seconde scène de crime. Tout correspond parfaitement.

— Quelle est son affectation pendant l'assaut ?

— Il débarque dans la seconde vague, lorsque le lieu est sécurisé. Son chef de section préfère le garder pour nettoyer le bocage que la plage, je crois qu'il veut l'avoir à l'œil, ce qui serait difficile dans la première vague.

— Très bien, montez tout de suite, et faites en sorte que nous soyons dans la même barge que lui. Je vais remettre nos notes en ordre.

Matters recula instinctivement.

— Nous ? Dans la même… Pourquoi ne pas l'arrêter tout de suite ?

— Avec quelle preuve ? Vous croyez qu'en fouillant dans ses affaires nous trouverons un élément accablant ? Pas moi. Il n'a que son paquetage de soldat, il n'aura pas emporté de quoi se compromettre, ça m'étonnerait. Restons en retrait, et observons. Tôt ou tard, il commettra une erreur et nous serons là.

Soudain, tout le navire se mit à trembler tandis qu'un énorme rugissement soufflait l'air dans les coursives.

Le *Seagull* venait de faire feu. Les premiers coups de canon résonnèrent. Frewin plongea ses prunelles brillantes dans celles de son second, sans un mot. Ils se comprenaient.

Matters se précipita vers la coursive pour jaillir dans l'escalier. L'assaut venait de commencer.

11

L'aube, ce matin-là, ressemblait à un linceul. Une longue parure grise bordant l'horizon de plis irréguliers. La côte apparaissait à peine, juste une frange brune dansant sous le ressac de la mer agitée. Les canons avaient tonné pendant presque quarante minutes sans discontinuer. Toute la coque avait frémi encore et encore, martelée par le rythme écrasant de l'artillerie navale. Lorsque les soldats furent appelés à monter sur le pont principal pour embarquer dans les barges, ils ne savaient plus si leurs jambes étaient molles à cause de la peur ou des vibrations du plancher. L'air frais de l'extérieur revigora ceux qui occupaient la plage avant, la bruine déposa sur les visages fermés un peu de douceur. Le bâtiment de guerre était presque à l'arrêt. Le vent fouettait les uniformes et le silence tendu. Seuls une poignée d'inconscients s'excitaient, l'air ravis de partir enfin au combat.

Le *Seagull* venait de lancer tellement d'obus que le pont en était tiède, les canons des tourelles brûlants. Même le vent échouait à balayer la poudre qui chatouillait les narines et piquait les yeux.

Le lieutenant Craig Frewin et son sergent Kevin Matters se tenaient en retrait, dans la foule de soldats. Matters avait obtenu, en insistant, qu'ils soient autorisés à monter sur la même barge que Quentin Trenton. Ils étaient chargés de tout le paquetage de combat : les casques avaient remplacé les calots, des sacoches en bandoulière assuraient les munitions supplémentaires et l'équipement habituel : grenades, mini-pelle, rations de nourriture…

Trenton se tenait à cinq mètres d'eux, accoté à une paroi métallique. C'était un brun de taille moyenne mais aux épaules larges. Sa lèvre supérieure était proéminente et sa peau mate. Il avait les sourcils très fournis, et le front haut sous son casque. Une petite cicatrice lui barrait le menton depuis la fossette.

Un visage quelconque, sans arrogance particulière ni perversité manifeste. Trenton avait les yeux perdus dans le vague, il se cramponnait à son fusil, dans un uniforme qu'il n'avait pas entièrement fermé.

« Tout correspond », ne cessait de se répéter Frewin. Le profil de l'homme, son physique bagarreur et même la nonchalance dans le port de l'uniforme, son attitude. Trenton n'était pas un modèle de sociabilité, même si ça n'en faisait pas pour autant un tueur.

Par dessus le froissement puissant du vent, on entendait le grondement des canons des navires encadrant le *Seagull*. Des centaines de formes hérissées d'antennes, auréolées d'une fumée blanche qui, à peine chassée par le souffle marin, ressurgissait des gueules d'acier.

Il y eut alors un flottement, le bateau n'avançait plus, ses canons réduits au silence. Les officiers s'observèrent, les hommes retinrent leur souffle.

Pendant un court moment, il leur sembla même que tout cela n'était qu'une monumentale blague, et qu'on allait tous les faire rentrer à l'abri des cales.

Jusqu'aux coups de sifflet.

Une stridence capable de tripler la vitesse d'un cœur humain en deux secondes. Les officiers se mirent à hurler, appelant leurs sections les unes après les autres. Par grappes entières, les hommes proches du bastingage disparurent dans le vide. Frewin avançait à petits pas, Matters sur ses talons. Les casques en métal s'agitaient tout près du bord avant de se volatiliser. Puis vint leur tour.

On cria le nom de leur section.

Une nuée de soldats se précipita vers le vide, Trenton au milieu, Frewin et Matters en retrait. Le lieutenant arriva au niveau de l'officier qui beuglait ses commandements et vit l'échelle arrimée à la coque qui dévalait vers les barges secouées par les vagues. Il descendit derrière la procession kaki, retenant son pied qui faillit glisser dans ce qui ressemblait à du vomi. Plus il approchait du niveau de la mer, plus les mouvements de la barge semblaient amples et dangereux. Elle montait et descendait, son moteur crachant au gré des manœuvres du pilote qui tentait d'éviter la collision avec le *Seagull*. Des pneus suspendus sur son flanc amortissaient les chocs. La dernière partie de l'échelle était mobile, s'ajustant à la barge. Les hommes sautaient le dernier mètre la plupart du temps.

Frewin se cramponna à la rambarde et s'élança pour atterrir entre les bras des soldats qui amortirent sa chute, comme ils le faisaient pour chacun. Matters suivit. Il n'y avait aucun héros au déplacement gracieux, rien que des hommes trop chargés et maladroits qui chancelaient.

Trois autres atterrirent parmi eux avant que l'officier en charge ne donne l'ordre de départ. Le tumulte des moteurs s'intensifia et la barge se cabra, libérant la place pour une autre.

Frewin vérifia que Matters n'était pas loin et chercha Trenton dans la foule compacte. Une bonne trentaine d'hommes, fusil à l'épaule, cherchant à se rassurer en se répétant qu'ils débarquaient sur un secteur dégagé, qu'ils n'auraient pas à affronter le gros du grabuge. Pourtant la seule idée d'arriver sur une plage truffée de corps et de mines suffisait à plomber les visages.

Quelques-uns étudiaient ces deux hommes sans armes lourdes, rien qu'une arme de poing à l'étui, avec leurs brassards de la PM. Frewin avait envisagé de se fondre dans le groupe sans marques distinctives, pour ne pas attirer l'attention, surtout celle de Trenton, mais avait vite renoncé à cette idée. Une fois sur le sable, il faudrait user de son autorité et surtout s'affranchir de certains ordres pour conduire sa surveillance de Trenton. Ce dernier ne se douterait pas qu'ils étaient là pour lui, la plupart des convois embarquaient des unités de la PM pour décourager les velléités de désertion et surveiller les éventuels prisonniers. Frewin préférait être visible mais libre, plutôt qu'entravé et discret.

— Matters, rappelez-vous ce que j'ai dit, ordonna Frewin. On ne quitte pas ce Trenton d'une semelle. Je veux l'avoir à l'œil. On n'intervient surtout pas. Pas maintenant. Sous aucun prétexte, sauf s'il se montre dangereux. Dans ce cas, pas de prise de risque, soit on peut le menacer et il jette son arme, soit on tire. C'est une bête, un chasseur pour lequel je ne mettrai ni ma vie ni celle de mes hommes en danger.

Trenton restait dans son coin, épaule appuyée contre la paroi, concentré. L'enquêteur le fixa intensément. Mal rasé, les mains abîmées de fines cicatrices blanches, mais aussi par des croûtes d'un rouge sombre. Les séquelles des récents exercices ou bien des plaies infligées par les victimes qu'il avait massacrées ?

Frewin remarqua que les lèvres de Trenton se pincèrent et que sa gorge tressauta pour déglutir. Avait-il peur ? Probablement. Comme la plupart des hommes ici, mis à part une poignée de fous.

Frewin observa les soldats qui l'entouraient.

Un rouquin à taches de rousseur inspirait et expirait longuement par la bouche pour tenter de se détendre ; un autre, d'une bonne trentaine d'années, mâchait un chewing-gum sans relâche. Frewin le vit sortir la photo écornée de deux enfants et l'embrasser comme porte-bonheur ; derrière lui, un tout petit homme aux joues roses avait les yeux fermés, il semblait endormi.

À bien y regarder, beaucoup avaient les yeux fermés. Ils savaient qu'ils n'allaient *que* voir la guerre. Leur rôle était de renforcer les troupes ayant pris la plage, d'escorter les prisonniers, de déblayer le sable afin de préparer l'arrivée des véhicules lourds. La guerre en soi ne surviendrait pour eux qu'ensuite, plus tard, plus loin dans les terres, lorsqu'il faudrait envoyer des sections fraîches pour conquérir de nouvelles positions. Mais quand ? Ce soir ? Demain ? Dans une semaine ? Quand verraient-ils les balles fuser autour d'eux ?

Frewin prit conscience qu'un brouhaha inquiétant se superposait au tumulte des moteurs et des vagues.

Des coups sourds, résonnant dans le lointain. Des centaines de claquements qui ne correspondaient pas aux canons de leur flotte. Puis des rafales sèches devinrent perceptibles.

Ils approchaient.

Personne ne pouvait voir par-dessus la barge sauf le pilote et l'officier de bord. Où étaient-ils ? À quelle distance des plages ?

Frewin se tourna pour examiner l'attitude du pilote et de l'officier. Ils guettaient droit devant à la recherche de quelque chose. Ils commentaient à voix basse, nerveusement.

Ils sont surpris. Ils ont peur, comprit Frewin.

Les explosions se firent plus proches.

Les soldats s'observaient, l'anxiété gagnait les rangs à mesure que les bruits du chaos s'amplifiaient. Soudain un sifflement fusa et une masse frôla la barge qui se mit à vibrer.

— Un obus ! s'exclama un des hommes.

Les impacts se rapprochaient.

Frewin leva les yeux vers les hauts bords, vers le ciel blanc. Ils étaient coincés au fond d'un grand rectangle d'acier, trois mètres sous le niveau des parois, comme des prisonniers dans une cour.

Une fleur noire apparut cinquante mètres plus haut. Aussitôt suivie d'un claquement sonore. L'artillerie.

Frewin sentit sa poitrine se soulever, son cœur monter en rythme. Il ne pouvait rien distinguer de l'extérieur et ça en devenait oppressant. Étaient-ils encore loin de la plage ? Y avait-il d'autres navires autour d'eux ?

Pourquoi les échos de la bataille leur parvenaient-ils, s'ils devaient débarquer sur une plage sécurisée ?

Matters rompit le silence :

— C'est… c'est normal ?

Frewin le dévisagea. Matters n'était qu'un gamin. Tout en lui proclamait qu'il n'avait rien à faire ici. Il tremblait.

Le bourdonnement des machines ralentit et le petit transporteur de troupes perdit de la vitesse.

— Je ne crois pas, se contenta de dire Frewin en reportant son attention sur le pilote.

— Vous n'avez pas terminé de lacer vos chaussures, lui fit remarquer Matters d'une voix chevrotante.

Frewin se souvint qu'il les avait enfilées à la hâte, tôt dans la nuit, lorsque la sirène l'avait réveillé. Il parvint à s'accroupir pour terminer de les serrer.

Soudain, l'air claqua violemment autour d'eux, le hurlement bref et puissant de l'atmosphère qui se déchire, et l'eau vint frapper le flanc gauche du bateau aussi férocement qu'une salve de balles. Le sol se déroba et les soldats furent projetés les uns sur les autres, s'agrippant mutuellement et se rattrapant au mur droit. La mer déferla sur eux par le ciel, les submergeant tous sans exception. Frewin, les mains dans ses lacets, avait basculé dans les sacs. Il se releva tant bien que mal et retira son casque plein d'eau.

Le ronflement du moteur reprit possession de l'environnement sonore.

On s'inspecta, avec appréhension sans un mot.

L'explosion était passée très près.

Ils n'approchaient pas d'une zone tenue par les leurs.

Juste avant que les langues ne se délient, l'officier tendit le doigt vers tribord et le pilote braqua pour changer de cap. Ils avaient retrouvé leur route.

La barge repassa à plein régime, le vent se mit à souffler contre l'acier. Ils n'allaient plus vers la côte mais à présent la longeaient.

Les hommes étaient secoués au gré des vagues que la proue du bateau à fond plat frappait à chaque creux. L'adrénaline prévenait le mal de mer mais non la peur, et elle tenait au ventre, faisait remonter les flux gastriques dans les œsophages douloureux.

C'est alors que l'embarcation retentit du fracas des balles en fusion perforant la maigre protection extérieure. La rafale gifla les tympans d'un coup, résonnant jusque dans les os tandis que des étincelles surgissaient du haut des parois.

Une quinzaine de trous de la taille d'une balle de golf ornaient toute la longueur du bateau. L'artillerie lourde les canardait. Matters ouvrit la bouche comme s'il suffoquait. L'impact avait été fulgurant. Pourtant ils n'avaient rien vu venir, rien pu faire. La mort avait surgi avec une violence terrifiante.

Sans décélérer, ils changèrent à nouveau de cap après cinq minutes. Frewin avait un bon sens de l'orientation et, bien qu'il ne puisse rien distinguer à part le ciel, il devina qu'ils refaisaient face à la côte. À cette vitesse, ils n'allaient plus tarder à aborder.

Plus de coups de feu, plus d'explosions. La guerre les encerclait mais au loin, *sur la droite et la gauche*, supposa Frewin. Pour eux, ce serait la percée protégée. Les émotions fortes étaient derrière eux désormais, pour quelques heures au moins.

Des crépitements stridents se firent entendre malgré le vent, le bruissement de la mer et l'écho des assauts. Tout proches.

Les sens de Frewin alertèrent sa mémoire auditive.

Des balles ricochant sur l'acier ! À l'arrière !

Il fit volte-face, à temps pour découvrir que l'officier n'était plus là et que le pilote avait basculé en arrière, le torse maculé d'auréoles sombres. À trois mètres en surplomb.

En une fraction de seconde, le poste de pilotage était vide. Frewin analysa la situation.

Ils fonçaient à pleine vitesse droit sur la côte. Sans personne à la barre.

Tout l'avant encaissa à ce moment la charge d'une mitrailleuse. Plusieurs dizaines d'impacts creusèrent le blindage de la porte de débarquement.

Frewin s'agrippa à une traverse. Rien n'allait comme prévu. Tout avait échoué. Aucune plage n'était tenue par leurs troupes.

Ils se précipitaient dans la gueule du loup.

12

La mer explosa juste à côté de la barge.

L'eau crépita et la submergea. Un poisson se fracassa aux pieds des soldats, mort sur le coup de l'onde de choc.

Frewin empoigna les traverses et se hissa à la force des bras. À sa gauche, deux soldats grimpaient aux barreaux d'une échelle pour atteindre la dunette. En deux bonds rapides, Frewin enjamba le parapet et se glissa derrière les commandes. Le corps du pilote était encore sur son siège. Le sang avait coulé et maculait le sol d'un film glissant.

Frewin vit alors ce qui les entourait.

Une mer d'un bleu-gris qui s'interrompait brusquement, juste sous la proue de la barge, par une immense plage de dunes.

Un mur pâle, à dix mètres devant. Et le navire fusant à toute vitesse.

Frewin comprit qu'il n'avait plus le temps d'agir, ils s'écrasaient. Il eut le réflexe de repousser le cadavre du pilote pour prendre sa place, se cramponna de toutes ses forces à la barre et baissa la tête.

L'embarcation heurta la terre, et se souleva en projetant ses occupants. À peine les hommes retouchèrent-ils le sol qu'ils furent catapultés comme des galets pour rebondir contre la porte de débarquement. Membres brisés, côtes enfoncées, visages écrasés…

Près de la place qu'occupait Frewin, un soldat disparut par-dessus bord tandis que l'autre s'envolait pour venir se fracasser le crâne contre le rebord du bateau.

Pendant ce temps, la barge grinçait à se rompre, creusant un énorme sillon dans le sable. Un ouragan blanc se mit à tourbillonner avant que surgisse un « hérisson tchèque » et ses poutrelles métalliques. L'avant de la péniche se propulsa dessus, les barres s'encastrèrent dans la porte et la construction défensive se mit à rouler dans un fracas terrible de crissements, de craquements et de hurlements de métal.

Puis tout s'arrêta. Le sable continua de vrombir en spirale pendant un instant, dissimulant la barge derrière un turban mouvant, avant de retomber.

Le navire devint silencieux. Puis des gémissements montèrent, suivis de jurons et d'imprécations.

Frewin était affalé sur le tableau de bord. Les leviers lui avaient meurtri l'abdomen mais il avait réussi à tenir. Il rouvrit les yeux et se releva, grimaçant de douleur. En bas, le spectacle était un cauchemar.

Les soldats étaient encastrés les uns dans les autres, écrasés par le choc. Des extrémités du hérisson tchèque avaient transpercé le blindage. Un soldat s'était empalé dessus et se débattait sans comprendre pourquoi. Un petit groupe d'hommes indemnes tentaient d'aider les blessés.

Un hoquet furieux claqua dans l'air. La péniche échouée se mit à gronder de toutes parts sous les balles d'une mitrailleuse lourde.

Frewin tomba à genoux derrière le pupitre et se pencha pour distinguer ce qui se passait. Une balle sur dix parvenait à pénétrer la coque. C'était instantané. Un trou dans l'acier et une jambe éclatait. Le son prenait un retard chaque fois… sifflement du projectile qui perfore les tissus humains, impact mou et sec… Les cris ne montaient qu'après, dans l'écho lointain d'une arme à la cadence létale.

Frewin chercha Matters parmi les soldats paniqués. Avec un peu de chance le jeune sergent serait caché au sol, ou derrière des sacs. Il ne le trouva nulle part.

Pas Matters. Pas comme ça.

Les obus entrèrent dans la danse. Le beuglement des explosions acheva l'ouïe des soldats et le sable se mit à pleuvoir.

Frewin était seul sur la dunette, il pouvait sauter sur la plage pour se protéger des balles, mais comment faire sortir les hommes ? Le hérisson tchèque bloquait toujours la porte de débarquement.

Des plumes blanches commencèrent à voleter partout, l'horreur prenait une tournure surréaliste. Des plumes rouges apparurent, avec la grâce onirique d'une improbable mise en scène. Frewin comprit de quoi il retournait. La doublure de leurs blousons était rembourrée de plumes, chaque projectile qui perforait un homme entre le cou et la taille faisait jaillir des bouquets blancs et rouges.

Bientôt des centaines de plumes se mirent à valser dans le vent.

Pendant qu'il cherchait une solution de repli, Frewin aperçut Matters entre deux blessés. Apparemment épargné. Leurs regards se croisèrent.

Recroquevillé dans un coin, tremblant, Matters cherchait à comprendre ce qui venait de se produire. Il avait vu le lieutenant Frewin s'installer aux commandes tandis que lui s'envolait. La suite n'avait été qu'une succession de coups. Il avait décollé du sol plusieurs fois avant d'avoir le souffle coupé par le corps d'un soldat plus lourd qu'une pierre tombant du ciel.

Tout son environnement s'était déchiré, avant de reprendre consistance, entre les hurlements des blessés et le son terrorisant des balles tonnant contre la barge. Il respirait avec difficulté.

Là-haut, le lieutenant soutenait son regard. Il lui fit signe de fuir, de grimper aux parois de cette cage mortelle.

Les obus se multiplièrent, une trombe de sable se déversait autour d'eux, sans faiblir. D'un instant à l'autre, l'un d'eux ferait mouche. Matters se mit à chercher un moyen de quitter cet enfer. Sortir. Il fallait sortir.

Tout le monde s'entraidait, on colmatait les plaies ouvertes, on arrêtait les hémorragies, et on relevait les moins touchés. Le médecin de la section s'affairait en courant partout, laissant des consignes aux deux assistants débordés.

Quelque chose tomba au milieu des hommes, *une grenade*, songea Matters aussitôt. Il vit un tout petit soldat aux joues roses se précipiter dessus pour la relancer par-dessus bord.

Le nuage rouge surgit, grumeleux de débris de chair zébrés d'hémoglobine. De ce qui avait été un homme ne restait qu'un bassin ouvert – tombé au centre de ce maelström horrifique.

Matters suffoquait.

Il vit un être en lambeaux s'avancer vers lui, oreilles disloquées, peau du visage pendante comme du papier peint décollé. Matters reconnut le médecin de leur section. Hagard. Le regard vide.

La panique s'empara d'un coup des hommes.

Tous se mirent à courir vers les bords pour se hisser tout en haut, on sautait, on se faisait la courte échelle, certains réussirent à s'élancer sur la plage, sans un regard pour ceux qui les avaient aidés, oubliant les blessés dans leur sang.

C'est en croisant le regard de Quentin Trenton que Matters sortit de son état de choc.

Trenton était recouvert de fragments humains. Son visage avait pris une couleur brique, le faisant ressembler à un Indien d'Amérique. Son fusil dans les mains, il considérait la situation avec une lueur inquiétante dans les yeux. Puis il enfila l'arme sur son épaule et saisit un soldat étendu par terre dans une mare de sang pour le tirer jusqu'aux parois. Il fit de même avec un autre cadavre qu'il hissa sur le précédent. Il se servit de ce tas improvisé pour grimper en haut du mur. Un atroce bruit de succion s'éleva des cadavres lorsqu'il prit appui dessus avant de se tracter.

Matters était écœuré.

Deux balles claquèrent créant une myriade d'étincelles fumantes. Matters sursauta et se propulsa en avant sans réfléchir. Il devait sortir tout de suite.

Il prit un élan pour allonger sa détente mais ne parvint pas à attraper le sommet du mur. Il tenta l'exploit encore une fois sans plus de succès, essoufflé par la peur. Il paniquait, ne parvenait pas à se mouvoir correctement. Son équipement pesait une tonne sur ses épaules.

Les traits rudes de Trenton se penchèrent soudain vers lui, lèvres retroussées sur une série de dents jaunes.

— Balance ta paluche ! s'écria-t-il en lui tendant la main.

Matters bondit et attrapa cette poigne salvatrice qui l'aida jusqu'à ce qu'ils tombent enfin dans le sable. Ils s'en étaient sortis.

Toute la péniche se mit à vibrer alors qu'un obus déchirait le flanc opposé dans un rugissement de métal.

Matters n'avait qu'une idée : s'éloigner de la barge maudite. De la sueur plein les yeux, il courut vers la plage, poursuivi par les cris de terreur et de souffrance de ses compagnons prisonniers de la barge. Après plusieurs secondes, il fit face à Trenton et s'immobilisa.

— Merci…, souffla-t-il. Merci.

Trenton le considéra un instant, avant d'afficher un profond dégoût pour cette peur d'enfant. Il se leva aussitôt et se mit à courir vers un trou d'obus dans lequel il se jeta pour se mettre à couvert tandis que les mitraillettes ennemies faisaient gicler le sable. Une centaine d'hommes occupaient des positions précaires sur ce côté de la plage. Autant de cadavres s'étalaient dans des postures insolites.

Au loin, des transporteurs de troupes prenaient le large, abandonnant derrière eux trois épaves échouées et fumantes.

L'air était lourd, chargé de poudre, difficile à respirer.

Matters songea qu'ils n'étaient pas sur la bonne plage, ou bien qu'on avait sous-estimé ses défenses. Et lui ne devait pas être là. Il n'avait rien à faire au milieu de cette tuerie, il n'était pas formé pour ça. Non, il n'était pas formé pour…

Par-dessus le vacarme assourdissant, Matters entendit son nom. Une voix lointaine. Il se passa une main sur le visage pour en chasser la sueur. Une voix dans sa tête, il ne manquait plus que ça. Et elle s'amplifiait.

La voix de… du lieutenant Frewin !

Matters chercha autour de lui avant de discerner son supérieur à l'arrière du bateau, en hauteur. Il n'était pas encore descendu.

Frewin désigna Trenton dans sa cache et fit comprendre par gestes qu'il fallait l'attraper.

Matters calma sa respiration et hocha la tête.

Puis il avisa le trou pour constater que Trenton les avait vus. Il avait tout suivi. D'un mouvement fluide il se redressa et inspecta les environs avant de guetter Matters et Frewin, sans cacher la violente colère qu'ils lui inspiraient soudain. Il jaillit de sa cachette et s'élança sur la plage dévastée par les tirs.

Frewin atterrit sur le sable et roula pour coller son dos contre un ouvrage de défense constitué de gros troncs surmontés d'une mine. Il n'était plus qu'à dix mètres de son sergent.

Une explosion souleva la mer, faisant s'abattre sur les deux hommes une pluie fournie.

— Il… l'avoir… ant ! hurla le lieutenant.

— Quoi ? cria Matters d'une voix cassée par l'angoisse.

— ... l'avoir vivant ! répéta Frewin.

— Mais pourquoi ?

Frewin fit la grimace, frustré de ne pouvoir se faire comprendre.

Il insista une dernière fois et Matters entendit distinctement : « ... choper Trenton vivant ! » Le lieutenant changeait ses plans. Il connaissait un élément que lui-même ignorait. Il s'était donc passé quelque chose dans cette barge avant qu'il ne la fuie.

Matters étouffa toute pensée et se concentra sur ce qu'il *fallait* faire. Il se jeta à son tour dans la nasse.

Il devait capturer Quentin Trenton. Vivant.

13

Les coups de canon se répercutaient dans la structure du *Seagull*, comme un courant électrique se transmettant de mur en mur jusqu'à descendre dans les tréfonds du navire. Ann Dawson ressentait les vibrations dans ses talons, puis elles remontaient jusqu'à soulever le fin duvet blond de ses avant-bras. Ils pilonnaient la côte depuis plusieurs heures maintenant.

L'annexe de l'infirmerie, où elle patientait avec ses consœurs et trois médecins, servait de réserve pour les balles de bandages, médicaments et autres instruments chirurgicaux qui n'allaient plus tarder à être débarqués sur le continent. Dans les lits, quatre soldats regardaient le plafond fixement. Deux s'étaient mutilés dans la nuit avec leur baïonnette, un autre faisait une crise de catatonie et le dernier avait léché du cirage jusqu'à s'en rendre dangereusement malade. Tous passeraient en cour martiale. Tous risquaient la peine de mort. Pourtant Ann lisait dans leur attitude qu'ils ne pensaient pas à eux en cet instant mais à leurs camarades. Au courage, à l'obéissance panurgienne, à la démence et à l'insouciance qui les avaient conduits sur ces plages étalées comme le livre du Destin où les balles se substituaient aux Parques pour trancher les fils de la vie.

Ann relâcha la pression sur le mouchoir qu'elle tordait pour évacuer son angoisse. Le lieutenant Frewin avait-il eu son message ? Était-il déjà installé dans un camp de fortune ? Avait-il essuyé les tirs ennemis ? Aucune information ne leur parvenait, l'unité médicale avait reçu l'ordre d'attendre que les compagnies soient en place avant d'intervenir dans les bases fraîchement installées. Cela pouvait prendre plusieurs heures, pire, leur débarquement pouvait être annulé si l'assaut échouait. On laisserait alors des milliers d'hommes agonisant sur le sable avec la poignée de médecins survivants.

Ann n'avait pas fermé l'œil de la nuit. La tension était trop forte pour dormir. En fin d'après-midi, juste avant le départ, elle s'était épuisée à forcer les barrages du responsable des affectations médicales pour être sûre d'aller sur le *Seagull*. Heureusement elle le connaissait et tout s'était arrangé. Tout avait fonctionné. Elle *devait* être près du lieutenant Frewin. L'opportunité était trop belle.

Puis la traversée fut silencieuse, le navire ronflant paisiblement avant la tempête. L'alarme avait éclaté en pleine nuit, fausse alerte. Avant qu'elle ne trouve la cambuse de Frewin et son assistant très tôt ce matin. Ils avaient un suspect, Quentin Trenton, de la compagnie Raven, 3e section.

C'était avant cette aube de feu qu'Ann avait appris pour Gavin Tomers, soldat de la compagnie Alto. Les hommes entre eux se faisaient passer la nouvelle : il s'était suicidé au milieu de la nuit. Ann se souvint de l'alarme. De l'absence de Frewin dans la cambuse, du stress de Kevin Matters. *Il* avait encore frappé. Gavin Tomers ne s'était pas suicidé. On l'avait tué.

Elle avait médité tout cela dix minutes avant de s'emparer d'un ballot de pansements, de doses de morphine, et de lancer à son supérieur :

— Je vais faire une dernière vérification auprès des médecins qui vont débarquer avec les troupes, qu'ils soient ravitaillés au maximum.

Sans laisser le temps aux protestations de s'élever, elle avait claqué la porte derrière elle pour rejoindre les grands réfectoires où « dormait » la 3e section de la compagnie Raven. Après avoir inspiré à fond pour se donner de l'aplomb…

… Des centaines d'hommes se balançaient dans des hamacs ou discutaient à voix basse depuis des lits superposés installés dans l'urgence. La présence d'une femme attira tous les regards pendant une minute. On la siffla avant que deux officiers vocifèrent les noms des coupables comme on hurle sur un chien. La rumeur se tut peu à peu. Ann chercha dans la foule ceux qui portaient une croix sur le casque ou sur le bras. Personne n'avait encore coiffé sa protection, mais elle repéra deux brassards blanc et rouge dans un coin. Elle salua en s'approchant.

— Je m'assure que vous ne manquez de rien. Compresses, morphine, bandages ?

Les deux infirmiers secouèrent la tête.

— On a tout sauf le baiser de la chance, osa le plus grand.

— Ton camarade te l'offrira j'en suis sûre, rétorqua Ann sans se démonter. Vous êtes de quelle section ?

— C'est pour un rencard ?

— Si tu continues c'est pour un rapport ! lui renvoya-t-elle en atténuant le ton d'un sourire charmeur.

— 2e et 3e sections, compagnie Alto.

— Merci, bon courage les gars.

Elle s'éloigna sous les propositions graveleuses de l'infirmier et aperçut un autre homme au brassard à croix rouge qu'elle interpella en désignant son ballot :

— Besoin de matériel supplémentaire ?

— Je suis à bloc, merci.

— OK, c'est noté. Quelle section ?

— 3e.

— De la compagnie Raven ?

L'infirmier acquiesça. Il était plutôt séduisant, avec des yeux verts et perçants.

Ann s'assura que personne n'était trop proche d'eux et se pencha vers lui :

— Avec le staff médical, nous nous demandions si le suicide de Gavin Tomers n'avait pas trop d'impact sur le moral des troupes ?

L'infirmier fit la moue.

— On ne peut pas dire que ça les galvanise. Ça a jeté un sacré froid. Mais c'est les gars de la compagnie Alto que vous devriez aller voir.

— Une collègue à moi va s'en occuper, mentit-elle.

— Vous savez de quoi il est mort ?

— Non. Il… Vous le connaissiez ?

— Un peu.

— C'était prévisible, selon vous ?

— On peut jamais prévoir ces choses-là, encore moins dans le contexte actuel. Tout le monde va mal, c'est comme ça.

Ann sentit que ses questions ne tarderaient pas à l'agacer. Elle dériva :

— Vous connaissez un certain Quentin Trenton ?

— Trenton ? Ah ça oui, il est là-b…

Elle saisit son bras pour l'empêcher de le désigner.

— Ça va, je… nous voulons juste nous assurer qu'il va bien, on nous a rapporté qu'il avait un comportement inquiétant ces derniers jours.

— Ces dernières minutes, vous voulez dire !

Ann inclina la tête, interloquée par la coïncidence.

— C'est-à-dire ?

— Bah, c'est qu'il est chiant le Trenton ! Il est sur les nerfs depuis une heure, il nous envoie tous promener et il se met dans son coin. C'est pas qu'il était sociable avant, mais là on dirait qu'il pète un plomb !

— Tout d'un coup ?

— Il y a environ une heure, il jouait aux cartes avec des mecs, on lui a filé un bout de papier et il s'est barré sans prévenir.

— Vous savez qui lui a donné le message ?

— Je regardais la partie, alors oui, j'ai vu, c'était un gars d'une autre compagnie, il venait de le trouver sur le lit de Trenton.

— Ça faisait longtemps que Trenton jouait aux cartes ?

L'infirmier parut amusé et ricana :

— Toute la nuit. C'est pas autorisé, on avait pour consigne de se reposer mais personne ne pouvait fermer l'œil, alors des petits groupes se sont formés. Et Trenton a joué toute la nuit.

— Vous en êtes sûr ? Sans s'absenter ?

Il prit le temps de réfléchir avant d'affirmer :

— Oui, sans s'absenter jusqu'à ce qu'il lise le mot.

Quentin Trenton ne pouvait donc pas être l'assassin de Gavin Tomers. Ann fut prise d'un doute. Et si elle faisait fausse route ? Si Gavin Tomers s'était bien suicidé ?

— À tout hasard, enchaîna-t-elle, vous le connaissez bien ? Je veux dire : vous êtes côte à côte depuis plusieurs jours déjà ?

— En effet.

— Comment est-il, ce Trenton ? Plutôt violent au quotidien ?

— Ah ça, on peut pas dire que ce soit un tendre ! Coléreux, agressif, parano, bête de guerre quand il faut, mais pas un tendre ! Trenton, c'est le cauchemar à gérer sur une base, mais quand il faut se battre il en vaut dix !

Personnalité qui pouvait coller au tueur. *Un homme violent qui gère mal ses émotions, qui transforme son inaptitude à communiquer en brutalité.*

— La nuit précédant notre départ, vous étiez ensemble ? Vous l'avez vu ?

Cette fois, le visage de l'infirmier se ferma.

— Pourquoi vous me posez toutes ces questions ?

— Les médecins sont inquiets pour Trenton, ils ne voudraient pas qu'il craque pendant l'assaut, si vous voyez où je veux en venir.

L'infirmier haussa les sourcils en se mordant la lèvre.

— C'est à ce point ?

— Par précaution. Alors ? La nuit précédente, vous savez ce qu'il faisait ? Il s'est absenté ? Il a cherché à être seul ? Quelque chose qui pourrait nous alarmer ?

L'infirmier soupira, profondément embarrassé.

— Non, au contraire. C'est… un peu délicat. Il faudrait que vous me promettiez que ça restera entre nous.

Elle lui fit signe que c'était le cas. Il se pencha jusqu'à lui murmurer :

— Notre officier de garde nous couvre lorsque nous avons des droits de sortie pour qu'on puisse les allonger un peu. C'est que… on savait qu'on allait partir pour la guerre, alors un peu de compagnie…

— Vous êtes en train de me dire que Trenton n'était pas dans la base hier ?

— Il est rentré au petit matin, avec trois types d'une autre section, l'officier est repassé les prendre en ville. Comprenez bien que ça n'a rien de grave, c'est pas de la désertion, c'est juste qu'il s'arrange, quand c'est lui qui est en charge des droits de sortie exceptionnels, pour qu'on puisse rester en ville une bonne partie de la nuit au lieu de rentrer en fin d'après-midi. Pour qu'on décompresse… Il sait que c'est important avant de partir au combat.

Quentin Trenton ne pouvait donc pas avoir tué Rosdale non plus. Ils se trompaient de suspect. Trenton était innocent. Mais un innocent bourru et violent, capable de réaction imprévisible s'il se sentait persécuté. Elle devait prévenir Frewin.

— Et…

Ann ne put achever sa phrase, les premiers coups de canon retentirent comme le signal qu'ils redoutaient tous. La clameur générale stoppa aussitôt. Le tonnerre guerrier continua de marteler depuis les ponts supérieurs. Cette fois il n'y avait plus aucun doute.

Puis les sifflets des officiers sonnèrent le réveil et les hommes se ruèrent pour enfiler uniforme et paquetage.

L'infirmier, penché sur sa couche, rassemblait en hâte ses affaires. Ann l'interpella :

— Je peux vous demander un service ? Si vous croisez un officier de la Police Militaire, vous pouvez lui répéter tout ce que vous venez de me dire ? Vous lui dites que c'est moi qui vous envoie, Ann Dawson. Je vous promets que ça ne vous causera pas d'ennuis, en revanche ça peut sauver des vies. Je sais, c'est étrange, mais faites-le.

Sans un regard pour elle, il répondit :

— D'accord ma petite dame, mais faudrait que vous partiez tout de suite d'ici.

Ann ne put retrouver Frewin dans le tumulte qui suivit. En dix minutes, six cents hommes se groupèrent sur le pont et dans les coursives, prêts à embarquer sur les transporteurs de troupes qui les conduiraient sur la plage. Elle regagna ses quartiers et se fit sermonner par le major Callon qui commandait le petit hôpital mobile. Sans broncher, Ann déposa son ballot dans un coin.

— Les trousses de premiers soins sont chargées comme il se doit, on ne vous a pas attendue ! vitupéra le major. C'est n'importe quoi ce comportement ! Au moment de débarquer en plus ! Faites-moi encore un coup de ce genre et je vous expédie aux soins d'une unité disciplinaire !

Ann baissa le nez et alla s'asseoir sur un lit, près des autres infirmières. Le major continuait de rager, pas loin des insultes. Un sanguin, un extrémiste de l'ordre, qui devenait fou lorsqu'on sortait du rang. Ann avait l'habitude. Elle avait grandi avec un père comme ça. La colère inattendue, les claques qui pleuvent sans prévenir, elle connaissait. Elle savait ne pas s'émouvoir lorsqu'un homme lui hurlait dessus. Dix-huit ans de pratique. Dix-huit ans de crises et de coups. Son père, elle l'avait fait taire elle-même un beau jour. Pour le major, c'était plus délicat. Elle décida d'agir comme la gamine aux taches de rousseur qu'elle avait été : elle attendit que l'orage passe. Elle attrapa sa longue tresse et tripota le bout de ce qui ressemblait à un épi de maïs. Le major se calmerait. Il était fatigué, et tendu, comme tout le monde.

Mais il ne s'arrêta pas. Il redoubla de cris et d'acharnement.

Ann l'ignora la première minute. Après quoi elle commit l'erreur de relever le menton en le voyant fondre sur elle. Ann crut qu'il allait lever le bras pour la frapper. Un réflexe d'enfant la fit reculer et rentrer la tête pour se protéger. Le major s'immobilisa aussitôt. Il prit conscience de ce qui venait de se produire. Moment de flottement. Malaise. Tout le monde baissa le nez vers ses chaussures. Le major s'éloigna, sans une excuse, pour ne pas perdre la face.

Ann sortit de sa poche un mouchoir pour sécher une larme incontrôlée. La larme de trop. Qui en appelle d'autres comme autant de souvenirs haïssables qu'on ne peut étouffer. Sans un bruit, Ann pleura. Sans une pensée cruelle pour son père, rien que du mépris pour elle-même, pour cette faiblesse, pour ne pas s'être endurcie après toutes ces années. Et elle attrapa le morceau de papier froissé qui l'accompagnait depuis l'embarquement. Elle n'eut pas besoin de le relire, chaque lettre était imprimée dans son cerveau, les mots comme autant de phares dans la vie, lorsque celle-ci se faisait nuit noire.

« Rien n'est figé. L'individu est au moins maître de lui-même. »

Deux heures étaient passées. Toujours assise sur ce lit secoué par les explosions des tirs qui se propageaient dans la structure de la coque, Ann avait replié ses jambes contre sa poitrine et les serrait contre elle. Où était le lieutenant Frewin ? Avait-il appris qu'il traquait le mauvais suspect ? Si Trenton se sentait acculé, il deviendrait aussi dangereux que le tueur lui-même. La guerre l'avait sauvé de la prison, mais pour un temps seulement. Dans le contexte d'une bataille, s'il venait à penser que sa vie était menacée des deux côtés du front, comment réagirait-il ? À l'image d'une bête sauvage coincée dans un cul-de-sac. Trenton était de ceux-là.

Pendant ce temps, songea Ann, le tueur était en liberté. Quelque part sur cette plage. Peut-être observait-il ce manège, amusé. Qui sait si cela n'allait pas lui donner des idées ? Le moyen idéal de se débarrasser de ceux qui conduisaient l'enquête sur ses crimes...

Ann referma le poing sur son mouchoir, les yeux rouges.

14

Un nouveau geyser de sable jaillissait en tonnant à chaque seconde pendant que les mitrailleuses labouraient la plage et saccageaient les corps. Les arcs-en-ciel de l'enfer s'allumaient au-dessus de l'écume : des nuances de gris, de kaki et de rouge écœurant se hérissaient à chaque explosion.

Craig Frewin tentait d'abriter son grand gabarit dans une anfractuosité. Il venait d'arracher une mitraillette des mains d'un cadavre et de fouiller dans sa besace pour s'emparer des chargeurs de réserve. Il parvint à se mettre à couvert. Un soldat était recroquevillé là. Frewin le reconnut aussitôt : il était dans la barge avec eux. Assez petit, fluet, un visage rond et des joues roses, sa jeunesse lui donnait des airs de Matters.

Une rafale éclata tout près d'eux.

— Vous allez bien, soldat ? s'enquit Frewin.

Mal à l'aise en reconnaissant le brassard de la PM, il hocha la tête sans grande conviction. Frewin savait que la PM faisait peur, un homme pendant une bataille craignait autant l'ennemi que la PM qui pouvait l'accuser de fuir le combat en restant caché.

— Ça pourrait aller mieux, lança-t-il d'une voix que la peur rendait aiguë.

Il avait de grands yeux bleus et des sourcils d'un brun roux sous son casque de travers. Frewin risqua un coup d'œil par-dessus le minuscule muret qui les dissimulait. Il n'apercevait plus Trenton qui devait se trouver quelque part devant, plus proche de l'ennemi. Cent mètres à parcourir avant qu'une haute dune couverte de buissons ne s'achève par un bunker imposant et deux nids de mitrailleuses.

Des balles sifflèrent à ses oreilles et il revint en position de sécurité.

— Lieutenant Frewin, se présenta-t-il en guettant les troupes derrière lui, éparpillées sur les premiers mètres de plage.

— Soldat Risbi, mon lieutenant.

Frewin lui tendit la main ; il savait que ce geste, incongru dans ces circonstances, pouvait réchauffer un homme en proie au doute. Ce n'était pas grand-chose mais cela pouvait faire du bien. Risbi la lui serra, d'une poigne molle.

— J'ai besoin de votre aide, Risbi. Je dois interpeller un certain Quentin Trenton, un peu plus loin.

— Tren… Trenton ? Mais, il… euh, il a fait quoi ?

— Ne vous inquiétez pas, il faut juste m'aider à le cerner.

Les deux hommes devaient presque crier à travers les impacts de mortier.

— Je… Je sais pas trop. Trenton, c'est un dur.

Cette fois, Frewin cessa de se montrer rassurant, son visage se ferma.

— Je ne vous le demande pas, je vous l'ordonne. Vous allez prendre sur la droite, il doit être quelque part devant nous. Je vais faire un tir de barrage et vous courrez jusqu'au prochain trou.

Frewin remarqua la silhouette de Matters derrière lui, protégé derrière deux cadavres. Il était accompagné de l'infirmier Collins. Frewin agita la main pour que Matters le voie, et lui fit comprendre qu'il voulait un tir de barrage pour le protéger.

— Vous êtes prêt ? demanda-t-il à Risbi qui le dévisagea, ahuri, pour lui signifier qu'on ne pouvait être prêt à faire une chose pareille. ALLEZ-Y !

Frewin se redressa et arrosa copieusement les sacs de sable entassés au sommet de la dune d'où il se faisait régulièrement canarder. La fenêtre d'éjection se mit à cracher ses douilles, l'arme trembla dans ses mains et, lorsqu'un nuage de poudre se fut formé, il se plaqua au sol. Risbi s'était élancé pour s'arrêter cinq mètres plus loin. Frewin comprit qu'il ne pourrait pas compter sur lui. Trop jeune, trop terrorisé.

Frewin fit signe à Matters mais celui-ci ne répondit pas.

— MATTERS ! s'époumona-t-il. TIR DE COUVERTURE !

Rien n'y fit. Matters avait disparu.

Matters n'avait pas fait dix mètres qu'il entendit un sifflement dans son dos. Un infirmier, reconnaissable à son brassard et à la croix rouge peinte sur son casque, l'interpellait. Il venait de derrière la barge dont il descendait. Matters trouva à se mettre à couvert et l'attendit. L'homme, un grand brun aux yeux verts approchant la trentaine, se jeta à terre à ses côtés.

— Vous êtes le sergent Matters ? interrogea-t-il, tout essoufflé.

— Oui.

— C'est votre lieutenant qui m'envoie. Je l'ai rejoint là-haut, à l'arrière de notre transporteur. J'avais un message pour lui, d'une certaine Ann Dawson. Il m'a dit de tout vous répéter.

En moins d'une minute, Matters apprit les dernières découvertes de l'infirmière et comprit pourquoi son supérieur voulait attraper Trenton vivant. Il n'était plus suspect, seulement témoin potentiel. Mais à en juger par son comportement, quelqu'un cherchait à lui faire peur, à le mettre en garde, quelqu'un de malintentionné. Et ce quelqu'un pouvait bien être le tueur. Ils devaient interroger Trenton et savoir qui l'avait mis dans cet état.

Matters reconnut le lieutenant devant lui, adossé à un mur. Il s'élança pour le rejoindre mais aussitôt le sol se mit à trembler, des dizaines de champignons éphémères se soulevèrent autour de lui. Il se jeta derrière des corps entassés comme un rempart de chairs. Deux balles vinrent se planter dans les abdomens sans vie avec un son mou, horrible, à trente centimètres de son crâne.

L'infirmier était collé à lui. Matters reprit son souffle et chercha des yeux son lieutenant. Deux groupes d'hommes tiraient à tout-va ; plus loin, massés autour d'une grosse radio, deux soldats hurlaient pour se faire entendre.

Soudain le lieutenant Frewin agita le bras. Il lui demandait un tir de couverture. Matters acquiesça en réalisant qu'il n'avait que son pistolet. Il scruta les alentours à la recherche d'armes. Un fusil orphelin reposait à moins d'un mètre. Sans réfléchir, Matters étendit le bras, agrippa la sangle et le tira à lui. Il était chargé. Il trouva cinq magasins supplémentaires dans les sacoches des morts qui le protégeaient. Il avait le souffle court, les oreilles sifflantes. Tout ça n'avait aucun sens. Cette rage, cette volonté de détruire, d'annihiler l'autre parce qu'il ne portait pas les mêmes couleurs… Des grains de sable crissaient sous ses dents et lui arrachaient des frissons. Toute cette sauvagerie…

Les deux morts encaissèrent à nouveau les tirs ennemis, un os éclata distinctement et une balle ricocha sur un casque.

Matters n'en pouvait plus. Il n'était là que depuis quelques minutes et se sentait déjà dépassé. Il aperçut son lieutenant qui se dressait et lâchait une rafale de repli. Matters pleurait. À ses côtés, affolé, l'infirmier cherchait où aller, triant des yeux les corps éparpillés sur la plage : ceux qui n'avaient plus besoin de lui, ceux qui pouvaient s'en passer, ceux qu'il pouvait encore soigner.

Un sous-officier hurlait en se tenant le ventre. Malgré ses efforts il ne réussissait pas à contenir les tripes qui glissaient hors de lui. Matters nageait en plein cauchemar.

Un homme dégoupillait une grenade qu'il lança de toutes ses forces au moment où l'artillerie lourde découpa l'air comme une guillotine. Sa tête se renversa en arrière, encore maintenue par les muscles du cou. Il tituba sur cinq mètres, comme une poule décapitée, puis des jets de sang arrosèrent ses épaules. Matters le vit s'effondrer. Son visage ne trahissait aucune souffrance mais une peur bestiale. Puis plus rien. Le regard vide. La mort était passée, s'emparant déjà d'un autre type, dix mètres plus loin.

Matters était pourtant à l'aise avec le sang, il le côtoyait. Cependant, ici, quelque chose clochait. Il pouvait comprendre la folie meurtrière d'une âme déconstruite, la cruauté d'un ego vindicatif, lien de cause à effet entre la victime et son tueur. Mais comment des milliers d'hommes pouvaient-ils s'acharner à se massacrer sans l'ombre d'une rancœur et sans même se connaître ?

Matters entendit son nom dans le maelström de tirs, de cris et d'explosions.

— MATTERS ! TIREZ, BON SANG ! COUVREZ-MOI ! vociférait le lieutenant Frewin.

Kevin Matters regarda son fusil, ses doigts maculés de sang, et il se remit à pleurer.

— MATTERS !

Il serra les dents, le sable crissa. Son index se faufila lentement vers la détente. Il ne put déglutir, alors il cracha. Il cracha ce qu'il avait dans la bouche, dans l'âme. Au fond de la conscience. Il posa un genou au sol et visa l'éclat noir de la mitrailleuse, tout en haut de la dune.

La première balle claqua en expédiant le canon du fusil vers le haut. Matters resserra sa prise, enfonça la crosse plus profondément dans son épaule et tira à nouveau, sans trop viser, juste pour ne pas laisser de répit. Troisième coup de feu. Les larmes l'aveuglaient, il ne parvenait pas à distinguer sa cible. Quatrième coup de feu. Du coin de l'œil il avisa le lieutenant Frewin qui courait sur la plage, à découvert. Cinquième détonation. Ses oreilles ne sifflaient plus, elles bourdonnaient, son audition diminuait. Il essuya ses yeux et s'efforça d'aligner le casque du tireur ennemi dans sa ligne de mire. C'était difficile, le pays tout entier semblait trembler. Il vit la mitrailleuse lourde se tourner vers lui.

Matters inspira et bloqua sa respiration.

L'embout du canon ennemi s'illumina une demi-seconde avant que le son ne parvienne jusqu'à lui.

Matters pressa la détente.

Il crut voir le casque noir projeté en arrière quand il fut lui-même transpercé par une puissante décharge. Le choc le fit basculer, plaqué au sol par un fantôme. La brûlure de l'acier dans son propre corps perforé grimpa jusqu'à son cerveau.

Matters cligna les yeux. La mitrailleuse l'avait fauché.

Une vague tiède toucha son flanc droit.

Son cœur lançait sur le sable humide sa marée pourpre.

Frewin slalomait entre les paquets d'algues séchées, les trous d'obus, les hommes à couvert ou en morceaux éparpillés. Il fonçait en tenant sa mitraillette serrée contre lui, le casque solidement arrimé, la respiration bloquée par le stress. Devant lui, le sable se souleva comme un rideau de fumée, on le prenait pour cible.

Encore cinq mètres.

Une balle éclata entre ses jambes, à quelques centimètres de ses genoux.

Au loin deux tumeurs sombres apparurent et grossirent dans le ciel en vrombissant.

D'abord surpris par cet éclat de folie, les hommes de la 3e section ne réagirent pas. Puis ils relevèrent leurs armes, la joue écrasée contre la crosse, avant d'ouvrir le feu à leur tour, pour protéger cet inconscient. Mais un inconscient portant le même uniforme qu'eux.

Frewin galopait.

Encore un peu.

Il ne voyait pas Trenton parmi les soldats.

Juste un peu, quelques mètres.

Il devait se coucher, tout de suite.

Trenton apparut, à l'abri dans une large cuvette. Frewin bifurqua pour s'en rapprocher. Trenton le vit venir. Il lui jeta un regard haineux et pourtant ne bougea pas. Il se savait aux avant-postes, dix pas de plus et c'était la mort assurée. Frewin, presque à son niveau, ouvrit la bouche pour hurler :

— Ne bougez pas ! Je dois vous parl...

Une pieuvre énorme jaillit du sable sous Trenton, si brusquement qu'elle aveugla Frewin de son encre. Une fumée brûlante. Et dans la même seconde, le choc féroce balaya Frewin en lui coupant le souffle tandis qu'elle grondait, un râle grave et assourdissant.

L'instant d'après Frewin était dos au sol, sourd, couvert de sable et de lambeaux sinistres. Trenton était éparpillé, jusque dans la bouche ouverte de Frewin, et tout ce qu'il savait s'était vaporisé avec lui.

15

Ann pensait que le temps se décomposait en saveurs. Citronné et piquant lorsqu'il s'éternisait et la rendait impatiente, épicé pour les moments d'excitation, sucré en présence d'un homme séduisant, acide pour les hommes méchants, et fleuri ou moisi selon les femmes qu'elle rencontrait. Pour l'heure, les minutes qui s'égrenaient diffusaient sur son palais une pellicule amère. L'ignorance, l'ennui, la crainte des amertumes sans âge.

En milieu de matinée, le major Callon ordonna à son équipe de ne bouger sous aucun prétexte, il partait à la recherche d'informations. Il n'était pas absent depuis cinq minutes qu'Ann se levait. Elle n'en pouvait plus d'attendre.

— Commence pas, toi ! avertit Clarice par-dessus ses gros sourcils noirs. Je te connais et je sais que tu ne tiens pas en place, mais si tu sors, Callon te ratera pas. T'as bien vu, il t'a dans le collimateur !

Ann la toisa de biais et acquiesça mollement. Étaient-ce les coups et un père tyrannique qui l'avaient rendue si déterminée ? Ann savait, à l'instant précis où une idée germait dans son esprit, qu'elle l'appliquerait. Callon ou pas. Elle ouvrit la porte.

— Ne fais pas ça ! la prévint un jeune médecin avec qui elle discutait de temps à autre. Ça va mal finir.

Elle le salua d'un clin d'œil et lança :

— Dites à Callon qu'ils avaient besoin d'une infirmière dans la salle des machines pour une brûlure.

La porte se referma sur la coursive déserte. Ann retrouva le chemin des dortoirs de la 3ᵉ section assez facilement, ils n'étaient pas très éloignés. La grande salle était vide. Rien que des hamacs et des lits superposés barrés de draps froissés. Elle déambula entre le linge et quelques journaux déchirés, et ne tarda pas à localiser l'emplacement de l'infirmier, celui qui connaissait Quentin Trenton. Elle se souvint qu'il avait commencé à lever le bras en regardant vers la gauche pour désigner Trenton, avant qu'elle ne l'arrête. Ann se tourna dans cette direction. L'espace près du mur. Pas très précis, une dizaine de couchettes s'y entassaient, mais c'était mieux que rien après tout.

Son idée était simple : plus elle y pensait et plus elle était sûre que l'auteur du mot pour Trenton était l'assassin. Pourquoi Trenton avait-il subitement changé de comportement après l'avoir lu ? Parce qu'on l'accusait. On l'accusait d'être l'assassin de Gavin Tomers. Le vrai tueur, s'il faisait bien partie de cette 3ᵉ section, connaissait Trenton. Il savait qu'il pouvait en faire une cocotte-minute prête à sauter. Il suffisait de faire monter la pression. Le tueur l'avait conforté dans sa paranoïa. D'une manière ou d'une autre, il avait appris que Trenton était suspect et, connaissant son caractère, il voulait en faire une bête traquée, donc dangereuse. Pour semer le doute. Qui d'autre avait une raison de faire peur à Trenton ? À qui profitait son agressivité, voire sa violence… ? Au *vrai* tueur. Quelqu'un d'observateur, d'attentif, qui avait appris que la rumeur du suicide de Gavin Tomers se répandait.

Et qui savait que Trenton était suspect !

Qui le savait ? Matters. C'était lui qu'elle avait vu et qui lui avait transmis l'information. Frewin bien entendu. Qui d'autre ? Elle devrait demander à Frewin. Peu de monde, elle en était sûre, le lieutenant de la PM ne se serait pas amusé à divulguer le nom de son principal suspect tous azimuts. Une chance déjà que Matters ait fait la gaffe, car il avait gaffé, c'était évident. Matters n'était pas à son aise en sa présence. Savait-il quelque chose sur elle ? S'était-il renseigné ? Non, impossible… Ann avala sa salive.

L'homme qui avait écrit le mot pour Trenton était le tueur. Et elle espérait bien retrouver ce bout de papier. Qu'en avait-il fait ? Le gardait-il avec lui ? Peu probable, par expérience elle savait que les soldats partant au combat avaient les poches pleines à craquer d'équipement, et aussi le réflexe de ne rien ajouter d'inutile, fût-ce du papier. Il l'avait jeté. Mais où ? Ann s'évertuait à chercher une poubelle ou une corbeille depuis qu'elle était entrée. Sans résultat.

Les lits étaient couverts de chewing-gums mâchés. *Transmission de nervosité de l'esprit à la mâchoire puis au chewing-gum, et on se débarrasse de celui-ci pour être zen*. Ann adorait élaborer de petites théories fantaisistes comme celle-ci. *Concentration*.

Elle se laissa tomber sur un des matelas qui couina en la recevant. *Charmant…* Elle tournait le problème dans tous les sens. Où Trenton pouvait-il avoir jeté son papier ? Il avait passé la nuit entière à jouer aux cartes.

C'était la fin d'une longue veille, il était nerveux, fatigu...

Ann se leva d'un bond.

Les toilettes ! Il ne s'est pas absenté de la nuit, mais l'envie d'uriner a dû le saisir ce matin... Si sa théorie était fondée, que devait-elle en faire ? Sonder le fond des pissotières pour traquer une boule de papier à l'encre effacée ? Aucune chance. Alors peut-être... Ann fit volte-face. Les lits. Ils avaient constitué la bulle personnelle de chacun pour cette dernière nuit avant l'affrontement. Les lits étaient le prolongement de leurs territoires, de leurs corps. *Et aussi leur dépotoir !* rectifia-t-elle en songeant à tous les chewing-gums fraîchement collés.

Ann souleva les matelas, secoua les draps... Rien. Un jeu de cartes oublié sur une couverture, rien d'autre. Son idée n'était pas idiote mais elle ne pouvait la vérifier. Elle perdait son temps. Elle se sentait frustrée d'avoir accès à leur lieu de vie sans en tirer un élément intéressant. Si seulement ils avaient laissé leurs affaires personnelles...

Ann frotta machinalement le col de sa blouse entre le pouce et l'index... *Leurs affaires...* Les hommes étaient envoyés au combat avec leur paquetage d'assaut mais disposaient d'une cantine en métal pour le reste. Cette caisse les rejoignait plus tard, une fois le camp établi. Ann marcha jusqu'au fond de la pièce et aboutit à un sas. Après deux voies sans issue elle dut retourner sur ses pas jusqu'à un escalier d'angle. Un marin se dissimulait là, penché, comme s'il la guettait. Dès qu'elle apparut, il se redressa, surpris, et s'apprêtait à monter, comme si de rien n'était, quand il se ravisa. Pendant une seconde elle crut qu'il l'espionnait mais balaya cette pensée en comprenant que c'était stupide, personne n'avait de raison de la surveiller ici. Le marin la vit approcher sans rien dire, les traits durs, comme s'il n'appréciait pas de la croiser. Ann le salua, son uniforme médical lui permettait de circuler bien plus librement qu'un militaire, mais ne suffisait pas à garantir un minimum de politesse.

— Je cherche la cale où sont entreposées les affaires des soldats partis sur le front, demanda-t-elle sans se démonter.

— Ça doit être avec les munitions à débarquer, deux niveaux plus bas, mais vous n'y aurez pas accès, c'est fermé, rétorqua-t-il, un peu sec.

— Vous avez la clé ?

Il lâcha la rambarde pour faire face à cette séduisante jeune femme.

— Il se trouve que oui, mais je n'ai pas le droit de vous ouvrir.

Il descendit d'une marche pour être à son niveau, et changea tout à coup d'attitude : un sourire taquin se dessina. Ann ne s'en offusqua pas, au contraire, elle avait l'habitude.

— J'ai reçu l'ordre d'aller y prendre les médicaments d'un soldat. C'est une urgence.

Le marin ne dissimula pas son étonnement.

— C'est bizarre car…

Ann prit son air le plus troublé et le coupa :

— Si je ne le récupère pas tout de suite, mon major va me tomber dessus, et c'est très urgent, aidez-moi s'il vous plaît.

Il l'invita à se calmer d'un geste de la main.

— C'est bon, épargnez-moi les détails et ne vous faites pas de bile, je vais vous ouvrir. Vous savez ce que vous cherchez au moins ?

— Oui, mentit-elle tandis qu'il la précédait pour descendre.

Ann s'étonna de ne croiser aucun membre d'équipage en s'enfonçant dans les profondeurs du *Seagull* et le fit remarquer à son guide.

— Nous sommes en état d'alerte, lui expliqua-t-il, la circulation est limitée.

— Et vous ?

Il se retourna sans ralentir pour la couver du regard.

— Moi je m'occupe des belles infirmières en détresse.

Ann haussa les sourcils, elle était tombée sur le dragueur du bord. Elle ne pouvait pas s'en plaindre, au moins la conduisait-il là où elle avait besoin.

Plus ils dévalaient les marches et longeaient des coursives, plus les canonnades s'éloignaient, semblables à la rumeur d'une tempête en surface.

Ils parvinrent à une porte cadenassée. Le marin fouilla dans son trousseau et finit par l'ouvrir avant d'actionner un interrupteur à l'intérieur.

— Faites vite, je vous attends pour ne pas que ça se referme. À moins que vous n'ayez besoin de moi ?

Il la gratifia d'une œillade aguicheuse et elle faillit éclater de rire. Elle se contenta de sourire pour ne pas le froisser et le dépassa.

La cale lui parut vaste, bien plus haute de plafond que les autres salles du navire. Des lampes scellées aux parois s'illuminèrent successivement. Des caisses en bois s'empilaient derrière des filets et des cordes sur lesquels pendaient des ardoises précisant la compagnie et le contenu.

— L'équipement personnel est plus loin, s'écria le marin, sur la droite je crois. Des caisses en fer, toutes vertes.

146

Ann sillonna les allées et ne tarda pas à repérer neuf groupes de caisses vertes, aux noms et matricules des soldats peints en jaune. Elle disparut à la vue du marin. Des ardoises précisaient chaque fois la compagnie et la section. Ann s'immobilisa soudain : « Comp. Rav. 3e sec. »

Elle passa sous la corde pour se glisser entre les blocs de rectangles qui grimpaient sur trois mètres de hauteur. Des sangles les maintenaient arrimés au sol. Les noms se superposaient, avec des séries de chiffres. Ann passa les caisses en revue, cherchant celle de Trenton. Elle la repéra tout en haut d'une pile. *Mince…*

Pire, un cadenas en interdisait l'ouverture, comme sur la plupart des autres. Elle serra les paupières une longue seconde.

C'est fichu. Elle n'avait aucune aptitude pour crocheter une serrure et ne pouvait en aucun cas demander son aide au marin.

La lourde coque du *Seagull* grinça. Les ardoises se balancèrent, Ann recula, vérifiant que rien ne bougeait, pas question de terminer son enquête sous une pluie de malles en fer. Elle retourna dans l'allée et revint au carrefour d'où elle pouvait distinguer la sortie. S'il y avait un problème, le marin la préviendrait.

— C'est normal ce bruit ? demanda-t-elle.

Il n'y avait plus personne devant l'entrée. Elle en resta sans voix. Elle allait insister lorsqu'elle réalisa que c'était une aubaine. *Il s'en grille une dans un coin en t'attendant, profites-en !*

Elle repartit au pas de charge vers les réserves de la 3e section. Si elle pouvait trouver une échelle et un pied-de-biche, ou au moins un levier, elle parviendrait probablement à faire céder la serrure. *Tout de même...*

Elle se mit en quête d'un outil pour forcer la malle de Trenton, mais un certain malaise l'habitait.

Le tueur avait sévi ici, dans ce navire, par deux fois. Le lieutenant Frewin en avait déduit qu'il s'agissait d'un homme de la 3ᵉ section. *Et s'il s'était trompé ? Si c'était un homme du bord ? Le tueur est peut-être là, quelque part dans ces couloirs de métal, et moi je joue à la femme de Barbe-Bleue...*

Ce n'était pas le moment de songer à des choses pareilles. Frewin avait vu juste. Sans aucun doute. C'est à ce moment que la tache rouge lui apparut sur sa jupe. Elle remonta le tissu sur sa cuisse pour l'examiner. Cela ressemblait à du sang. Elle l'effleura pour constater que c'était humide. Aussitôt, elle vérifia ses mains, ses avant-bras, à la recherche d'une coupure. Rien. Ce n'était pas le sien. Elle se figea. Puis tourna doucement sur elle-même, le cœur emballé jusqu'à la douleur.

Le coin d'une caisse brillait, laqué d'un liquide sombre.

Ann se pencha. Du sang.

Qu'est-ce que ça fait là ?

Elle en découvrit encore sur le rebord. Un nom était peint en jaune : « Cal Harrison. » *Qu'est-ce que ce sang fait sur ton coffre, Cal Harrison ?* Par chance, aucun mécanisme de fermeture n'entravait l'accès à son contenu. Ann grimpa pour donner du mou à la sangle et souleva la plus haute des caisses qu'elle fit glisser sur un tas annexe.

Le *Seagull* grinça à nouveau, une longue plainte sinistre. Les canons se turent. *Qu'est-ce qui se passe encore ?* Après une minute, l'attaque reprit de plus belle et Ann acheva de dégager l'accès au coffre de Harrison. Elle se trouvait toujours en équilibre en hauteur. Ses doigts saisirent le battant, réussirent à l'ouvrir.

Des vêtements chiffonnés étaient entassés avec un livre et une revue pornographique. Une chemise bleue au col taché de rouge abritait un objet massif. Ann attrapa le tissu et l'écarta.

Des poils apparurent. Des cheveux un peu bouclés.

Une oreille, puis tout le profil d'une tête.

Humaine.

Ann écrasa sa main sur sa bouche. Elle recula d'un pas et faillit perdre sa stabilité, ses bras s'agitèrent dans l'air et elle revint s'agripper à la caisse de Harrison.

Elle venait de trouver ce qu'il manquait de Fergus Rosdale. Elle en était sûre. Du sang maculait les tee-shirts et les pantalons roulés en boule. Les paupières entrouvertes, Rosdale fixait le néant d'une pupille sèche. Ses lèvres dévoilaient des dents brillantes. La peau était d'une pâleur extrême, vidée de son précieux fluide.

Ann prit le temps de se remettre en songeant à ce qu'elle devait faire. Elle n'avait aucune raison logique d'être là, personne ne la soutiendrait. Un soldat dissimulait une tête humaine dans ses effets personnels et elle devait trouver le meilleur moyen d'en tirer parti. Sonner l'alarme n'était pas une bonne idée.

Frewin. Lui saurait quoi faire et comment utiliser cette macabre trouvaille. Elle devait donc attendre. Ne rien dire. Au risque de voir partir les caisses vers la côte ? Elle se mordit la lèvre. Que devait-elle faire ?

Attendre Frewin. C'est la meilleure solution.

Elle referma la caisse et remit ce qu'elle put en place avant de descendre. Elle transpirait, le marin allait la soupçonner.

C'est crédible, je viens de fouiller pour récupérer des médicaments...

Sauf qu'elle n'avait rien. Si le marin demandait à voir ce qu'elle emportait, ses mains seraient vides. Elle s'immobilisa et palpa les poches profondes de sa blouse. Il lui restait un flacon d'aspirine dont elle arracha l'étiquette. Ça ferait l'affaire.

Ann déboucha dans l'allée principale et s'arrêta en voyant la porte des cales fermée.

Qu'était-il advenu du marin qui l'accompagnait ?

Ann se remémora l'imposant cadenas qui verrouillait cet accès. Et s'il était refermé ?

Les plafonds émirent un petit tintement à mesure que les lampes s'éteignaient, l'une après l'autre.

Les ténèbres surgirent des angles jusqu'à tout dévorer.

On vient de... couper la... lumière, se répéta Ann comme pour se convaincre que c'était bien arrivé. Elle n'y voyait plus.

Puis la peur s'empara d'elle lorsqu'elle revit le geste du marin.

Il avait passé le bras *à l'intérieur* de la salle pour allumer, l'interrupteur était ici, avec elle.

Elle n'était donc pas seule.

C'est alors qu'elle entendit le crissement des semelles qui se rapprochaient, tout doucement.

Par-derrière.

16

Lorsque les balles se mirent à dévaster les mottes de sable, tout autour de Frewin, il n'eut d'autre choix que de rouler dans le trou où venait de disparaître Trenton. Le sang du soldat encore sur la langue, Frewin ne cessait de cracher et pourtant il lui semblait qu'un fragment de Trenton restait coincé quelque part dans sa gorge, projeté par le souffle. Il fut pris de violents haut-le-cœur et se plia en deux. Il jeta son arme, chercha sa gourde en tâtonnant et l'arracha de sa ceinture pour noyer ce goût infâme.

Frewin prit alors conscience de ce qui l'entourait.

Il était allongé sur les restes de Trenton, dans une mare de viscères et de sable, parmi des morceaux dont il ne put identifier qu'une main à moitié ouverte. Il lâcha sa gourde et bondit hors de la fosse en oubliant sa mitraillette, se jetant dans les tirs ennemis. Les balles déchirèrent le paysage, silencieuses derrière le mur ouaté de ses tympans meurtris. Les obus pleuvaient sans discontinuer. Frewin rampa sans rien y voir, pour s'éloigner de la tombe sanglante. Une main l'attrapa et l'attira dans un des rares renfoncements rocheux.

— Z'êtes dingue ou quoi ? lui envoya-t-on.

Frewin, qui n'entendait rien, s'accota à la pierre pour reprendre son souffle. Il vit le soldat se relever pour tirer et se remettre à l'abri. Un autre avait lâché son fusil pour contenir la plaie ouverte à la jambe d'un troisième qui se cramponnait à sa veste, près de s'évanouir

— Caporal Regie, se présenta le tireur en rechargeant.

Frewin constata qu'il lisait sur les lèvres.

— Lieutenant Frewin.

— C'est la merde, lieutenant, on ne tient pas du tout la position comme…

Frewin l'interrompit, montrant son brassard de la Police Militaire.

— Je ne suis pas ton supérieur, ce n'est pas à moi qu'il faut faire le point.

— Je n'ai plus de supérieur, on ne trouve plus personne dans ce bordel ! s'écria l'autre par-dessus la déflagration d'une grenade. Vous êtes lieutenant, pour moi c'est pareil ! Alors je fais quoi avec mes hommes ? On attend sagement de se faire dessouder ?

Un quatrième arriva à toute vitesse et se jeta à plat ventre dans le sable à leurs pieds. Il s'empressa de venir s'adosser à son tour au muret naturel. Son visage n'était pas inconnu à Frewin. Boucles blondes et yeux bleus, menton fuyant et pommettes saillantes.

— Harrison ! beugla le caporal, qu'est-ce que tu viens foutre ici ! On est déjà trop nombreux !

— Vous avez vu ce qui est arrivé à Trenton ? Vous avez vu ?

— Cet abruti a déconné, il est parti droit devant tout seul !

— C'est sa faute ! rétorqua Harrison en désignant Frewin. C'est la PM qui lui a collé la pression !

— Fais pas chier, c'est pas le moment ! voulut conclure le caporal Regie.

Frewin se pencha vers Harrison. Il se souvenait où il l'avait déjà vu : cette nuit même, dans les coursives du *Seagull*, c'était lui qui était venu voir ce qui se passait. Il faisait partie de ces hommes qui avaient entendu sa conversation avec Matters. Frewin s'en voulut de ne pas avoir été plus prudent.

— Qu'est-ce que tu veux dire ? demanda-t-il, certainement plus fort qu'il ne l'entendait.

— Trenton a sauté parce que vous lui couriez après, voilà ! Vous trouvez pas qu'on a déjà assez à faire avec ceux d'en face ? Faut que vous en rajoutiez ?

— Trenton savait qu'il était notre suspect, et je vous ai vu cette nuit, vous avez tout entendu, c'est vous qui l'avez prévenu, n'est-ce pas ? C'est vous l'auteur du mot !

Harrison demeura muet sous l'effet de la surprise, ils savaient pour le mot. Il s'étira jusqu'à pouvoir chuchoter tout près du lieutenant enquêteur :

— Je lui ai dit de faire gaffe à ses miches. Qu'il était en danger. Point. Ça s'appelle la solidarité, on se serre les coudes nous, pas comme les petites putes de la Police Militaire qui ne cherchent qu'à foutre la merde...

Harrison n'avait pas achevé sa phrase que Frewin le saisissait déjà par le col et, d'une poigne d'acier, l'obligeait à venir coller son nez contre le sien.

— Regarde-moi bien, ordonna-t-il, regarde bien, parce que si je découvre que tu as quelque chose à te reprocher, tu perdras ce sourire narquois une bonne fois pour toutes.

Frewin sentit une proéminence dure s'enfoncer dans ses côtes. Harrison venait de redresser son arme.

— Faites-moi chier, railla-t-il, allez-y, ça me ferait plaisir de vous trouer, lieutenant, une erreur de tir est si vite arrivée...

Frewin allait rebondir lorsque l'infirmier Collins arriva à son tour, hors d'haleine, pour s'approcher du soldat blessé à la jambe.

— Vous êtes trop nombreux ici ! hurla-t-il. S'ils vous repèrent c'est la salve d'obus à coup sûr ! Cassez-vous !

— Il a raison ! Harrison et Traudel avec moi, on dégage, s'écria Regie avec un bref regard acide vers le lieutenant qui refusait de les commander.

Frewin relâcha son emprise et repoussa brutalement Harrison tout en le défiant du regard. Avant qu'il puisse l'interpeller une dernière fois, l'infirmier lui confia :

— Votre sergent est *out*, il a pris une balle.

— Quoi ? Matters ?

Harrison s'éloigna à toute vitesse, à genoux, avec ses deux comparses. Collins déchira l'emballage d'une compresse avec les dents et la déposa sur la jambe du soldat.

— Oui, pas grave mais il n'est pas dans son état normal. Je l'ai laissé derrière, à proximité de la barge Il s'en remettra vite, enfin... physiquement.

Frewin sonda la plage mais ne vit que fumée, tirs, et silhouettes furtives...

— Doc, dit-il, vous connaissez Harrison ?

— Cal Harrison ? De la 3e section ? Ouais. C'est justement un pote de Trenton ! Un peu le même genre, bourru.

Frewin ne parvenait pas à mettre ses pensées au clair dans cet environnement. Néanmoins il sentait que ce Cal Harrison n'était pas innocent dans cette histoire. Il avait entendu Matters suspecter Trenton dans le couloir, il était ami avec lui et partageait ce penchant pour l'agressivité. Ou bien il était l'assassin et il était venu dans la coursive pour voir ce qu'il pouvait apprendre, ou bien ils avaient tout faux et il n'avait fait que prévenir son camarade de la suspicion à son égard.

Frewin s'inclina pour tenter de le repérer.

Flanqué de son caporal et d'un autre soldat, ils préparaient la destruction d'un barbelé.

Les mitrailleuses ennemies concentrèrent leurs tirs sur une nouvelle vague d'hommes qui débarquaient. Les balles giclaient des canons fumants, si brûlantes qu'elles découpaient dans l'air des sillons embrasés. Un opérateur radio profita de l'accalmie pour se glisser, d'abri en abri jusqu'à eux.

— Lieutenant Frewin, c'est ça ?

Il acquiesça.

— La 2e section vient de prendre le nid gauche, ils vont passer le bunker au lance-flammes dans une seconde. Y aura peut-être des prisonniers là-haut après ça. On a besoin de la PM.

— J'ai deux hommes dans la 2e section.

L'opérateur radio pinça les lèvres avant de répondre :

— Plus maintenant, lieutenant. Ils ont été tués.

— Quoi ? rugit Frewin. Mais ils étaient censés rester derrière ! Comment est-ce possible ?

— C'est… quand la 3e section est arrivée. Je crois que… Je crois même que c'était un tir ami.

— Un tir ami…, répéta Frewin, incrédule.

Une bavure. Dans les batailles de grande envergure, un pourcentage élevé de pertes est dû à des erreurs de tir.

— Je crois… C'est ce qu'on m'a dit.

— Il y a eu des témoins ?

Un obus éclata tout près d'eux, ils s'enfoncèrent dans le trou.

— Il faut dégager ! brailla l'infirmier en balançant son blessé sur son épaule.

Frewin fixa l'opérateur radio.

— Il y a eu des témoins ? insista-t-il.

Sa carrure et la colère qui brûlait ses pupilles suffirent à empêcher l'opérateur de fuir avec l'infirmier.

— Pas que je sache. Mais ils ont pris des balles dans le dos.

Une seconde explosion cracha une longue pelletée de sable sur eux.

Cette fois il n'y avait plus aucun doute. Le tueur était dans la 3e section. Et il venait de lancer les hostilités contre la Police Militaire. Frewin ne croyait pas à une erreur de tir. Pas dans cette section, pas avec ces hommes expérimentés. C'était volontaire, sur des cibles précises. Pour signifier qu'il savait. Et qu'il ne se laisserait pas faire.

Un troisième obus explosa et cette fois il arracha tout le bloc rocheux qu'il éparpilla en milliers de fragments, soufflant Frewin et l'opérateur radio dans un nuage gris.

17

Les hommes avaient apporté l'enfer sur Terre.

L'écho des canonnades ressemblait encore à la rumeur lointaine d'un orage. Six heures de barbarie avaient transformé la plage en un tableau dantesque, où le vermillon de la mort dominait. Des milliers d'impacts d'obus avaient perforé le rivage devenu sol lunaire. Des bateaux dévastés gisaient sur le flanc, à demi noyés dans la marée montante. Seule la végétation belliqueuse des hérissons tchèques avait survécu, leurs pointes métalliques découpant dans le ciel des fleurs de mort. Et puis des cadavres partout. Le sang s'écoulait en rigoles vers le ressac jusqu'à former un long ruban colorant les premiers mètres de littoral, sans cesse repoussé par les vagues, comme si la mer elle-même refusait de porter le poids de cette haine.

Deux cents brancardiers arpentaient la mélasse de membres arrachés et de sable retourné pour se charger des corps et remplir des sacs de débris humains, assez gros pour être transportés. Il fallait dégager le passage, les engins lourds n'allaient plus tarder à débarquer.

Parmi ces pénitents errants l'un avait une balafre encore boursouflée de points de suture qui lui entaillait le bas de la joue jusqu'à l'oreille, et plusieurs plaies au visage et au cou. Il se tenait sur le bord d'un trou profond d'un mètre cinquante où gisaient deux soldats au brassard de la PM.

Craig Frewin considéra leur posture : repliés sur eux-mêmes pour échapper aux tirs provenant de face, sans se douter une seconde que la mort allait surgir de derrière, de leur propre camp. Cinq balles les avaient fauchés dans le dos. Craig contempla les environs. La barge qui l'avait conduit ici était échouée tout près, ils étaient arrivés par là, lui et la 3e section. Lui et le tueur. De l'autre côté, une épaisse fumée noire s'échappait du bunker, chargée d'odeurs d'essence et de chair grillée.

— On peut les emporter ? demanda un infirmier qui attendait au côté de Frewin.

Le lieutenant ravala sa peine. Clauwitz et Forrell, ceux qu'on appelait « les jumeaux » tant les deux amis se ressemblaient. Le premier avait la tête enfoncée dans le sable, les doigts crispés ; le second, paupières closes, bouche ouverte, paraissait dormir. Seule sa cheville retournée sous le poids du corps démontrait qu'il ne pouvait être assoupi.

Frewin hocha doucement la tête.

— Allez-y, murmura-t-il en s'éloignant.

Des bâtiments de guerre se rapprochaient de la côte, et les transporteurs de troupes et de marchandises commençaient à décharger, relayés par les Jeeps et les camions. Des dizaines de petits dirigeables flottaient à une trentaine de mètres du sol, arrimés pour ne pas s'envoler, leur rôle étant d'empêcher toute attaque des chasseurs ennemis.

Frewin arriva au sommet de la dune, et domina l'immense camp où se montaient peu à peu des centaines de tentes, où s'entassaient caisses en bois, barils d'essence et munitions sous des filets de camouflage, au milieu d'une agitation incessante. Bientôt les divisions de blindés viendraient dresser leur mur d'acier sur le flanc sud.

Frewin tentait de se ressourcer parmi les hommes. Certains se félicitaient d'avoir vaincu, d'être en vie, les autres, plus nombreux, portaient le poids de l'horreur dans leur silence. Il croisa un peloton de la PM escortant une quarantaine de prisonniers qui défilaient, mains croisées sur le casque, vers une cuvette qui servirait de geôle provisoire. Les vainqueurs accouraient pour leur cracher au visage en riant, un rire qui ne parvenait pas à masquer la peur des deux camps.

Un peu à l'écart de cette agitation, sous des filets de camouflage et encerclée de cartons de vivres, Frewin trouva la Ruche, en cours d'assemblage par plusieurs de ses hommes : Angus Donovan, avec son profil grec et ses lunettes rectangulaires, Eliot Monroe, la tête brûlée de la PM, Phil Conrad, John Larsson et Adam Baker, les deux costauds du groupe, le tout sous l'œil attentif du sergent Matters, le bras en écharpe. Frewin vint vers lui.

— Vous tenez le coup ? s'enquit-il.

Matters considéra son bras avant de répondre :

— Ça passera. Le médecin a dit que je pourrai retirer l'attelle la semaine prochaine, c'est juste pour que les mouvements ne gênent pas la cicatrisation.

Ils s'observèrent, hésitants.

— Clauwitz et Forrell sont morts, lâcha le lieutenant.

— Je sais. On l'a appris. Et dans l'unité, vous, moi et Larsson sommes blessés, Larsson s'est pris un éclat de shrapnell dans le gras du ventre, presque rien, semble-t-il. (Il le désigna qui hissait un piquet en tirant sur une corde.) Il est aussi vif que d'habitude.

— Gardez un œil sur lui, on ne sait jamais. La priorité est de monter la Ruche, ensuite nous ferons un point précis sur tout ce que nous avons. Il faut disséquer les deux meurtres, leurs circonstances, leurs particularités, tout ce qu'on n'a pas encore pu faire. Et il y a un type que je veux surveiller, un certain Cal Harrison.

Dans le quart d'heure suivant, les hommes abandonnèrent piquets et treillis de cordages pour engloutir leur ration froide en guise de déjeuner – pas le temps de faire chauffer. Frewin mangea avec ses hommes. John Larsson récita une prière pour saluer leurs deux amis disparus. Larsson, Baker, puis Matters, avec un temps de retard, se signèrent. Après quoi chacun retourna à sa tâche.

Frewin s'écarta pour aller uriner dans les hautes herbes et, chemin faisant, songeait à Patty. Il espérait avoir le temps de lui écrire ce soir, lui raconter ce qu'il ressentait, en taisant le détail des atrocités, comme toujours. Une nouvelle lettre. Qui irait rejoindre les précédentes dans sa caisse. Patty.

Frewin retrouva le camp cinq minutes plus tard et se rendit au Q.G. de campagne. Le major général Toddwarth n'avait pas encore débarqué et Frewin perdit du temps à se procurer ce qu'il cherchait : la liste complète des hommes de la 3e compagnie.

L'officier qui la lui tendit une heure plus tard lui précisa :

— C'est la dernière mise à jour.

— C'est-à-dire ?

— Eh bien, il n'y a sur cette liste que les hommes valides. Les morts et les blessés qui ne peuvent plus être opérationnels n'y figurent pas. Vingt-deux noms sur la trentaine de la section. Dans l'immédiat je n'ai pas le temps de vous trouver tous les membres de la 3e section depuis le début.

— Ça ira parfaitement, merci.

Craig Frewin contempla les noms qui se succédaient :

— *capitaine Lloyd Morris*
— *lieutenant Ashley Durrington*
— *lieutenant Philip Piper*
— *adjudant Clive Bradley-Dodders*
— *adjudant Henry Clark*
— *sergent Piotr Kijlar*
— *sergent Gabriel Rabin*
— *sergent (infir.) Parker Collins*
  caporal Douglas Regie
— *caporal Adam Houdan*
— *soldat Frank Gazinni*
— *soldat Vladimir Hriscek*
— *soldat Martin Clamps*
— *soldat Jeremy Brodus*
— *soldat Cal Harrison*
— *soldat Peter Brolin*

— *soldat James Costello*
— *soldat Felipe Gonzalez*
— *soldat John Traudel*
— *soldat Rodney Barrow*
— *soldat Steve Risbi*
— *soldat John Wilker*

Cette liste serait le point de départ de leur traque. En regard de chaque nom, il mettrait tout ce que la PM apprendrait et déduirait. Il ferait de cette liste son guide pour resserrer toujours davantage le nombre de suspects. Jusqu'au tueur.

Frewin retourna à la Ruche dont on terminait l'assemblage des toiles annexes, et put installer son paquetage dans sa tente. Il dépliait son lit de camp lorsqu'il entendit son nom. Quelqu'un le demandait auprès de son équipe. Il sortit pour faire face à une infirmière, petite brune costaud, sourcils fournis, longs cheveux raides, qui se tordait les doigts de nervosité.

— Vous… Vous êtes le lieutenant Frewin de la Police Militaire ? balbutia-t-elle.

Frewin sentit que quelque chose n'allait pas. Il hocha la tête.

— Je m'appelle Clarice, je suis une amie d'Ann Dawson.

Elle s'assura qu'on ne les épiait pas et se rapprocha de lui.

— C'est à son sujet, je dois vous parler. Tout de suite, ajouta-t-elle avec une fermeté inattendue.

Tous les sens en alerte, Frewin ouvrit le battant de ses quartiers et l'invita à entrer.

18

Ann Dawson se voyait déjà étripée.

À n'en pas douter, lorsque le major Callon la verrait revenir après une absence de plusieurs heures, il l'étriperait. Et peu importaient les excuses qu'elle aurait inventées. En l'accusant de fuir ses responsabilités et son rôle d'infirmière auprès des nombreux blessés qui affluaient, Callon pourrait demander son renvoi de l'armée.

Impossible. Pas en ce moment, ils ont trop besoin du personnel médical...

Certes son dossier s'en ressentirait : insubordination, tempérament violent, inconstance dans son travail. Mais qu'est-ce que ça pouvait bien lui faire après tout ? Lui nuire pour trouver du travail dans un hôpital après la guerre ? Si elle s'achevait un jour... Non, le véritable souci viendrait de sa relation avec Callon, il n'allait plus l'épargner désormais. L'œil rivé sur elle, il la coincerait dans une tâche contraignante afin qu'elle ne puisse plus remuer un cil.

Pour l'heure elle n'avait pas lâché les caisses personnelles des soldats qu'on venait de débarquer, elle les avait suivies jusqu'au camp, dans une zone où l'équipement s'entassait. Chaque section disposait de son propre tas et venait à tour de rôle dispatcher les coffres vers leurs propriétaires. Le tour de la compagnie Raven ne tarderait plus.

Cal Harrison reprendrait possession de son ignoble contenu. Il devrait alors chercher à s'en débarrasser. Était-ce dans ses plans ? S'il l'avait conservée, c'était probablement dans un dessein bien précis... Ann ne savait plus qu'en penser, elle avait seulement hâte de voir le lieutenant Frewin s'emparer du problème. Sa découverte lui avait causé assez d'ennuis comme ça. Cinq heures plus tôt, dans la cale ténébreuse, le marin leste avait tenté de la coincer. À peine lui avait-il effleuré les épaules pour l'embrasser qu'elle lui avait envoyé son genou dans les parties. Le temps qu'elle coure jusqu'à la porte pour rallumer il se confondait en excuses, plié en deux sous l'effet de la douleur, prétextant qu'il avait cru à des avances lorsqu'elle lui avait demandé de l'emmener dans les cales. Le mâle dans toute sa splendeur.

Clarice et le lieutenant Frewin apparurent entre des fûts d'eau potable et elle se précipita vers eux.

— J'ai veillé à ce que personne ne l'approche ! affirma-t-elle.

Frewin la salua brièvement de la tête et ne dissimula pas son incompréhension.

— De quoi parlez-vous ?

Ann fut décontenancée en découvrant la plaie sur la joue de Frewin.

— Je... Je dois tout vous expliquer. (Elle se tourna vers son amie qui les observait avec étonnement :) Merci, Clarice, retourne vite à l'infirmerie avant que Callon ne te tombe dessus. Dis-lui que tu m'as cherchée sans me trouver.

— Le major va te tuer, Ann, Callon va te massacrer.

Frewin arrêta la petite brune d'une main :

— Dites à votre major Callon qu'Ann est avec moi, je l'ai réquisitionnée.

Clarice approuva vivement et lança un clin d'œil complice à son amie avant de partir.

— Si vous m'expliquiez ? demanda le lieutenant.

— Sur le *Seagull*, pendant votre absence, j'ai continué à me poser des questions.

Elle lui raconta comment elle en était venue à fouiller les caisses personnelles de la 3ᵉ section et comment les traces de sang avaient attiré son attention. Elle passa sous silence l'épisode du marin pour se concentrer sur sa découverte : la tête tranchée de Fergus Rosdale.

— À qui appartient cette caisse ? demanda Frewin.

— Un certain Cal Harrison.

Frewin cilla. Ann comprit que ce nom signifiait quelque chose pour lui.

— Vous le connaissez ?

Il la prit par le bras et l'entraîna vers l'emplacement réservé à la 3ᵉ section de la compagnie Raven.

— Oui, je l'ai croisé sur la plage, ce matin. Un ami de Trenton. Pas vraiment amical.

Frewin se mit à chercher parmi les caisses. Il trouva celle de Harrison en hauteur et escalada les marches improvisées pour s'en emparer.

D'en bas, Ann le vit l'ouvrir et rester de longues secondes à en examiner le contenu. Puis il la referma et descendit avec.

— Alors ? voulut-elle savoir. Qu'est-ce qu'on fait ?

Le visage fermé, il lui lança un bref regard qu'Ann ne sut interpréter. Satisfaction ou inquiétude ?

— On arrête Cal Harrison sans plus tarder. Voilà ce qu'on fait.

Frewin arriva dans le campement de la 3e section en compagnie de deux hommes : Adam Baker et Eliot Monroe, le premier pour son physique imposant et le second pour son tempérament de feu. Il avait préféré laisser à la Ruche le géant de la PM, John Larsson, en raison de sa légère blessure au ventre. Harrison était du genre forte tête, brutal et peu discipliné, son arrestation risquait d'être mouvementée, surtout au milieu de sa section après une matinée comme celle qu'ils venaient de vivre.

Les soldats qui virent arriver deux armoires à glace de la PM et un petit nerveux comprirent qu'il allait se passer quelque chose, et les regards les suivirent jusqu'au centre où plusieurs hommes étaient assis sur des réserves de matériel, pour nettoyer leurs armes, tenue décontractée – tee-shirts verts – et traits fatigués.

— Capitaine Morris ? s'enquit Frewin en toisant un petit trentenaire affligé d'une cicatrice que le lieutenant prit pour un bec-de-lièvre. C'est vous qui commandez la 3e section ?

— Lui-même. Et oui, c'est moi qui commande.

— Puis-je vous parler ? En privé.

— Je n'ai rien à cacher à mes hommes.

— Mais certains préféreront peut-être qu'on n'étale pas leurs problèmes devant leurs camarades, rétorqua Frewin du tac au tac.

Le capitaine soupira et, après avoir confié son fusil à un sergent, se leva pour suivre Frewin derrière une tente. Il était beaucoup plus petit que le lieutenant ne s'y était attendu. Il devait avoir une sacrée poigne pour se faire respecter de pareilles têtes brûlées. À la limite du réformable.

— Je dois vous informer que je viens arrêter Cal Harrison.

— Cal ? Pourquoi ?

— Suspicion de meurtre.

— Meurtre ? beugla le capitaine. Vous vous foutez de moi ? Il est accusé d'avoir tué qui ? Ces salopards d'en face dans leur bunker ? Eh bah, allez-y, arrêtez-le, et n'oubliez pas les trois cent mille autres hommes de cette plage !

— Nous avons retrouvé la tête tranchée de Fergus Rosdale dans ses affaires. Et il a entendu une conversation privée entre mon sergent et moi cette nuit, dont il s'est servi pour affoler le soldat Trenton, ce qui a conduit ce dernier à craindre la PM et à nous fuir ce matin. Il en est mort.

— Écoutez, je suis un officier, je sais ce qui s'est passé cette nuit, Tomers ne s'est pas suicidé, il a été assassiné, comme la veille cet autre gars, c'est vrai, il y a un malade mental qui sévit, mais ça ne peut pas être Cal, il doit y avoir une erreur, on ne va pas le boucler…

— Capitaine, je ne viens pas vous demander votre avis, je vous avertis par courtoisie pour que vous puissiez tenir votre section, c'est tout. En tant qu'officier de la Police Militaire je n'ai pas besoin de votre aval pour arrêter un suspect.

— C'est de la connerie tout ça…

Sans plus d'explications, Frewin s'en fut rejoindre ses hommes qui lui désignèrent Cal Harrison du menton, dans un coin. Tous trois s'approchèrent et encerclèrent le jeune blond.

— Tiens donc ! siffla Harrison. Et si la PM allait surveiller les prisonniers qu'on lui confie au lieu de gambader ! Après ça on va s'étonner qu'il y ait des évasions.

— Cal Harrison, debout, ordonna Frewin. Je vous arrête.

L'intéressé gloussa.

— Moi ? Bien sûr ! Compte là-dessus, tiens.

— Ne nous obligez pas à vous emmener de force.

Le faciès moqueur de Harrison s'altéra aussitôt : ses fossettes s'effacèrent, son regard devint froid, sa bouche tombante.

— T'avais besoin de tes deux copains pour venir me choper, hein ? Tu pouvais pas venir tout seul comme un homme, c'est ça ?

Il se leva d'un bond et se rua tête baissée sur Frewin qui encaissa en contractant ses abdominaux. Ils partirent en arrière et le dos du lieutenant s'écrasa contre une pile de malles qui vacillèrent. Frewin repoussa son assaillant en le tirant par les cheveux de la main gauche et de la droite il lui assena un violent coup de poing en pleine mâchoire.

Quelque chose craqua sous les phalanges du lieutenant.

Harrison tourna sur lui-même, sonné, tandis que Frewin se stabilisait sur ses appuis en le guettant. Cal finit par stopper et, se tenant la joue, fixa Frewin. Il voulut parler mais la douleur l'en empêcha. Alors il lança son poing vers le foie de l'officier de la PM qui parvint à s'en saisir et à le tordre pour contraindre Harrison à suivre le mouvement imposé par la clé. Harrison fut propulsé contre les malles qui claquèrent à nouveau sous l'impact. Il cria.

Plusieurs soldats de la section s'élancèrent aussitôt pour soutenir leur camarade, l'un d'eux s'empara d'une pelle avec l'intention d'en découdre. On ne touchait pas aux copains comme ça.

Eliot Monroe se dressa pour leur barrer le chemin, le pistolet tendu.

— On se calme tout de suite les gars ! commanda-t-il.

Comme ils s'avançaient toujours, il ajouta :

— Je n'hésiterai pas à m'en servir, je suis dans mon droit et vous commencez à sacrément me casser les couilles.

Sur quoi il prit son expression d'homme en colère, rictus aux lèvres, et tira deux balles à leurs pieds, manquant de peu d'en envoyer un à l'hôpital. La meute s'immobilisa.

Frewin écrasa Harrison au sol d'un pied entre les omoplates et lui tira les bras en arrière pour passer les menottes.

Le capitaine Morris grimpa sur une caisse pour beugler :

— Tout le monde arrête les conneries ! On va laisser Cal partir avec la PM et ils vont tirer ça au clair rapidement, on n'est pas là pour se battre entre nous, bordel ! Je suis sûr que Cal va revenir bientôt, c'est juste une erreur. Maintenant tout le monde retourne à ses affaires. C'est un ordre !

Des protestations s'élevèrent mais mollement. Ils reculèrent en marmonnant. Baker saisit le bras de Harrison et le fit marcher devant lui, avec Frewin qui venait d'attraper le paquetage de son prisonnier et Monroe qui tenait son arme le long de la jambe, en fixant chacun droit dans les yeux.

L'équipe de la PM put rejoindre son campement où on enferma le suspect dans une tente. Au centre, un anneau fixé à un plot en béton servait à arrimer les

bâches de camouflage. On y glissa une chaîne verrouillée sur les menottes de Harrison.

Frewin laissa Phil Conrad, le doyen de leur groupe,
conduire le premier interrogatoire. Harrison était trop
braqué contre le lieutenant pour que ce dernier en tire
quoi que ce soit. Trois heures à tout essayer pour un
résultat nul. Harrison était fou de colère. Il avait la
mâchoire inférieure enflée, peut-être fracturée, mais ne
se plaignait pas. Personne ne proposa d'appeler un
médecin, ils avaient trop en tête le macabre contenu de
sa caisse et les descriptions du massacre de Fergus
Rosdale. Si Harrison était le coupable, il méritait bien
de souffrir un peu. S'il était innocent, alors cette tête à
claques prendrait une bonne leçon.

Pendant ce temps, Frewin fouillait les effets personnels de Cal sans rien découvrir, si ce n'est une lampe-
torche, le modèle militaire standard que le tueur avait
abandonné sur les lieux de son second crime.

Harrison resta muet. Sauf pour cracher quelques inju-
res. Lorsqu'on évoqua ce qu'on lui reprochait, il parut
même surpris, et répéta plusieurs fois qu'il prenait du
plaisir à « buter les enfoirés d'en face, mais certainement pas un copain ! Y a que les putes de la PM pour
chercher à foutre la merde dans notre camp ! »

En début de soirée, un sous-officier de liaison arriva
en trombe dans la tente principale de la Ruche. Le major
général Toddwarth voulait voir Frewin sur-le-champ.
Ce dernier le suivit jusqu'au poste de commandement,
retranché derrière des sacs de sable et sous une bâche
de camouflage, pour découvrir Toddwarth dans le recoin
qui lui servait de bureau.

Les premiers mots de Toddwarth furent sans équivoque :

— Craig, tu vas libérer Cal Harrison immédiatement.

19

Frewin en resta abasourdi.

Toddwarth tenait le mégot d'un cigarillo entre ses doigts et grattait sa moustache grisonnante. Il fouilla sur son bureau de fortune pour s'emparer d'un briquet et ralluma le cigarillo.

— Cette nuit Harrison dormira dans sa tente avec ses compagnons de chambrée, et toute la section se calmera, enchaîna-t-il en crachant un nuage de fumée épaisse. La compagnie Raven est en alerte, elle va partir au front dans quarante-huit heures, nous ne tenons pas toutes les positions prévues et nous ne progressons pas assez vite ailleurs. Nous avons besoin de tous nos hommes et de leur confiance.

— Harrison est peut-être un assassin.

— Non, il n'est pas ce que tu dis. Le capitaine Morris vient de m'apporter un rapport qu'il a rédigé cet après-midi même, il a rassemblé les témoignages de trois hommes qui peuvent garantir que Harrison était avec eux la nuit dernière et deux autres affirment qu'ils étaient avec lui la nuit précédente. Harrison dispose d'alibis pour les nuits des deux meurtres.

— Ce sont des foutaises ! Ils se serrent les coudes, rien d'autre, ils s'inventent des alibis pour se soutenir, ça ne prouve rien. Vous avez lu ma synthèse ? Vous savez ce qu'on a retrouvé dans ses affaires ?

— Justement, c'est trop gros, le vrai coupable aura mis cette tête pour accuser Harrison.

— Possible. En attendant il est suspect, je dois l'interroger. C'est prendre trop de risques…

— Lieutenant ! Tu libères Harrison ce soir, c'est tout. Et puisqu'il faut en arriver là, c'est moi qui vais donner à ton enquête l'orientation dont elle a besoin ! N'as-tu pas songé une seconde à qui profitaient ces meurtres abominables ? À l'ennemi bien entendu ! C'est là qu'il faut chercher ! Parmi nos soldats il y a un traître ! C'est un espion fanatique que tu dois traquer et non un de nos hommes qui aurait subitement perdu la raison. Un traître veut semer la panique et saper notre moral. Vérifie qui a des parents étrangers, ou a effectué des voyages dans des pays contre lesquels nous sommes en guerre. Voilà ce qu'il faut faire.

Frewin baissa la tête, il n'en croyait pas ses oreilles.

— C'est un comble que ce soit à moi de te dire comment mener ton enquête ! insista Toddwarth.

— Colin, tout ça est une mascarade épouvantable. Qui te met la pression ? L'état-major ? Ils ne veulent pas de remous pendant l'offensive ? Ils craignent les désertions, les révoltes ?

— Harrison sera libre ce soir, c'est tout.

Le petit major général s'enveloppa de volutes bleutées et ses yeux s'étrécirent comme pour menacer Frewin en cas de désobéissance.

— Dis-toi de toute façon que le meurtrier est peut-être mort pendant l'assaut…, déclara-t-il.

— Et qu'on ne saura jamais qui c'était ? Que sa mémoire sera honorée avec les mêmes égards que les autres soldats tombés au champ d'honneur ? Et s'il est toujours en vie ?

— Avec toute cette barbarie il sera peut-être las et n'aura plus de crise de démence, sait-on jamais !

— Ce n'est pas de la démence, gronda Frewin. Trop de sang-froid, trop bien organisé pour ça et…

— Alors ma théorie de l'espion tient debout ! Fais ce que je t'ai dit et c'est tout. Trouve-moi cet espion, et si j'ai tort, ce malade se fatiguera peut-être, on peut espérer qu'il ne tuera plus.

Frewin secouait la tête, écrasé.

— Deux crimes en deux nuits. S'il garde ce rythme, le prochain sera pour ce soir, Colin.

Frewin libéra lui-même son prisonnier. Harrison sortit très lentement, savourant la frustration qu'il lisait dans le regard de l'officier de la PM.

— Tout se paye dans une guerre, surtout les traîtrises, lança le rustre. On se reverra, lieutenant.

Eliot Monroe se tenait en retrait, serrant les poings. Quand Harrison fut parti, il vint vers Frewin :

— Lieutenant, je sais que ça ne se fait pas, mais je suis sûr que Baker et Larsson seraient d'accord pour m'accompagner et corriger ce connard. Si vous n'y voyez pas d'inconvénient. Histoire de lui apprendre à nous respecter un peu.

— Pas de ça, Eliot. Surtout pas de ça.

Tandis que la nuit tombait, ils entrèrent dans la tente principale de la Ruche où le reste de l'équipe les attendait.

Des tables pliantes et leurs chaises en occupaient le centre, une autre desserte servait au café, deux grands tableaux noirs et des panneaux de liège fermaient le fond de l'installation, le tout éclairé par six lampes à pétrole suspendues dans l'armature d'acier. Summum du confort compte tenu des circonstances – ils le devaient à Phil Conrad et ses nombreux amis dans la logistique – trois grands tapis recouvraient le sol. Des bâches servant de portes séparaient la Ruche de ses alvéoles où s'entassaient des lits de camp, des bureaux annexes et quelques provisions, ainsi qu'une cellule fraîchement installée avec des pans de cage amovibles.

Larsson et Baker discutaient à l'entrée, semblables à deux colosses montant la garde, tandis qu'Angus Donovan nettoyait ses lunettes, assis à la table centrale, face à Conrad. Matters s'approcha, le bras en écharpe.

— Allez à l'infirmerie, lui ordonna Frewin, et dites que je réquisitionne à nouveau Ann Dawson. Si le major Callon se montre sceptique, envoyez-le à Toddwarth.

— Toddwarth est au courant ?

— Non, mais il me couvrira, le temps de savoir de quoi il retourne. Et j'ai décidé de ne plus lui faire de cadeau.

Donovan, plutôt réticent à l'idée de se créer des ennuis avec toutes les formes de hiérarchie, se pencha, inquiet :

— On a des problèmes avec les huiles ?

— L'état-major fera tout pour que les esprits se focalisent sur la guerre et pour que la PM soit discrète. On ne veut pas de vagues.

— Ça veut dire pas d'interrogatoires ? s'inquiéta Conrad.

— Avec parcimonie et tact, corrigea Frewin. Pas d'arrestation sans totale certitude.

— Ça va être simple !

— Et d'ici à trois jours on nous expédie tous aux quatre coins du pays ! s'indigna Monroe. Ils savent faire éclater les groupes qui leur posent des problèmes.

Frewin hocha la tête.

— Ce n'est pas impossible, confirma-t-il, c'est pourquoi il nous faut agir vite. Toddwarth…, ou plutôt l'état-major, aimerait qu'on explore la piste d'un espion ennemi parmi nos hommes, ce qui permettrait de faire tomber la paranoïa ambiante et de resserrer les liens entre soldats.

— Au contraire ! L'idée d'un espion va faire flipper les gars et les rendre encore plus paranos ! contesta Donovan en replaçant ses lunettes sur son nez.

— Pas sûr. Ils préfèrent se dire que c'est un ennemi infiltré qui les décime, plutôt qu'un de leurs potes devenu dingue.

Frewin écarta un pan de tissu et entra dans une petite tente qui contenait les réserves de nourriture. Il ouvrit une ration de haricots-saucisses et la mangea froide au milieu de ses hommes qui avaient déjà dîné. Conrad fit chauffer du café dont l'odeur ne tarda pas à emplir la tente.

Matters arriva avec Ann. Sa peau lisse, ses lèvres roses, ses cheveux blonds et ses seins gonflant sa blouse blanche imposèrent un certain silence.

— Messieurs, pour ceux qui ne la connaissent pas, je vous présente Ann Dawson, annonça Frewin. Elle est infirmière et va nous assister pendant une partie de cette enquête pour tout ce qui touche au domaine médical. De plus, elle dispose d'un esprit d'analyse très pertinent lorsqu'il s'agit de décortiquer les actes criminels. N'est-ce pas, Ann ?

Prise au dépourvu, elle acquiesça en bafouillant, avant de se rattraper :

— J'ai… passé les quatre dernières années sur les champs de bataille, à voir les hommes dans les situations les plus dramatiques, faisant appel à leurs instincts les plus primaires. J'ai observé les comportements face à la souffrance, à la mort, à l'ordre de tuer ou à l'instinct de tuer. Étant extérieure aux combats, j'ai un recul sur l'homme et son rapport à la violence, que les soldats n'ont pas. Je recueille leurs confidences les plus intimes sur les lits d'hôpitaux, les pensées qu'ils ne partagent pas d'habitude. J'ai intériorisé tout cela, avec une certaine passion pour la psychologie en général. Je pense que ça peut…, peut-être, apporter un éclairage… *différent* à votre enquête. Celui d'une femme.

Frewin hocha la tête, elle s'en était bien sortie. Elle méritait en effet sa place dans le groupe, du moins pour le moment. Le temps qu'il la cerne mieux, et qu'il sache pourquoi elle portait un tel intérêt à cette affaire.

Il repoussa sa gamelle presque vide et se dirigea vers un des tableaux. Le brainstorming pouvait commencer. Tout le monde prit un siège, à l'exception de Monroe qui préféra rester en retrait près de l'entrée.

— Je ne vais pas revenir en détail sur nos premières conclusions, je pense qu'elles sont justifiées. (Frewin échangea un regard complice avec Matters en continuant sur une théorie qu'il avait partagée avec son sergent la nuit précédente.) Soit c'est un grand timide solitaire, soit au contraire une grande gueule toujours sur le devant de la scène. On sait aussi comment il s'y prend pour piéger ses victimes. Pour ceux qui n'étaient pas là quand j'en ai parlé, voici l'objet en question.

Frewin s'empara de la lampe-torche retrouvée dans la salle de repos du *Seagull* la veille, son long fil enroulé autour du manche.

— C'est un bricolage rudimentaire mais efficace. Il suffit de poser la lampe à l'opposé de soi dans une pièce noire, d'attendre l'arrivée de la victime potentielle et d'actionner le bouton tout au bout du fil. La lampe s'allume, la victime tourne la tête dans la direction de la lueur et l'agresseur peut surgir par-derrière.

Donovan leva la main.

— Question ! fit-il. Est-ce qu'on a vérifié si Harrison avait encore sa lampe dans son paquetage ?

— Oui, il l'avait. Ce qui ne veut rien dire, on peut s'en procurer sans difficulté. Le tueur peut s'être évité le risque d'aller en demander une autre en volant celle d'un soldat sur la base avant notre départ.

— On pourrait demander à toute la compagnie Raven s'il y a eu un vol de lampe, proposa l'imposant Baker.

— Ça ne nous avancerait pas. Ce qui m'intéresse ce soir, ce sont les caractères singuliers de ces crimes. Que peut-on dire, Matters ?

Le sergent se redressa.

— Bien… Euh, dans le cas de Rosdale, on peut s'interroger sur la décapitation. Pourquoi tant de barbarie ? Pourquoi l'avoir planté sur des crochets de boucher ?

— Et pourquoi une tête de bélier à la place ! ajouta aussitôt Donovan. Pourquoi pas une tête de chien ? Ça aurait été plus facile à se procurer !

— Bien dit, lança Frewin. Et dans le cas de Gavin Tomers il y a aussi une forme de… mise en scène. Totalement enroulé dans du ruban adhésif, avec des clous plantés dans les lèvres et un scorpion enfermé vivant dans sa bouche.

— Des points communs aux deux cas, fit remarquer Conrad.

— Exact.

Et il inscrivit au tableau : « POINTS COMMUNS. »

— Quels sont-ils ? Une référence à un bestiaire dans les deux cas. Pour quoi faire ?

— La symbolique ? hasarda Ann.

Frewin la fixa.

— Allez-y, développez.

— Je me disais qu'il ne tue pas dans son coin, un peu honteux, au contraire. J'ai vu le corps de Rosdale et je peux affirmer que le tueur voulait qu'on le remarque. Il ne l'a pas abandonné après l'avoir tué, non, il l'a *exhibé* !

Frewin approuva vivement. Ann poursuivit :

— Donc, s'il veut… montrer ses crimes, on peut estimer qu'il cherche à dire quelque chose, c'est… une forme d'expression.

— Plutôt barge le mode d'expression, railla Larsson.

— Et son expression passe par ce qu'il fait aux corps. La transformation qu'il leur fait subir.

— Ou l'animalité qu'il leur transmet, proposa Frewin. Dans ce cas, qu'est-ce qu'un homme à tête de bélier ? Une sorte de minotaure ?

— Et un type qui a un scorpion dans la bouche ? fit remarquer Conrad de sa voix éraillée. C'est quoi ?

Frewin fit signe qu'il n'en savait rien.

— Néanmoins c'est une hypothèse à surveiller, souligna-t-il. Le rapport à l'animal. Que peut-on voir d'autre ?

— La férocité des crimes, dit Matters. On ne sait pas comment est mort Rosdale, probablement la gorge tranchée, Tomers, lui, a été étranglé.

— Pas jusqu'à la mort, il a probablement perdu conscience ou une bonne partie de sa lucidité mais il était vivant lorsqu'on lui a enfourné ce scorpion dans le bec. Pourquoi une telle barbarie ?

— Il détestait ces mecs, proposa Monroe du fond de la tente. Ils se connaissent dans les compagnies Raven, Gold et Alto, et peut-être qu'il existe des rivalités.

— Qui vont jusqu'au meurtre ? s'étonna Matters. Un peu fort !

— Je sais, je m'attache à ma notion de symbolique, intervint Ann, cela dit ça me semble important. Je pense que le tueur est un type intelligent, il est habile puisque personne ne le voit, il ne laisse pas de trace compromettante, ce sont des signes d'intelligence, et s'il est malin, il peut chercher à dire des choses autrement que par notre langage usuel, notamment la mort et la mise en scène de ses victimes.

— Pourquoi ferait-il ça ? demanda Baker.

— Je ne sais pas, parce que le langage normal le frustre, parce qu'il est bridé dans son expression… Si cet homme a été sévèrement traumatisé durant ses étapes de développement, à l'enfance et l'adolescence, il se peut qu'il ne parvienne pas à s'exprimer correctement…

— Comment ça ? Il ne peut pas aligner trois mots à la suite ? insista Baker qui manquait parfois de subtilité.

— Non, c'est une métaphore, je veux dire qu'il ne s'est pas développé comme vous et moi et que, pour lui, certaines émotions n'empruntent pas le même canal. Parfois elles ne réussissent pas à l'atteindre, parfois au contraire il n'arrive pas à les faire sortir. Et elles s'accumulent avec les années. La frustration de ne pouvoir les vivre s'accumule également. Les émotions ne sortent pas, elles s'entassent dans les replis de sa personnalité et finissent par devenir obsédantes. Jusqu'à le rendre malade, du moins à le conduire sur des chemins qui ne sont pas les nôtres. Sa frustration devient si forte qu'elle provoque de nouveaux axes de comportement. Et parmi ceux-là, tuer peut être l'unique moyen qu'il ait trouvé pour survivre. Tuer est sa soupape de sécurité à lui, pour ne pas imploser.

Un silence pesant suivit cet exposé. Dans le lointain circulait encore la rumeur des canons, rappelant que, malgré la nuit, les assauts perduraient, la ligne de front n'était qu'à une poignée de kilomètres.

Frewin demeura silencieux. Ann exposait à sa manière des notions qu'il partageait, une vision qu'il avait mis des années à se forger de la déviance criminelle. C'était comme si elle avait pu entrer dans son propre crâne pour le sonder et y récolter ses déductions. Lui parlait de langage du sang, elle considérait ces meurtres comme une forme d'expression ! Même conclusion. Comment pouvait-elle en savoir autant ? Comment une infirmière, aussi observatrice fût-elle, pouvait-elle explorer avec autant de justesse l'esprit des criminels les plus sadiques, les plus rares aussi ?

— Tuer un homme au corps à corps c'est déjà quelque chose d'extrêmement… bestial, difficile, c'est le cauchemar, exposa Monroe d'une voix grave. Et dans l'instant de la mise à mort, c'est l'instinct le plus primitif qui dirige l'être. L'homme cesse d'être homme pour redevenir animal, le prédateur comme la proie. Tout ça est très, très dur. Comment un homme pourrait-il arriver à en tuer un autre avec autant de plaisir juste parce qu'il est frustré ?

On sentait poindre l'expérience intime de Monroe. La guerre ne faisait pas que des victimes pour les cimetières.

— La personnalité s'élabore tel un cours d'eau tumultueux dès les premières années, exposa Ann. Il n'est au début qu'un filet d'eau qui dévale la montagne. Et en fonction du nombre d'affluents qui viennent à lui, il va prendre de l'ampleur ou non. Mais il arrive qu'un traumatisme modifie la descente, une fissure qu'il faut noyer avant de poursuivre son chemin, une crevasse qui bouleverse la route, ou un obstacle qui tombe dans le lit de cette rivière et l'oblige à se scinder pour survivre, ou à prendre une route souterraine. Car, quoi qu'il arrive, la personnalité est comme le cours d'eau, elle doit continuer, elle doit aller de l'avant, inscrite qu'elle est dans le temps, dans l'écoulement de la vie. Aujourd'hui les experts commencent seulement à savoir de quoi sont faits nos comportements, à étudier nos agissements à nous – la majorité, névrosée certes mais « dans la norme » –, cependant qu'en est-il des gens qui se développent autrement à cause d'un trop grand nombre d'obstacles ? À cause du trop grand nombre de failles, de crevasses qu'ils ont dû franchir alors qu'ils n'étaient que des ruisseaux encore fragiles ? Dans quel état parviennent-ils à la mer ? Par quels chemins sont-ils obligés de passer pour survivre ? Et quels experts peuvent se vanter d'expliquer les cours d'eau souterrains et leur extrême complexité ?

Ann prit une inspiration avant de conclure :

— Pour nous qui avons grandi à la lumière, tuer est un acte ignoble qui cristallise nos peurs et nos tabous, nos interdits. Pour celui qui grandit dans les méandres souterrains de sa personnalité, tuer peut être l'acte suprême de révélation de soi, un moyen d'ouvrir une frange de lumière dans ses ténèbres. Tuer devient l'unique moyen d'exprimer ses passions, et donc c'est en tuant qu'il éprouve des émotions, du plaisir.

Frewin réalisa qu'elle était emportée par ses explications. Tout cela était le fruit d'une longue réflexion. Un mystère de plus tissait son voile autour d'Ann Dawson. *Qui est-elle vraiment ?* se demanda Frewin avec insistance.

— Très bien, relança-t-il. Si je résume, nous sommes aux prises avec un homme qui n'a pas les mêmes valeurs que nous, qui ne s'exprime pas comme nous.

— Oui. Tuer, pour lui c'est presque vital, surtout depuis qu'il a commencé. S'il l'a fait deux fois, si vite de surcroît, je pense que c'est par goût. Il s'est empressé de recommencer parce qu'il a aimé faire ça et qu'il a voulu s'assurer que c'était vraiment… *bon*, qu'il allait retrouver ces sensations à chaque tuerie.

— Ça laisse augurer le pire, cette théorie ! s'indigna Donovan.

— S'il a eu le même plaisir la seconde fois que la première, alors oui, nous courons à la catastrophe. Si au contraire il a été déçu, j'ai bien peur qu'il tue à nouveau, mais après un temps de latence, pour y réfléchir, trouver ce qu'il n'a pas bien fait.

— Et si à la troisième fois il n'est pas satisfait ? interrogea Matters avec une vive curiosité.

— Je ne sais pas, avoua Ann. Il s'arrêtera pour chercher une autre voie d'expression. Ou bien… il tuera encore et encore, avec de plus en plus de cruauté, libérant sa rage de ne pas retrouver son plaisir dans les autres crimes.

— Pourquoi il aurait du plaisir en tuant ? insista Monroe qui ne réussissait pas à concevoir cette idée.

— Parce qu'il a enfin trouvé le mode d'expression qui lui convient. Il a *fantasmé* ce moment pendant très longtemps. Comme un adolescent qui aurait son premier rapport sexuel. Il ne le maîtrise pas du tout, débordé par tant d'émotion, il est subjugué par ce plaisir dont il a tant rêvé, mais qui se révèle trop court. Alors il veut recommencer encore et encore, retrouver ce plaisir.

— Mais pourquoi *tuer* serait son rêve à lui ?

Ann haussa les épaules :

— Je ne sais pas exactement, c'est en rapport avec sa personnalité, ses modes de développement, ses traumatismes. Une personnalité écrasée par un parent, un référent sexuel complètement déstabilisé dans la prime enfance par un viol, beaucoup d'explications existent à cela. Quoi qu'il en soit, il ne s'est pas développé dans un équilibre, son être a basculé dans une souffrance, il s'est construit dans le repli sur lui-même qui l'a conduit à des autosatisfactions essentielles, mais peu de satisfactions venant des autres. Qui sait ? Il a peut-être été le souffre-douleur de ses camarades… Peu importe. À présent, c'est dans la destruction de l'autre qu'il s'émancipe, qu'il se construit un plaisir. La haine est un moteur fondamental de son fonctionnement, là où c'est l'amour pour la plupart des gens, et même une forme d'empathie, ce que lui ne possède absolument pas. Tout est replié sur lui-même.

Frewin remarqua à quel point l'auditoire était tourné vers elle, vers son savoir surprenant.

— Puis-je vous demander d'où vous tenez cette connaissance ? questionna-t-il.

Elle perdit aussitôt contenance :

— Je… Je lis énormément sur le sujet.

— Vous… lisez ? Vous êtes une infirmière étrange, mademoiselle Dawson.

Ils se fixèrent tous les deux pendant de longues secondes. Il cherchait à percer ce qu'elle cachait et elle le savait.

— Ce type, il se comporterait comment, dans la vie de tous les jours ? s'enquit Matters.

Frewin baissa les yeux pour laisser Ann répondre.

— Eh bien… Il… Il ne doit pas être très différent des autres soldats, j'en ai peur. Il est malin, il sait qu'il ne faut pas se montrer trop différent. La vie militaire doit lui convenir. Une discipline à respecter, une hiérarchie, je pense que dans certains cas ce serait insupportable mais lui s'en accommode au mieux, il s'en sert pour construire sa « personnalité-carapace », de surface. Celle qui lui sert de masque. La discipline militaire doit l'aider dans cette démarche stricte, et la vie en groupe ne doit pas comporter pour lui d'obstacles insurmontables, il lui suffit de s'adapter aux critères de bonne camaraderie et on lui fiche la paix. Néanmoins, je pense qu'il ne peut pas être tout à fait à son aise. C'est un homme qui se tient tout de même un peu à l'écart du groupe, un des plus solitaires. Il est trop différent dans sa nature pour pouvoir vivre tout le temps avec les autres.

— Solitaire ou extraverti, il peut dissimuler sa différence derrière des excès, compléta Frewin.

Il se tourna et compléta ce qu'il avait commencé à écrire.

POINTS COMMUNS :
• Bestiaire animal.

- Barbarie des crimes.
- Mise en scène.

Criminel : solitaire ou extraverti ?

— C'est un pervers, compléta Frewin. S'il montre ses crimes, s'il tue avec autant de barbarie et en cherchant à nous parler avec ces images d'animaux, ce n'est pas seulement pour s'exprimer, il joue. Il sème de fausses pistes, il maquille les cadavres. Il joue avec nous.

— Nous ? C'est-à-dire la PM ? s'indigna Larsson.

— Les *autres*, corrigea Frewin. Les hommes qui ne sont pas comme lui. C'est un joueur pervers et provocateur. Il a su, comme tout le monde dans la compagnie Raven, que nous menions une enquête sur lui, et dès qu'il en a eu l'opportunité, il a frappé. Ce matin Clauwitz et Forrell ont été ses troisième et quatrième victimes. Il nous parle. Et ce qu'il nous dit n'a rien d'amical.

— Vous croyez que c'est lui qui a tué vos hommes ? interrogea Ann.

— Aucun doute.

— Quand vous dites : il joue, voulut développer Conrad, vous faites allusion aux indices qu'il sème pour nous conduire sur de fausses pistes ? Comme les initiales O.T. trouvées sur la scène du premier crime ?

— Par exemple.

— Impossible de dire si c'est lui ou la victime qui a écrit ! intervint Ann.

Frewin haussa les épaules :

— Si c'est la victime, ça n'a aucun sens. On a vérifié toute la 3e section et même toute la compagnie Raven, personne n'a ces initiales-là. Il semble plus probable, comme l'a déduit Matters, qu'il s'agisse d'un Q. et d'un T. Quentin Trenton. Mais il avait des alibis pour les deux crimes. Et il est… mort maintenant C'était un moyen, très subtil, de nous tromper.

— Peut-être qu'il n'y aura pas de nouveau crime…, hasarda Donovan avec une dose d'espoir dans les yeux. Si c'était Trenton le meurtrier.

Personne ne releva et Matters enchaîna :

— Pour résumer, on cherche un droitier costaud de la 3e section, solitaire bien que sachant s'adapter, ou extraverti. Ça réduit les suspects.

— Sauf qu'il sera difficile d'interroger les hommes, objecta Frewin. Ils se serrent les coudes, nous passons dans cette affaire pour des traîtres, et ils préféreront se montrer solidaires, quitte à inventer, plutôt que de nous aider à boucler l'un des leurs. Rappelez-vous qu'ils partagent l'épreuve du feu à chacune de leurs sorties, ces gars-là se sont sauvé la vie mutuellement, et ils recommencent à chacune de leurs missions. La solidarité est plus forte que tout le reste.

Monroe prit la parole :

— Et ce Harrison, on en fait quoi alors ? C'est notre homme ou non ?

Frewin eut l'air sceptique.

— Difficile à dire. Dans l'euphorie du moment j'ai voulu y croire, tout l'accusait… Pourtant il ne ressemble pas à celui qu'on recherche. Le tueur est prudent, méthodique. Il n'aurait pas gardé la tête de sa première victime, c'est stupide.

— Ce tueur, dit Matters, il est un peu comme un chasseur, non ? Et les chasseurs ça aime conserver les trophées. Moi ça ne m'étonnerait pas. Harrison a le profil parfait !

Ce fut au tour d'Ann d'exposer son point de vue :

— Moi je rejoindrais assez l'avis du lieutenant Frewin. Tout nous indique que le meurtrier est méthodique, prudent, il pense à effacer ses traces, alors pourquoi laisserait-il du sang sur sa propre caisse ? Ce sont les taches rouges qui m'ont alertée lorsque j'inspectais ces caisses, le tueur savait qu'elles seraient manipulées par les gars de la logistique pour être débarquées plus tard, il savait qu'on s'inquiéterait en voyant du sang sur l'une d'elles. Pourquoi autant de négligence alors qu'il est si attentif sur la scène de ses crimes ? J'ai du mal à le croire. En revanche, ça pourrait être une bonne fausse piste, un moyen supplémentaire de jouer avec nous.

— On le classe tout en haut de notre tableau des suspects potentiels, trancha Frewin, à défaut d'avoir assez d'éléments que Toddwarth ne pourra pas réfuter pour l'arrêter. Il faudrait pouvoir le surveiller, trouver quelqu'un de confiance dans la 3e section.

— Impossible, avertit Conrad. Ils sont trop soudés, personne ne le surveillera pour nous.

— Je peux vous aider à les cerner, intervint Ann. Je peux les approcher pour vous. De moi, ils ne se méfieront pas.

Frewin serra les dents. C'était ce qu'il craignait depuis un moment déjà. En arriver là.

— C'est votre seul moyen d'en savoir plus sur lui, rappela-t-elle.

Frewin cassa la craie qu'il tenait entre ses doigts et la déposa discrètement dans un bac, avant d'aller s'asseoir sur le bord de la table.

Monroe assena le coup final :

— Surtout que désormais on n'a plus seulement le tueur comme ennemi, mais aussi Harrison. Qu'il soit coupable ou non, je peux vous garantir que, s'il a l'occasion de nous descendre, il ne s'en privera pas !

Matters haussa les sourcils.

— Alors ? demanda Ann en guettant Frewin. Le temps nous est compté. Deux crimes en deux nuits. Et une troisième qui se profile dès à présent.

— Quatre meurtres, rappela froidement Conrad.

Frewin soupira. Ann ne le lâchait plus du regard. Elle avait compris qu'il craignait pour elle. Il ne voulait pas la mêler physiquement à tout ça.

Et elle le défiait.

Elle en était capable.

Quelque chose en elle lui échappait.

Un secret qui faisait d'elle une femme à part.

Tout comme le tueur qu'elle allait traquer.

20

L'aube blanche et froide s'arracha au rebord du monde pour emporter avec elle les derniers rêves.

Des spectres à forme humaine titubaient pour rentrer à leur base tandis que la relève – qu'on prenait soin de faire passer par d'autres chemins – partait les remplacer sur la ligne de front, les yeux encore bouffis de sommeil.

La rosée se mêlait à la fraîcheur saisissante du petit matin pour contraindre les corps à se recroqueviller dans leur manteau. Les quarts de thé et de café fumaient abondamment, et déjà le ballet des bombardiers et des chasseurs reprenait au-dessus des casques.

Frewin, assis sur une pile de rectangles en acier contenant des munitions, attendait le retour de Matters, Donovan et Conrad, un quart bien chaud à la main. Son menton lui piquait de s'être rasé si vite, à l'eau froide. Il avait pris soin de contourner la balafre suturée qui ornait le bas de sa joue jusqu'à son oreille et elle tirait comme si la peau de son visage était trop courte à présent.

Donovan se présenta au rapport le premier. Rien à signaler au QG du camp. Matters arriva dans la foulée, rien non plus auprès des officiers commandant la compagnie Raven, la nuit avait été calme sur la base. Lorsque Conrad apparut, tous les regards convergèrent vers lui avec une crainte palpable. Il répondit d'un geste par la négative, l'infirmerie n'avait rien à déclarer, aucun blessé ou cadavre qui ne soit l'œuvre de la bataille.

Frewin soupira longuement. Comme tous ses hommes, il avait mal dormi, se réveillant au moindre bruit, songeant à celui qui hantait cette mission, à la souffrance qu'il pouvait être en train de provoquer, à la mort qu'il allait probablement infliger pendant qu'ils attendaient, impuissants, de savoir où et qui il avait frappé.

L'annonce d'une troisième nuit « paisible » suscitait un certain trouble en Frewin. Le soulagement dominait, mais il se sentait anxieux, presque… *triste*. Et si le tueur avait décidé d'interrompre provisoirement sa quête de lui-même, sa destruction des autres ? Il pourrait passer entre les mailles du filet, changer de section, de compagnie. Quitter cette guerre ? Et s'il avait été blessé hier pendant l'assaut ? Allait-il rentrer au pays, chez lui, et tuer à nouveau, loin de Frewin et de son équipe ? Tout cela impliquait un constat amer : l'éventualité de ne jamais mettre la main sur lui. Qu'il puisse éviter les conséquences de ses actes odieux. Que Forrell et Clauwitz ainsi que les deux autres victimes n'obtiennent jamais justice.

Frewin but une gorgée de café brûlant avant d'entrer dans la Ruche avec ses hommes. Là il leur fit le briefing du jour :

— Parce que les huiles de l'état-major lui ont demandé de ne pas faire de remous et de calmer le jeu, Toddwarth va vérifier que cette enquête ne nous empêchera pas d'assurer nos autres fonctions. S'il remarque que nous sommes trop centrés dessus, il s'arrangera pour nous mettre des bâtons dans les roues. Je connais le major général, il ne fera pas ça pour nous nuire, mais il privilégiera toujours ses intérêts, sachez-le.

— Ça signifie qu'on doit se faire discrets ? s'informa Baker.

— Justement non, soyez sur le terrain, bien visibles, contrôlez l'activité des sections dont vous êtes en charge, Conrad et Larsson la 1re section, Donovan et Baker la 2e, Matters et Monroe la 3e. Demandez des rapports aux officiers, faites le tour des camps de prisonniers pour vous montrer, mais n'oubliez pas que vous êtes dispensés de leur surveillance jusqu'à nouvel ordre. Toddwarth nous a au moins accordé ça. Acquittez-vous de vos rondes obligatoires dans le périmètre de sûreté, personne ne saute sa garde, on remplace les collègues des autres compagnies. Vous faites respecter l'ordre et la discipline, la sécurité. Au milieu de tout ça, rien ne vous empêche de poser quelques questions, les hommes se connaissent, ils parlent entre eux, cherchez à identifier les solitaires, les grandes gueules, les marginaux. Voyez si des clans existent, et qui les constitue. Toute information concernant Fergus Rosdale et Gavin Tomers est bonne à prendre, qu'on en sache plus sur eux : avaient-ils des différends avec quelqu'un ? Qui étaient leurs copains ? Nous devons trouver pourquoi eux, pourquoi le tueur les a-t-il choisis plutôt que d'autres. À la moindre info, venez me voir, je serai ici, à régler la paperasse et à m'assurer que nous resterons ensemble le plus longtemps possible. Au boulot, les gars.

Ils se levaient lorsque Larsson redressa son mètre quatre-vingt-quinze pour exhiber son casque et son calot en même temps :

— C'est quoi aujourd'hui, lieutenant ?

— Nous sommes toujours en territoire hostile, Larsson. Casque.

Monroe et Baker sourirent en plaisantant sur le zèle de leur ami et ils sortirent. Frewin interpella Matters alors qu'il allait suivre :

— Sergent, je voudrais vous entretenir un instant.

Matters, surpris, revint sur ses pas.

— Lorsque vous patrouillerez sur le terrain de la 3ᵉ section, assurez-vous qu'Ann Dawson s'en sort, vous voulez bien ? Je n'aime pas la savoir au milieu de tous ces loups.

— Bien, je n'y manquerai pas. Cependant, si vous voulez mon avis, elle saura y faire et se défendre s'il le faut.

— Probablement, mais on n'est jamais trop prudent. Il y a au moins un homme dans cette foutue section qui n'est pas ce qu'il prétend. Alors essayons de ne pas prendre de risques et ouvrez l'œil.

En fin d'après-midi, Frewin tapait un rapport pour ses supérieurs sur une machine à écrire portative, installé sous l'auvent de la Ruche. Lorsqu'il levait la tête de sa feuille, c'était pour apercevoir des colonnes de fumée noire sur l'horizon des collines boisées, émaillées ici et là de flashes blancs et rouges sur fond de tonnerre. Les renforts, le matériel et les véhicules continuaient de débarquer dans les dunes de la plage,

transitant par la base avant de partir vers leurs inquiétantes destinations.

Un point de conjugaison interpellait Frewin quand
un officier de liaison déboula dans sa tente.

— J'ai un télégramme pour le lieutenant Frewin !
annonça-t-il en vérifiant les galons de l'uniforme. C'est
vous ?

Frewin lui fit signe d'approcher et s'empara du
mince feuillet. Il provenait du *Seagull*.

*Analyse rapide des fragments retrouvés. Stop. Pense
qu'il s'agit de nylon. Stop. Manque matériel pour l'instant. Stop. Reviens vers vous dès que possible. Stop.
Dr Carrhus.*

Frewin remercia le messager et au moment où celui-
ci s'éloignait, se ravisa :

— Attendez, soldat !

Il se dirigea vers l'intérieur de la Ruche et en ressortit avec la caisse en métal vert qui contenait la tête
tranchée de Fergus Rosdale. Il l'avait conservée depuis
la veille sans bien savoir qu'en faire, sinon la confier
au personnel médical, mais il venait de changer d'avis.

— Prenez ça et portez-le au Dr Carrhus sur le
Seagull, c'est très urgent.

Il griffonna à la hâte un mot pour le docteur, lui
demandant d'en étudier le contenu, et tendit le tout au
soldat qui patientait.

— Et surtout que personne ne l'ouvre !

Une fois seul, il se rassit et repoussa sa machine
pour poser les coudes sur la tablette.

Du nylon.

21

À l'évocation du lieutenant Frewin de la Police Militaire, le major Callon était entré dans une profonde réflexion.

Ann se doutait qu'il s'interrogeait sur les raisons qui pouvaient pousser la PM à réquisitionner les services d'une infirmière. Frewin était bâti comme un gorille, il ne parlait presque jamais aux gens qu'il ne connaissait pas, et avait une réputation de brute épaisse. Depuis qu'elle le fréquentait, Ann s'étonnait de cette image. Frewin était certes d'un physique impressionnant, mais rien dans ses manières n'évoquait une quelconque violence. Bien des rumeurs se construisaient sur des apparences… elle en savait quelque chose !

Alors, que pouvait s'imaginer le major Callon ? Que Frewin torturait ses suspects jusqu'à ce que leur état nécessite la présence d'une infirmière ? Il l'avait sondée au réveil, lui demandant si tout allait bien avec la PM. Ann avait éludé le sujet, ce qui lui avait manifestement déplu. La note rédigée dans la soirée par Frewin lui avait également déplu. Le lieutenant demandait qu'Ann soit affectée en priorité au service de la PM.

Mission de la plus haute importance. Callon n'avait pas objecté. Ann jouissait à présent d'une liberté de mouvement contre laquelle il ne pouvait rien, à moins de saisir sa hiérarchie, et il était bien trop couard pour cela.

Ann ne voulait pas se couper totalement de ses fonctions premières et de ses collègues. Elle passa la matinée à l'infirmerie pour prendre la pleine mesure de la situation et assister le personnel débordé. Les blessés affluaient sans cesse, les blocs opératoires saturaient, les chirurgiens enchaînant intervention sur intervention. On ne prenait plus la peine de nettoyer le sang par terre et un mucus rouge formait des mares collantes sur la toile de ces tentes où l'odeur du sang devenait irrespirable.

À midi, Ann s'éloigna pour entrer dans la tente qu'elle partageait avec Clarice. Elle s'aspergea le visage et fit une toilette de chat pour tenter d'effacer ce poids de souffrances qu'elle sentait encore sur sa peau. Elle sauta son déjeuner, s'empara au passage d'un morceau de pain qu'elle grignota en traversant la base, dans la poussière des half-tracks et l'agitation des soldats partant rejoindre leurs positions. La compagnie Raven était installée sur la portion sud de la base, et la 3e section fermait le camp à l'orée d'un bois. Elle trouva le capitaine Morris dans sa tente, somnolant.

— Capitaine, excusez-moi, je voulais vous prévenir que j'allais passer parmi vous pour faire un point santé avec vos hommes.

Morris se redressa, l'air hagard.

— Un point santé ? répéta-t-il. Qu'est-ce que c'est que cette connerie ?

Ann remarqua qu'il avait la lèvre salement amochée par une cicatrice qui remontait jusqu'au nez. Elle désigna sa sacoche frappée d'une croix rouge sur cercle blanc qu'elle avait pris soin de truffer de ces placebos qu'on donnait aux mourants pour leur faire croire qu'on s'occupait d'eux sans pour autant gaspiller de précieux médicaments – l'économie de guerre.

— Je passe voir vos hommes pour leur demander s'ils parviennent à dormir, s'ils veulent un calmant, ou au contraire des vitamines, de l'aspirine…

— Des calmants à une unité de combat ? Vous rigolez ?

— Rien de fort, rassurez-vous, il ne s'agit pas de somnifères, juste de quoi les aider à se reposer. J'ai cru comprendre que la compagnie Raven n'était pas mobilisée aujourd'hui. Ce sera sûrement pour demain.

— Ou pour après-demain, personne n'en sait rien, et c'est la guerre, ma petite dame, alors on file pas de calmants à des soldats !

— Le repos les aide à être plus efficaces, capitaine. Mais d'accord, je n'insiste pas. Je peux au moins leur proposer des vitamines, non ?

Morris secoua la tête.

— Non mais je rêve…, murmura-t-il.

Ann posa une main sur sa hanche, l'air exaspéré :

— Écoutez, ça ne m'amuse pas non plus de faire la baby-sitter pour remonter le moral des troupes. Puisque vous voulez tout savoir, l'objectif réel n'est pas de faire ingurgiter des cachets à vos hommes mais de leur donner l'impression qu'on s'occupe d'eux. Et une présence féminine leur sort les idées noires du crâne. Maintenant si vous avez un problème avec ça, adressez-vous à l'état-major, pas à moi.

Après une pause théâtrale, elle lança :

— C'est bon, je peux y aller ?

Morris, décontenancé par le ton et l'idée que l'état-major puisse mijoter ce genre de diversion, ne put qu'acquiescer. Et Ann sortit sous le soleil du début d'après-midi.

Elle entama sa quête d'informations par celui qui serait son meilleur allié ou son pire ennemi : l'infirmier de la section, Parker Collins. Un grand brun aux beaux yeux verts. Il rangeait soigneusement son paquetage médical dans une trousse. Probablement pour la troisième ou quatrième fois depuis son réveil, pensa Ann. Il comptait les compresses, les doses de morphine, les bandages... De quoi calmer ses angoisses.

— Il ne vous manque rien ? questionna-t-elle.

Collins sursauta.

— Quoi ?

— Dans votre trousse d'urgence, il ne vous manque rien ? Sinon je peux vous apporter des réserves supplémentaires.

Collins la dévisageait, intrigué.

— Euh, non, ça va aller, je suis déjà chargé jusqu'à la gueule. (Il fronça les sourcils en la détaillant.) On s'est déjà vus, non ? Vous êtes ?

Elle le salua d'un signe de tête en répondant :

— De passage.

— Très marrant, fit-il sans goûter l'humour.

Probablement pas un allié.

— Bon, on ne part pas sur de bonnes bases, dit-elle en souriant. Je m'appelle Ann Dawson. On s'est croisés sur le *Seagull*, juste avant l'assaut. Je passais voir votre section pour distribuer quelques pilules, sans effet réel mais qui donnent l'illusion aux soldats qu'on

197

s'occupe d'eux. Je me disais que vous pourriez m'indiquer ceux qui en ont le plus besoin…

Collins se gratta un sourcil en réfléchissant.

— Je ne savais pas qu'on élaborait des stratagèmes aussi perfides à l'infirmerie ! répliqua-t-il. Vous devriez aller voir Clamps, Risbi et Wilker, ils n'ont pas l'air bien dans leurs pompes.

— Depuis l'attaque d'hier ?

— Depuis qu'on fait cette foutue guerre.

— Je… On cherche à prévenir les gros coups de blues, les dépressions. L'un des symptômes est le retrait, la volonté de solitude, ou au contraire les débordements. Vous avez remarqué quelque chose ?

Il fit la moue.

— Eh bien… Traudel a pas mal été secoué par la matinée d'hier, mais il se remettra, je le connais, c'est un dur à l'intérieur. Sinon… je ne sais pas trop.

— Qui sont les solitaires de la section ?

— Les solitaires ? Je dirais le capo Regie, il ne cause pas beaucoup, Vlad, pardon : Hriscek, mais lui il ne cause pas parce qu'il est… un peu barge.

— Barge ?

— Oui, c'est un dur de chez dur, un vrai ! Il nous raconte que lorsqu'il était petit, son jeu c'était de tuer les poules en les décapitant ! Tu parles d'un jeu de gosse ! Hriscek, vous ne pouvez pas le manquer, c'est un grand blond tout cabossé. En revanche, sur le terrain, c'est pas le dernier à monter au front !

— Qui d'autre ?

— Des solitaires ? C'est tout. Ah, sinon il y a les officiers, le capitaine Morris par exemple, ou le lieutenant Durrington, ils ne causent pas beaucoup. Remarquez, ils n'ont pas besoin de ça pour faire leur job. Il suffit de bien gueuler au bon moment. Ils savent se faire respecter.

— Et parmi les fortes têtes ?

— Là, il y a l'embarras du choix ! La 3e section c'est un ramassis de durs à cuire ! On a fait plus d'une campagne, on se connaît, on a combattu et survécu ensemble, alors ça crée des liens ! Tout le monde ou presque aime l'ouvrir ici. Y a quand même deux ou trois énergumènes, je dois admettre. Gazinni n'est pas mal dans son genre. Le déconneur du groupe.

— Violent ?

— Lui ? Non ! Enfin, j'aimerais pas être de l'autre côté de son fusil quand on part à l'assaut, mais c'est autre chose... Non, Gazinni c'est « Monsieur deux mille blagues », c'est comme ça qu'on le surnomme. Il en a toujours en réserve. Y a aussi Costello qui la ramène tout le temps. Plutôt le genre à se vanter d'avoir tout fait.

— Et Harrison ? J'ai entendu dire qu'il s'était fait arrêter par la PM.

— Cal est un dur, sûr. La PM a voulu le faire chier, c'est tout. Mais il n'est pas méchant. Et lui c'est comme Costello, pas la peine de perdre votre temps à lui proposer vos médocs, ils n'avaleront rien, pas le genre à s'abriter derrière des cachets.

Ann approuva et s'assura que son calot d'infirmière était à sa place sur ses boucles d'or.

— Vous semblez bien vous connaître. Vous voyez quelqu'un à qui je devrais parler avant de procéder à ma distribution ?

— Vous pouvez toujours tenter « l'écrivain », Steve Risbi.

— L'écrivain ?

— Oui, on l'appelle comme ça parce qu'il écrit bien. Certains lui font écrire leurs lettres pour les familles, surtout pour les femmes restées au pays. Il est doué pour les poèmes ! Du coup il sait tout sur tout le monde.

— Et je peux le trouver où, ce Risbi ?

— Je vais vous montrer sa tente. Lui, vous ne pourrez pas le rater, c'est une crevette ! Pas un pet de muscle ! Mais avec un fusil à lunette, il vous décime tout un bataillon !

Ann suivit les instructions de Collins et trouva Risbi devant sa tente, assis devant une table en bois, occupé à écrire. C'était un homme de taille moyenne, d'une vingtaine d'années à peine, le poil brun roux, les membres longs et maigres, les veines plus saillantes que les biceps. Dans la tête ronde ses grands yeux rougis dénonçaient les nuits trop courtes.

— Steve Risbi ? Je suis Ann Dawson. On m'a dit que vous étiez l'homme à voir.

Il battit des paupières en la voyant approcher, et quitta le carnet qu'il était en train de compléter d'une écriture tout en boucles. Il lâcha son stylo. *Main gauche*, nota Ann.

— Qu'est-ce que vous voulez ? lança-t-il d'une voix plus aiguë encore que son physique.

Ann prit place sur le banc, en face de lui.

— Je dois m'assurer que tout le monde va bien dans votre section après… le massacre d'hier. Alors je cherche quelqu'un qui connaît ses camarades.

— On a perdu beaucoup d'amis hier, personne n'est en forme. Voilà ce qu'il faut retenir, madame.

Il la fixait dans les yeux, ne se défilait pas, et cette franchise dans l'attitude plut à Ann. De plus il n'était pas droitier. Et tout sauf costaud. Elle devait trouver un appui dans la section, un homme suffisamment fiable, pour passer par lui et tout apprendre sur chaque individu.

— On m'a dit que vous étiez « l'écrivain » de la bande ! confia-t-elle.

Il émit un sifflement bref pour manifester son amusement.

— Vous collez un type qui sait aligner trois mots et qui aime lire dans une compagnie de brutes épaisses et on le traite d'écrivain !

— Des brutes épaisses ? Sympa pour eux, vous n'en êtes pas une, vous ?

— Moi ? Vous m'avez regardé ? Chacun son rôle, madame. Moi je joue à distance, je laisse le corps à corps aux autres.

Il accompagna sa tirade d'un geste des bras qui mimait le tir au fusil.

— La plume et la visée, l'épée c'est dépassé maintenant, ajouta-t-il en gloussant.

Ann remarqua la présence d'un bandage sur le haut du bras, à la lisière de son tee-shirt, il lui sembla même apercevoir une auréole sombre.

— Vous êtes blessé ?

— Ce n'est rien. Une balle m'a éraflé.

— Ça suffit pour une infection. Laissez-moi voir.

Il leva la main pour l'empêcher d'approcher.

— Laissez tomber, ça va.

Ann n'insista pas. Et entra dans le vif du sujet :

— Vous pourriez me parler de vos compagnons ? Y a-t-il des comportements atypiques depuis quelques jours ?

Il croisa les bras sur la poitrine.

— Vous cherchez quoi au juste ? À me faire dire qu'Untel n'est pas bien dans ses pompes pour aller le voir ensuite et le farcir de saloperies ?

Ann sentit fondre l'infime chance de le mettre en confiance. Elle contre-attaqua immédiatement :

— Bien au contraire ! C'est pourquoi j'ai recours à vous ! Je ne veux heurter aucune sensibilité, juste savoir qui il est préférable d'éviter et comment aborder les autres. On m'a assuré que vous êtes subtil et que vous les connaissez tous.

Il la contempla un instant, avant de se pencher vers elle. Et sur le ton de la confidence :

— Vous savez pourquoi la 3ᵉ section est si particulière ?

Ann secoua la tête.

— Parce que nous ne sommes pas seulement un groupe d'hommes dans une compagnie. Non. Nous formons un ensemble fraternel. (Il brandit un index pointu :) Nous sommes une secte, madame. La 3ᵉ section est une secte. Et si vous n'en êtes pas membre, vous ne saurez rien. (Il fit une grimace pour accentuer le refus.) Rien de rien.

22

Craig Frewin dominait la plage, le dos appuyé contre un immense bunker vide.

Le crépuscule prolongeait le récent carnage d'un rideau rouge qui s'étendait sur les carcasses des navires, colorant de violet les vagues qui léchaient les ouvrages de défense au fil de la marée montante.

Des barbelés couraient sur tout le périmètre, matérialisant une culture agressive, un champ stérilisé par la peur de l'autre. Le vent soufflait doucement dans les hautes herbes, chassant l'odeur des cadavres en décomposition vers l'intérieur des terres.

Lorsqu'il vit Ann approcher dans le petit sentier du camp, il vint à sa rencontre pour l'écarter du rectangle de béton dans lequel pourrissaient encore les corps carbonisés de l'ennemi.

La journée avait été lourde, pleine de ce qu'il détestait : errances administratives, formulaires, rapports à la sauce politique, pour ne froisser ni les uns ni les autres. La tension nerveuse de la veille était en train de retomber, Frewin se sentait plus serein. Et pendant que le soleil se couchait, et qu'Ann se postait près de lui, il réalisa pleinement, pour la première fois, qu'elle était une femme. Avec sa grâce, sa tendre fragilité et son aura charnelle. Une très belle femme. Sa présence, le sourire qu'elle lui adressa en guise de bonsoir lui réchauffèrent l'âme. Ses dents blanches, ses lèvres humides, délicates. Craig constata qu'elle avait libéré ses cheveux, ses boucles blondes dansaient sur ses épaules et deux torsades plus courtes s'arrêtaient à mi-cou. Elle ne portait plus son bibi blanc et une pèlerine verte masquait en partie sa blouse. Elle était émouvante.

— Curieuse idée de me donner rendez-vous ici ! fit-elle en arrivant.

Le trouble de Frewin se dissipa. Il l'avait conviée pour parler en toute liberté, la Ruche était occupée ce soir par plusieurs officiers de la PM qui devaient faire un point sur l'organisation des camps de prisonniers... Mais pourquoi l'avoir entraînée si loin ? Ne pouvaient-ils s'abriter derrière un camion ou une pile de sacs de sable isolée ? Et Frewin dut se rendre à l'évidence : une part de lui avait senti ce changement de perception, et l'avait désiré. Il *souhaitait* passer ce moment avec elle, loin de tout.

Depuis combien de temps n'as-tu plus ressenti la chaleur féminine ? Frewin comprit que son esprit et son corps souhaitaient revenir à la vie après les heures de barbarie.

— Pour être au calme, déclara-t-il, très professionnel. J'ai du nouveau. Le tueur a étranglé Tomers avec du nylon.

— C'est un indice utile ?

— Si on réfléchit en termes de disponibilité, oui. Où trouve-t-on du nylon dans l'armée ?

Ann contempla les herbes mouvantes.

— Je ne sais pas, finit-elle par avouer.

— Les parachutes. Ils sont en nylon. J'ai sondé des officiers de différents corps d'armée, personne ne voit de nylon ailleurs.

— Le tueur serait un parachutiste ? Ça ne correspond pas du tout à nos déductions, il n'y en a aucun dans la 3ᵉ section !

— Non, mais il aurait pu avoir accès à des fragments de parachute. Ça arrive parfois, une toile percée qu'on découpe pour différents usages. Il a pu s'en procurer un morceau dont il s'est servi pour étrangler Tomers.

— Et j'imagine que vous avez déjà lancé votre enquête là-dessus ?

— En effet. J'ai demandé la liste des unités parachutées, les contacts avec la compagnie Raven, et j'ai aussi interrogé tous les responsables que j'ai pu rencontrer sur les toiles de parachute mises au rebut. Rien de concluant jusqu'à présent. Par ailleurs, mes hommes ont cherché des pistes concernant les victimes. Aucun résultat. Rosdale et Tomers ne faisaient pas de remous, rien de particulier n'a été signalé à leur sujet.

À l'est, le ciel devenait bleu sombre, piqueté de points brillants, tandis que les derniers reflets du couchant caressaient le visage d'Ann.

— J'ai passé du temps avec la 3ᵉ section aujourd'hui, rapporta-t-elle. Ça va être difficile. Ils forment… bien plus qu'un groupe. Vous savez comment ils se qualifient eux-mêmes ? De secte ! Une fraternité du feu où tous font corps pour se soutenir. La loi du terrain, m'a confié Risbi.

— Vous avez tout de même pu créer un contact ?

— Ténu. Je crois qu'avec l'infirmier ça ne sera pas aussi évident que je le pensais. C'est un collègue, j'ai cru que ça suffirait à nouer un lien, je me suis plantée. Le capitaine Morris est difficile à cerner. Je ne sais pas s'il est distant de ses hommes parce qu'il les craint, ou si c'est un homme froid qui crée une distance avec eux pour simplifier le commandement. Ce n'est pas vers lui non plus que je vais me tourner. En revanche, il y a ce Risbi. Un type assez fin. (Elle sourit.) Je parle de finesse intellectuelle, bien que son corps tout entier tienne dans un seul de vos bras !

Elle se mit à rire, un amusement spontané qui plut à Frewin. Il vit qu'elle avait une canine légèrement de travers, dans l'alignement impeccable des autres dents. Une originalité attendrissante. Le lieutenant sourit à son tour.

Une rareté, songea-t-elle.

— Risbi est un peu plus ouvert que la plupart des gars de la 3e section. Il a, j'ai cru le comprendre, un point de vue précis sur chacun.

— Et il vous parlera ?

— Avec du temps, c'est possible.

Frewin plissa les lèvres en signe de déception.

— Nous n'avons pas de temps, Ann. Ils vont repartir sur le front dans les jours ou les heures qui viennent.

— Et vous ? rétorqua-t-elle aussitôt. Vous les suivrez, non ?

— Tant que Toddwarth ne m'en empêchera pas, oui.

— Alors je pourrais faire de même.

— Non. À un moment vous devrez tout arrêter. On ne pourra pas continuer ainsi très longtemps.

— Je refuse. J'ai commencé avec vous, j'irai jusqu'au bout.

— Au bout de quoi, Ann ? Au bout de quoi ?

— De cette histoire. Celui qui fait ça, ce prédateur qui tue parce que c'est sa source de plaisir. Je veux le voir.

Frewin prit une inspiration pour la sermonner, mais au moment d'ouvrir la bouche aucun mot ne lui vint. Elle plantait dans les siens ses iris que la nuit naissante rendait bleu-gris.

— Ne me laissez pas tomber, lieutenant, dit-elle tout bas. Je veux aller jusqu'au bout.

Après une courte hésitation, elle baissa le regard pour ajouter :

— J'en ai besoin. S'il vous plaît.

Frewin fut déstabilisé par la faille qui s'ouvrait en elle subitement. Cette perte d'aplomb le troubla. Il posa sa main sur son épaule. Elle semblait si frêle au côté de ce bloc de puissance pure. Frewin perçut son parfum, une fragrance vanillée, teintée d'une nuance plus forte, animale, qu'il ne parvint pas à identifier.

— Qu'est-ce qui vous pousse à agir ainsi, Ann ? Pourquoi, chaque fois qu'on aborde l'esprit pervers de cet homme, parlez-vous comme si vous le connaissiez intimement ?

Elle lui fit à nouveau face, les yeux humides.

— Je dois y aller, ils m'attendent à l'hôpital. Je suis désolée.

Elle se dégagea de sa main et commença de s'éloigner, laissant le lieutenant, déconcerté, la regarder fuir, lorsqu'elle ajouta :

— J'aurai bientôt des informations précises sur chaque homme de la 3e section, faites-moi confiance.

Sur quoi elle tourna le dos et se hâta sur le sentier de sable.

— Ann ! appela enfin Frewin. Ann !

Mais elle ne se retourna plus et disparut au sommet de la dune.

Frewin demeura sans bouger pendant une longue minute. Il avait suffi d'évoquer la possibilité de l'écarter de l'enquête pour qu'elle perde son semblant d'effronterie. Pourquoi tenait-elle à ce point à cette traque ? Au risque de briser sa carrière d'infirmière, au risque de se mettre dans une situation dangereuse envers la 3e section et son tueur… Que cachaient Ann Dawson et son charme capiteux ?

Frewin avisa la lune qui se mettait à briller avec ardeur, seule reine dans les cieux. Au-dessous, le bunker ressemblait au casque d'un golem surplombant la mer, guettant l'horizon perdu dans la nuit.

Frewin se mit à douter.

Patty.

Tout était plus simple avec elle.

Il déglutit.

Il se mentait. Non, tout n'était pas simple avec elle. Au contraire. Tout était compliqué. Conflits.

Patty.

Mais sa femme lui manquait. Il serra les poings.

Ce geste aussi lui rappela sa relation avec elle. Privilégiée.

Tout était si complexe avec les autres. Il avait toujours eu, depuis l'enfance, le culte de la solitude. Pour fuir les problèmes. Les autres signifiaient problèmes.

Frewin contempla l'astre d'ivoire.

Il se sentait comme elle, loin des hommes, seul, blessé depuis longtemps, parsemé de cratères.

Une créature de la nuit.

23

L'aube ne s'était pas encore montrée. La base tout entière restait plongée dans une torpeur que la rumeur des explosions, au loin, ne perturbait plus.

Frewin revint à lui par paliers. D'abord les sens qui s'éveillent, la sensation du froid au-delà des couvertures, des sons multiples – trop tôt pour les comprendre – et le confort spartiate du lit de camp. Son esprit reprit contact avec la réalité. Mais pourquoi émergeait-il maintenant ? Pas de trompette du lever, pas de sonnerie de son réveil mécanique. Et il était fatigué. Alors pourquoi avait-il ouvert les yeux ?

Le souvenir auditif, soudain. Un bruit particulier. Un cliquetis. Il fut aussitôt en alerte, focalisé sur le son qu'il avait entendu. Un cliquetis… progressif, à l'instar de taquets qui s'emboîtent… Une fermeture à glissière ! Une tente ! Il avait entendu la porte d'une tente s'ouvrir. Qui dormait à côté ? *Matters. Et Conrad un peu plus loin.* Aux aguets, Frewin rajusta la couverture sur ses épaules pour conserver la chaleur. Il ne put se rendormir. Et c'est de mauvaise humeur qu'il retrouva bientôt ses hommes en train de se raser au-dessus du baquet d'eau froide.

— Matters, Donovan et Conrad, vous partez faire le point sur la nuit comme hier, lança-t-il.

Il se prépara un café, le temps que Matters et Conrad reviennent, avec un constat de calme. RAS. Donovan se fit attendre une demi-heure de plus et, lorsqu'il arriva, ce fut pour transmettre les incertitudes du QG :

— Rien sauf l'absence d'un soldat à l'appel, dans la compagnie Dog. Il n'est pas dans sa tente. Il ne manque rien sauf les vêtements qu'il portait hier.

— Un déserteur ?

— Possible. J'ai croisé le major général, il a ordonné au capitaine Stanley d'enquêter.

— Stanley ? répéta Frewin.

Il le connaissait, un officier de la PM qu'il jugeait plus préoccupé par ses velléités carriéristes que mû par le culot, mais qui faisait du bon travail sur le terrain, pour peu qu'il ne faille pas bousculer les protocoles.

— Bon, je lui demanderai de me tenir au courant. Rien d'autre ?

Donovan répondit par la négative.

— Dans ce cas on se prépare, et avant de patrouiller, assurez-vous que vos bardas soient prêts. La compagnie Raven va vraisemblablement décoller aujourd'hui. En cas de départ, vous serez rappelés immédiatement ici.

Frewin retrouva sa tente en début de matinée pour y prendre son calot, à côté de son casque. Il le plia et le glissa sous la patte d'épaule de sa chemise. Il n'aimait pas le porter.

Un bourdonnement attira son attention.

Des mouches. Plusieurs dizaines.

Interloqué, Frewin se pencha vers le pan de tente où elles s'agglutinaient. Elles se nourrissaient sur une trace fine et longue. En y regardant mieux, la trace formait une courbe... des pointillés... une croix.

Frewin sortit le briquet qu'il utilisait pour allumer sa lampe à pétrole et leva la flamme devant lui.

Les traits bruns formaient un dessin.

Du sang ! Un plan...

On avait pris soin d'établir une sorte de carte avec du sang, à *l'intérieur* de sa tente.

Et tout s'emboîta dans la tête de Frewin. Le bruit de glissière ce matin. Le tueur. C'était lui, il en était convaincu. Il était entré ici. Pour dessiner cette carte. Il était venu là ! Tout près ! Pour jouer avec Frewin. Pour le narguer jusque dans son intimité, dans son sommeil.

Et à présent il l'appelait par une croix grossière à le suivre dans la forêt. Les insectes grouillants lui montraient la voie.

24

Le soleil traçait des lames d'or dans la forêt, entre les branches, captant toute la poussière que la guerre semblait avoir soulevée de la terre, la faisant miroiter en des milliers de cristaux flottants.

Frewin n'avait eu aucun mal à repérer le petit sentier qui serpentait entre les troncs. Il avait recopié le plan dans un calepin, prenant soin de reproduire chaque trait à l'identique, écriture comprise. L'auteur du croquis avait dessiné un demi-ovale au milieu duquel était écrit « camp », une portion hachurée en bas portait la mention : « 3e sect. » d'où partait une série de pointillés jusqu'à un trait délimitant les « bois ». Les pointillés s'arrêtaient une fois enfoncés dans cette zone, sur une croix. L'écriture était celle d'un enfant. Frewin avait aussitôt deviné le stratagème : un droitier se forçant à écrire de la main gauche, pour brouiller les pistes, pour masquer sa véritable écriture. On ne pourrait pas chercher à établir de comparaison.

Peu subtil mais malin.

Ce qui perturbait Frewin, c'était la hardiesse de cet individu. Il avait osé s'aventurer dans sa tente, en fin

212

de nuit. Lui d'habitude si prudent, si méticuleux, avait pris un risque inconsidéré. Qu'aurait-il fait si Frewin s'était réveillé ? Tenait-il une arme à la main, dessinant tout en guettant les signes d'éveil du lieutenant, prêt à lui régler son compte ? C'était de la folie. Craig Frewin ne savait s'il devait s'en réjouir ou s'en inquiéter. Était-ce le premier signe d'une trop grande assurance qui conduirait le tueur à sa perte, ou au contraire la preuve qu'il contrôlait parfaitement la situation, qu'il tenait la dragée haute à la PM ? Songeant que ses crimes commençaient à l'enivrer, jusqu'à lui faire perdre peu à peu la raison, Frewin s'était mis en route avec plusieurs hommes, bien armés. Ils étaient partis du site où campait la 3e section, plein sud vers le bois, jusqu'au sentier qui correspondait à la direction des pointillés du plan. À quoi servait cette carte ? À leur délivrer un message ou à les entraîner dans un guet-apens ? Matters le suivait de près malgré son bras en écharpe, avec Monroe qui tenait une mitraillette tandis que les colosses Baker et Larsson fermaient la marche.

Casques et équipement de rigueur.

Frewin tenait son calepin dans une main, son pistolet dans l'autre, la crosse devenue moite. L'été approchait, la végétation en plein essor constituait des cachettes providentielles pour l'ennemi, et les craquements, crissements, et autres feulements du vent dans les branches représentaient autant de bruits suspects et angoissants. Frewin était surpris par la multitude de toiles d'araignées qu'ils brisaient sur leur passage. En tête, il ouvrait la marche, inspectait le sol, guettant une trace de pas, un mégot de cigarette, toute forme d'indice qui l'aiderait à identifier celui ou ceux qui étaient venus ici avant eux.

Mais la terre n'était pas assez humide pour marquer et le sentier trop mal délimité.

Soudain les feuillages se clairsemèrent, les fougères se firent plus espacées, le chemin s'élargissait. Une clairière apparut, grande comme un terrain de football. Dévastée.

Les arbres étaient renversés ou déchiquetés, des dizaines de troncs s'élançaient fièrement sur deux ou trois mètres avant de s'arrêter net, tranchés en pointe par la puissance des obus. Une dizaine de larges cratères, profonds de deux, trois, parfois cinq mètres. Et la terre labourée, noire. L'émeraude des bois avait disparu ici, ne laissant qu'un vaste no man's land de boue séchée, une boue figée dans son dernier mouvement. Des vagues de terre, hautes comme un homme, hérissées par endroits d'une boue écumeuse qu'on devinait projetée par l'explosion. Ailleurs, la brûlure instantanée avait cuit la terre soulevée pour laisser une grosse bulle, comme un champignon creux. Tout ici laissait croire qu'un géant avait joué à façonner la terre comme on façonne le verre à chaud, en soufflant dans une canne.

Les cinq hommes s'arrêtèrent au seuil de ce paysage ravagé, bouche bée. Plus aucun oiseau ne chantait alentour et une odeur âcre flottait encore sur l'étendue martyrisée.

— C'est là qu'on doit aller ? finit par interroger Monroe. Ça correspond à la croix sur le plan ?

— Je pense, murmura Frewin en s'avançant.

La terre craquelait sous ses pieds. Les autres le sui-virent, sur leurs gardes, surveillant tous les recoins, les trous et les troncs mutilés qui ressemblaient à présent à des pieux énormes. Matters effleura du coude une de ces vagues de terre figée et elle se fissura aussitôt. Une seconde plus tard, un craquement sourd s'en échappait en même temps qu'un souffle de poussière, et toute la lame s'effondra d'un coup, dans un nuage ocre.

— Qu'est-ce que c'est que cet endroit ? marmonna Baker.

Frewin contourna un profond cratère que la pente abrupte et les débris de métal avaient transformé en un piège dangereux. D'autres fragments témoignaient de la présence d'un camp récent, disloqué.

— C'était un dépôt d'armes, signala Frewin. Il a été bombardé et tout a sauté.

Monroe baissa sa mitraillette et avoua :

— Toutes ces formes, c'est glauque.

Frewin, qui avait repris sa progression, leur fit signe de le rejoindre au sommet d'une petite butte. De là ils dominaient une immense cuvette, trente mètres de diamètre, quinze de profondeur, sans une racine, sans un arbuste, aucune trace de vie.

— Je crois qu'il n'y a rien, rapporta Matters, je veux dire : si c'est censé être la croix du plan, je ne vois pas ce qu'on est supposés découvrir. Un champ de ruines ?

— C'est peut-être, comment elle dit l'infirmière, déjà ? fit Larsson. Symbolique ?

Frewin soupira.

— Je ne sais pas, lâcha-t-il tout bas en tournant sur lui-même pour contempler les ravages. Peut-être.

Baker rangea son arme dans son fourreau.

— Moi en tout cas, il faut que je pisse.

Il s'écarta pour joindre le geste à la parole.

Monroe attrapa ses cigarettes dans la poche de sa chemise, mitraillette suspendue sur le flanc. Il tendit le paquet à Matters, qui refusa sans un mot, et alluma sa tige pour souffler la fumée avec satisfaction.

— Pas un bruit, hein, fit-il remarquer. C'est flippant tout de même.

Frewin s'éloignait, s'assurant qu'il n'y avait rien à voir.

— On n'est pas censés rester avec lui ? s'étonna Larsson.

— Tu le vois te gueuler dessus parce que tu lui colles pas au cul ? protesta Monroe. Non, il nous laisse une pause. Je crois que t'as pas tort de parler de symbolique. Mais là, je préfère que le lieutenant se charge de l'interprétation.

Larsson désigna la cigarette de Monroe et d'un signe en quémanda une, qu'on lui offrit en lui tendant le briquet.

— Merci, l'ami. Dites, les gars, le lieutenant, c'est vrai ce qu'on raconte à propos de sa femme ?

Monroe haussa les sourcils.

— Va savoir.

— Parlez pas de ça, intervint Matters.

— C'est quand même pas rien, merde, on est peut-être dirigés par un assassin…

— Soldats, j'ai dit stop ! ordonna Matters en haussant le ton.

Bien que jeune et portant son inexpérience sur le visage, Matters devait asseoir son autorité sur des hommes plus âgés, ayant de grandes batailles à leur actif, ce qui n'était pas simple. Matters ne se faisait aucune illusion à ce sujet : si les hommes finissaient toujours par lui obéir, c'était par respect et crainte du lieutenant Frewin. Et non grâce à son autorité naturelle.

Larsson se frotta la lèvre inférieure en fixant son sergent.

— OK, OK... C'est juste qu'il y a des rumeurs, c'est tout.

Matters ne le lâcha pas du regard, prêt à en remettre une couche, lorsqu'un hurlement grimpa de derrière un talus à la forme presque organique. Un cri d'alarme. *De peur...*, perçut Matters.

Baker, le géant aux poings durs comme de la pierre, venait de trouver quelque chose. Une chose capable de lui arracher un cri de terreur primitive.

25

Matters, Monroe et Larsson accoururent.

Baker reculait lentement, les traits congestionnés par un dégoût extrême, teinté d'incrédulité. Il pivotait vers ses compagnons quand le martèlement de leurs rangers parvint à sa conscience. Matters ralentit en croisant son regard qui semblait lui dire : Non, ne va pas plus loin…

Frewin surgit, arme au poing. Le jeune sergent l'imita de son bras valide et les autres suivirent sur une courte montée, du faîte de laquelle ils dominaient toute la clairière. Des troncs disséqués bordaient le sommet, et au milieu s'ouvrait un modeste bunker tenant plus du poste d'observation que du site de défense. Conduits par Craig Frewin, ils entrèrent par l'ouverture béante de l'unique pièce d'une centaine de mètres carrés dont tout un pan se fendait d'une meurtrière dominant la forêt.

Un jeune homme nu se tenait au centre, debout, bras et jambes écartés.

Si l'Homme de Vitruve était une étude des proportions du corps humain, celui-ci était visiblement une étude de la souffrance.

Il était prisonnier d'un étrange maillage de fils translucides, semblables à ceux d'une grosse araignée. Chaque fil partait du sol, du plafond ou des murs et entrait en lui par une petite plaie rouge. Au niveau du pied, du mollet, le troisième au côté de la cuisse. Et le schéma se répétait pour l'autre jambe. Un fil pénétrait dans son anus, un autre tout droit dans son sexe, tenant le petit bout de chair rose tendu vers le sol. Quatre fils, comme les points cardinaux, se partageaient son ventre, l'un passait dans le dos au niveau de la colonne vertébrale et l'autre sur chaque hanche. Un fil s'enfonçait dans les deux tétons. Et dans ses bras levés en diagonale un fil était ancré aux biceps, un autre dans l'intérieur du coude, au poignet, et dans l'extrémité de chaque doigt, ceux-ci accrochés, tendus, depuis le plafond. On avait pris soin de poser dans ses paumes une petite assiette vide en métal. Enfin, sa tête était renversée en arrière, un fil entrait dans sa bouche ouverte, les deux derniers étaient pour les yeux. Et c'est seulement à cet instant que Frewin comprit.

Deux petits hameçons transperçaient les paupières.

Les fils de pêche étaient tenus par des crochets à une extrémité et vissés dans les traverses au sol, aux murs ou dans le plafond, et se terminaient tous par un hameçon. Si l'homme bougeait d'un millimètre, les hameçons entraient chaque fois plus profondément en lui et arrachaient sa chair.

L'homme, à peine une vingtaine d'années, était transformé en marionnette dédiée à la douleur. S'il bougeait en avant, ses mollets, son anus et sa colonne vertébrale saigneraient, sans compter la partie supérieure. S'il reculait, ce seraient ses pieds, son pénis et son nombril qui s'ouvriraient comme des fleurs. Ses cuisses dans les deux hypothèses seraient mutilées. Les bras reproduisaient les mêmes menaces, les veines crochetées à l'intérieur du coude et des poignets. Si l'homme cherchait à se mouvoir, quel que soit le sens, le fil qui entrait dans sa bouche se ficherait dans sa gorge et lui ouvrirait l'œsophage. Aucune échappatoire.

Des gouttelettes rouges roulaient sur sa peau et de petites flaques pourpres s'élargissaient au sol. Il devait se tenir ainsi depuis plusieurs heures. À bout de forces. Comment avait-il fait pour ne pas perdre conscience ? Chaque parcelle de ses muscles devait être tétanisée.

Frewin leva la main bien que l'homme ne pût le voir.

— Ne bougez pas, surtout, ne bougez pas, dit-il doucement. Nous sommes de la PM, nous allons vous sortir de là.

L'homme, qui était parfaitement immobile jusqu'à présent, se mit à vaciller, sa peau se couvrit d'une intense chair de poule. Des gouttes d'un rouge sombre s'écrasèrent au sol.

— Ne bougez pas ! ordonna Frewin. Nous sommes là pour vous aider, mais il faut que vous…

Il ne put achever sa phrase

L'homme de Souffrance se mit à trembler et ses jambes lâchèrent.

Alors, ses doigts se déchirèrent, les petites assiettes tombèrent en résonnant, ses poignets s'ouvrirent, ses coudes se rompirent et toute la peau autour de son nombril s'arracha. Ses tétons éclatèrent. Du sang se mit à ruisseler par son sphincter anal et Frewin vit le fil du pénis se tendre quand l'homme fit un pas en arrière. Dix centimètres de matière rouge apparurent par l'urètre, comme une paille de chair.

Un infâme gargouillis monta de ses entrailles à vif. Et l'homme, d'un pas brusque de côté, arracha le contact avec ses fils. Il tituba une seconde et parvint à redresser la tête pour voir Frewin et ses soldats. Ses yeux apparaissaient au travers de ses paupières fendues comme un rideau de théâtre. Un filet rouge ruissela de sa bouche.

Maintenant, tous les fils pendaient comme ceux d'un pantin évadé.

Et il se transforma en fontaine de sang.

Ils couraient, les fougères leur fouettaient les joues. Baker portait l'homme sur son dos. Ils l'avaient habillé avec leurs propres vêtements qu'ils avaient serrés au maximum en espérant stopper les hémorragies. Une trentaine d'hameçons avaient fendu son corps. Le temps qu'ils approchent et le délivrent, la peau avait disparu, remplacée par un film rouge. Il avait hurlé, avant de gémir comme un enfant, et de perdre lentement conscience en grelottant. Frewin savait ce que cela signifiait : plus un homme perdait son sang, plus la chaleur le quittait et plus il tremblait. Les victimes d'hémorragie finissaient par s'endormir dans le froid intense de leur corps, et la mort les saisissait ainsi. Ce n'était plus qu'une question de minutes avant qu'ils ne le perdent.

Il avait été victime du syndrome des secours. Frewin avait déjà vu ce phénomène sur des êtres gravement touchés, des blessés capables de tenir, de survivre par la force mentale, malgré le froid, la faim ou l'épuisement, transcendant les limites de leur corps. Quand les secours apparaissaient enfin, avec la promesse de délivrance, la force mentale craquait, le blessé se laissait aller, rassuré, et ce corps qui avait tenu par la seule rage de vivre, s'effondrait avant que les soins nécessaires soient prodigués.

Baker s'arrêta, à bout de souffle. Larsson, malgré sa blessure au ventre, se précipita pour prendre le relais. Le sang imbibait totalement les étoffes. Le dos de Baker en était noir. Ils reprirent leur course, Matters et Monroe partis devant prévenir l'infirmerie.

Ils jaillirent de la forêt et gravirent la petite colline avant d'atteindre les premières tentes. Des regards les suivirent, horrifiés.

Deux brancardiers se précipitèrent avec Monroe. Ils auscultèrent brièvement le corps et Frewin comprit qu'ils n'y croyaient plus. Tout alla très vite. Délivré de son fardeau, Larsson s'effondra à côté de Baker. Monroe repartit avec les infirmiers rejoindre Matters, caressant l'espoir fragile que l'homme s'en sortirait.

Frewin trouva un banc pour le soutenir. C'est alors qu'il réalisa qu'ils étaient assis au milieu du campement de la 3e section, la plus proche des bois. Tous les observaient en silence, l'attitude hostile. Une vingtaine de soldats impassibles. Et parmi eux, le tueur. La colère gronda dans le cœur de Frewin. Il scruta les visages, l'un après l'autre.

Parker Collins, l'infirmier aux beaux yeux verts. Le caporal Douglas Regie, qu'il avait croisé sur la plage. Les soldats Traudel et Risbi, le premier aussi massif que le second était rachitique. Le capitaine Morris et son bec-de-lièvre. Et son regard s'arrêta sur Cal Harrison qui le fixait intensément. Un autre grand type musclé, blond et couvert de cicatrices au visage, se tenait à ses côtés, son nom inscrit sur son étiquette de veste :

« Hriscek. » Ce dernier murmurait à l'oreille de Harrison qui se fendit d'un rictus. Son regard était menaçant. Tous ces hommes ne semblaient nullement affectés par ce nouveau crime. La 3e section avait-elle vu trop de sang pour s'émouvoir de celui-là ?

La victime n'est pas de leur section. Elle n'est pas comme eux, songea-t-il en se rappelant les mots d'Ann à propos de cette « secte ». « *Ces types vivent dans un cocon, ce qui n'en fait pas partie ne les concerne pas. C'est leur mécanisme de survie.* » Sauf pour un homme : le tueur.

Le tueur venait de voir passer sa victime agonisante. *Il doit jubiler à la vue de ce pauvre diable...*

Les yeux de Frewin s'agrandirent.

Son tour d'horizon des suspects.

Il lui fallut plusieurs secondes avant de remettre de l'ordre dans ses pensées. *Oui... ! Il n'est pas resté... Il ne l'a pas regardé souffrir...*

Une pièce importante s'inséra dans ce puzzle qu'était le tueur, et un aspect nouveau de sa personnalité apparut. Frewin se prit à espérer. Il allait falloir jouer serré, mais avec un peu de chance, ils pourraient prendre l'avantage.

26

Toute la 3ᵉ section se sentait trahie, persécutée.

Cette agression de la Police Militaire avait resserré les liens entre les hommes, la tension n'avait cessé de croître en même temps que la colère et la haine. L'arrestation puis la libération de Cal Harrison avaient mis le feu aux poudres et toute la section dévisageait les traîtres de la PM, assis sur *leurs* bancs, en train de souffler.

Frewin préféra calmer les esprits :

— Les gars, vous rentrez au camp, lança-t-il à son équipe. Matters et Monroe nous tiendront au courant de l'état de ce pauvre type. Moi j'y retourne.

Larsson déplia son mètre quatre-vingt-quinze.

— Je vous accompagne, lieutenant.

— Négatif, vous retournez au camp, tout de suite. J'ai besoin d'être seul là-bas.

Larsson et Baker s'observèrent, sceptiques, mais durent quitter leur supérieur. Une fois seul, Frewin considéra brièvement tous les membres de la 3ᵉ section qui le guettaient en silence. Puis, il vint droit sur le capitaine Morris, qu'il entraîna à l'écart pour un bref échange. Après quoi Frewin quitta le campement, les regards plantés dans son dos, et s'engagea dans les fourrés, en direction du sentier qui pénétrait dans les bois.

Le passage étroit serpentait entre des bosquets de ronces et des mers d'orties, contournant des rochers sortis de terre comme d'énormes crocs. Le chemin grimpait. Sapins et pins tordus par des décennies de vent marin s'accrochaient à la terre sableuse.

Frewin arriva à la clairière ravagée. Un dépôt de munitions ennemi, bombardé avant l'assaut des troupes au sol. Comment le tueur avait-il trouvé cet endroit ? Deux explications possibles : la plus simple, un soldat se promène à l'écart de la base, l'entrée du sentier est toute proche, il va jeter un coup d'œil. L'autre était liée à l'indice découvert dans le corps de la seconde victime. Le fragment de nylon. Un morceau de parachute ? Auquel cas il pouvait y avoir un lien entre le tueur et l'armée de l'air. Un des pilotes raconte au tueur cette mission, ce bombardement… Frewin balaya cette hypothèse, trop tirée par les cheveux, elle ne tenait pas la route. Il était évident que des hommes de la 3ᵉ section étaient venus jusqu'ici pour se détendre ou se trouver un coin tranquille. Le tueur était de ceux-là ou en avait entendu parler à leur retour.

Tandis qu'il progressait entre les cratères et les troncs disloqués, Frewin tentait d'imaginer le tueur arrivant avec sa victime. Comment l'avait-il amenée jusque-là ? Le terrain n'était pas facilement praticable avec un poids mort sur les épaules. Baker et Larsson en savaient quelque chose, ça n'avait pas été évident, même à deux.

Le tueur est un type costaud.

De là à porter sa victime de la base jusqu'ici… possible mais très éprouvant. Étaient-ils deux ? Il n'avait pas encore suivi cette piste. Deux tueurs. La probabilité que deux êtres partageant les mêmes fantasmes pervers se rencontrent et se reconnaissent était bien mince.

Néanmoins elle existe. Même s'il ne parvenait pas à y croire, Frewin ne devait pas négliger cette possibilité. Mais tant qu'un élément tangible n'abonderait pas dans ce sens, il en resterait au plus simple, le plus évident selon lui : un tueur unique.

Comment était-il donc venu jusqu'ici avec sa victime ? Et si celle-ci l'avait accompagné, en marchant à ses côtés ? Déjà sous la menace ou de son plein gré ? Il faudrait étudier les poignets et chevilles du pauvre homme, vérifier s'il portait des marques d'entraves.

Du milieu de la clairière, le bunker-poste d'observation dominait tout le secteur, et il lui parut soudain surprenant que ni lui ni ses hommes n'aient envisagé d'aller l'explorer. *La fatigue. Nous ne savions pas à quoi nous attendre.* Et surtout ils s'étaient sentis en danger. Tous craignaient un piège, mobilisant leur attention sur l'environnement immédiat, non sur l'ensemble.

Un cri, un miaulement strident descendit du ciel. Une buse survolait le dégagement. Frewin monta jusqu'au bunker et s'immobilisa devant l'entrée. Le lieu était sombre, isolé. Pas très engageant. En pleine nuit ce devait être pire encore. De quel subterfuge le tueur avait-il usé pour attirer sa proie à l'intérieur ?

Frewin pénétra dans la grande pièce. La mare brillante, noire à cause de la pénombre, s'étendait sur plus d'un mètre cinquante de diamètre. De grosses mouches s'y baignaient, glissant et pondant dans ce miel matriciel.

D'autres traces s'étalaient, plus rouges : les leurs, lorsqu'ils avaient secouru le blessé.

La lumière du jour entrait par la longue fente d'observation qui ouvrait horizontalement tout le mur opposé à l'entrée. Frewin inspecta les crochets ou les clous ayant servi à tenir les fils dans les murs, sol et plafond. Ils étaient en bon état, pour ainsi dire neufs. Ici, aucune solive métallique mais des poutres en bois servant à visser des patères, des étagères ou même des lampes. Le tueur s'en était servi pour y planter son décor de bourreau. Il avait fallu de la préparation, peut-être même des repérages. Comment s'y prenait-il ? Disposait-il de tout ce matériel depuis le départ ? Assurément, il ne pouvait se l'être procuré ici. Frewin fit la moue. Le tueur avait envisagé de mettre en pratique cette… torture dès que l'occasion se présenterait, dépendante du lieu ? Si tel était le cas, il disposait quelque part d'une cachette où il entreposait son matériel. Frewin n'en fut pas plus avancé. Un soldat, même en campagne, n'est jamais seul, toute une compagnie et sa logistique peuvent aider à dissimuler des objets. Dans le sac d'un autre, dans des caisses de munitions, de vivres…

Frewin remarqua la trentaine d'hameçons qui baignaient dans des fluides corporels divers, avec parfois un bout de tissu musculaire, veine ou ligament, embroché comme un vulgaire appât.

L'orgie de mouches diffusait un bourdonnement continu.

Le souvenir de cet homme nu, presque un gamin, le glaça à nouveau. L'horreur qu'il avait dû vivre était inhumaine. La salive avait coulé dans l'arrière de sa bouche et, avec le temps, il n'avait pu s'empêcher de déglutir plusieurs fois. Frewin imagina la sensation terrifiante du crochet s'enfonçant un peu plus dans l'œsophage à chaque mouvement, le fil tendu, jaillissant hors de sa bouche.

Comment as-tu pu seulement penser à une telle barbarie ? Qu'es-tu donc ? Rien que la mise en application nécessitait un travail sans nom. Comment avait-il enfoncé les hameçons aussi profondément dans le sexe et l'anus de sa victime ?

Craig Frewin déambulait lentement dans la salle. Tout avait été trop vite, ils n'avaient pu l'inspecter convenablement. Un tabouret renversé gisait dans un coin. Le tueur s'en était-il servi pour planter les crochets au plafond ? Probablement… Des lampes à gaz étaient disposées sur une étagère, avec des recharges pleines. Le bunker n'avait pas pris de bombe mais l'ennemi avait fui, en abandonnant son matériel.

C'est alors que Frewin réalisa qu'il n'avait vu aucun cadavre, aucune trace de blessure résultant du bombardement. L'ennemi avait-il déjà déserté la place à ce moment ? Cela semblait illogique. Ils avaient plutôt pris le temps d'enterrer leurs morts après les explosions…

Un morceau de tissu était entortillé sur le sol. Frewin s'en empara du bout des doigts. Les deux extrémités étaient encore fripées d'avoir formé un nœud. Un foulard pour bander les yeux. Le lieutenant contempla la mare de sang, à trois mètres. *Trop loin.* La victime ne pouvait l'avoir retiré elle-même, attachée comme elle l'était… Le tueur le lui avait ôté.

Il se pencha en remarquant un petit objet à ses pieds. Une pince d'une vingtaine de centimètres, couverte d'une matière translucide.

Du matériel chirurgical et... ce qui ressemble à du lubrifiant. Il venait d'apporter une réponse à l'une de ses questions : comment enfoncer les hameçons profondément dans le corps de la victime.

L'avait-il volée à l'infirmerie du camp ou la portait-il avec lui depuis leur départ ? Frewin grogna. Cela ne l'avancerait pas de perdre du temps sur cette piste. Il fallait surtout comprendre qui était ce bourreau, quel genre d'homme, pour parvenir à le cerner au mieux parmi la vingtaine de soldats de la 3e section. Et plus il y réfléchissait, plus Frewin était convaincu que ce qu'il avait subitement remarqué au camp, une demi-heure plus tôt, avait son importance. Ce crime n'était pas dans la continuité des deux précédents. Au contraire même, il y avait un changement radical. Déterminant.

Qu'avait fait le tueur une fois sa victime attachée ? Jusqu'à présent ils avaient pensé que tuer était une source de satisfaction pour le meurtrier, un moyen de ressentir une émotion forte. Cette fois, Frewin pouvait affirmer que c'était la souffrance qui l'avait motivé.

Pourtant il n'est pas resté pour la contempler. Il est rentré à la base, jusqu'à ma tente, pour que j'aille voir. Le tueur n'est pas resté jusqu'au bout. Il n'a pas profité de la souffrance, et encore moins de la mise à mort.

Alors qu'avait-il recherché ? Pourquoi faire venir Frewin jusqu'ici ?

Étrangement, l'image qui vint à son esprit était celle d'un chat qui rapporte une souris agonisante sur le lit de son maître pour lui faire plaisir. *Pourquoi as-tu fait ça ?*

Frewin analysait la pièce. Il l'imagina de nuit, éclairée par une lampe à gaz. Le tueur et sa victime aux yeux bandés entrent ici, tandis que tout est déjà prêt. Il ne manque plus qu'à placer la proie au milieu, et à lui enfoncer les hameçons qui reposent au sol ou pendent du plafond. La victime est alors prise en tenaille entre la terreur et l'espoir de survivre si elle obéit. C'est le syndrome du viol, songea Frewin. La victime est paralysée, soumise à cette promesse de vie si elle se laisse faire.

L'application du tueur, cette installation fastidieuse font partie du plan. Il a commencé par la bouche, assurément, pour que l'homme ne puisse plus bouger, et que lui puisse se consacrer aux autres fils qui nécessitent de la concentration.

Il commence donc par le fil qu'il fait descendre dans la bouche d'une main, de l'autre il braque une arme sur la tempe de sa victime. Une fois le fil descendu de plusieurs dizaines de centimètres, le tueur tire d'un coup sec, pour que l'hameçon se plante dans l'œsophage.

Maintenant il est debout, nu au milieu de ce bunker, la tête en arrière. Il ne peut plus bouger sans sentir la déchirure dans sa poitrine. Une autre piqûre brûlante dans le bras cette fois. Que lui fait-on ? Très vite, il comprend que le moindre mouvement lui arrache la chair. La douleur et la terreur le suffoquent. Rester immobile, voilà ce qu'il doit faire.

On lui saisit le sexe. On y enfonce un objet fin et froid par le canal de l'urètre. La souffrance le fait hurler. L'objet s'arrête, la pointe s'accroche en lui. À présent guidé par l'horrible douleur, il se tient immobile. S'il vacille, une mâchoire d'acier lui mutile le sexe.

L'opération se répète, dans l'anus cette fois.

Bientôt, l'homme est parfaitement stabilisé. Incapable du moindre mouvement. Un simple frisson déchire quelque chose en lui. Il n'est plus qu'un pantin soumis à son tortionnaire. Pour ne pas mourir.

L'opération a pris du temps. La nuit a été longue. D'abord venir repérer les lieux pour trouver le bon endroit, puis tout installer. Retourner à la base chercher sa victime – comment la chasse-t-il ? comment la choisit-il ? – pour l'amener ici. Oui, il est déjà tard. Et le tueur a beaucoup à faire. Il veut que ce soit le lieutenant Frewin qui découvre son œuvre, pas un autre. Il faut donc lui indiquer la piste à suivre.

Pourquoi lui ? Se connaissent-ils ?

Le tueur doit donc abandonner sa marionnette, après tous ses efforts.

Pourquoi se donner tant de mal si ce n'est pas pour en jouir ? Où s'est déplacé son plaisir ? Quelle est sa motivation ?

La domination ? Mais dans ce cas il serait resté jusqu'au bout. Se donner autant de mal pour offrir à d'autres le « plaisir » de contempler la mise à mort n'aurait aucun sens. Alors pourquoi ?

Le grouillement des mouches sur leur festin rouge devenait écœurant.

La notion d'offrande devint incontournable pour Frewin. Le tueur voulait leur offrir ce spectacle. C'était un être centré sur lui-même, comme tous les criminels qu'il avait côtoyés. Il le savait. Il avait donc une raison *jouissive* d'agir de la sorte.

Frewin ne voyait qu'une seule explication.

Soudain la lumière s'altéra dans la pièce.

Il pivota, un peu surpris.

Il n'était plus seul. Quelqu'un se dressait sur le seuil.

Une cagoule noire sur le visage. Un couteau de chasse dans la main.

Quand le couteau se leva, Frewin comprit qui il avait en face de lui.

27

Frewin bondit en arrière comme un ressort. Ses pieds atterrirent dans la mare de sang, il glissa et posa un genou à terre en se stabilisant d'une main dans le liquide collant. Lorsqu'il releva la tête, ce fut pour voir son agresseur au-dessus de lui. Il lui saisit les cheveux d'une main et la lame vint s'appliquer contre sa gorge.

— Terminé ! chuchota le tueur en contournant Frewin.

Plus simple d'égorger par-derrière, songea Frewin. Il devait agir, très vite.

— On ne bouge pas, entendit-il. Jouez au héros et je vous tranche le cou comme à un vulgaire cochon. Soyez attentif, je ne suis pas venu pour vous tuer. Pas encore.

C'est pour ça qu'il voulait m'attirer ici, pour me parler...

— Vous êtes un putain de fouineur, susurra l'homme derrière lui. Un putain d'emmerdeur. Et je vais vous dire : ça va s'arrêter. Vous allez vous calmer et laisser tomber tout ça. C'est la guerre, des hommes en tuent d'autres tous les jours, oubliez cette histoire. Dans notre armée on est tous capables de se défendre si un crétin veut nous tomber dessus.

Frewin ne reconnaissait pas la voix, l'homme parlait bas pour niveler ses inflexions naturelles.

C'est donc quelqu'un que je connais, il sait que je pourrais l'identifier...

— Vous ne servez à rien dans cette affaire. À rien sauf à déstabiliser les liens fraternels qui unissent les soldats au combat. On peut vivre en sachant qu'un des nôtres n'est pas net, mais si vous cherchez à nous briser les uns après les autres, ça va mal se passer. Alors je vous le dis une dernière fois : oubliez votre enquête minable et retournez faire le berger auprès des prisonniers.

— C'est mon rôle..., objecta Frewin malgré l'acier qui lui entaillait le cou. Enquêter sur ce tueur pour vous protéger...

— On n'a pas besoin de protection, et on est assez grands pour régler nos problèmes entre nous. Laissez-nous faire. On va le trouver, celui qui a fait ça, et on s'en occupera. La 3ᵉ section a reçu l'ordre de se préparer, elle part bientôt au front, là-bas on n'a pas besoin de vous, surtout pas vous. La 3ᵉ section c'est une meute de loups, et les loups ça n'aime pas qu'on vienne dans leurs pattes. Je ne le répéterai pas, si on se recroise, ce ne sera plus pour des menaces, vous comprenez ? S'il faut en arriver là pour nous protéger, on le fera. Vous y passerez.

Sur quoi Frewin perçut un brusque changement de position derrière lui et le choc qu'il encaissa sur la joue projeta des éclairs devant ses yeux. Un second coup de poing s'abattit sur sa mâchoire et cette fois il s'effondra.

233

Sa vision se troubla. Il ne parvint pas à contrôler ses membres. Ses vêtements devinrent froids et humides. Dans le halo blanc de la sortie il aperçut l'homme qui s'enfuyait en courant. Puis, tandis qu'il battait des paupières pour recouvrer ses esprits, il comprit qu'il roulait dans le sang et les larves de mouches.

28

Frewin sentait l'angoisse du temps qui lui échappait sous forme de palpitations dans le ventre, des dizaines de papillons effleurant ses entrailles. La 3ᵉ section avait reçu son ordre de regroupement, ils partaient au petit matin.

Entre-temps, le lieutenant était rentré à la base, chargé d'une colère sourde qu'il s'était efforcé d'évacuer en marchant, avant de rejoindre ses hommes. Sa blessure au cou n'était qu'une estafilade, en revanche sa joue l'élançait et il sut qu'il ne pourrait pas dissimuler l'ecchymose, d'autant que plusieurs points de suture avaient sauté, libérant une petite rigole de sang. Il passa par l'infirmerie pour se faire recoudre et apprit le décès du soldat « crucifié ». Les médecins n'avaient rien pu faire. On l'avait identifié rapidement : Clifford Harris, 22 ans. Le soldat manquant à l'appel du matin dans la compagnie Dog.

Ann arriva dans la Ruche avec Matters qui était passé la chercher, et Frewin commença sans attendre qu'ils s'assoient.

— Je pense avoir cerné un aspect intéressant de la personnalité du tueur, lança-t-il froidement.

Ann aperçut sa pommette tuméfiée.

— Qu'est-ce qui vous est arrivé ? s'inquiéta-t-elle.

— J'ai eu de la visite.

La stupéfaction crispa le visage de l'infirmière.

— Le… l'assassin ? balbutia-t-elle.

— Non. Et pas Cal Harrison, mais c'était un gars de la 3e section, et il parlait en leur nom, pas de « je » mais des « on » et des « nous ».

— C'est forcément le tueur ! rétorqua Monroe, il n'y a que lui qui savait où vous trouver !

— Non, j'ai dit à Baker et Larsson que j'y retournais devant toute la 3e section, ils savaient que je partais seul. Il suffisait de me suivre sur le sentier, à bonne distance pour ne pas se faire repérer. N'importe qui de la section peut avoir fait le coup. J'ai été imprudent, ils me l'ont rappelé.

— Qu'est-ce que vous vouliez nous dire ? interrogea Donovan. Pourquoi cette réunion d'urgence ?

— La 3e section a reçu son ordre de mission. Ils partent demain matin à l'aube.

— On les suit ? questionna Monroe.

— Je vais y venir. Avant cela, je voudrais vous dire deux mots du tueur. Je crois que ce nouveau meurtre est très différent des précédents. Vraiment très différent.

— En quoi ? demanda Larsson. C'est bien le même gars, non ? Me dites pas qu'on en a un deuxième !

— Non, en effet, c'est bien le même. C'est lui qui est venu nous narguer en dessinant dans ma tente le plan qui nous a conduits à son… spectacle macabre. Il est bien dans cette dynamique ludique. C'est un pervers qui joue, avec nous, avec ses victimes, pour nous prouver son pouvoir. Aucun doute là-dessus.

— Alors en quoi c'était différent des autres crimes ?

Frewin se massa la nuque.

— Parce que ce matin, il n'a pas directement *tué*. Il n'a pas procédé à la mise à mort.

— Sauf si c'est l'un d'entre nous, plaisanta Monroe sans provoquer le moindre rire.

— D'habitude, reprit Frewin, il agresse et il tue de ses propres mains. Nous pouvions penser en toute logique que son plaisir émanait de ce sentiment de pleine puissance, ce pouvoir de vie et de mort. Ce n'est pourtant pas le cas avec l'homme de ce matin. Cette fois, la mise en scène était plus importante que la mise à mort. Je ne peux pas croire qu'un pervers fasciné par la pulsion de contrôle et la mise à mort prenne tous les risques, enlève quelqu'un et le torture à ce point pour finalement partir sans achever son œuvre, sans assister à cette transition entre la vie et la mort que je pensais jubilatoire à ses yeux. Je croyais qu'il éprouvait un plaisir quasi sexuel en tuant, et je réalise que, dans ce cas, il ne se serait pas privé de ce plaisir après s'être donné tant de mal. Sauf si la mise à mort n'était pas la finalité.

— Tuer ne serait pas l'acte essentiel à ses yeux ? répéta Matters, confus.

— Non, tuer fait partie des conséquences. Ce n'est pas sa source de plaisir. Ce qu'il aime c'est le contrôle. Et surtout, c'est la mise en scène. Il ne tue pas pour lui.

Tous se raidirent sur leur chaise, devinant ce qui allait suivre sans parvenir à le croire.

— Il tue pour nous.

— C'est... absurde ! s'indigna Ann. Il n'aurait aucune...

Craig Frewin la coupa :

— Chacun des trois crimes a été perpétré avec des méthodes différentes : décapitation, strangulation et mutilation par animal, et enfin… par hémorragie. C'est comme s'il testait des méthodes, comme s'il en cherchait une qui lui convienne, sachant qu'il n'a même pas voulu assister à la dernière.

— Il pouvait être caché dans les bois, derrière nous, pour tout voir, proposa Monroe.

— J'y ai pensé. Cependant la mise à mort n'a pas eu lieu dans le poste d'observation, il aurait fallu qu'il attende dans la pièce pour y assister. Et il n'y avait que nous. J'ai interrogé le capitaine Morris à midi. J'ai voulu savoir qui de ses hommes était sorti du camp dans la matinée. Personne. Et il l'a garanti. Ils avaient la visite de leur colonel, inspection des troupes avant le départ en mission. Ils ont fait l'appel et il ne manquait aucun homme valide. Le temps de préparation et de visite les a mobilisés pendant que nous étions dans la forêt. Cela venait tout juste de s'achever lorsque nous sommes rentrés avec la victime.

Monroe approuva. Présenté ainsi c'était irréfutable.

— Donc, si ce n'est pas la mise à mort qui lui plaît, pourquoi tue-t-il ? relança Frewin. Il y a un point commun à ces trois crimes. La mise en scène. Et la volonté qu'on tombe dessus, qu'on ne les rate pas.

— Le culte d'un spectacle macabre. C'est une sorte d'artiste ? C'est à ça que vous pensez ? demanda Matters.

— Plutôt un homme animé d'une haine froide contre la société. Contre les hommes. Il tue parce qu'une vie ne vaut rien à ses yeux, mais il sait ce que ça représente pour les autres. Il sait à quel point un meurtre est grave. Il est intelligent. Et il exhibe la souffrance qu'il inflige – marque de sa rage –, il veut qu'on la voie. Il veut nous choquer, nous faire mal en tant que société. Et le fait qu'il s'en soit pris à la PM en tuant Clauwitz et Forrell est aussi symptomatique de son rejet du système que nous représentons. La PM c'est le prolongement de cette société, son bras armé.

Frewin s'appuya contre le tableau sur lequel était recopiée la liste des noms de la 3e section.

— Par conséquent on peut supposer qu'il s'agit d'un homme qui a grandi en marge, certainement persécuté, rejeté par les autres garçons. Raillé par les filles. Quelqu'un qui n'a jamais développé le moindre sentiment de sociabilité.

— Attendez, je résume : ... il serait devenu comme ça parce qu'il n'a pas grandi comme tout le monde ? insista Donovan. Il était rejeté et du coup il s'est développé dans l'ombre ?

— On peut dire ça, oui.

— Ce que je n'arrive pas à saisir, c'est la source du mal ! Parce que le gamin rejeté qui devient asocial, voire psychopathe, c'est l'œuf et la poule ! Il était rejeté parce que les autres gosses *sentaient* qu'il allait devenir « mauvais », ou c'est parce qu'il a été mis à l'écart qu'il l'est devenu ? Vous voyez ce que je veux dire ?

Tous les regards convergèrent vers Ann, encore silencieuse.

— Je vais être très cruel, Donovan, intervint Frewin, car je pense qu'il n'y a aucun mystère là-dedans : c'est l'enfant qui se fait rejeter par les autres de par son attitude, ses envies, ses réactions. Il est *déjà* abîmé par la vie. La noirceur du monde, d'une manière ou d'une autre, l'a *déjà* contaminé beaucoup plus que les autres, et c'est trop tard. Il s'est développé selon une trajectoire erronée par rapport aux critères de notre civilisation. La noirceur du monde l'a induit à préférer jouer avec le cadavre d'un chat mort qu'avec une petite voiture. Elle l'a perturbé dans ses repères d'enfant jusqu'à lui en fournir d'autres.

Ce fut au tour d'Ann, cette fois, d'intervenir :

— Qu'appelez-vous « noirceur du monde » ?

— Elle peut prendre bien des visages. Cet enfant a été confronté à un père ou une mère tyrannique, violent, peut-être même incestueux. Ce ou ces événements vont recodifier la psyché de l'enfant. À un moment de son développement, il découvre un rapport à l'autre et à son propre corps lié à la douleur, à la frustration, à l'humiliation. Par mimétisme ou par réflexe de survie. La personnalité se modifie. La plupart de ces enfants s'en sortent avec le temps. Mais d'autres n'y parviennent pas. Ils s'enferment dans une spirale dévastatrice. Par exemple la souffrance d'un camarade va les fasciner, voire les exciter. Cette personnalité humiliée va projeter son humiliation sur les autres pour réduire la tension. Très vite, l'enfant est rejeté. Il grandit alors dans un monde centré sur lui-même, garde ses maux à l'intérieur et les ressasse, les faisant croître. Et, le temps passant, il comprend qu'il est différent, mal aimé, sa haine d'autrui prend de l'ampleur, ce qui finit par annihiler les dernières bribes d'empathie qu'il pouvait ressentir.

— La plupart s'en sortent, les autres non. Sur quoi se fait la différence ? demanda Ann.

— Je l'ignore. Personne ne le sait.

— Alors, le tueur qu'on recherche, lança Baker, déstabilisé, c'est pas seulement un… enfoiré, pardonnez mon langage, c'est avant tout un pauvre gamin qui s'en est jamais sorti, c'est ça ?

— Oui, Baker, c'est aussi ça. C'est devenu un homme froid comme la glace vis-à-vis des autres. Ses recherches de plaisir sont uniquement tournées vers lui-même. Ses satisfactions, il se les crée différentes des nôtres.

— Donc on cherche un homme très égocentrique, conclut Ann. Un soldat qui ne pense qu'à lui.

— En effet. Mais pas seulement. On peut élargir à quelqu'un qui se fait remarquer.

Matters croisa les bras sur sa poitrine.

— Je croyais au contraire qu'on cherchait un solitaire ! dit-il. Et puis si ce mec est enragé contre la société, et qu'il déteste les autres, pourquoi mendierait-il une quelconque forme de reconnaissance ?

— La mise en scène, Matters. Il met ses victimes en scène pour qu'on les voie. Il exprime sa rage, pourtant il pourrait agir en secret, en se débarrassant des cadavres dans un coin, ce qui serait plus prudent d'ailleurs ! Au lieu de quoi, il préfère nous les exhiber ! C'est une personnalité complexe. Sans émotion vis-à-vis des autres, mais plein d'émotion pour lui-même. Il ne mendie pas l'attention, ce qu'il veut, c'est contempler son propre reflet dans les yeux tournés vers lui. Vous saisissez ?

Matters approuva doucement, presque triste.

— Je crois, oui. Il ne veut pas l'attention des gens, il veut se savoir au milieu d'eux, c'est lui-même qu'il veut voir dans l'attention qu'on lui porte. Tout est centré sur lui.

— C'est ça. Un garçon qui se fait remarquer, qui veut qu'on le voie, mais qui nourrit en même temps une haine farouche pour la société. À nous de savoir exploiter ces éléments. Que diriez-vous de le priver de tout cela ?

— Comment ça ? s'inquiéta Matters.

— Privons-le de toute attention, ignorons ce qu'il cherche à nous dire. Et faisons passer le message. Il va enrager, et il va tout faire pour qu'on le remarque, pour qu'on s'occupe de lui. Jusqu'à l'erreur.

— On peut alors craindre le pire ! protesta Ann. Il pourrait repasser à l'acte très vite. Si on agit de la sorte, non seulement on va le pousser à tuer encore, mais il frappera très fort.

— C'est plus que probable. Et à vouloir frapper fort, plus vite que prévu, il sortira de ses plans, il commettra une erreur.

Monroe eut un sourire incrédule.

— Vous êtes en train de dire qu'il faut qu'il tue à nouveau ?

— Si vous avez un meilleur plan pour le coincer, je suis preneur. N'allez pas croire qu'élaborer une stratégie pareille me rende fier de moi ! Mais c'est tout ce que j'ai. Nous n'avons rien. Rien du tout ! Parce que je vais vous dire : ce type va tuer à nouveau, quoi qu'on fasse. La question est de savoir ce qu'on veut ! Un nouveau meurtre qui ne nous avancera pas plus et qui sera suivi d'un autre, puis d'un autre, et ainsi de suite, ou que ce soit le dernier ?

— C'est une stratégie du sacrifice ! s'indigna Ann.

Frewin approuva avec insistance :

— Je m'en passerais bien, croyez-moi. C'est ça ou on reste ainsi, à attendre que les meurtres s'enchaînent, et qu'un grand coup de chance nous permette de l'arrêter.

— Si la chance se manifeste, murmura Baker.

Larsson hocha la tête avant de fixer Frewin.

— C'est peut-être cruel et… cynique, mais je suis pour la solution du lieutenant. Il ne s'arrêtera pas de tuer tout seul, alors faisons en sorte que le prochain soit le dernier.

— Quand bien même nous nous lancerions dans une stratégie aussi discutable, comment compteriez-vous vous y prendre ? interrogea Ann.

Frewin la considéra un instant. Il déglutit et lança, tout doucement :

— Pour commencer, en me servant de vous.

29

Ann oublia de refermer la bouche, estomaquée :

— En vous servant de moi ?

— Tout à fait. Pour propager la rumeur dans la 3e section que l'affaire est classée, que la PM et l'état-major ont décidé de ne plus enquêter sur ces meurtres parce qu'il s'agit d'un cas trop isolé et insignifiant au regard de l'assaut que nos forces mènent. La PM doit donc se remobiliser sur ses tâches prioritaires : le contrôle des camps, l'ordre et la surveillance des prisonniers de guerre.

— Personne ne va y croire ! protesta l'infirmière.

— C'est la guerre, tout est possible. D'ailleurs l'état-major n'est pas loin de le penser. Ce qui compte, c'est que le tueur le croie, lui. Il est peut-être intelligent mais tout son raisonnement et tous ses actes s'organisent autour de sa volonté et son application à tuer, à frapper la société en lui montrant les blessures qu'il peut causer. Je suis sûr qu'il y croira, il sera trop enragé par cette décision pour la nier. Il faut juste insister sur un point…

— Lequel ?

— Que cette décision résulte de mon analyse. Que j'ai décidé d'abandonner l'enquête. Je vais rédiger un faux rapport dans lequel j'exposerai mes conclusions : l'auteur des deux premiers meurtres est un fou, un fou sans importance qui se fera tuer très bientôt pendant un assaut du fait de sa personnalité instable et de ses tendances suicidaires

— Les deux premiers meurtres ? Vous voulez occulter le troisième, celui de Harris, ce matin ? s'étonna Matters.

— Non, je vais priver le tueur d'une tête supplémentaire à son palmarès, je vais expliquer que pour différentes raisons, méthodes utilisées, choix du lieu, etc., ce n'est pas le même tueur et qu'il s'agit ici vraisemblablement d'une vengeance. Ça va l'obliger à sortir le grand jeu pour qu'on ne puisse plus l'ignorer. Autant d'éléments qu'il ne pourra pas maîtriser.

Conrad, « le sage de l'équipe », fit remarquer :

— Si je peux me permettre, lieutenant, cette idée va le conduire tout droit à vous. S'il estime qu'on le prive de toute attention à cause de vous, il pourrait vous tomber dessus.

Frewin demeura silencieux, le regard brillant.

— J'y compte bien, finit-il par admettre.

La tente du lieutenant Frewin sentait l'huile des lanternes. Il reposait le roman de sir Arthur Conan Doyle lorsque Ann entra après avoir demandé la permission.

— Merci d'être revenue, la salua-t-il en s'asseyant sur son lit.

— Vous m'avez demandée...

Il l'invita à prendre place sur sa chaise de bureau, ce qu'elle fit aussitôt, face à lui.

— Comment ça se passe à l'infirmerie ?

Elle soupira.

— Comme vous pouvez l'imaginer. Les blessés affluent sans discontinuer. On vient tout juste de faire embarquer ceux qui devaient être rapatriés et déjà nos lits se remplissent. Et mes relations avec le major Callon ne sont pas très bonnes, comme vous le savez... Encore moins depuis qu'il est obligé de me laisser vous aider dans votre enquête.

— Dès que nous aurons fait passer les informations dans la 3e section, je vous laisserai tranquille...

— Non, surtout pas ! trancha-t-elle en se raidissant sur son siège. (Dans un élan d'orgueil elle ajouta sèchement :) Je vous ai déjà supplié de me garder, ne me faites pas recommencer tous les jours, s'il vous plaît.

Il leva la main pour faire taire le malentendu.

— Ce n'est pas dans mes intentions, Ann, calmez-vous. Je disais ça pour le cas où vous souhaiteriez prendre du recul, c'était une porte ouverte, rien d'autre.

Elle le toisa pour s'assurer de son honnêteté. La défiance et le doute la rendaient encore plus belle. La présence d'émotion pure, sans retenue, qui occupait ses traits, habitait ses yeux, faisait vivre ses lèvres, troubla le lieutenant. Elle ne portait pas son calot blanc, ses cheveux d'or étaient noués sur l'arrière, une mèche bouclée passée derrière l'oreille.

— Je suis désolée, murmura-t-elle en s'efforçant de maîtriser son anxiété.

— Ann, je peux vous poser une question ?

Elle releva le nez.

— Si je ne suis pas obligée de répondre, allez-y.

Ignorant la repartie, il demanda :

— Pourquoi cette enquête vous fascine-t-elle autant ?

Elle cilla, puis tourna la tête, comme pour observer le reste de la tente.

— J'ai mes raisons, lieutenant. Je vous demande de me faire confiance, ça ne vous portera préjudice en aucune manière, je peux vous le garantir, et croyez-moi : j'y veille.

— Ann… Qu'est-ce que ça veut dire ? Pourquoi êtes-vous à ce point *impliquée* dans cette histoire ? Lorsque nous avons parlé de cet homme, le tueur, vous aviez une analyse très pertinente, très fine, rien à voir avec celle d'un néophyte. Je vais vous dire : j'avais l'impression de discuter avec un confrère… très perspicace. Et ça ne m'arrive pas souvent. Alors, dites-moi.

— S'il vous plaît…

— Qu'est-ce qui fait que vous êtes à ce point inté-ressée et douée ? Si j'osais, je dirais que vous avez été agressée, et que ce drame vous a plongée dans les abî-mes de l'homme, des *mauvais hommes*. C'est de là que vous tirez intérêt et compréhension pour ces tristes choses. Est-ce ce genre de drame ?

Elle secoua la tête :

— Vous n'y êtes pas du tout, et je vous demande d'arrêter, s'il vous plaît.

Ann, ce n'est pas pour vous faire du mal, j'ai besoin de savoir pour être sûr que je peux compter sur vous. Je veux simplement comprendre pourquoi une infirmière se retrouve du jour au lendemain à tout faire pour me suivre dans mon enquête, et pourquoi elle semble si… capable ?

Elle se pencha pour poser une main sur le genou de Frewin. Ce qui le déstabilisa. Le parfum vanillé de la jeune femme lui revint aux narines. Accompagné de cette autre odeur, plus complexe, que Frewin n'arrivait pas à identifier et qu'elle portait sur la peau, une fragrance qu'il aurait voulu garder sous le nez encore quelques instants.

— Je… Je vous demande de me faire confiance, implora-t-elle lentement. S'il vous plaît.

Il ouvrit la bouche et Ann crispa sa main, pour ancrer sa présence et ses mots dans le corps du lieutenant.

— J'ai *besoin* de vous, de votre confiance, pour rester dans l'équipe. Alors que dois-je faire ? Vous supplier une fois encore ?

Craig secoua la tête. Ann se redressa et ôta sa main. Il ne put empêcher son regard de descendre sur ses seins qui tendaient la blouse.

— Non, bien sûr que non, articula Frewin.

Il se leva pour rompre cette intimité qui le perturbait et alla se servir de l'eau à sa gourde, en proposa à Ann, lui désignant un quart en aluminium. Elle refusa d'un mouvement de la tête.

— Je vous fais confiance, Ann, dit-il après s'être désaltéré, parce que je n'ai aucune raison de ne pas le faire. Et pour être honnête : parce que vous êtes sacrément perspicace. Néanmoins, vous admettrez que la situation est délicate pour moi. J'aimerais savoir, pour tout clarifier. Je ne vous forcerai pas à me parler, vous savez où me trouver, à vous de le faire si vous en éprouvez l'envie.

Sentant qu'il s'était refermé en quelques secondes, Ann en éprouva une peine inattendue. À bien y réfléchir, elle réalisa qu'elle appréciait cet homme plus qu'elle ne se l'était avoué.

Alors une autre idée, plus claire et bien précise, émergea dans ses pensées. Une idée qu'elle redoutait depuis le début, sans vouloir l'affronter, ni la bannir de ses desseins.

Non, pas lui, s'interdit-elle. *Pas lui, c'est impossible*. La panique commença à grimper en elle. *Pas lui... ce serait catastrophique. Surtout pas.* Elle devait immédiatement reprendre le contrôle de ses divagations. Craig Frewin ne pouvait pas être le prochain sur sa liste. C'était une aberration. Le faire serait sortir des limites qu'elle s'était imposées par sécurité. Pour ne pas se faire prendre.

Frewin cligna les paupières en la contemplant. Une fragilité rare se dégageait d'elle en cet instant.

Ann se sentait partir. L'adrénaline du passage à l'acte imminent diffusait ses spores dans son cerveau. La température grimpait dans ses entrailles. Son cœur palpitait dans l'extrémité de ses doigts.

Elle enfonça ses ongles dans sa paume, la douleur l'électrisa.

Pas lui ! s'ordonna-t-elle avec rage.

— Ça va, Ann ? Vous allez bien ?

Elle chercha son oxygène avant d'affirmer :

— Oui, ça va.

Changer de sujet, orienter la conversation, détourner mes intentions.

— Je me demandais…, commença-t-elle vous croyez qu'il a des notions de médecine ?

— Le tueur ? Pourquoi ça ?

— D'après ce qu'on m'a décrit de la scène de ce matin, il a fallu une précision énorme pour mettre au point son stratagème morbide. Et ça m'aiderait à cibler des suspects, comme le sergent Parker Collins, leur infirmier.

Craig croisa les bras sur ses imposants pectoraux.

— Pas besoin de connaissances médicales. Il s'est procuré une pince longue et du lubrifiant, rien d'extraordinaire. Ensuite ça lui a demandé du temps, rien d'autre. Ne cherchez pas à cibler un suspect en particulier, faites des observations, et rapportez-nous tout ce que vous verrez ou entendrez. En particulier sur… (Il alla à son bureau pour prendre la liste de la 3e section)… ces noms, que j'ai soulignés, le D signifie qu'ils sont droitiers :

— *capitaine Lloyd Morris D*
— *lieutenant Ashley Durrington D*
— *lieutenant Philip Piper*
— *adjudant Clive Bradley-Dodders D*
— *adjudant Henry Clark D*
— *sergent Piotr Kijlar D*
— *sergent Gabriel Rabin*
— *sergent (infir.) Parker Collins D*
— *caporal Douglas Regie D*
— *caporal Adam Houdan*
— *soldat Frank Gazinni D*
— *soldat Vladimir Hriscek D*
— *soldat Martin Clamps D*
— *soldat Jeremy Brodus D*
— *soldat Cal Harrison D*
— *soldat Peter Brolin*
— *soldat James Costello*
— *soldat Felipe Gonzalez*
— *soldat John Traudel D*
— *soldat Rodney Barrow D*
— *soldat Steve Risbi*
— *soldat John Wilker D*

— Ils sont droitiers et costauds, très costauds, comme notre tueur.

— Et les autres ? Je m'y intéresse tout de même ?

— Oui, je n'ai pas vraiment mis un visage sur tous les noms, on ne sait jamais. Tenez, voici le rapport que je suis censé avoir rendu au major général Toddwarth, dans lequel je conclus que le crime de ce matin n'a rien à voir avec les précédents et que le tueur de Rosdale et Tomers est un instable suicidaire, qui ne mérite pas qu'on perde plus de temps, il n'est pas le psychopathe que l'on croyait. Je termine en écrivant qu'à mon avis il se fera bientôt tuer dans un quelconque acte suicidaire car c'est dans sa nature.

— Vous le dénigrez alors qu'il aime être mis en valeur, ça va le rendre fou de rage contre vous.

— J'espère bien. Arrangez-vous pour faire traîner ça dans leur camp, soyez subtile.

— Si je comprends bien, demain matin, lorsqu'ils seront partis au front, nous n'aurons plus aucun moyen de savoir ce qu'ils font. On laisse le tueur avec eux, et on attend leur éventuel retour ?

— Selon Toddwarth ce sera dur : ils rejoignent plusieurs compagnies sur la ligne de feu. Nous allons nous cantonner sur leurs arrières. J'ai une place pour vous.

Le visage d'Ann s'illumina malgré le danger que cela représentait. Bombardements ennemis, mines et proximité du tueur.

— Je… Merci.

Elle se leva pour sortir. Elle ne devait plus rester dans cette tente, à la limite de glisser, de commettre l'irréparable, d'ajouter Frewin à la liste. De tout foutre en l'air. Elle avait les joues rouges.

— Je vais faire le nécessaire de suite, dit-elle en se saisissant du rapport.

Tandis qu'elle sortait, Frewin la rappela :

— Ann, je vais être honnête : je vous fais confiance parce que vous êtes pertinente dans vos déductions. Pour le reste…

Elle soutint son regard une seconde, puis baissa les yeux avant de relâcher le pan de toile derrière lequel elle disparut. Le corps en feu.

30

Elle n'avait pas une seconde à perdre.

Ann remontait entre les tentes, les ballots militaires, les caisses et sacs de sable entassés autour des armes lourdes et des munitions. La nuit rendait le camp plus inquiétant, avec ces allées improvisées entre les murs de toile. Les filins tendus au sol devenaient pièges invisibles. Elle se sentait dans la peau de Thésée errant dans un labyrinthe immense, sachant que quelque part le Minotaure guettait et attendait sa prochaine victime.

Thésée avait un fil pour ne pas se perdre, non ? Et toi, qu'as-tu ? se moqua-t-elle. Un faux rapport, voilà ce qu'elle avait pour orienter sa colère. Lorsque le tueur l'aurait lu, s'il le lisait un jour, le lieutenant Frewin devrait dormir avec un bataillon autour de lui pour le protéger. Plus elle y songeait, moins elle était convaincue de la pertinence de cette idée. Était-ce leur unique option ? *Probablement...*

Et elle, que lui était-il arrivé ? Elle ne pouvait se laisser aller à ses vils instincts, pas avec Frewin. La fraîcheur nocturne lui avait remis les idées en place, elle se sentait honteuse.

Constatant que les soldats étaient pour la plupart dans leurs tentes, Ann pressa le pas. Elle aurait voulu prendre son temps à l'infirmerie pour être sûre de voir Clarice avant qu'elle ne dorme, lui dire au revoir avant de partir pour le front, mais la priorité était de faire lire ce rapport par la 3e section. Il serait toujours temps de réveiller son amie au petit matin, pour les adieux.

Ann s'arrêta dans la première tente des soins. À l'entrée, posées sur une table pliante, plusieurs boîtes à courrier superposaient les différents formulaires médicaux. Ann prit la pile des comptes rendus de traitements et trouva, comme elle s'y attendait, ceux de la veille. Elle les feuilleta pour en prendre trois qui ne présentaient aucun caractère d'urgence et les joignit au faux rapport de Frewin. *Il faut donner un peu de matière à cette mise en scène... Puisque le tueur aime ça, on va lui en donner.*

Elle se dépêcha de ressortir après s'être procuré une bouteille d'alcool et des bandages propres qu'elle fourra dans sa besace. S'il y avait une personne qu'elle ne voulait pas croiser maintenant c'était bien Callon. Le major devait avoir reçu une note de Frewin lui signifiant qu'Ann Dawson quittait son équipe au petit matin pour rejoindre la PM sur le front. Il ne devait pas apprécier.

Elle se faufila entre les piquets à linge qui occupaient le quart d'un terrain de football, où séchaient les serviettes, les draps, les bandes et même les brancards. En zigzaguant parmi ces ombres flottantes, Ann eut l'impression d'y sentir l'odeur du sang. Ce mélange âcre aux senteurs d'humus frais, de fer et de viande crue. Les rectangles de toile, gris et noir dans la nuit, battaient au vent comme autant de suaires. Ann s'empressa de quitter ce champ d'oripeaux lugubres.

En déambulant, elle déboutonna le haut de sa blouse pour laisser deviner le haut de ses seins. C'était le genre d'atout qui pouvait lui servir ce soir. *En prenant garde tout de même à ce que ça ne se retourne pas contre toi !*

La zone de la 3e section était aussi calme que les autres. Deux lanternes suspendues éclairaient la petite place au milieu des tentes où se trouvaient des tables et des bancs ainsi que le matériel de campagne de la section. Personne n'était dehors. En revanche, elle pouvait distinguer les halos des lampes-torches derrière les « dortoirs ».

Ann avait été très attentive, la veille, à repérer les tentes de chacun. L'infirmier, Parker Collins, disposait de la sienne, comme tous les sous-officiers et officiers de la section. Les soldats partageaient de grandes installations aménagées par des séparations de toile pour préserver un semblant d'intimité.

Comment faire ? Elle voulait voir le soldat Risbi. Puisqu'il rédigeait des courriers pour ses camarades, s'il découvrait le faux rapport, l'information circulerait très vite ; elle voyait en lui une sorte de carrefour des informations de la 3e section. *C'est pour ça qu'ils l'aiment bien. En plus d'être un bon tireur...* Pouvait-elle entrer directement dans une tente et chercher Risbi ? *Non...*

Ann tourna autour de la tente qu'occupait « l'écrivain ». Dans la première moitié on riait, on plaisantait, elle comprit qu'on jouait aux cartes. L'autre partie du camp était plus calme : une conversation, trop basse pour être intelligible, et deux zones silencieuses éclairées par des lampes suspendues. En s'approchant jusqu'à frôler les bords de la toile, elle perçut le froissement d'une page qu'on tourne. *Une grande page. Un journal ?* L'homme se mit à rire doucement. *Une bande dessinée ou un roman illustré, quelque chose de drôle !* Le rire était léger, plutôt aigu. Il pouvait fort bien correspondre à la voix flûtée de Risbi.

Ann tenta le tout pour le tout. Elle gratta avec ses ongles, plusieurs fois. De l'autre côté, on posa le journal et une ombre apparut.

— C'est Ann Dawson, chuchota-t-elle. Je voudrais vous parler.

L'ombre recula un moment puis se pencha pour soulever le bas de la toile. À la grande surprise d'Ann, une petite ouverture se profila. Il était donc extrêmement simple, pour n'importe quel soldat, de sortir sans être vu par les autres. La tête ronde de Risbi apparut par le trou, le regard inquisiteur.

— Qu'est-ce que vous foutez là ? dit-il tout bas.

Ann s'assura que personne ne les observait et fit signe qu'elle voulait entrer. Risbi soupira en serrant les dents puis, l'air agacé, lui fit signe de passer.

— Vous n'êtes pas nette, vous ! murmura-t-il dès qu'elle fut à ses côtés. Vous cherchez quoi, les ennuis ?

— Je termine mon service en apportant les copies de rapports aux officiers…, répondit-elle en secouant les feuillets qu'elle tenait en main. Je passais à côté et je me suis dit que c'était l'occasion de vous rendre service.

— Ah oui ? s'inquiéta-t-il en jetant un regard furtif vers l'entrée. Je n'ai pas besoin qu'on me rende service, qu'est-ce qui vous prend ?

Ann, d'un air déterminé, s'assit sur le lit de camp où elle lâcha ses rapports pour ouvrir la petite besace qu'elle portait à la taille.

— Je connais les gaillards de votre trempe, vous ne voulez pas consulter pour des broutilles quand vos camarades sont estropiés par une balle ou une grenade. Mais des soldats se font amputer d'un membre comme ça. Retirez votre tee-shirt et montrez-moi votre bras.

— Collins s'en occupera ! Allez-vous-en !

— Je sais que vous n'irez pas. Mais je ne vais pas vous dénoncer à votre capitaine, vous ne serez pas écarté du groupe, rassurez-vous si c'est ce que vous craignez. Hier, j'ai remarqué que votre blessure commençait à suppurer.

Comme il ne bougeait toujours pas, Ann haussa le ton :

— Montrez-moi votre blessure, soldat.

— Moins fort ! Je vais avoir des ennuis si un officier vous trouve ici !

— Alors ôtez votre vêtement et laissez-moi faire.

À contrecœur, Steve Risbi exhiba un bandage rudimentaire, taché d'un halo sombre au centre.

— Vous faites infirmière à domicile maintenant ? railla-t-il pendant qu'elle ôtait le pansement.

— C'est mon métier. Oh… c'est une vilaine blessure.

— Ce n'est pas profond.

— C'est en train de s'infecter. À ce rythme, vous ne serez plus apte au combat dans moins d'une semaine !

Elle sortit ciseaux, alcool, tout ce qu'elle avait apporté et s'activa sur le bras maigre du jeune homme. Il avait la peau laiteuse, parsemée de grosses taches de rousseur.

— Il faudra surveiller cette lésion. Je fais partie des unités envoyées au front avec vous, lorsque vous serez de retour de mission, venez me voir.

— Ça ira…

— Non, ça n'ira pas. Je ne plaisante pas. Il faut nettoyer et surveiller. Venez me voir dès que vous le pourrez, compris ?

Risbi s'humidifia les lèvres.

— Ouais…, finit-il par lâcher.

— Vous n'avez pas d'angoisse à l'idée d'y retourner demain ?

— Des angoisses ?

À sa grande surprise, Risbi prit le temps de réfléchir plutôt que de nier la peur.

— Si, des tiraillements dans le ventre. On ne sait jamais comment ça va se terminer quand on part. Je… c'est ce qui me fait le plus peur : ne pas savoir.

Il voulut ajouter quelque chose, mais retint ses mots. Le regard d'Ann glissa de la plaie devenue propre aux traits du jeune homme. Il n'avait rien d'attirant, pâle, chétif et sans charme aucun, et pourtant, d'un coup, il devenait touchant au point qu'elle ne le voyait plus de la même manière.

Il haussa les épaules d'un air fataliste :

— Mais c'est ça la guerre, des jours et des nuits d'incertitude, non ?

— Je… Oui, je crois. On ne la vit pas de la même manière, vous et moi. (Après un temps de silence, elle trouva à ajouter :) C'est comme la lune, non ?

— La lune ?

— Oui, faire la guerre c'est quitter le confort terrestre pour s'exiler là-haut, loin des autres, et moi je n'en explore que la face éclairée. Vous, vous plongez de l'autre côté, sur la face cachée dont j'ignorerai tout, quoi que je fasse.

Risbi ricana.

— J'aime bien cette idée, s'amusa-t-il avec moins de discrétion.

Le bandage était presque terminé. Ann allait repartir, elle devait bien calculer son départ. Brouiller les pistes pour que Risbi ne voie pas les documents oubliés sur son lit, qu'il ne puisse pas les lui rendre avant qu'elle soit loin. *À moins qu'il ne soit pas du genre à rendre le paquet de cigarettes...*

Ann avait grandi avec un père plus porté sur les combines, la violence et l'extorsion que sur la tendresse. Mais elle en avait tiré quelques enseignements. Dont celui « du paquet de cigarettes ». Son père répétait que lorsqu'il voulait tester le degré de moralité d'une personne, en vue d'une association malhonnête, il suffisait de poser un paquet de cigarettes plein sur la table puis de faire mine de l'oublier en partant. Si l'autre l'arrêtait pour lui rendre, mieux valait ne pas faire affaire avec lui, trop honnête. S'il ne disait rien, tout devenait possible. La règle ne s'appliquait qu'aux fumeurs, mais comme disait son père : « La cigarette va de pair avec le bon truand, comme un gangster et son pistolet ! » Il ponctuait sa tirade d'un rire gras qu'Ann avait appris à haïr. Et pourtant, aujourd'hui elle en était à se souvenir de ses conseils. C'était bien la première fois que « l'éducation paternelle » se révélait utile.

La porte en tissu se souleva brusquement sur un homme approchant la trentaine, brun, doté d'un système pileux très fourni et d'un imposant nez écrasé sous des sourcils ininterrompus d'une arcade à l'autre.

— Oh bah merde alors, Steve..., siffla-t-il en contemplant l'infirmière au chevet du soldat torse nu

Risbi se pencha pour l'attraper par le col et le tirer dans le petit espace.

— Ta gueule, Barrow !

Les yeux du soldat dévoraient Ann des pieds à la tête.

— Moi aussi je peux avoir un traitement particulier, ma beauté ?

Sans un regard pour lui, Ann termina de rebander le haut du bras et répliqua :

— Tout ce que vous aurez c'est votre main pour vous branler.

Elle détestait la vulgarité, qui lui rappelait son enfance, mais avec ce genre d'hommes, il valait mieux annoncer la couleur. Pourtant, Barrow continua :

— Pas docile la poulette !

Ann perçut une main qui l'agrippait par les fesses.

Elle abandonna ses soins et voulut lui balancer une gifle puissante. Il intercepta son poignet.

— Faut pas vous énerver comme ça, déclara-t-il sur un ton mielleux. On part à l'assaut demain, ça mérite bien un peu d'affection, pas vrai ?

— Lâche-la, commanda Risbi.

Au loin, à l'avant de la grande tente, des hommes rirent de bon cœur, ignorant ce qui se passait.

— Fais pas le con, Steve, tu vois bien qu'elle attend que ça. Deux beaux mecs rien que pour elle.

— Lâche-la, je t'ai dit.

— T'es con ou quoi ?

Ann changea brutalement de ton. La menace devint palpable.

— Arrêtez tout de suite.

— Ou bien quoi ? s'amusa-t-il.

Cette fois elle fut si rapide qu'il ne put l'éviter : sa main attrapa les ciseaux et les brandit jusqu'à en enfoncer l'extrémité dans la gorge de son agresseur.

— Ou bien je vous tranche les cordes vocales pour que vous ne racontiez plus de conneries.

Barrow relâcha vivement son étreinte.

— Faut pas vous mettre en colère comme ça, c'était juste pour rigoler…

Ann approuva de la tête et lui décocha un coup de genou dans les parties. Il s'affaissa aussitôt en gémissant.

— Oh, je suis désolée, vous mettez pas en colère, c'était juste pour rigoler.

Le moment ou jamais. Elle devait profiter de la diversion pour partir. Risbi devait être aussi gêné qu'elle et il ne prêterait pas attention aux documents à l'en-tête de la PM qu'elle oubliait. Pas avant de s'allonger sur son lit.

Elle jeta son matériel en vrac dans la besace et se pencha pour passer sous la tente.

— Je vous laisse entre mâles, fit-elle, le cœur battant à toute vitesse.

Risbi avait l'air dépassé par les événements.

— Je suis navré, commença-t-il, je…

— Pas votre faute, venez me voir pour votre bras.

Elle quitta l'air surchauffé d'hormones. Elle s'en tirait bien. Très bien.

Il ne fallait pas traîner, que Risbi n'ait pas le temps de l'interpeller s'il trouvait les documents.

Et la nuit était loin d'être terminée. Après ce qu'elle venait de vivre, elle sentait qu'il lui fallait extérioriser son trop-plein d'émotions.

Pas ce soir, non… ne te laisse pas aller à ça.

Pourtant, au fond d'elle, Ann sentait que la décision était prise. Ses sens avaient été chauffés à blanc plus tôt dans la soirée, face à Frewin. Elle ne pouvait plus faire marche arrière.

Tu dois lutter !

Elle marchait en direction de l'infirmerie.

Si tu ne peux pas t'en empêcher ce soir, tâche au moins d'être invisible. Et ne laisse aucune trace. Rien. Choisis bien ta victime solitaire, une proie facile.

La lune apparut entre des nuages noirs.

La face cachée dont tu ignores tout, hein ?

Ann le savait, l'envers des décors n'avait aucun secret pour elle. Parce que, depuis son plus jeune âge, elle était fascinée par la face cachée de toute chose. Elle avait exploré bien des gouffres, sondé bien des âmes obscures, à commencer par la sienne. La plus terrifiante de toutes. Et elle avait cerné sa propre personnalité.

Au seuil de cette grande forêt sauvage qu'est l'échelle de l'évolution, l'homme en est au stade de l'enfance. Et Ann l'avait bien compris, elle qui se sentait un être à part dans cette humanité. Comme le tueur que traquait Frewin.

Pourtant, une petite voix, faible et hésitante, surgit des tréfonds de sa mémoire :

« *Rien n'est figé. L'individu est au moins maître de lui-même.* »

Mais elle résonna comme un écho lointain, qui disparaît dans l'épaisseur de la nuit.

31

Les mots du lieutenant Frewin l'obsédaient.

« ... *c'est l'enfant qui se fait rejeter par les autres de par son attitude, ses envies, ses réactions. Il est déjà abîmé par la vie. La noirceur du monde, d'une manière ou d'une autre, l'a déjà contaminé, beaucoup plus que les autres, et c'est trop tard.* »

Kevin Matters ne parvenait pas à les ranger dans un coin de son cerveau. « *C'est trop tard.* » Que voulait-il dire par là ?

Tu le sais bien, tu le sais très *bien !*

Il décroisa ses bras derrière sa nuque, allongé sur le lit de camp de sa tente. *Qu'en sait-il, après tout ? Est-ce le genre d'analyse prédéfinie qu'on apprend en psychologie ?* Il avait pensé à ce dernier mot avec un dédain profond. *Que font-ils du cas par cas ? Chaque être humain est différent, non ? On ne peut pas généraliser...* Pourtant, au fond de lui, Matters savait qu'il était possible de définir des schémas comportementaux. La psychologie n'était pas une « parascience » aléatoire.

Pourtant, tout le monde a ses secrets ! Tout le monde ! Même le lieutenant ! C'est quoi toutes ces lettres que j'ai trouvées dans sa malle, hein ? C'est quoi son secret à lui ?

Mais aussitôt, Matters dut se rendre à l'évidence. Si chaque être avait ses secrets, la plupart n'étaient ni honteux, ni graves. Ils ne portaient pas préjudice, pas comme lui…

Je ne fais de mal à personne !

Il ferma les yeux et se força à inspirer par le nez et expirer par la bouche, pour se calmer. Faire le vide en lui. S'il continuait ainsi, il éveillerait les soupçons. On finirait par le regarder avec méfiance, puis on fouillerait sa tente, sa vie. Et ils *sauraient*.

Son cœur venait d'accélérer. *Respirer, je dois me focaliser sur ma respiration, ne plus penser à tout ça.*

Il orienta son esprit vers sa blessure à l'épaule. La course dans la forêt avait rouvert la plaie, et il avait dû changer le pansement à l'infirmerie en accompagnant le mourant. Clifford Harris était mort presque dans ses bras. Tandis qu'Ann Dawson lui refaisait son bandage et l'accablait de questions sur ce qu'ils avaient découvert. Il ne l'aimait pas. Quelque chose de perturbant se dégageait d'elle. Matters avait tenté d'identifier ce malaise, sans y parvenir. Mais tôt ou tard il saurait pourquoi il se tenait à distance.

L'excitation était contenue, pour l'instant.

Cependant elle rôdait sous la surface de sa vigilance, comme un requin attendant sa proie.

Il se leva et s'agenouilla devant sa caisse personnelle dont il défit le cadenas.

S'il ne voulait pas se faire submerger par ses pulsions, il devait agir maintenant, tant qu'il en était encore capable. Sans quoi il sortirait de sa tente, cette nuit, et il irait braver les interdits, une fois encore. Il s'humilierait pour quelques minutes de plaisir.

Ils allaient l'attraper s'il ne redoublait pas de vigilance. Il fallait qu'il se contienne. Bientôt, tout irait mieux.

« Il est déjà abîmé par la vie. La noirceur du monde, d'une manière ou d'une autre, l'a déjà contaminé, beaucoup plus que les autres, et c'est trop tard. »

Non, il n'était pas trop tard !

Pourquoi les mots du lieutenant résonnaient-ils en lui avec la même justesse que pour le tueur ?

Ses yeux se remplirent d'eau.

Non, personne n'est irrécupérable ! C'est une hypothèse de fasciste ! Même le plus abject des criminels peut s'en sortir, se répéta le jeune sergent. *Tout le monde peut s'en sortir, il n'y a aucune fatalité ! Même moi...*

Matters plongea ses mains dans la caisse.

Les larmes l'aveuglaient, ruisselaient le long de ses joues.

Même moi !

32

La pluie se mit à tomber en tout début de matinée. Des gouttes lourdes et froides, sournoises jusqu'à couler dans le cou, sous les vêtements, provoquant des ondes frissonnantes. Le paysage ne tarda pas à s'effacer pour laisser place à un flou gris, plombant toute luminosité.

Ann arriva au camp de la PM à huit heures et demie, son sac sur l'épaule, trempée et grelottante. Tout avait disparu, il ne restait que des rectangles d'herbe écrasée. Elle trouva Phil Conrad et Angus Donovan en train de jeter les dernières caisses d'équipement à l'arrière d'une Jeep.

— Le lieutenant Frewin n'est pas là ? s'étonna-t-elle.

— Déjà parti, avec le reste des hommes, précisa Donovan en criant par-dessus le tumulte de l'averse.

— Il m'avait dit…

— Vous en faites pas, on a une place pour vous ! la rassura Conrad.

Un quart d'heure plus tard, ils étaient assis dans la voiture chargée au maximum, Conrad au volant, Donovan à ses côtés et Ann derrière, après avoir insisté pour occuper cette place. L'eau crépitait sur la toile. Ann s'était enveloppée d'une couverture pour se réchauffer, elle tenait à peine entre les ballots contenant les tentes et les panneaux de bois annonçant : POLICE MILITAIRE. Donovan ôta ses lunettes pour les essuyer, dévoilant un profil peu accentué, le nez à peine dessiné, et des lèvres fines comme un trait de maquillage. Il n'avait pas vingt-cinq ans et l'infirmière se souvint qu'il était tout nouveau dans la PM. Conrad, lui, avec ses rides nombreuses, sa voix rauque et ses gestes qui respiraient la force tranquille, était son contraire, aussi massif que Donovan était mince.

Les cheveux des deux hommes gouttaient sur leurs vestes kaki.

— On a deux bonnes heures de route avec ce temps, alors profitez-en pour dormir, prévint le doyen en mettant le moteur en marche.

— Ce sera dangereux ? voulut savoir Ann.

— A priori non, le trajet est déminé, on pouvait craindre un bombardement mais tant qu'il pleuvra comme ça, c'est peu probable !

Ann souhaitait mettre le voyage à profit pour faire connaissance. La nuit avait été courte, très courte, mais sa fatigue lui servirait de punition. *Contrôle-toi et tu dormiras !*

Elle commença par Angus, toutefois il se révéla peu loquace sur sa vie privée. Il était dans l'armée depuis un an seulement, à cause de la guerre. Avant cela il travaillait avec son père dans l'entreprise familiale de bâtiment. Il s'était retrouvé dans la PM après ses classes, il avait fait des pieds et des mains pour rejoindre l'unité, se prétendant fin psychologue. Il leur avoua qu'au tout début, c'était l'idée de rencontrer des prisonniers ennemis qui l'avait attiré. Il s'était imaginé en train d'interroger des hommes pour cerner leur personnalité, démasquer des espions. La réalité était tout autre, nuits de garde dans un local minuscule, quotidien rythmé par des ordres toujours aussi monotones, et son contact avec l'ennemi s'était limité à des rondes dans les couloirs des cellules. Jusqu'à ce que le lieutenant Frewin le recrute, sur dossier et surtout sur entretien, moins de deux semaines plus tôt.

— Il vous a dit pourquoi il avait besoin d'un nouvel homme ? demanda l'infirmière.

— Parce qu'il savait que nous allions partir, il lui fallait du monde.

Conrad était penché sur le volant pour distinguer la route à travers le ballet des essuie-glaces.

— On a perdu un gars, il y a un mois, dans un bombardement, révéla-t-il froidement. Angus le remplace.

— Oh… pardon, je ne savais pas, s'excusa Ann.

De derrière, elle avait tout loisir d'inspecter les deux soldats, leurs joues mal rasées, abîmées par les lames émoussées et l'eau trop froide, les cernes naissants, les petites cicatrices qui ornaient le cou de Donovan.

— Vous vous êtes blessé au cou ?

— Quoi ? Oh, ça… oui, quand j'étais adolescent. Un vieux souvenir.

Conrad s'esclaffa.

— Vieux ? Toi ? Attends un peu, passe cette fichue guerre et tu verras ce que c'est que d'avoir de vieux souvenirs !

Ann sauta sur l'occasion :

— Vous dites cela parce que vous êtes dans l'armée depuis longtemps ?

— Ça fera cinq ans en septembre. J'étais là au tout début.

Ann fut surprise par cette ancienneté. Conrad n'était pourtant qu'un simple soldat. Il ne pouvait y avoir que deux possibilités : soit il avait refusé de monter en grade, soit on l'en avait empêché pour mauvaise conduite.

— Engagé ou appelé ? fit-elle.

— Engagé. J'étais policier, avoua-t-il doucement.

— Policier ? Et pourquoi avoir quitté votre boulot pour entrer dans la PM ? Pour le risque en plus ?

— Pour éviter des ennuis, lança-t-il en jetant un bref regard vers ses passagers. Et vous, miss Dawson ? Pourquoi infirmière ?

— Par vocation, mentit-elle.

Pour être au plus près de la souffrance. Pour voir et décortiquer les âmes blessées, pour sonder ce que les hommes ont de plus vrai : l'imminence de la mort.

— Vous êtes mariés tous les deux ? enchaîna-t-elle pour esquiver son tour.

Ils répondirent par la négative. Angus Donovan était fiancé, et Conrad finit par admettre qu'il avait plusieurs amies à différents endroits. Ann réalisa que l'unité de PM attirait des êtres atypiques. La plupart des soldats qu'elle croisait ailleurs étaient mariés malgré leur jeune âge, précipitation qu'elle imputait à la guerre.

Et le lieutenant Frewin, vous le connaissez bien ?

— Ça fait presque quatre ans, répondit Conrad. Un type… à part.

— C'est ce que je me disais : il n'est pas comme tout le monde, n'est-ce pas ? Vous savez d'où il tient ce… cette faculté de cerner les criminels ? De se mettre à leur place avec autant de justesse, rien qu'en analysant les scènes de crime !

— C'est ce qu'il appelle le « langage du sang »,
exposa Donovan, fraîchement formé aux méthodes du
lieutenant.

Ann remarqua le rictus qui échappait à Conrad.

— Pourquoi souriez-vous ?

Il se tourna vers elle.

— Je ne souris pas…

— Si, vous avez un morceau de rire coincé entre les
dents, je le vois bien !

Conrad hocha la tête doucement, avec le même air
amusé et songeur en même temps.

— C'est que… le lieutenant, il n'est pas comme tout
le monde, c'est tout.

Ann pouffa un peu fort.

— Il va falloir développer, vous en avez dit trop ou
pas assez !

Cette fois Conrad perdit son air narquois et devint
grave :

— Vous n'êtes pas au courant, n'est-ce pas ?

— Au courant de quoi ?

— De ce qu'il… a vécu.

Ann examina Donovan qui ne semblait pas décontenancé, il savait à quoi Conrad faisait allusion. Ce fut
même lui qui poursuivit :

— L'accident.

— Ce n'est pas le mot que certains emploient quand
ils parlent de lui, fit remarquer Conrad sans quitter la
route des yeux.

Ann n'en revenait pas d'apprendre seulement maintenant ce qui semblait un fait majeur dans la vie du
lieutenant.

— Il a eu un accident ? Qu'est-ce que c'est que
cette histoire ?

— Pas lui, sa femme. Il y a deux ans. Elle est tombée dans l'escalier un soir où il était en permission. Ils avaient un peu bu tous les deux, il est monté en premier, et quand elle a voulu suivre quelques instants plus tard, elle a trébuché et dévalé toutes les marches. Elle est morte dans ses bras.

Ann avait instinctivement porté la main à sa bouche.

— Une sale histoire, continua Conrad. À l'époque, le lieutenant était déjà doué pour les enquêtes criminelles, c'est pas qu'il y en avait beaucoup, mais elles lui étaient systématiquement confiées vu son talent pour les résoudre. Après la mort de Patty, il a fait une demande officielle pour que toute investigation sur une mort suspecte lui soit attribuée. Je crois que, depuis le début, c'est quelqu'un de très... empathique, pour reprendre un terme qu'il aime bien. Même avec les pires émotions de l'humanité. Mais après la mort de sa femme, ça s'est accentué. Comme si la tristesse avait ouvert une autre porte de sa conscience, de son savoir-faire.

Donovan avait déjà entendu ce récit et pourtant il n'en perdait pas une miette, comme fasciné.

— Faut croire qu'il y a dans tout criminel une part importante de tristesse, de désespoir, que le lieutenant peut comprendre parce qu'il l'a en lui. Ça s'ajoute à ce qu'il savait déjà faire.

La pluie battait le pare-brise avec acharnement, dessinant des ondes transparentes qui déformaient le décor gris et noir.

Ann digérait les propos de Conrad, peu à peu, mot après mot. Elle réalisa qu'elle était en apnée et se força à reprendre son souffle.

— Tout à l'heure, vous… vous avez sous-entendu que certains ne parlaient pas d'un accident, c'est ça ? demanda-t-elle à toute vitesse.

— Il y a toujours des mauvaises langues pour imaginer le pire et ternir les réputations. Vous savez, plus la guerre avance et plus je crois que l'homme est un chien sauvage. Quand l'un d'entre nous tombe à terre, il y en a toujours, par groupes, par meutes, pour s'en prendre à lui. Un homme blessé est une proie facile. On se déchaîne comme on peut, plus à coups de crocs désormais, mais à coups de sarcasmes, de rumeurs.

— Vous voulez dire qu'il s'en trouve pour affirmer que le lieutenant aurait… tué sa femme ?

— C'est ce qui se dit parfois.

Ann sentit la colère monter en elle.

— Comment…

Conrad anticipa :

— Des jaloux, ou juste cet instinct animal dont je vous parle, quand un homme pose le genou à terre. Ils pensent que le lieutenant ne tient pas son « savoir étrange » de nulle part. Lui dira que c'est une grande faculté d'empathie, de l'expérience et des heures d'études de la psychologie humaine, eux affirment que c'est parce qu'il n'est pas sain, qu'il a en lui ces racines pourries qui conduisent au crime. C'est un homme au physique impressionnant, toujours calme, eux craignent qu'il contienne une violence étouffée qui aura explosé un soir, contre sa femme.

— C'est stupide et ignoble de juger un homme ainsi, sans raison aucune !

Conrad inspira en dodelinant de la tête, comme pour nuancer l'indignation de l'infirmière.

— Ce n'était pas toujours le calme plat avec Patty, on peut même dire qu'ils se prenaient le bec souvent, et le ton pouvait monter, mais… quel couple un peu sanguin, passionné, ne vit pas ça, hein ? Et quelques engueulades ne conduisent pas au meurtre. Cela dit, vous n'empêcherez jamais les gens de parler dans votre dos.

Ann ramena ses jambes contre elle, pour s'assurer un peu plus de chaleur.

— Et vous, qu'est-ce que vous en pensez ?

— Moi ? s'étonna Conrad. Que croyez-vous que je puisse vous répondre ? Je travaille avec lui ! Je le vois faire, j'apprécie à la fois l'homme, et le lieutenant. Qu'est-ce que vous voulez que je croie ?

— Pourtant le propre des rumeurs c'est de semer le doute, ça ne vous est jamais arrivé de douter ?

Conrad fixait la route à travers le rideau de pluie. Donovan le guettait, attendant sa réponse.

— Il a une science des tueurs qui me dépasse, c'est tout ce que je vous répondrai, miss. Il se met à leur place comme personne. Pour le reste… je ne me pose pas de questions.

33

L'avant-poste était installé dans un village épargné par les obus et les bombes. La mairie servait de quartier général, la salle des fêtes d'hôpital de fortune, et la PM n'avait eu d'autre choix que d'investir l'église, dernier bâtiment assez grand pour servir de prison. Les rues étaient occupées par des hommes en uniforme, des véhicules militaires et quelques blindés, obligeant les villageois à se terrer chez eux, suivant toute cette parade belliqueuse depuis leurs fenêtres. Quelques-uns agitaient de petits drapeaux en signe de victoire, mais la puissance et la fréquence des impacts à moins de dix kilomètres au sud imposaient une certaine retenue. Même les plus téméraires finirent par rentrer chez eux dès qu'ils virent arriver par dizaines les brancards sanglants et hurlants provenant du front. On était loin des promesses de liesse.

La pluie s'était étiolée jusqu'à devenir crachin. La Jeep conduite par Conrad s'arrêta devant une petite esplanade surélevée par des marches de pierre, au pied de l'édifice religieux. Un vantail était ouvert, dévoilant les entrailles ténébreuses de la nef où brillaient les flammes tremblantes des bougies.

— Votre nouvelle demeure, miss, fit le chauffeur en sortant.

Ann prit son maigre balluchon et grimpa jusqu'à la porte de l'église, laissant les deux hommes décharger leur matériel. L'intérieur était particulièrement obscur. Ann essuya la pellicule d'eau qui venait de recouvrir son visage et entra. Elle remarqua aussitôt que tous les vitraux étaient intacts. Le verre coloré tamisait la pâle lumière du jour, conférant au lieu une atmosphère crépusculaire. La présence de cierges allumés un peu partout permettait de percer les ombres et de réchauffer les murs si froids. Il n'y avait plus qu'une demi-douzaine de bancs dans la nef, et ils étaient entassés dans un coin. À leur place on avait disposé des barils d'essence gros comme des tonneaux de vin. Une cinquantaine.

— Le sens pratique et l'intelligence de l'état-major en pleine démonstration, s'indigna-t-on face à elle.

Frewin arrivait à sa rencontre.

— Ils pensent que l'ennemi ne bombardera pas une église… ! Au milieu des bougies ! Heureusement que les fûts sont bien scellés, ça nous épargnera les odeurs, en attendant de rôtir vivants.

— Et les prisonniers ? S'il y a un suicidaire parmi eux, c'est..

— Non, ils sont enfermés dans la crypte, et on y accède par l'extérieur, rassurez vous, l'autre entrée, qui est ici, est condamnée par le poids de plusieurs fûts entassés dessus.

— Très rassurant, ironisa-t-elle entre ses dents. Les fidèles du village doivent être ravis.

Frewin lui retira son sac des mains et l'invita à le suivre. Il avait le dessous de l'œil et la pommette rouges du combat de la veille.

— Ce n'est pas le grand luxe mais on vous a préparé un coin un peu à l'écart, pour que vous soyez à l'aise. Les hommes cantonnent dans la sacristie qu'on a transformée en dortoir. Matters ne sera pas loin, et moi je suis sur un lit, près de l'entrée.

— À l'entrée ? Pourquoi à l'écart de nous ?

Il ne répondit pas, préférant lui désigner un renfoncement.

— Tenez, nous y voici.

Quatre chapelles s'ouvraient sur l'enceinte du chœur, deux de chaque côté. On avait installé un rideau devant deux alcôves pour en fermer l'accès. Un lit de camp et une lanterne servaient de mobilier tandis que tableaux, ex-voto et croix colossales surplombaient chaque espace. Frewin posa le sac de la jeune femme au pied d'un lit au-dessus duquel scintillait une Vierge à l'Enfant. Deux bougies veillaient de part et d'autre du petit autel secondaire.

— Matters sera en face. Comme vous pouvez le constater, c'est rudimentaire. Au moins c'est sec.

Ann approuva, puis pivota pour admirer l'espace spirituel réquisitionné par les militaires. Elle vit l'autel, débarrassé de ses calice et encensoir. Deux cierges restaient allumés près d'un pistolet et de carnets de notes.

— Quel païen vous faites…, se moqua-t-elle, sans indignation réelle.

Frewin se raidit avant de se retourner et comprendre de quoi elle parlait.

— Oui… Je… je suis désolé si ça vous choque, on a fait avec ce qu'on avait, et… je ne crois pas en tout ça, dit-il en levant les mains vers le plafond voûté.

— Je ne disais pas ça pour moi.

Ann préférait ne pas insister. Elle avait remarqué combien les personnes qui avaient souffert réagissaient de manière excessive aux croyances. Elles s'y engouffraient ou les rejetaient en bloc, sans nuance.

N'est-ce pas le propre des religions ? Soutenir les esprits chancelants ? Donner une raison de poursuivre aux plus démunis, pour qu'ils continuent à exister, dans le respect des autres ?... Pour qu'ils ne sortent pas d'un système... Tout ce qui arrange les puissants, parents des religions.

— Vous grelottez, Ann. Séchez-vous, changez-vous et rejoignez-moi.

Sur quoi il tira sèchement le rideau, qui isola la jeune femme sous le regard de la Vierge Marie.

Ann retrouva Frewin assis sur un tabouret pliant, face à l'autel. Il reposa son stylo et se leva. Derrière lui, Matters et le grand Larsson rangeaient des fiches de prisonniers dans des boîtes en fer. Ann les salua et fit face au lieutenant. Ils venaient d'installer les tableaux noirs sur lesquels toutes les notes de la PM concernant les meurtres étaient lisibles. Ann constata que la balustrade séparant le chœur du reste de l'église semblait délimiter une zone à part, celle où l'on décortiquait la mort, « le langage du sang » pour reprendre l'expression de Frewin. Les cylindres de cire ressemblaient à de longs doigts jaunes encadrant de leurs lueurs l'estrade recouverte d'un lourd tapis rouge. Ann évoluait dans un espace protégé.

— Pas de nouvelles, je présume ? demanda-t-elle en désignant un des tableaux où figurait la liste de la 3e section.

— Ils livrent combat à l'instant où je vous parle. Peut-être que le tueur y restera. Vous avez pu faire lire le faux rapport à la section ?

— Je l'ai laissé dans la tente d'un soldat, celui qui connaît tout le monde. Je pense qu'il n'aura pas tardé à en propager le contenu. Quelle est la suite des opérations ?

— On attend qu'ils rentrent. À partir de là, on verra s'il se passe quelque chose.

— C'est pour ça que vous vous êtes mis à l'écart, près de l'entrée ? Pour attirer ce malade tout en nous préservant ?

Frewin la fixa, l'œil scintillant.

— C'est mon plan, j'en assume les conséquences.

Ann haussa les sourcils, l'air dubitative.

— Est-ce que je peux me rendre utile ? interrogea-t-elle.

— J'aimerais que vous relisiez mes notes, et… peut-être que vous dénicherez un trait de caractère qui m'a échappé.

Ann approuva, subitement galvanisée par cette confiance.

— Je vais voir ce que je peux faire.

Frewin l'installa sur un tabouret, au milieu de l'église, sous le clocher. Des cierges rayonnaient autour d'elle, entre les tableaux sur lesquels se résumaient les données principales de l'affaire. Il lui apporta une tasse de lait chaud.

— Désolé, c'est tout ce qu'on a trouvé, ni thé ni café.

— Ça ira très bien, merci. Qu'allez-vous faire pendant ce temps ?

— Superviser mes hommes et l'arrivage des prisonniers. Et si j'ai le temps, je vais essayer de localiser Carrhus, le médecin du *Seagull* qui a pratiqué l'autopsie de Gavin Tomers. Aux dernières nouvelles, il me cherchait lorsqu'il est descendu à terre.

Ann se retrouva vite seule, au centre du chœur, sous le confort rassurant des multiples flammes, tandis que les vitraux projetaient sur elle une morne clarté. Cette fois, fidèle à son jeu, elle trouvait que le temps avait la saveur d'une épice. Le gingembre, par exemple. Excitant et doux en même temps. Elle brûlait d'impatience de se plonger dans les documents de Frewin. Elle lut les rapports officiels du lieutenant, puis ses notes. Les secondes étaient particulièrement révélatrices de ses méthodes. Dans un premier temps il se contentait de retranscrire chaque détail de la scène de crime, le lieu, le corps, les traces, à grand renfort de schémas et croquis. Puis il reprenait les données et tentait de leur apporter une chronologie et un sens. Pour le premier crime, celui de Fergus Rosdale, il s'était intéressé à la décapitation. Pourquoi priver un homme de sa tête ? Et surtout : pourquoi la remplacer par celle d'un bélier ? Tout y passait, la présence de cornes, le rapport satanique éventuel, l'animalité de l'humanité, et bien sûr l'allusion biblique : le bélier prenant la place d'Isaac lorsque Abraham s'apprêtait à sacrifier son fils. Craig Frewin avait exploré la symbolique sous tous les angles possibles, sans réussir à se convaincre. Il concluait en affirmant qu'une certitude pouvait au moins se dégager de cette macabre mise en scène : en privant la victime de visage pour le remplacer par celui d'une bête et en l'exposant de cette manière, le tueur avait voulu choquer.

Ann poursuivit avec la mort de Gavin Tomers. Cette fois Frewin butait sur l'interprétation de la mise en scène.

Le corps est sous une épaisse croûte de bande adhésive, il n'en dépasse qu'un pied et un avant-bras. Est-ce un cocon protecteur ? Si c'est le cas, pourquoi l'exposer dans un lieu de passage ? Le tueur voulait le montrer, mais il protège sa victime ? Ce n'est pas elle qui compte mais ce qu'elle représente ?

Non. Non ! La victime a beaucoup souffert. D'abord étranglée, puis écrasée (le tueur à genoux sur sa poitrine – bondissant pour enfoncer le sternum ?) et enfin, le scorpion glissé dans la bouche qui est ensuite clouée. La mise à mort s'est effectuée dans la souffrance. Sadisme. Extériorisation de la colère du tueur. Cruauté : désir de contrôle sur l'autre, pouvoir de vie et de mort, matérialisation de la frustration. Un être construit dans sa propre douleur.

En tenant compte de cela et de son intelligence : il doit être conscient de sa différence et en souffre ; deux options : soit il en souffre tant qu'il est proche de l'autodestruction, il se mutile, c'est un homme portant de nombreuses cicatrices autoinfligées, un garçon jeune, pas plus de trente ans ! Au-delà, sa personnalité se serait délitée et il ne serait plus capable de vivre dans une société confinée comme l'armée sans se faire remarquer ; soit il vit la souffrance de cette différence comme une force de plus, qui le confirme dans son cheminement. C'est alors un être froid, extrêmement narcissique et persuadé que le système n'est pas adapté à lui car lui seul est vrai, comme il faut. Nous ne méritons donc aucune considération, il nous tue sans émotion.

Plutôt cette seconde hypothèse face au premier crime. Mais il est apte à dissimuler sa froideur derrière une façade, peut-être même extravertie. Tout n'est qu'illusion. Il nous nargue, il joue avec nous.

Que veut-il en tuant ?

Éprouver des émotions. C'est là que sa sexualité s'épanouit. Du moins son rapport à la sexualité, le charnel (la peau de sa victime, sa vie, son contact, ses fluides : le sang). Même s'il n'y a pas d'acte sexuel proprement dit. La torture de l'autre en est une substitution.

Les analyses de Frewin s'étendaient sur une trentaine de pages témoignant d'un cheminement intellectuel complexe mais reposant sur une pertinence logique. Et si les explications qu'il apportait sur la personnalité du tueur lors des réunions étaient sommaires, ce n'était pas le cas de ses longues analyses écrites.

Ann termina avec le dernier mort : Clifford Harris et ses 22 ans seulement. L'heure du déjeuner approchait lorsqu'elle referma les carnets à reliure de cuir pour s'étirer. Son regard parcourut les tableaux noirs et l'écriture de Frewin, avant de s'arrêter sur un résumé :

POINTS COMMUNS :
• Bestiaire animal.
• Barbarie des crimes.
• Mise en scène.

Criminel : solitaire ou extraverti ?

La grande porte d'entrée grinça et un soldat apparut. Il marchait en scrutant les arcades et les piliers de l'église. Puis il vit Ann et la salua.

— Ah, désolé, j'ignorais qu'il y avait quelqu'un, fit-il. On m'a indiqué l'orgue de l'église. Et… euh… Je joue chez nous, les dimanches. Je me suis dit que peut-être je pourrais me dégourdir les doigts, je suis en permission, c'est…

— Allez-y, le coupa Ann. Je ne sais pas où il se trouve mais cherchez et faites-vous plaisir.

Contente de s'en débarrasser elle reprit le cours de sa réflexion, passa en revue la fameuse liste, associant noms et visages, au moins pour une partie d'entre eux.

Les brutes : Hriscek, Harrison, Traudel. Et Barrow, ajouta-t-elle en repensant à son attitude de la veille. Aurait-il été jusqu'au bout ? L'aurait-il violée ? Non, probablement pas… Ces quatre-là faisaient partie de ces individus qui ne semblaient pas déboussolés par la guerre. Avec l'expérience, Ann avait appris à classer les soldats en trois catégories : les bellicistes qui trouvaient dans la guerre un moyen d'exprimer leurs pulsions primaires, les caméléons capables de s'adapter sans broncher, et les poètes qui souffraient d'être embarqués de force dans un conflit dont l'existence même les faisait souffrir. Hriscek, Harrison, Traudel et Barrow étaient sans aucun doute des bellicistes à qui le combat donnait une occasion d'exprimer une part importante de leur nature.

C'était un trait de leur personnalité à prendre en compte, car il en disait long sur ce qu'ils étaient. *Des brutes !*

Qui y avait-il encore ?

Les beaux parleurs Gazinni, Costello. *Des camé-léons.*

Les plus fins : le capitaine Morris, Parker Collins, l'infirmier, et le soldat Risbi. *Caméléons également, sauf peut-être Risbi. Poète ?*

Et quatre autres qu'elle avait aperçus brièvement : l'adjudant Clark, calme et observateur ; le soldat Clamps, vif et méfiant ; le soldat Brodus, le regard baladeur, n'osant pas engager la conversation pour autant, et enfin le soldat Wilker qui s'éloignait dès qu'elle approchait de lui. En raison de son gabarit imposant, elle pourrait éventuellement mettre ce dernier avec les brutes après investigation sur sa personnalité.

Restaient encore neuf hommes à identifier claire-ment. Beaucoup de travail…

Les notes gutturales de l'orgue emplirent soudain la nef, des graves qui dévalèrent des cieux vers Ann, sur-prise par tant de vigueur. Les rugissements syncopés prirent possession de la pierre jusqu'à vider l'endroit de toute autre matière sonore. Ann eut le sentiment d'être entourée d'une enveloppe fluide l'isolant du reste du monde. Très vite, elle se remit à penser, portée par la musique.

Un des vingt-deux hommes de la section était celui qu'ils recherchaient. Derrière quelle façade pouvait-il se dissimuler ? Il ne pouvait être trop gentil, trop atten-tionné. Ces êtres essentiellement méchants, et pourtant capables de se cacher derrière des masques d'une bonté insolente, ne se rencontraient que dans les romans. La réalité était tout autre. Le tueur ne pouvait mentir tout le temps à tous. Un homme violent dans sa nature, ayant un rapport de force avec le monde. Hriscek, Harrison,

Traudel et Barrow correspondaient parfaitement. Tous droitiers de surcroît.

De l'assemblage de sonorités puissantes qui sortait de l'orgue, quelque part dans les hauteurs de l'église, commença à se dégager une mélodie, un thème plus aigu.

Ann examina les panneaux noirs pour relire les notes. Les noms des deux soldats de la PM tués pendant le débarquement, Clauwitz et Forrell, figuraient en tête, suivis des mentions « 4e et 5e victimes. Reposez en paix ». La mention spirituelle n'était pas de l'écriture de Frewin, elle avait été ajoutée. Par Matters, Donovan ? Assurément un de ceux-là, croyants et respectueux.

Les méthodes pour tuer étaient résumées. Les lieux. Leurs particularités, l'heure de la découverte…

Ann revint en arrière. Les mots *bélier* et *scorpion* se mirent à ressortir des phrases courtes. Elle passa en revue le troisième assassinat. Et soudain son cœur s'emballa.

Comment étaient-ils passés à côté de ça ?

Elle le tenait, le lien entre les trois crimes.

C'était si évident.

34

Le lieutenant Frewin supervisa l'installation de la PM et son organisation dans le village toute la matinée. Les prisonniers de haut grade étaient transférés à la mairie, dans les combles, où on les interrogeait sous l'œil attentif des officiers du QG. Les autres étaient scindés en deux groupes : les plus farouches partaient pour une maison qui avait servi de poste de police avant la guerre – il s'y trouvait quatre cellules humides –, les autres marchaient jusqu'à l'église où une trappe extérieure conduisait à la crypte réaménagée en quartier de surveillance.

Pendant tout ce temps, l'écho des combats tonnait sans relâche.

Frewin déjeuna avec Larsson et Baker qui notaient les identités des captifs et les enregistraient sur des fiches. Un traducteur des transmissions était détaché à leurs côtés, un petit homme avec une grosse moustache noire.

En début d'après-midi, assuré que tout fonctionnait à merveille, Frewin put se consacrer à son enquête. Il passa par le quartier général pour se renseigner sur la position de la compagnie Dog. Avec les compagnies Raven et Alto, Dog faisait partie d'un triangle d'intervention. Un major lui confirma que Dog avait établi son casernement dans le village depuis cette nuit, mais les sections, sévèrement décimées par l'assaut du débarquement, étaient pour l'heure en réserve. Alto et Raven étaient parties au front. Sur ses cent quatre-vingts soldats, Dog n'en comprenait plus que quatre-vingt-treize et n'aurait pas de renfort avant plusieurs semaines.

Frewin les trouva à l'est du village, dans les cours et étables de trois fermes qui bordaient le bourg. Le capitaine Ambrose dirigeait la compagnie. Il reçut Frewin dans la pièce principale d'une des fermes, où brûlait un feu de cheminée pour faire sécher les treillis trempés.

— L'endroit était désert lorsque nous sommes arrivés, expliqua le capitaine pour justifier l'occupation des bâtiments. Nous avons du café, vous en voulez ?

Frewin accepta et alla droit au but :

— Je vous rends visite suite à la mort du soldat Clifford Harris. Est-ce que vous le connaissiez ?

— Un bleu, je n'ai eu ni l'occasion ni le temps de le cerner, je l'avoue.

— Comme vous l'avez appris, il a été assassiné hier matin, au sud de notre précédent camp.

— Oui, on m'a dit qu'il avait été mutilé, c'est vrai ?

Frewin hocha la tête. Il ne souhaitait pas entrer dans le détail des tortures. Moins l'information circulerait, mieux ce serait pour l'enquête.

— Vous savez s'il était dans sa tente le soir de la disparition ?

Ambrose fit la moue.

— Pour tout ça je vais vous appeler le chef de section ou le chef de groupe. Ils savaient qui était Harris, ils pourront vous répondre.

Le capitaine les fit appeler tous les deux et servit du café chaud.

— La PM n'a pas trop à faire avec tous ces types qu'on ramène ?

— On s'en sort. Mes hommes et moi n'assurons que le transit, nous ne sommes pas assez nombreux au rythme où vont les choses. Une équipe complète devrait arriver ces jours-ci.

Deux hommes entrèrent en essuyant leur visage couvert de pluie.

— Foutu temps ! jura le premier avec un accent campagnard très prononcé.

— Messieurs, voici le lieutenant Frewin, présenta Ambrose. Il a des questions à vous poser concernant le soldat Harris.

Frewin demanda à leur parler l'un après l'autre, en privé, ce qui surprit et dérangea le capitaine bien qu'il ne s'y opposât pas. Ils ne se contredirent pas, au contraire, tout se recoupait. Selon eux, Harris était assez effacé, obéissant, et bien que peu causant c'était un homme sympathique, qui n'avait aucune raison de craindre un ennemi dans la compagnie. Il n'était pas marié et à ce qu'ils savaient, n'avait aucune petite amie, son courrier s'adressait à sa famille et ses amis. L'avant-veille, le soir précédant son absence à l'appel, il avait mangé avec tout le monde et d'après les témoignages des hommes il était parti dans la tente-dortoir de son groupe. Ensuite plus rien. Absent le matin, couchette vide, et tout portait à croire qu'il n'avait pas dormi là. Frewin se fit confirmer ce qu'il savait déjà :

il était d'une simplicité enfantine pour un soldat de quitter sa tente sans se faire remarquer, voire de quitter la zone où toute la compagnie stationnait en l'absence de patrouille efficace. Les quelques gardes autour du camp veillaient plus par principe que par crainte d'une attaque, puisque la ligne de front se trouvait bien plus loin au sud. Frewin voulut savoir s'il fréquentait des personnes de la compagnie Raven, en particulier dans la 3e section, mais on ne sut lui répondre, sinon qu'il n'était pas impossible qu'ils se connaissent, les deux compagnies ayant attendu plusieurs jours côte à côte au port avant l'embarquement.

Frewin rassembla ses notes dans son calepin et les remercia, avant de s'en retourner vers le centre du village. Les trois victimes avaient quitté leur lit de leur plein gré, jamais de trace de lutte sur place. Ils n'avaient pas dormi, attendant le calme pour fuir leur section. Le tueur les attirait-il ? Était-il au courant de rendez-vous secrets avant lesquels il les interceptait ?

C'est lui qui les attire, ça fait partie de sa jubilation : faire venir à lui sa proie. Il n'est pas passif, il n'attend pas que ça lui tombe dessus, il crée l'événement. Il se prépare trop bien, il a un tel répertoire de mises en scène qu'il lui faut prévoir... C'est lui qui va les chercher.

Frewin marchait en longeant les murs pour esquiver la pluie qui s'était intensifiée pendant l'heure du déjeuner. Des soldats circulaient en courant pour rejoindre leurs camarades. Le principal trafic dans les rues était celui des ambulances qui remontaient du sud vers la salle des fêtes et son hôpital improvisé.

Le café-restaurant du village accueillait désormais les transmissions et leur armada de grosses radios, devant lesquelles se relayaient les opérateurs à toute heure du jour et de la nuit. C'est en longeant sa devanture que Frewin repéra la silhouette blanche qui pédalait sur un vélo en scrutant les visages. Trempée, ses vêtements collant à son corps avec indécence, Ann lui fit un grand signe et se redressa pour pédaler jusqu'à lui.

— Je vous cherchais partout ! gronda-t-elle une fois à son niveau.

Ses cheveux s'étaient affranchis de leur nœud et se plaquaient contre ses joues.

Frewin nota sa détermination, mais elle semblait surtout excitée. Il n'eut pas le temps de la questionner qu'elle avait déjà explosé :

— J'ai trouvé ! s'écria-t-elle. Le lien entre les trois meurtres ! J'ai trouvé !

Frewin se hâta vers elle.

— Ne hurlez pas, dit-il par-dessus les claquettes de la pluie. Venez m'exposer tout ça mais à l'intérieur, vous voulez bien ?

Elle ruisselait, des gouttes plein les yeux. Son teint blanc, ses boucles dorées, devenues presque rousses avec l'eau, tout soulignait sa beauté.

Et pour la première fois depuis deux ans, Frewin s'accorda le droit de savourer ces fourmillements de plaisir, la chaleur irradiant de son cerveau vers sa poitrine et son entrejambe. Il avala sa salive. Ann le fixait également. Que voyait-elle ? Un pervers en puissance ? Un pauvre type au regard inquiétant ? Elle battit des paupières comme si elle était elle-même gênée et remonta sur sa selle.

— Je… Je vais passer devant pour aller me sécher…, lança-t-elle en prenant de la vitesse.

Frewin lui fit un signe d'accord, qu'elle ne pouvait déjà plus voir.

Les traits de Patty se matérialisèrent enfin. Il n'en éprouva ni embarras ni déception, rien qu'une évidence. Elle restait sa femme. Même maintenant. Lui et Ann n'auraient qu'une relation professionnelle, même si l'infirmière venait à éprouver quelque attirance et lui quelques fantasmes. Patty était sa femme.

Même morte.

Les petits chocs de la pluie cognant contre les vitraux créaient un bruit de fond enivrant. Les cierges formaient un halo orange au-dessus du chœur où Ann venait de monter. Frewin sillonna le champ des fûts d'essence, vérifiant au passage qu'il n'y avait aucune fuite. La présence de bougies incitait tout le monde à la prudence.

Ann ferma le dernier bouton de sa blouse propre pour l'accueillir au milieu de leurs notes éparpillées. Elle avait encore les cheveux humides, peignés en arrière.

— Le lien était juste là, sous nos yeux, commença-t-elle en marchant jusqu'au tableau. Regardez, pour Clifford Harris. Comment l'avez-vous trouvé ?

— À bout de forces, dans un état second ! Embroché par tous les côtés Mais je ne vois pas le rapport avec les autres. Trois crimes, trois méthodes, trois mises en scène différentes.

— Il n'était pas à proprement dire « embroché », il devait conserver un équilibre sensible pour ne pas s'ouvrir toutes les veines du corps. Qu'est-ce que tenir l'équilibre ?

— Allez droit au but, Ann.

— C'est être en balance ! Le jeune Clifford Harris devait tenir cette balance de la vie, de la souffrance. Balance, ça ne vous dit rien ?

Songeur, Frewin avait les mains sur les hanches. Son regard passa de l'infirmière au tableau. Il lut les mots soulignés. Et la lumière se fit.

— Bélier, Scorpion, Balance… Bien sûr ! s'exclama-t-il. Les signes du zodiaque !

— Et j'ai vérifié : chaque signe correspond à la victime. Fergus Rosdale était Bélier, Gavin Tomers Scorpion et Clifford Harris Balance.

Frewin s'élança vers un autre tableau et recopia les noms et signes des trois défunts.

— Où cela nous conduit-il ? demanda-t-il d'une voix exaltée. C'est tout un pan de sa personnalité qui s'ouvre, pourquoi fait-il ça ? (Il faisait tourner son morceau de craie dans sa paume :) Bien joué, Ann.

Ignorant le compliment, elle développa :

— Va-t-il faire tous les signes ? Auquel cas il faut trier les soldats qui ne sont pas de ces trois signes. Ils sont en danger.

Frewin eut un sourire indulgent.

— C'est impossible en pratique, dit-il. L'état-major ne nous laissera pas isoler une section entière, et encore moins demander à des centaines d'individus de ne plus avoir de contact avec elle sous prétexte que des dates de naissance sont mortelles aux yeux d'un psychopathe. (Il pointa alors sa craie vers Ann :) Les meurtres n'ont pas eu lieu toutes les nuits. J'ai mis ça sur le compte du hasard, pourtant il se peut que ce soit voulu. En rapport avec ces signes ? Vous vous y connaissez en astrologie ?

— Absolument pas.

— Il nous faut creuser cette piste. On doit dégoter quelqu'un capable de nous en dire plus.

Ann acquiesça.

— Je peux m'en charger si vous voulez, vous aviez le Dr Carrhus à voir, il me semble.

— Pas eu le temps de le chercher, il doit être au camp de base près des plages de toute façon. Ça attendra.

Frewin relut les tableaux sans parvenir à y croire.

— Les signes astrologiques ! Dire que ça nous crevait les yeux.

— Matters et les autres ne sont pas là ? s'étonna Ann. Il faudrait peut-être les mettre au courant...

— Ils doivent assurer l'enregistrement et la garde des prisonniers, une équipe complète de la PM va venir aujourd'hui pour prendre le relais. Officiellement on fait le boulot, mais officieusement l'enquête est notre priorité.

Il déposa sa craie et attrapa sa parka militaire.

— J'ai rencontré les supérieurs de Clifford Harris ce matin, et il a disparu comme les deux autres. De son plein gré, il savait qu'il devait sortir cette nuit-là, il a quitté ses camarades tôt mais ne s'est pas couché. Ça aussi il faut s'en occuper, trouver comment le tueur les attire jusqu'à lui.

— J'ai bien une hypothèse mais elle ne vous conviendra pas.

— Allez-y tout de même.

— Le tueur est une femme.

Elle le considéra attentivement, l'œil vif.

— C'est le meilleur moyen d'attirer un militaire sans qu'il en parle, et si c'est une femme qui le lui demande vous pouvez être sûr qu'il viendra à l'endroit indiqué. Même si c'est la nuit.

— S'il n'y avait pas les preuves que le tueur est un type très costaud, je pourrais presque vous croire, Ann. Vous êtes inquiétante quand vous vous y mettez.

— Et il n'y a jamais de… semence, pourtant vous l'avez dit vous-même, tuer est une forme d'acte sexuel pour le tueur. Il devrait y avoir des… traces.

— La rage peut découler de l'incapacité à jouir, pardonnez-moi d'être cru. Et même s'il jouit, il peut le faire dans… ses vêtements. Ou encore : tuer se substitue à l'acte, la mort est sa jouissance, elle lui suffit. De toute façon, il n'y a presque aucune femme parmi nous.

— Aux transmissions il y en a quelques-unes, et au secrétariat du QG aussi.

Frewin secoua la tête.

— Vous faites fausse route, Ann, elle n'aurait pas la force.

— Vous seriez surpris de ce que peut faire une femme sous l'emprise de l'émotion.

Cette fois, Craig fut décontenancé par la lueur étrange qui brillait dans ses yeux. Sa beauté était altérée par quelque chose, une force intérieure qui venait de remonter jusqu'à la surface. Une ombre troublante qui s'animait en elle. C'était comme un voile noir qui flottait d'un coup derrière ses pupilles.

Un voile ou un masque.

Il se tourna pour enfiler sa parka.

— Oubliez cette idée, Ann, nous avons beaucoup à faire.

35

Ann et le lieutenant Frewin passèrent tout l'après-midi à sillonner le village, de tentes en maisons, à la recherche d'une personne ayant des connaissances, même rudimentaires, en astrologie. Un soldat prétexta avoir quelques notions, mais il cherchait juste à échapper à son quotidien. Frewin le renvoya sèchement après un quart d'heure d'entretien.

À l'approche du dîner, un jeune opérateur des transmissions qui les entendait interroger du monde vint leur parler d'une femme, Katarina Weiss, secrétaire au QG. Dix minutes plus tard, les deux enquêteurs investissaient la mairie en quête de cette miss Weiss qu'ils débusquèrent dans une toute petite salle en lambris, face à une machine à écrire. C'était une femme un peu ronde, très grande, aux cheveux de jais tirés en arrière par un chignon bien structuré. La pièce était tout enfumée et sentait le tabac froid.

— Mademoiselle Weiss ? s'enquit Frewin, Ann sur les talons.

— Madame.

— Pardon, je suis le lieutenant Frewin, de la Police Militaire. J'ai grandement besoin de vous. Vous êtes compétente en astrologie à ce qu'il paraît.

— Qui vous a dit ça ?

— Un jeune homme des transmissions… Alors, est-ce bien le cas ?

— Ça doit être Vincent, il cause de tout à tout le monde, celui-là.

— Pardonnez-moi d'insister mais c'est important : avez-vous oui ou non des compétences en astrologie ?

— Eh bien… je travaillais dans un journal avant. Je faisais les horoscopes.

— Vous me sauvez. Puis-je vous voler la soirée ?

— C'est avec mon supérieur qu'il va falloir régler ça.

Frewin arrangea la mise à disposition de Mme Weiss en dix minutes grâce à l'influence du major général Toddwarth. Pendant ce temps, Ann disparut dans les couloirs étroits et les bureaux remplis d'officiers pour ne revenir qu'au moment de quitter la mairie, sans un mot pour Frewin.

Une fois sous les voûtes de la nef, Katarina Weiss ne perdit pas une miette du spectacle, le nez en l'air ou sur les milliers de litres d'essence emmagasinés là. Craig l'installa sur une chaise prise à la sacristie. Elle se retrouva dans le chœur, entre les tableaux et l'autel recouvert de carnets de notes.

— Nous conduisons une enquête criminelle, commença Frewin.

— Je sais, tout le monde est au courant, vous pensez ! Un premier crime au port, puis un second que tout le monde a pris pour un suicide au début, et il paraît même qu'il y en aurait eu un troisième ces jours-ci ! Ça ne passe pas inaperçu ce genre de nouvelles.

— Dans ce cas je vais droit au but : nous cherchons des renseignements sur des signes astrologiques, ainsi que des précisions du même ordre sur les nuits passées.

— C'est-à-dire ? Vous voulez que je vous parle de chaque signe ?

— Non, disons que j'ai les dates de naissance de trois individus et je voudrais que vous me disiez s'il y a des points communs, astrologiquement parlant. Et s'il peut y avoir un lien entre ces signes et les nuits de la semaine écoulée.

Katarina fronça les sourcils.

— Ces trois personnes, ce sont les trois morts, c'est ça ?

— En effet.

Elle ne broncha pas. Sa bouche resta close, si bien que Frewin crut qu'elle était choquée. Juste au moment où il allait la rassurer, elle dit :

— Écoutez, pour… gagner quelques sous il m'arrive de faire les thèmes de mes collègues, j'ai encore un peu de matériel, mais ça ne suffira pas. Il me faudrait des éphémérides astronomiques, par exemple. Vous pouvez m'en procurer ?

Ann intervint à l'intention de Frewin :

— La marine doit avoir ça, ou peut-être l'armée de l'air, non ?

Frewin eut l'air sceptique.

— Je vais demander, il y a une flotte en attente tout près d'ici, on ne tardera pas à avoir une réponse.

— Ce n'est pas tout, le prévint Katarina. Pour vous faire les thèmes astraux, il me faut aussi une règle, un rapporteur, et surtout…

— Faites une liste complète, on verra ce qu'on peut faire. Vous pouvez vraiment nous rédiger les thèmes de chacun ?

— Oui. Vous avez leurs dates et lieux de naissance, j'imagine ?

Le lieutenant acquiesça.

— Dans ce cas c'est possible. Ça prendra du temps, c'est tout.

— Faites-moi une liste, et il faudra faire vite.

Pendant que la secrétaire s'activait à ne rien oublier, Ann entraîna Frewin à l'écart, dans les ombres du déambulatoire.

— Pendant que vous obteniez la réquisition de Mme Weiss, expliqua-t-elle, j'ai posé quelques questions à ses collègues, pour que nous sachions à qui nous avons affaire.

— Et qu'en ressort-il ?

— Elle parle beaucoup. Un peu trop même. Ceux qui travaillent avec elle pensent qu'elle exagère un peu, elle en fait trop.

— Une mythomane ?

— On dirait bien.

— Ça ne va pas nous aider. J'espère qu'elle est vraiment compétente en astrologie. Les mythomanes sont souvent en quête de reconnaissance. Si c'est le cas, elle va nous mener en bateau.

Ann jeta un rapide coup d'œil vers la femme au gabarit imposant. Elle se concentrait sur sa liste à la lumière d'un cierge.

— J'essaierai de passer un peu de temps avec elle, pendant que vous tenterez d'obtenir ce dont elle a besoin. Peut-être que j'en apprendrai plus.

Frewin n'eut pas le temps de répondre. La porte de la sacristie claqua violemment. Matters survint et courut vers eux.

— La compagnie Raven revient ce soir, dit-il à bout de souffle. Ils ont pris la position ennemie mais ils ont eu de très grosses pertes. Le QG a laissé la compagnie Alto sur place et Dog part en renfort.

Ann regarda Frewin.

— Ça annonce le retour du tueur, conclut-elle. (Elle considéra la secrétaire un moment avant d'ajouter :) Il est urgent d'en apprendre davantage sur le lien astrologique entre les victimes. Qu'on sache s'il va frapper cette nuit.

Ann remonta son regard jusqu'à la porte d'entrée mal fermée.

Non loin se trouvait la couchette du lieutenant Frewin.

Le tueur allait attaquer.

Le compte à rebours était lancé.

36

Katarina Weiss rejoignit ses quartiers en début de soirée avec l'assurance que le lieutenant Frewin la préviendrait s'il parvenait à rassembler le matériel.

Frewin et Ann dînèrent ensemble, dans le fond de l'église, à l'écart des barils d'essence afin de faire chauffer leur plat sur un petit réchaud à gaz. Ils étaient seuls, les autres soldats de la PM se relayaient dans les différents tours de garde. Matters et son bras en écharpe étaient réapparus, le temps de confirmer que la compagnie Raven venait de rentrer, et qu'elle installait ses tentes à la sortie du village. Le jeune sergent repartit en promettant d'avoir une liste précise des pertes.

Frewin servit à Ann une purée grumeleuse avec du bacon séché, et fit surgir une bouteille de vin de ses affaires personnelles.

— Avec les compliments du village pour la… libération.

— Vous avez marchandé cette bouteille contre vos infâmes rations ?

— Non, c'est un cadeau.

Craig déboucha le vin et le servit dans des quarts. Ils trinquèrent tandis que la pluie redoublait d'intensité sur les vitraux. La nuit était tombée et les échos des combats avaient cessé, remplacés par le roulement du tonnerre. L'église brillait d'une centaine de cierges. Lorsque les éclairs illuminèrent les cieux, projetant des flashes multicolores au travers des hautes fenêtres, Ann comprit qu'ils étaient dans un décor de roman gothique. Tout cela n'était qu'un rêve, ou un cauchemar, elle ne savait plus très bien.

Ils avaient terminé leur repas et bu les deux tiers du vin capiteux. Ann avait les gestes un peu détachés de l'esprit. Frewin venait de la bombarder de questions sur son quotidien à l'hôpital militaire, et maintenant il dérivait vers des sujets plus personnels. Elle n'était pas dupe, il voulait tout savoir sur elle.

— Alors ? Comment êtes-vous devenue infirmière ?

— Par nécessité.

— La vôtre ou celle des autres ?

— J'ai l'égoïsme des gens ambitieux et qui s'aiment : pour moi, ma propre nécessité.

— Et quelles sont ces ambitions ?

— Réussir ma vie, être épanouie, fonder une famille un jour.

— Je suis certain que s'il n'y avait pas la guerre, ce serait chose faite.

Ann regarda son quart, entre ses mains.

— La guerre ? C'est une excuse pour ne pas se lancer. Il y a toujours une guerre à mener, même en temps de paix. La guerre contre les doutes, la guerre contre l'ambition professionnelle trop accaparante, la guerre contre les blessures qui empêchent de grandir…

Craig approuva en silence.

— C'est si dur de vivre en paix avec soi-même, confia-t-elle plus bas. C'est peut-être pour ça que les « grands » de ce monde font des guerres.

— S'accepter, et accepter les incertitudes de l'avenir pour fonder sa famille, compléta Frewin. Ce sont des blessures anciennes qui vous en empêchent, n'est-ce pas ?

Ann sentait qu'ils glissaient sur des pentes dangereuses. La colère ou le mensonge qui bâtissent des murs entre les êtres se rapprochaient. *Ou la vérité...* Elle se sentait pourtant bien incapable de se confier, encore moins de tout partager, sur ce qu'elle était en fait, tout au fond, et ce qu'elle faisait. *Je suis ce qu'il traque. Une de ces ombres qui entraînent le monde dans l'obscurité. Ma perversité ne tue pas, pourtant c'est un vice de plus, et un jour, tous les vices des gens comme moi feront basculer la terre dans le chaos, par manque de contrôle.*

Soudain, il se pencha vers elle.

— Ann, je ne veux pas que vous soyez mal à l'aise, mais je veux vous dire que je vois vos souffrances, elles sont évidentes. J'ignore quelle en est la nature et ne chercherai pas à vous le faire dire, elles sont à vous, votre part de mystère. Mais lorsque nous sommes ensemble, faites-moi confiance, ne soyez pas sur la défensive, c'est tout ce que je vous demande.

— Je croyais n'être qu'un grand flou étrange à vos yeux ? répéta-t-elle lentement.

— C'est le cas. Et je vous l'ai dit : je vous fais confiance parce que vos déductions sont pertinentes. Même si je sens que vous me cachez bien des choses. Je me suis posé des questions à votre sujet, je l'avoue. Et je continuerai. Cela ne nous empêche pas d'être en confiance l'un avec l'autre. Une confiance qui accepte les non-dits.

Ann changea de ton, passant d'une douce fébrilité à une assurance inquisitrice :

— Savoir ce qui me hante changerait quelque chose entre nous ?

Craig Frewin la considéra sans un mot.

Bien sûr que ça changerait ! songea Ann. Tu ne peux pas me le dire parce que ça dépasse les rapports professionnels, parce que c'est ta nature de vouloir percer les barrières des autres, parce que tu as besoin de voir au travers des gens, parce que l'ombre chez les autres t'attire plus que la lumière, n'est-ce pas, Craig ? Pourquoi ? Qu'y a-t-il en toi ? Es-tu le négatif de ces papillons qui sont attirés par la lumière et viennent s'y brûler les ailes ? Ce sont les ténèbres qui t'aspirent, et peu à peu tu t'y noies, c'est ça ? Mais pourquoi ? Pour y retrouver celle que tu as perdue ?

— Je suis prête à tout vous dire, à tout confesser, à tout avouer, lâcha-t-elle d'un coup. À une condition.

Il releva la tête pour la dévisager.

— Vous répondez d'abord à mes interrogations à moi. Sans fard, sans mensonge. Rien que vous et l'essentiel de vous.

Comme ses lèvres ne bougeaient pas, Ann continua :

— Sur votre femme.

Cette fois Frewin réagit aussitôt :

— Qui vous en a parlé ?

— Vous voyez, ce n'est pas si simple de se confier, de s'ouvrir de choses intimes.

Frewin déplia son corps puissant et se leva.

— Je crois que nous avons assez bu pour ce soir, la journée de demain sera longue, mieux vaut aller se coucher.

Ils se toisèrent mutuellement, conscients de cette fuite stérile. Ann devina une clarté subite dans le regard du lieutenant, une émotion forte qu'elle prit une seconde pour du désir. Un désir flamboyant, brutal. L'envie de se diluer dans l'autre pour finalement se perdre en soi, dans son propre plaisir.

Il tourna la tête et descendit de l'estrade du chœur pour marcher dans les allées afin d'éteindre les bougies.

— Bonne nuit, Ann, dit-il en s'éloignant.

Au beau milieu de la nuit, l'orage cogna contre l'église avec la frénésie d'un Thor enragé. Les coups de tonnerre résonnaient comme les heurts d'un marteau géant contre le clocher. Frewin ne dormait pas, il songeait à Ann. Était-il en colère contre elle ? À bien y penser, non. Elle l'avait bousculé comme on le faisait rarement. Et elle le forçait à réfléchir sur lui, sur ce qu'il lui demandait.

Que savait-elle de sa relation avec Patty ? Que lui avait-on dit ? La rumeur persistait dans l'armée, il le savait. Et il s'en trouvait beaucoup pour y croire. Craig Frewin, le colossal lieutenant de la Police Militaire, avait tué sa femme. Ann y croyait-elle ? Avait-elle le moindre doute ? Il réalisait que cela le dérangeait.

Il l'aimait bien, et c'était difficile d'admettre qu'une personne qu'il appréciait puisse avoir une très mauvaise image de lui.

Sois honnête ! Tu ne l'aimes pas « bien » ! Tu la veux !

Et ce soir elle l'avait senti, aucun doute. L'alcool avait fait remonter ses pulsions à la surface, il n'était pas parvenu à les masquer derrière sa façade de marbre. Quelque chose avait transpiré et Ann était du genre à capter ces failles chez les autres.

Qui était-elle en réalité ? Que dissimulait-elle ?

Plusieurs éclairs successifs illuminèrent la nef, repoussant les ombres dans les angles, soulignant une seconde les bas-reliefs multiples et leurs visages dolents.

Il faut dormir...

Craig allait se retourner pour se contraindre à chercher le sommeil lorsqu'il la vit.

Un nouvel éclair ouvrit l'obscurité recouvrant son visage.

Ann était agenouillée à côté de son lit de camp, emmitouflée dans sa couverture. Il voulut se redresser pour lui parler mais elle ouvrit ses bras et son corps nu apparut sous la cape improvisée. Ses seins étaient volumineux, la peau tendue, et s'achevaient par une couronne rose pâle, à peine visible. Son nombril se soulevait au rythme de son souffle, elle respirait fort. Son pubis formait un petit triangle obscur entre ses cuisses fines.

Craig ne put qu'avaler sa salive, incapable de décrocher un mot.

Elle se pencha vers lui et l'embrassa, d'abord sa lèvre inférieure. Elle sentait bon ce parfum vanillé et animal. La langue de la jeune femme caressa le bord tendre de sa bouche, puis elle la pénétra, à la recherche de la sienne. Les deux douceurs se touchèrent, humides, se goûtèrent. Ann posa une main sur le lit et bascula délicatement sur Frewin. Et bientôt Craig ne put discerner le bien du mal, aveuglé par son désir. Ann se glissa sous la couverture et leurs peaux à leur tour se goûtèrent. Le contact des seins contre ses pectoraux hérissa sur lui la chair de poule, il enfonça ses doigts dans les fesses de la jeune femme qui se cambra contre lui, son bassin appelant sans retenue à plus encore. Les baisers voluptueux cherchèrent la douceur du cou, des épaules, le creux des mains, explorant les tétons. Le feu grimpait en Frewin, embrasant toute autre pensée.

Il agrippa la hanche de la jeune femme et pivota pour passer sur elle. Elle replia une jambe, puis l'autre, et il l'attira jusqu'à vivre en elle. Tout le corps de Frewin se réchauffa, une onde délicieuse montait jusqu'à son cerveau. Il se sentait à présent asservi à son sexe, au besoin de jouir en elle. Les saveurs humides l'enivrèrent et il saisit la nuque de sa partenaire. Les ondulations devinrent vagues, les vagues spasmes violents au creux desquels Ann plantait ses ongles dans le dos de Frewin. Elle était couverte par un imposant roulis de muscles en action. Tous deux haletant, l'un en l'autre, au rythme lumineux de la tempête. Sous les regards fixes des saints.

Ann se cambra jusqu'à soulever ses épaules et se coller contre le torse de Frewin. Ses doigts, ses pieds se tendirent et tout son être se contracta plusieurs fois, brièvement. Elle étouffa un râle sec, comme un bref hoquet. Craig sentit l'écume de son plaisir le déborder et se répandre. Sa tête bascula en arrière et ce qui demeurait de sa retenue s'évapora en décharges euphorisantes.

Puis il retomba tout contre elle, corps serrés par l'étroitesse du lit. Le souffle court, les yeux éblouis.

Le tonnerre claqua dans l'église, faisant vibrer la cloche.

Pendant une longue minute, l'écho résonna entre les murs.

Ann souriait aux anges. Et brusquement, libérée de toute obsession, du vice hypnotique qui l'avait conduite jusque-là, Ann prit conscience de ce qu'elle venait de faire. Elle ferma les yeux, dévorée par la honte et le remords.

Puis par l'angoisse de ce qui allait suivre.

Une esquisse de soulagement se profila lorsqu'elle entendit Frewin murmurer :

— Je suis désolé, Ann, je crois qu'il vaudrait mieux que vous retourniez à votre couche.

C'était la meilleure chose à faire. Elle ne pouvait entraîner Craig Frewin avec elle, dans les ténèbres.

Ann tira sur sa couverture, pour s'enrouler dedans et, sans un mot, sans un regard, retraversa la nef obscure.

37

Le village s'éveilla dans la brume, l'humidité chevillée aux draps.

Frewin se leva très tôt, Ann dormait encore, du moins son rideau était tiré et il ne chercha pas à en savoir plus. Il chauffa un peu de lait et fit une toilette rapide dans la sacristie. Conrad y ronflait en chœur avec Baker après leur nuit de garde.

À huit heures, Frewin fit lui-même le tour des différentes compagnies pour s'assurer que tout allait bien, et que l'appel à peine achevé ne signalait aucune absence. Il craignait un nouveau crime avec le retour de la 3e section la veille au soir. Partout on lui répéta la même chose : rien à signaler.

Une heure plus tard il localisa par des demandes radio le Dr Carrhus, au camp de base, près des plages. Frewin croisa Matters pour l'informer qu'il s'absentait pour la journée et que la charge de la PM du village lui revenait jusqu'au soir.

Juste avant qu'il ne parte, une moto militaire arriva à toute vitesse sur la place. Le pilote cherchait le lieutenant de la Police Militaire pour lui remettre un pli urgent.

Frewin l'ouvrit et décacheta un petit mot de Todd-warth.

J'espère que tu sais ce que tu fais. Voici ce que tu m'as demandé. N'oublie pas : discrétion. La priorité est au moral des troupes. Si la paranoïa s'installe, ton enquête cesse. Trouve-moi le coupable et mets-le hors d'état de nuire.

En langage d'officier de carrière, « mettre hors d'état de nuire » signifiait qu'il avait carte blanche pour trouver la solution qui ferait le moins de vagues. L'enveloppe contenait tout ce que Katarina Weiss avait exigé pour son travail astrologique. Frewin la donna à Matters et quitta le village.

Deux heures de Jeep eurent raison de ses résolutions de ne pas penser à la veille. Coincé face au volant, avec le bourdonnement du moteur pour toute musique, Frewin ne put repousser les interrogations plus longtemps.

Qu'avait-il fait ?

C'est elle qui est venue à moi !

Piètre excuse… La vérité était qu'il n'avait pu se contenir. Elle était venue jusqu'à lui et il en crevait d'envie. Il l'avait prise avec la fougue de celui qui n'attendait que cela. Sans aucun doute, sans une hésitation, voilà ce qu'il avait fait.

Revoir en pensée son corps nu surgir des couvertures et se river au sien provoqua des fourmillements dans son bas-ventre.

Il avait répondu à ses désirs, c'est tout ce qu'il avait fait, sans nuire à quiconque.

Patty est ma femme. Morte depuis deux ans.

Mais elle reste ma femme malgré tout. Malgré le temps et les vers qui la rongent ?

Cette dualité pouvait durer encore longtemps et Frewin y coupa court. Il avait couché avec Ann. Et c'était seulement maintenant que la vraie question lui venait, sans détour : avait-il le droit de coucher avec une autre que Patty ? Malgré tout ce qui s'était passé entre eux ? Ne lui devait-il pas plus de respect que ça ? Patty était pleine de vie, d'énergie, qu'aurait-elle fait à sa place ? Elle aurait vécu sa vie. Sans lui.

Mais jamais elle n'aurait été à ma place.

Combien de temps fallait-il attendre avant de coucher avec une autre femme ?

Frewin balaya toutes ces interrogations, il les enterra loin dans les tréfonds de son esprit parce qu'elles n'avaient pas de réponses possibles. Il ne devait plus se les poser, il devait vivre. D'affirmations, de décisions.

La première serait de ne plus fréquenter Ann. Conserver avec elle un rapport professionnel comme ils l'avaient fait jusqu'à la nuit dernière. Elle comprendrait. *Peut-être pas... Que cherchait-elle, en venant jusqu'à moi ?* Quoi que ce fût, c'était une erreur. *Non, pas une erreur, assume*. C'était fait, ils avaient pris du plaisir ensemble. Maintenant ils iraient de l'avant.

Il faudrait lui parler, surveiller ses mots pour ne pas la heurter... *Je suis naïf, Ann est plus solide que moi !* Y croyait-il ou apaisait-il sa culpabilité naissante ? Ann et lui s'étaient plu parce qu'ils partageaient des blessures fortes qui les avaient façonnés comme des êtres sauvages à l'intérieur mais policés en apparence. Ils s'étaient reconnus en cela, et désirés pour cela.

Mieux valait qu'ils en restent là.

Il arriva au camp en fin de matinée, l'esprit agité, et constata que les effectifs n'avaient pas fondu malgré l'envoi massif de troupes sur les différents fronts ; les renforts continuaient d'affluer depuis les navires. Il ne manquait plus que les chars qui étaient déjà en mouvement, bien plus au sud et à l'est. Une partie des tentes étaient désormais occupées par des hôpitaux de fortune qui accueillaient les blessés en attente de rapatriement, si bien que le camp était sillonné de silhouettes amputées ou claudicantes. En traversant les allées, Frewin entendit des centaines de gémissements derrière les murs de toile.

Il situa Carrhus sans parvenir à le voir pour autant, il était en pleine intervention chirurgicale. Frewin attendit jusqu'en milieu d'après-midi, pour rencontrer enfin le médecin aux tempes grises et aux grosses lunettes. Il l'interpella tandis qu'il sortait prendre l'air.

— Docteur ! J'ai besoin de vos lumières une fois de plus.

Carrhus fit la moue. Il semblait exténué.

— Oh, Frewin, je ne vous avais pas reconnu.

— L'opération était difficile ?

Carrhus approuva vigoureusement, aussi triste que fatigué.

— Le pauvre homme est décédé après quatre heures d'efforts. C'était ça ou la mort assurée. On a risqué pendant que d'autres attendaient désespérément qu'on s'occupe d'eux. Et on a perdu.

— Je ne vous prendrai qu'un court moment.

— Allez-y, j'ai besoin d'une pause de toute manière, sans quoi je tuerais même un patient en pleine forme. Je vais chercher un café, vous m'accompagnez ?

Ils marchèrent dans le sable en direction d'une large tente précédée par des dizaines de bancs et tables en bois.

— On m'avait laissé un message, vous me cherchiez, expliqua Frewin.

— Oui, c'est vrai. Je voulais vous… transmettre mes constatations de vive voix, disons, moins officiellement. Ça fait plusieurs jours déjà. D'abord, concernant cette tête que vous m'avez fait porter. Merci du cadeau ! Imaginez ma réaction en ouvrant cette caisse ! Je n'ai rien pu en tirer, sauf que celui qui a fait ça n'était pas médecin, il s'est débrouillé pour trancher dans le vif, mais avec maladresse. Un droitier certainement, et l'instrument ayant servi à la décapitation est un couteau à lame longue. Rien d'autre.

Frewin acquiesça, au moins le médecin confirmait qu'il s'agissait d'un droitier.

— En fait j'ai examiné le fragment que nous avions trouvé dans le cadavre, reprit Carrhus. Je vous ai fait envoyer un télégramme dès que j'ai été sûr de ce que c'était. C'était la part scientifique du processus.

— Pourquoi ? Il y a une part empirique ?

— Tout à fait.

Carrhus parvint aux bancs et entra dans le carré des officiers séparé du reste par des cordons. Là on lui servit des cafés que les deux hommes purent siroter à l'écart.

— Vous savez quel est l'usage le plus courant du nylon ? questionna le médecin.

— Les toiles de parachute.

— Dans l'armée, oui. Petit indice que j'ai omis de vous transmettre : sous microscope les fragments sont de couleur beige. Chair, pour être tout à fait exact.

— Des bas !

— Eh oui, lieutenant, je pense, même si rien de scientifique ne permet de l'affirmer, que ces morceaux de ce qui a servi à étrangler Gavin Tomers proviennent de bas. Quelle ironie dans un milieu d'hommes !

Frewin était troublé, il tenait son gobelet d'une main, indifférent aux vapeurs qui montaient à son visage.

— Il l'aurait étranglé en se servant d'un bas…, répéta-t-il doucement.

— Votre bonhomme est un collectionneur ! Ou un fétichiste ! Il garde les souvenirs de ses conquêtes féminines… dont il se sert pour tuer.

Frewin n'écoutait plus le médecin, il réfléchissait à haute voix :

— Quel genre d'homme emporte avec lui des bas ? N'est-ce pas dangereux ? Il risque de se faire pincer s'il y a une fouille des affaires… Sauf si… Qui dispose de bas sans que cela soit anormal ? Une femme.

L'hypothèse soulevée par Ann devenait moins fantaisiste. Pourtant il n'y avait aucune femme dans la 3e section et tout concordait pour désigner celle-ci comme abritant le coupable. Ils avaient eu une permission juste avant le premier meurtre, ce qu'il fallait pour se procurer une tête de bélier fraîche… *Et des hameçons, du fil de pêche solide et un scorpion…* La 3e section était sur le navire lors des deux premiers crimes, le coupable était tout proche, facile pour lui de tuer sans se faire remarquer. *Mais Fergus Rosdale, la première victime, ne logeait pas sur le* Seagull, *il a dû grimper à bord sans se faire voir et il y est parvenu ! Pourquoi pas le tueur ?* Toutes les victimes étaient issues de compagnies proches de la 3e section, le tueur avait eu le temps de tisser des liens avec eux, pour les attirer à lui les soirs de passage à l'acte. *Néanmoins, comme Ann l'a souligné, une femme peut attirer un homme très facilement...* Et si le coupable n'était pas dans la compagnie Raven, alors comment avait-on fait pour mettre la tête découpée dans la caisse de Harrison ? C'était une fausse piste, un leurre provocateur, mais il fallait y accéder. *Et savoir que nous soupçonnions la 3ᵉ section !* Quelqu'un de la PM ? *Non, bien sûr que non !* Frewin avait une confiance absolue en ses hommes. *En es-tu si sûr ?* Bien entendu...

Mais déjà la certitude se fissurait.

De toute façon il y a le problème de la force. Une femme aurait eu des difficultés énormes pour tuer ces hommes. Ils se sont défendus, il y a eu lutte, au moins un rapport de force, même si le tueur a surgi par-derrière pour les étrangler. Une femme n'aurait pas tenu à moins d'être très résistante. Et comment aurait-elle hissé Rosdale sur des crochets de boucher ? Elle ne se trimballait pas avec une poulie portative tout de même ! Non, ça ne tient pas la route. Et Clauwitz ainsi que Forrell se sont pris des balles par-derrière, là où arrivait la 3ᵉ section dans la confusion de l'assaut. Aucune femme n'était sur la plage à cet instant.

Cependant, Frewin avait une boule au creux du ventre, un pressentiment qui lui commandait de ne pas ignorer cette possibilité.

Il fallait désormais envisager que le tueur soit une femme.

Frewin pouvait s'être trompé depuis le début.

Une femme. Et il n'y en avait pas beaucoup qui avaient fait le chemin depuis le port jusqu'au village.

Très peu en réalité.

38

Ann venait de passer la journée entière en compagnie de Katarina Weiss, toutes deux assises devant l'autel pour établir les thèmes astraux des trois morts et les comparer avec les nuits précédentes. Weiss n'avait pas tout à fait terminé son analyse et préférait ne rien en dire avant d'avoir achevé son travail et ses recoupements. Les deux femmes avaient parlé, surtout la secrétaire, avouant qu'elle était entrée dans l'armée parce qu'ils recrutaient massivement alors que son journal venait de fermer ses portes pour faillite. Elle avait eu deux maris, et deux divorces. Aucun enfant. Katarina précisa que c'était la faute de ses hommes « *aux couilles sèches* », mais Ann perçut une colère contre soi, la haine à l'égard de ses maris n'était qu'une défense. À l'écouter, Katarina avait tout fait, tout vécu à seulement trente-sept ans. Des parents démissionnaires et, à ce qu'Ann crut comprendre dans les confidences impudiques, un frère incestueux. Mais tout était avoué à demi-mot, dans un flot de paroles.

Ann, quant à elle, demeura silencieuse toute la matinée. Ce qui s'était passé dans la nuit accaparait son esprit. Pourquoi y était-elle allée en fin de compte ?

314

Pour cette flamme captée dans le regard de Frewin au moment de la quitter ? Il la voulait, Ann l'avait lu. Elle avait tenté de s'endormir, d'évacuer les images qui s'enchaînaient dans sa tête, sans succès. Une somnolence humide et brûlante, pour rouvrir les paupières quatre heures plus tard, incapable de penser à autre chose.

Elle s'était abandonnée une fois encore à sa perversion. Pourtant elle s'était interdit de mettre Frewin au bas de sa longue liste. *Mais tu as craqué, une fois encore. Tu es faible, ma pauvre fille...*

Deux adultes qui se désirent et qui se trouvent, l'espace d'un moment, qu'y avait-il d'anormal ? Le contraire aurait été stupide.

Mais arrête ! Qu'est-ce que tu fais ? Tu sais très bien que ce n'est pas ça. Tu t'es libérée de ce sentiment archaïque de culpabilité, ton corps est ton instrument lorsque tu le veux, depuis longtemps ! Et si c'est un tabou social que de penser ainsi, il n'y a aucune honte à avoir pour autant. Mais toi, c'est bien plus sournois, n'est-ce pas ? Avoue... C'est bien au-delà du plaisir. À ce point-là, ce n'est plus seulement du plaisir... Ce sont les ténèbres qui derrière sont une menace pour toi et pour les autres. Et c'est ça que tu ne te pardonnes pas ! Avoir pris le risque d'entraîner Frewin dans tes ténèbres. Dans tes perversions. Parce que c'est de ça qu'il s'agit. Tu ne cherches pas le plaisir simple, ta quête est immonde. Les hommes sont ton instrument. Parce que tu n'es pas normale !

Ann serra les dents.

Qu'avait-elle fait ? Devenait-elle une bête sauvage à la merci de son désir, pour ne plus être capable de se contrôler ? L'évidence lui était venue peu à peu, en fin de matinée. Sa part sombre n'était pas en train de prendre le pouvoir sur elle, non, pas encore. C'était bien elle qui avait voulu entraîner Frewin dans ses abîmes. Pour ne plus être seule. Parce que la fibre tourmentée qui vivait en elle percevait un écho en lui. La possibilité qu'il comprenne. Qu'il partage avec elle ce poids. Qu'il l'aide. Tout au fond de son être, Ann avait distingué en Frewin un individu susceptible de ne pas la juger, et même de lui tendre la main.

Coucher avec lui était le meilleur moyen de te livrer à lui ? Qu'il te comprenne et puisse t'aider ? Quelle crétine tu fais...

Ils exploraient d'abord une intimité physique, avant d'aborder celle, plus fragile, de leur psychisme. Ce que tout le monde faisait dans l'autre sens. D'abord apprendre à se connaître, fouiller les personnalités, avant d'autoriser l'intimité des corps. Ann, au contraire, estimait plus important de préserver son esprit et ce qu'il abritait. Les corps pouvaient encaisser beaucoup, l'âme, non. Les corps pouvaient servir de sonde, pour tâter l'autre, et décider s'il méritait ou non qu'on fasse tomber les barrières, le masque. À vingt-cinq ans Ann s'était déjà rendu compte qu'on n'offrait à l'autre qu'un jeu de dupes. À travers la séduction, on ne présentait qu'une partie de soi, la plus attractive. Il fallait du temps avant de percer ces couches d'illusions, avant de savoir qui on avait vraiment dans son lit. Car le masque ne tombait jamais avant l'acte sexuel. Alors elle avait inversé la tendance. « Dis-moi comment tu me fais l'amour et je te dirai si je veux de toi dans ma vie. »

À présent elle devait trancher. Quelle attitude prendre ? Devait-elle continuer ou tout arrêter et faire comme si de rien n'était ?

316

Tu le sais bien… le temps t'est compté. Si tu ne fais rien, tôt ou tard tu te détruiras. Il est peut-être ce pont dont tu as besoin pour passer le gouffre.

Lui parler… Non, pas tout de suite. D'abord se toucher. Se connaître par les sens. *C'est dangereux.* Se parcourir pour se faire confiance. *C'est jouer avec le feu, tu sais comment ça finit, ce que ça devient avec toi !* Frewin portait en lui les réponses à ses questions. Il l'aiderait.

— J'ai fini.

Ann s'extirpa de ses réflexions comme d'un sommeil lourd.

— Pardon ?

— Je disais : j'ai fini. J'ai fait les thèmes, je les ai étudiés, et j'ai tout comparé avec les astres des nuits passées.

— Et il y a des liens, quelque chose qui pourrait nous éclairer ?

Katarina pianota sur ses feuilles.

— En fait, je vais certainement vous dire une ânerie, mais je crois que l'assassin que vous traquez cherche à tuer autre chose que des hommes.

Ann croisa les bras sur sa poitrine.

— Comment ça ?

— Je pense qu'il veut tuer la chance qu'ils ont en eux.

39

La lumière de fin d'après-midi – des rayons obliques et dorés – projetait les couleurs des vitraux dans toute l'église en un kaléidoscope de scènes dont les personnages bibliques semblaient des esprits émergeant de la pierre.

Ann se massa la nuque en se rapprochant de Katarina.

— Qu'est-ce que ça veut dire « tuer la chance » ?

Katarina désigna la dizaine de pages qu'elle avait noircies de calculs et conclusions.

— Je vous l'explique dans le détail ou vous préférez que j'aille droit aux faits ?

Ann considéra les schémas, les noms de planètes, les traits en rouge, noir ou bleu, les termes « ascendant », « décan », et secoua la tête.

— Rien que l'essentiel.

— Pour résumer, disons que chacun des trois hommes dont je viens d'étudier le thème aurait été dans un jour très favorable s'il avait survécu quelques heures. Chaque fois, les données se croisent : c'étaient des jours à tenter beaucoup car très propices à la réussite. Des jours de grande chance si vous préférez.

— Ça ne pourrait pas être un hasard ?

— Qu'est-ce que le hasard ? Ici c'est tout de même flagrant ! Si ces garçons étaient venus me consulter pour savoir quel jour ils devaient entreprendre je ne sais quoi, j'aurais indiqué la date correspondant au lendemain du meurtre de chacun ! Dans tous les domaines ils étaient sous de bons augures. C'était leur jour de chance, astrologiquement parlant, ils étaient sous d'excellents aspects !

Ann se mit à tourner en rond pour réfléchir.

— Ça ne se tue pas, la chance. Pourquoi ferait-il ça ?

— Là, ce n'est plus ma partie…

Ann s'immobilisa :

— N'importe qui de compétent aurait la même analyse que vous ?

Katarina répondit avec une pointe d'agressivité :

— À condition d'être un astrologue scrupuleux, attentif au détail, oui. Mon interprétation personnelle est limitée, je considère les positions des…

— Je vous crois, coupa Ann.

Le lieutenant Frewin entra par la porte principale, ouvrant un puits lumineux qui aveugla les deux femmes. Il referma et s'approcha du chœur.

— Du nouveau ? s'enquit-il sans un regard pour Ann.

Ann tourna la tête vers Katarina pour répondre :

— Vous allez être surpris.

L'astrologue lui exposa brièvement les faits. Un tueur traquant la chance. Frewin se mit à observer la secrétaire avec méfiance.

— Quoi ? fit-elle. Ce que je vous dis ne vous plaît pas ? Fallait pas venir me chercher si vous considérez l'astrologie comme une croyance de bonne femme !

Il lui fit signe que ce n'était pas le cas.

— Je suis étonné qu'il y ait bien un lien astrologique entre ces crimes, c'est tout. Je n'y croyais pas… Cela implique que nous recherchons une personne capable de faire ce que vous venez d'accomplir. Vous en connaissez beaucoup dans l'armée, vous ?

Katarina fit la moue.

— Non, ça ne court pas les rues.

— Quelqu'un qui aurait avec soi tous ces… instruments que vous avez réclamés.

Katarina attrapa la liasse d'éphémérides astronomiques.

— Pas s'il avait fait ses calculs avant de partir en campagne. S'il savait précisément qui il voulait… assassiner, il pouvait avoir tout préparé à l'avance et partir léger. (Elle haussa les sourcils.) Je n'arrive pas à croire que je parle avec vous de choses aussi sordides !

Frewin se tourna instinctivement vers Ann avant de pivoter pour faire ses déductions face aux tableaux.

— Le tueur ne frappe pas au hasard, pire : il sait depuis le début qui sont ses victimes à venir ? (Il eut une grimace de colère.) Il nous faut étudier ça encore et encore, comprendre pourquoi il le fait et ce qu'il veut vraiment, ce qu'il croit faire.

Ann entra dans son champ de vision, plantée juste devant le tableau qui résumait la chronologie des trois meurtres et l'emploi du temps de la 3e section.

— Et si…, balbutia-t-elle, et s'il tuait pour survivre ?

Elle tapota les notes.

— Regardez ! Le premier meurtre a lieu pendant que nous attendons l'ordre d'embarquer, la bataille est imminente. Le second s'effectue pendant le trajet, à quelques heures de l'assaut. Puis plus rien jusqu'à la nuit précédant le départ de la 3e section pour le front. Chaque fois le tueur supprime les garçons les plus chanceux de sa section le jour des combats. Et que faut-il pour survivre lors d'une bataille, au milieu des balles perdues et des obus, sinon une sacrée dose de chance ?

Frewin avait le visage contracté, il synthétisa :

— Quoi, ce type aurait le thème astral de tous ses compagnons pour chaque jour de la semaine et déciderait d'éliminer ceux qui ont beaucoup de chance les jours de bataille pour s'assurer d'être le plus en veine ? Pour avoir la *chance* de survivre ? Ce n'est plus un psychopathe qu'on pourchasse ! C'est un aliéné !

— Et pourquoi donc ? contra Katarina. Même si ça vous semble insensé, je trouve ça cohérent comme raisonnement ! Perfide et machiavélique, certes, mais cohérent ! Il écarte ses rivaux pour être le plus chanceux. La chance, ce n'est pas un autocollant qui se promène au gré des vents, lieutenant ! C'est la convergence d'un grand nombre de paramètres astrologiques, et s'il se rend compte que d'autres ont des paramètres bien plus favorables que les siens ces jours-là, il fait en sorte qu'ils ne soient plus.

— Ce gars vient de redonner un sens nouveau à l'expression « provoquer sa chance », conclut Frewin.

Dynamisé par leur découverte, il se précipita vers la liste de la 3e section. Il découvrit plusieurs noms barrés.

— C'est le sergent Matters qui est venu à midi, expliqua Ann, il s'agit des soldats qui ne sont pas revenus hier ou qui sont partis pour l'hôpital. Trois morts et trois blessés graves.

Le lieutenant lut toute la colonne.

capitaine *Lloyd Morris* D
~~lieutenant Ashley Durrington~~ D
lieutenant *Philip Piper*
~~adjudant Clive Bradley Dodders~~ D
adjudant *Henry Clark* D
~~sergent Piotr Kijlar~~ D
~~sergent Gabriel Rabin~~
sergent (infir.) *Parker Collins* D
caporal *Douglas Regie* D
caporal *Adam Houdan*
~~soldat Franck Gazinni~~ D
soldat *Vladimir Hriscek* D
soldat *Martin Clamps* D
soldat *Jeremy Brodus* D
soldat *Cal Harrison* D
soldat *Peter Brolin*
soldat *James Costello*
~~soldat Felipe Gonzalez~~
soldat *John Traudel* D
soldat *Rodney Barrow* D
soldat *Steve Risbi*
soldat *John Wilker* D

— Ça nous ramène à seize suspects. Peut-être que celui que nous cherchons était de ceux qui sont partis. (Il fixa alors Katarina :) Vous allez dresser les thèmes de tous ces hommes, on va vous fournir leurs dates et lieux de naissance. Et vous allez nous établir une liste décroissante, du plus au moins chanceux les jours de bataille. Si cette hypothèse tient debout, alors notre homme sera un de ceux qui étaient sur le dessus.

— Vous n'y êtes pas du tout ! protesta Katarina. Ça ne marche pas comme ça, il ne s'agit pas de statistiques, mais de recoupements, d'analyse, et d'éléments plus ou moins favorables dans différents secteurs de l'existence ! On ne peut pas faire une liste comme celle que vous exigez !

— Alors dites-moi ceux qui avaient des « éléments moins favorables ».

— Mais ce n'est…

Katarina soupira de désespoir. Ann vint à son secours

— Il y en a pour plusieurs jours de travail.

Ann le sentait nerveux. À cause d'elle ? Les yeux du lieutenant parcouraient toutes les notes à grande vitesse, il survolait chaque mot. *Il ne sait plus dans quelle direction aller*, comprit-elle. *Il n'est plus sûr de rien, de ses déductions, de ce qu'il doit faire.*

— Je vais m'arranger avec votre supérieur, dans ce cas, trancha Frewin. Ann, je dois préparer l'arrivée de l'équipe de PM qui va nous remplacer, pouvez-vous vous procurer la liste complète des noms, dates et lieux de naissance de la 3ᵉ section ?

Il l'écartait. Il l'envoyait loin de lui pour qu'ils ne soient pas confrontés, pour qu'ils n'aient pas à se parler. Ann sentit la colère monter. Elle était prête à se confier à lui, elle commençait à lui tendre la main et il répondait en lui tournant le dos. *Ça ne va pas se passer comme ça, non, tu ne vas pas te débarrasser de moi si facilement.*

Elle était furieuse, la colère s'altérant en rage. Une rage qu'elle avait appris à craindre car elle concluait toutes ses tentatives de relations de la même manière. Elle allait se métamorphoser en glace, peu à peu. Frewin allait cesser d'exister à ses yeux. Jusqu'à n'éprouver qu'une froide indifférence à son endroit.

Et tandis que le soleil envoyait sur leurs visages des lames colorées, un nouveau massacre se préparait.

Le plus infâme des crimes.

40

Ann était assise sur un banc, sur la place du village où elle mangeait un sandwich récupéré au mess. Le soleil avait disparu derrière la forêt, à l'ouest, laissant la surface bleue qui dominait le monde s'assombrir et les étoiles émerger des fonds célestes.

Elle s'efforçait de ne pas penser à Frewin.

Un convoi de camions militaires était stationné dans la grande rue, dont plusieurs portaient le cercle blanc à croix rouge. Ann avait vu des hommes en descendre pour entrer dans ce qui avait été un bar-restaurant-hôtel avant la guerre. Un groupe de soldats discutaient devant l'entrée, en fumant. Parmi eux, Ann crut distinguer deux femmes. Une silhouette en particulier attira son attention. Ses mouvements de tête pour rire, sa façon de tenir sa cigarette, main repliée en arrière, se pouvait-il que ce soit...

Ann se leva et marcha lentement dans leur direction.

Blouse d'infirmière. Femme trapue. Cheveux raides.

— Clarice ? interrogea-t-elle, incrédule, en parvenant à son niveau.

La petite femme se pencha pour distinguer celle qui approchait.

— Ann ? C'est toi ?

— Clarice ! Qu'est-ce que tu fais là ?

— Alors ça ! Je suis envoyée à un avant-poste, nous devions déposer du matériel ici, alors nous faisons une halte pour la nuit.

Clarice s'écarta du groupe pour s'isoler avec son amie.

— Alors, dis-moi, comment ça se passe pour toi ?

— C'est… compliqué.

— Comment est le lieutenant Frewin ? C'est une brute épaisse ou un génie de la police dans un corps d'hercule ?

Ann balaya l'air devant elle d'un geste du bras.

— Il est très doué dans ce qu'il fait, néanmoins… je confirme ce qu'on dit de lui : il est un peu spécial. Et toi, comment ça va avec le major Callon ?

— On est débordés donc il est invivable, pour changer, ironisa Clarice. Je suis contente de te voir. Tu as l'air fatiguée. C'est dur, pas vrai ?

Ann acquiesça doucement.

— Pas de nouveau crime ? demanda Clarice.

— Non, c'est au moins ça.

— Dis-moi, le lieutenant, il est plutôt séduisant, il paraît…

Un trou douloureux s'ouvrit dans la poitrine d'Ann.

— Et il est célibataire ! minauda Clarice.

— Veuf, corrigea Ann.

— Oui, oh, avec le temps c'est pareil, non ? S'il est vraiment intelligent, beau comme il est, il ne devrait pas le rester longtemps ! À moins qu'il n'entretienne déjà une relation secrète !

Clarice parlait vite, singeant les speakers de radio :

— As-tu trouvé la femme derrière l'homme ? Celle qui se cache dans l'ombre du mystérieux lieutenant Frewin ?

Ann ouvrit la bouche pour freiner les ardeurs coquines de sa camarade mais quelque chose l'empêcha de prononcer un mot. Son subconscient moulinait si fort qu'il débordait sur l'esprit conscient. Ann avait capté une information dans son environnement sans parvenir à l'identifier.

— ... pas rester sans rapports non plus ! Et puis c'est la guerre, on peut bien adapter la morale ! poursuivit Clarice.

— Qu'as-tu dit ? insista Ann. Avant ça, sur Frewin.

L'interpellée fronça les sourcils.

— Euh... Qu'il entretient peut-être une relation secrète ? Qu'il faut chercher la...

— La femme derrière l'homme..., murmura Ann.

Les rails de pensées s'ordonnèrent en elle, jusqu'à s'emboîter parfaitement. *La femme derrière l'homme*, se répéta-t-elle in petto. *La femme... dans l'ombre. La femme. Les symboles. Depuis le début, tout est dans les symboles...*

Subitement, Ann porta une main à son cou.

— O.T., dit-elle tout haut. Ce ne sont pas des initiales !

41

Frewin terminait de dîner avec ses hommes sur le parvis de l'église lorsqu'il vit Ann approcher rapidement.

— Je dois vous montrer quelque chose, annonça-t-elle en grimpant les marches. À l'intérieur, venez.

D'un seul mouvement ils se levèrent tous pour la suivre vers le chœur. Matters et Conrad prirent des briquets pour allumer des cierges afin d'ouvrir un cône de lumière au centre de l'estrade. Ann prit une craie et effaça d'un revers de manche des notes qu'elle jugeait de moindre importance.

— Hé ! protesta Frewin.

Ann ne lui laissa pas le temps de s'emporter :

— Vous vous souvenez tous des lettres dessinées sur la scène de crime de Fergus Rosdale ? Un O et un T, comme ceci.

Elle tenta de reproduire les marques :

— C'était un dessin grossier, fait avec du sang. Nous avons tout de suite pensé à des lettres, parce que nous l'avons pris dans ce sens-là.

L'auditoire, rivé à ses lèvres, cherchait à anticiper ce qu'elle voulait dire.

— Mais si nous nous étions justement trompés de sens ? Après tout, nous n'avons aucune idée de l'orientation qu'avait Fergus Rosdale lorsqu'il a tracé ces lettres.

— Si c'est bien lui ! contra Conrad qui se faisait l'écho des propos de son lieutenant. Il n'est pas impossible que ça vienne du meurtrier, une sorte de signature ou une fausse piste pour nous narguer, ce ne serait pas la première fois.

Ann effaça et rectifia le sens du signe.

— Et là ? Ça vous parle davantage ? En fait, pour que ce soit tout à fait exact, il faudrait le terminer, je pense que Rosdale l'a tracé dans la précipitation. La gorge tranchée, il n'a eu qu'une poignée de secondes, dans le dos de son assassin. Il manque le trait pour relier les deux parties. Comme cela :

— Le symbole féminin ? s'étonna Donovan. Pourquoi ferait-il…

— Bien vu, Ann, déclara Frewin. Messieurs, je veux parler à la petite amie de Rosdale. Dans ses dernières secondes de vie, ce garçon a eu la présence d'esprit de tracer ça avec son propre sang, c'était un peu à l'écart, sous un banc, pour que le tueur ne le remarque pas.

— Vous changez d'avis ? fit remarquer Donovan. Vous disiez qu'un homme à la gorge ouverte n'aurait pas pu...

— Je sais ce que j'ai dit, soldat, c'était sous un éclairage différent. J'ai eu tort.

Face au regard pénétrant de son supérieur, Donovan scruta aussitôt ses rangers, l'air confus.

— Il y a deux interprétations possibles, intervint Matters. Soit Rosdale voulait nous dire que son agresseur était une femme, soit qu'il était venu jusqu'ici à cause d'une femme.

— Trois interprétations, rétorqua Baker, il voulait dire qu'il pensait à sa compagne à cet instant.

Frewin eut un regard indulgent pour son soldat. Baker était le moins subtil de ses hommes.

— Si ça avait été le cas, il aurait écrit le nom de la fille, au moins le début, railla Monroe. Ou un cœur, je ne sais pas, mais pas ça !

— Matters a raison, reprit Frewin, dans tous les cas, il est question d'une femme. Je veux voir sa petite amie, comment s'appelle-t-elle ?

Matters bondit sur son calepin et lança :

— Lisa Hiburgh ! Elle a fait une crise de nerfs quand on lui a appris la mort de Rosdale.

— Trouvez-la.

L'ordre avait sonné avec assez d'autorité pour qu'ils se lèvent, et Matters sortit au pas de course, bientôt suivi de Donovan.

Une équipe complète de la PM avait rejoint le village en soirée, prenant la relève de Frewin et de son équipe. Pour l'heure, Baker, Larsson, Monroe et Conrad se reposaient en jouant aux cartes dans la sacristie tandis que Donovan et Matters étaient au QG à la mairie pour tenter de localiser Lisa Hiburgh par radio.

Frewin était seul à l'autel, penché sur ses carnets, et Ann faisait semblant de lire un roman historique sur sa couchette, à moins de dix mètres de là.

Il tourna la tête pour l'observer et vit les yeux de la jeune femme dériver vers lui.

— Je peux vous parler ? demanda-t-il doucement.

— Depuis quand avez-vous besoin de ma permission ?

Malgré le ton sarcastique, elle releva les jambes pour lui offrir une place à ses côtés. Frewin vint s'asseoir.

— Je… suis navré si je vous ai semblé un peu distant, aujourd'hui, dit-il tout bas.

— Vous étiez plus glacial que distant.

Frewin approuva avec une pointe de culpabilité qui lui fit baisser la tête et joindre les mains sur ses genoux.

— Je vous présente mes excuses, Ann. J'aurais dû vous parler ce matin mais…

— Ce n'était pas si simple, acheva-t-elle. Je sais. Et vous avez eu le temps de réfléchir depuis ? À ce que vous vouliez me dire ?

Il inspecta ce teint pâle, ces yeux qui brûlaient en le contemplant. Était-ce la colère ? Le désir ? Qu'avait donc Ann en elle à cet instant ?

— Je sais que j'aurais dû vous parler cette nuit, avant de vous faire l'amour. Je ne peux pas, Ann. Notre relation ne peut pas tenir, je suis désolé…

— Vous ne pouvez pas ou vous n'êtes pas prêt ?

Frewin demeura bouche bée.

— Peu importe ce qui s'est passé cette nuit, je ne suis pas de ces femmes qui vous le reprocheront, je suis une grande fille, vous savez, j'assume mes actes. On a pris du plaisir l'un avec l'autre, point. S'il ne doit pas y avoir de suite, soit, on ne force pas quelqu'un à vous désirer. Cependant je veux vous entendre me dire si c'est à cause de moi, et dans ce cas je ne peux rien faire, ou si c'est parce que vous n'êtes pas prêt à vivre autre chose à cause de votre femme.

Frewin perçut ses entrailles qui encaissaient le choc, comme un crochet au foie. Puis le corps ne put faire barrage plus longtemps et l'esprit reçut l'impact. *Patty...* Le mur céda et les émotions affluèrent comme un torrent, toutes en même temps, se confondant, et la rage qui semblait prendre l'ascendant sur les autres. Frewin serra les poings et ferma les paupières un court instant.

Ses mâchoires se contractèrent.

— Je suis désolé, murmura-t-il en se levant. Je ne peux pas.

Frewin ne dormait toujours pas malgré l'heure tardive. Il ne pouvait sortir Ann de ses pensées. Qu'avait-il fait ? La sensation désagréable d'avoir commis une erreur qu'il aurait pu éviter le démangeait. Mais où était l'erreur ? Était-ce d'avoir couché avec elle ou de ne parvenir à s'autoriser une relation ? Une part de lui la désirait, voulait encore la goûter. Pas seulement pour les minutes lascives mais aussi pour la chaleur de sa peau contre la sienne, le réconfort, ne plus se sentir seul. *Tu ne formeras jamais un couple avec elle, ton couple c'était Patty.*

Il en revenait toujours au même point. Incapable de raisonner calmement. Tout se mélangeait, la sexualité, la peur, la culpabilité, l'envie de partager à nouveau, la morale. Il ne réussissait pas à trancher. À remiser Ann dans un coin, rangée parmi les souvenirs. À décider fermement que dès à présent il aurait avec elle un rapport purement professionnel. C'était ce qu'il avait cru choisir plus tôt dans la journée, il s'était leurré. Tout un pan de son être refusait ce manque.

Un débat sans fin. Fallait-il attendre que le temps fasse son ouvrage, qu'elle s'éloigne sous le coup du ressentiment et qu'ainsi l'ambiguïté se tarisse d'elle-même ? Solution de facilité, celle du couard qui ne fait pas le ménage en lui. Il en paierait le prix un jour ou l'autre, il ne fallait pas se mentir. La personnalité n'évacuait pas les dilemmes ou les problèmes irrésolus, elle les recouvrait, jusqu'au jour où les racines pourries remontaient leur gangrène à la surface, plus destructrices que jamais.

Il ne savait plus quoi penser, quoi faire. La fatigue, la confusion de l'enquête. Même dans ce domaine il ne savait plus s'orienter. L'hypothèse d'une femme devenait difficile à écarter, même si elle n'allait pas avec celle d'un tueur au sein de la 3ᵉ section. Et les femmes n'étaient pas légion, encore moins celles qui avaient été proches au moment des trois crimes. Une poignée de secrétaires et quelques infirmières. Et cela impliquait que Clauwitz et Forrell soient morts à cause d'un « incident de tir », et non de la présence d'un tueur dans la 3ᵉ section. Difficile à croire.

Et pourtant…

La porte d'entrée grinça légèrement.

Frewin sentit la peau de son crâne qui se tendait. Il se tordit la nuque, très lentement, pour distinguer l'ouverture.

Une silhouette pénétra dans l'église, emmitouflée dans un vêtement ample, et referma le lourd vantail derrière elle.

Puis elle se mit à marcher en direction de Frewin.

42

Frewin connaissait cette forme et ces gestes. Elle portait un châle sur les épaules.

— Ann ?

Elle sursauta à son approche.

— Je venais vous réveiller, dit-elle dans l'obscurité. Il s'est passé quelque chose.

— Quoi ? Dehors ?

— Je n'arrivais pas à dormir alors je suis allée prendre l'air sur la place. Il y a deux minutes, un adolescent est arrivé à toute vitesse sur un vélo, paniqué, blême. Il s'est précipité vers moi dès qu'il m'a vue et m'a noyée de paroles que je ne comprends pas. Il nous faut un interprète. Je crois que c'est grave.

Frewin distinguait à peine son regard dans la pénombre.

— Il a du sang plein les mains et les habits, ajouta-t-elle.

Le garçon n'avait pas vingt ans. Il était brun, les cheveux en pagaille, et plusieurs virgules de sang tachaient sa joue depuis qu'il se l'était frottée. Frewin avait réveillé ses hommes et Conrad revint du restaurant où les hommes des transmissions s'étaient installés avec un interprète. Un petit homme approchant la trentaine, des lunettes rondes sur le nez. L'adolescent restait debout, hagard, sans lâcher son vélo. Dès qu'on lui adressa la parole dans sa langue, ses yeux se ranimèrent d'une panique incroyable et il se mit à débiter des phrases à toute vitesse. L'interprète leva les mains pour le calmer et entreprit de relater ce qu'il comprenait :

— Tout le monde est mort, il y a du sang partout, apparemment il parle d'une ferme à la sortie du village.

— Un commando ennemi ? demanda Frewin.

L'interprète posa la question, et répondit :

— Il n'en sait rien, il n'arrête pas de répéter que c'est atroce.

Frewin fit signe à ses hommes de se rassembler.

— On va aller voir, il nous faut une unité armée au cas où.

— Je vois où est cette ferme, affirma l'interprète, une compagnie campe à proximité et une section en particulier à moins de cinq cents mètres.

Frewin serra les poings :

— Ne me dites pas que c'est la compagnie Raven ?

— Si, il paraît que ces types sont des lions au combat, avec eux vous ne courez aucun risque.

Sans plus attendre, Frewin ordonna :

— Donovan, allez vous chercher un autre interprète et revenez auprès du garçon, demandez-lui qui il est, tout ce qu'il a vu, en détail, faites-moi un rapport complet. Et réveillez Matters, je me fous de savoir s'il a mal à l'épaule, qu'il vienne vous aider. Monroe, pre-

336

nez des armes lourdes, on ne sait jamais. (Il fit à nouveau face à l'interprète.) Demandez-lui combien de personnes vivaient dans cette ferme.

L'intéressé transmit la question et la réponse vint, aussi rapide que brève :

— Toute une famille, les parents et leurs quatre enfants.

— Les âges des gamins ?

Autre échange et réponse immédiate :

— Le plus jeune devait avoir dix ans et les autres s'échelonnaient jusqu'à dix-sept pour l'aînée. Je crois que c'est elle qu'il allait voir.

— À cette heure-ci ?

L'homme haussa les épaules et transmit la question du lieutenant. Cette fois l'échange fut plus long.

— Il dit que le père n'approuvait pas leur relation, il venait la chercher si tôt parce qu'ils avaient prévu de s'enfuir avant l'aube, profitant de la libération.

Frewin soupira.

— Bon, on y va et tout le monde vient, vous aussi, Ann.

L'infirmière approuva et l'interprète intervint :

— Euh… Vous n'avez plus besoin de moi, alors si vous allez chercher un autre…

— Comment vous appelez-vous ? s'enquit le lieutenant.

— Philip Dougman.

— Vous venez aussi, Philip, trancha Frewin. Il se pourrait qu'on ait besoin de vous là-bas. Du moins espérons-le.

43

La nuit était noire, une chape d'épais nuages surplombait l'horizon. Frewin avançait sur un chemin de campagne, lampe-torche à la main. Monroe, Larsson et Baker suivaient, mitraillette en bandoulière et encadrant l'interprète, tandis que Conrad et Ann tenaient d'autres lampes qui ouvraient des éventails jaunes dans le velours de la forêt.

Leurs pas écrasaient les brindilles et la terre encore gorgée de pluie fraîche. La faune nocturne s'époumonait, grillons en tête, stridulant sous les fougères du sentier. Plus un bruit de combat, pas même le roulement des mortiers ou de l'artillerie lourde. Tout laissait croire qu'ils évoluaient dans le cadre bucolique d'un paisible village à l'approche de l'été. Sauf la tension qui les parcourait. La probabilité que l'adolescent se soit alarmé pour rien était quasiment nulle, le sang qui le maculait n'était pas le sien. Et la proximité de la 3e section laissait augurer le pire.

Après moins de dix minutes de marche, un vieux mur apparut dans une clairière. Il encerclait deux bâtiments, une grange et une maison plus petite. Un des deux battants du haut portail était ouvert sur une cour profonde. Frewin fit stopper le groupe et s'approcha. Il ralentit sur les derniers mètres, passa la tête par la porte pour distinguer la ferme. Puis il observa le sol et fit signe à ses hommes de le rejoindre.

— Je vais entrer avec Monroe, chuchota-t-il. Vous attendez un signe de ma part. Ensuite, vous vérifiez bien où vous posez les pieds, il y a des traces un peu partout, j'aimerais que nous les conservions intactes.

Sur quoi il ramassa un bâton et s'élança en balayant le sol de son faisceau lumineux pour ne pas marcher n'importe où. La pointe de son bâton traçait un sillon derrière lui.

Il contourna un puits et se posta à l'entrée de l'habitation principale, où brûlait une lanterne.

Frewin fit un geste vers les autres, en leur indiquant de suivre le trait creusé dans la terre.

Ann marcha au côté du géant Larsson, et elle remarqua une multitude de traces aux abords du puits. Elle éclaira cette zone et vit que de nombreux allers-retours entre la margelle et la maison avaient inscrit leurs passages dans la boue. Il y avait des empreintes de pas partout. Une énorme tache sombre et brillante recouvrait un bord de la margelle.

— Regardez ! souffla-t-elle.

Ils tournèrent la tête comme un seul homme pour découvrir le sang frais sur la pierre. Frewin reprit le contrôle :

— Baker et Conrad, vous allez inspecter la grange, Monroe et moi on s'occupe de la maison. Les autres vous restez dehors. Jetez un œil sur ce puits mais surtout n'effacez rien !

Frewin entra dans la maison, suivi par Monroe, celui qu'on appelait « Tête Brûlée » dans la PM. En passant, Frewin remarqua que ni la serrure ni le chambranle ne paraissaient forcés. Son premier soupçon se porta sur l'adolescent. Il connaissait l'endroit, il en avait peut-être les clés. Il semblait vraiment choqué pourtant, il y avait une terreur sourde en lui, à la limite de la démence, il était tout près de s'effondrer.

Le couloir carrelé était couvert de gadoue, très récente. Bien plus que l'adolescent n'avait pu en apporter lors de sa venue. Craig Frewin sortit son pistolet, sa lampe dans l'autre main. Ils arrivèrent à la pièce principale, une grande cuisine servant de salle à manger. Deux portes dans le fond et un escalier pour accéder à l'étage. Une lanterne diffusait sa clarté pâle.

Du sang luisait sur les carreaux gris, balisant une route tragique qui conduisait à l'escalier.

Frewin sentit son cœur battre jusque dans ses tempes, un drame effroyable venait de se produire entre ces murs, il le savait désormais. Ce qui l'inquiétait c'était de connaître l'ampleur du carnage. À première vue il y avait trop de traces de pas entre la maison et le puits pour n'impliquer qu'un seul individu. Surtout si toute la famille avait été frappée.

Les gamins seront à l'étage, indemnes.

Frewin avança, auscultant son environnement, captant chaque détail, le positionnement des chaises, celle qui était renversée sur la trajectoire reliant le couloir à l'escalier. *C'est là-haut que ça a eu lieu. En pleine nuit, ils dormaient.* Frewin repensa à la porte non fracturée. *C'étaient des gens confiants, ils ne fermaient pas leur porte à clé. Tout était ouvert. Ils n'avaient pas le réflexe de se barricader à la nuit tombée.*

Il leva sa lampe vers le palier du premier étage. Tout était plongé dans l'obscurité.

Une étoile pourpre marquait le haut du mur. Deux gouttes s'en étaient échappées pour former deux traits parallèles sur une trentaine de centimètres, avant que le filet ne se tarisse. Même de là où il était, Frewin distinguait l'humidité du sang. L'attaque était très récente. Une poignée d'heures à peine.

Monroe ouvrit les portes derrière son lieutenant et revint aussitôt en faisant signe qu'il n'y avait rien. Frewin grimpa les marches, lentement. Elles grincèrent. Une fois au sommet, il éclaira le dégagement où une dizaine de petites flaques laissaient présager l'horreur. Quatre portes entrouvertes. Frewin désigna les deux à droite pour que Monroe s'y engage, pendant qu'il inspectait les autres.

La première ouvrait sur une chambre austère : un coffre à jouets en bois dans un angle et rien d'autre qu'un lit froissé, aux draps entortillés sur le plancher. L'unique oreiller était enfoncé sous l'empreinte d'une petite tête. La plume était tellement tassée que les contours de ce crâne d'enfant étaient parfaitement lisibles. De la boue maculait le sol et Frewin reconnut la forme d'une semelle caractéristique. Une ranger. De taille adulte. La lampe caressa le décor.

Pas d'enfant. Nulle part.

Pas de sang non plus.

Le plus jeune des gamins dormait. Proie facile. Son cerveau fonctionnait à présent en analysant tout selon une lecture criminelle, cherchant l'interprétation la plus pessimiste de ce qu'il voyait. L'apparence des draps dont une partie étaient étrangement torsadés fit émerger des images sordides dans le crâne du lieutenant.

On lui a enroulé la tête dans ses couvertures, et on a roulé le bord jusqu'à resserrer la pression autour du cou du gosse. L'épaisseur des couvertures aura aidé à l'étouffer. Frewin se représenta un garçon de dix ans, écrasé par le poids d'un adulte puissant, ce dernier enroulant draps et couvertures autour du visage de l'enfant et serrant.

Frewin fixait la pièce vide, sans corps. Il recula d'un pas et passa à la suivante.

— C'est vide de mon côté. RAS sauf les lits en pagaille, murmura Monroe en revenant à son niveau.

Frewin poussa le battant du bout du pied et la dernière chambre, celle des fermiers, se profila. Il orienta son cône de lumière vers les murs pour faire apparaître une grosse armoire qui défila avant de céder la place à une commode rafistolée. Le cercle continua d'ouvrir une vision claire dans les ombres profondes, glissa sur une croix clouée au mur. Celle-ci retourna aux ténèbres. Puis ce fut un grand lit qui entra dans le rayon.

Un pied humain, un second, une cheville, une jambe, les jambes, la tranche de clarté remonta rapidement, jusqu'à se braquer totalement sur le lit.

Monroe se mit à expirer bruyamment.

— Oh merde…, lâcha-t-il avant de reculer.

Une femme était allongée sur le dos, chemise de nuit remontée jusqu'au nombril. Un flot de sang mouillait les draps entre ses cuisses. Une bouteille en verre était enfoncée dans son intimité. Jusqu'au culot fendu qui avait déchiré les chairs pour la pénétrer de toute sa largeur. Un marteau reposait sur son ventre.

Sa tête n'était plus qu'un magma vermillon, de cheveux mêlés de débris de cervelle rose. Des centaines de gouttelettes zébraient le mur et le plafond, collant des esquilles d'os.

Un carré de peau apparut par-delà le lit. Frewin fit un pas à l'intérieur pour contourner le châlit.

Une autre femme. Une jeune fille.

Elle aussi avait la chemise de nuit remontée sur la poitrine. Elle était face contre le plancher, une ceinture serrée autour du cou, les genoux ramenés sous elle pour dégager sa croupe relevée qu'elle exhibait malgré elle. On y avait enfoncé une bougie après y avoir planté une douzaine de coups de couteau.

Il se pencha pour écarter le tissu qui dissimulait le visage de l'adolescente. Il la considéra un bref instant. Ses paupières mi-closes, son regard vide, sa lèvre supérieure molle, tout le travail de la mort ne parvenait pas à la rendre moins touchante. Puis il se redressa pour saisir la scène dans son ensemble.

Le sang brillait dans l'éclairage.

Il n'y avait aucun doute quant à l'identité de la première femme. La peau de son ventre était flasque et ses jambes marquées de nombreuses varices. La mère.

— On a fouillé toutes les pièces ? interrogea Frewin avec douceur.

— Oui, on a tout vu, murmura Monroe.

Frewin vit la bouillie grumeleuse qui remplaçait l'anus et les lèvres génitales de l'adolescente. Un flot de sang presque séché avait dégouliné sur ses cuisses. Frewin avala sa salive. Trop de sang pour une blessure post mortem. Elle était vivante lorsqu'on l'avait violée avec un couteau.

Ce fut d'une voix cassée qu'il dit :

— Il manque les hommes. Il n'y a aucun corps de garçon.

44

Frewin venait de disparaître dans la maison. Ann diffusa la lueur de sa lampe sur les multiples traces de pas qui allaient de la porte d'entrée au puits.

— Ne marchez surtout pas dessus ! avertit Larsson.

Sans répondre, Ann s'accroupit près de l'empreinte.

— Soldat, corrigez-moi si je me trompe, dit-elle, mais ce sont des marques de rangers, n'est-ce pas ?

Le géant blond vint à son niveau, laissant l'interprète seul en retrait. Il fit passer sa mitraillette sur sa hanche pour se baisser.

— Exact.

Ann promena son faisceau et hocha lentement la tête.

— Ça ne va pas ? demanda Larsson.

— J'ai l'impression qu'il n'y avait pas plusieurs personnes, c'est la même qui a fait de nombreux allers-retours, regardez !

Elle pointa du doigt trois paires d'empreintes de semelles dans la boue, toutes allaient et revenaient.

— Même taille, on dirait. Et là-bas, le sillon qui les recouvre c'est le vélo de l'adolescent. On voit ses pas à lui, plus petits, semelles plates et usées.

— En effet. Vous croyez que c'est notre tueur… ?

Ann haussa les épaules.

— Ça dépend de ce qu'ils vont trouver à l'intérieur. Cependant… des rangers, un homme, un seul, du sang, et la 3e section qui dort à moins d'un demi-kilomètre.

Elle tendit le bras pour illuminer le rebord couvert de sang. Il avait beaucoup goutté, comme s'il avait servi à briser un crâne. Ann avisa un passage sur le côté qui ne compromettait pas les indices et vint se poster au-dessus du puits.

La lumière s'engouffra dans le tunnel vertical. L'eau était à six bons mètres au-dessous.

— Alors ? interrogea Larsson sans élever la voix.

Ann fit signe qu'elle ne voyait rien de particulier.

Une bulle perça alors la surface plane. Ann s'étira pour descendre la lampe le plus bas possible. L'eau stagnait.

Une autre bulle creva en remontant, grosse et suivie de deux autres.

— Je me suis trompée, il y a quelque chose, prévint Ann.

Elle chercha un moyen de sonder le fond sans rien trouver. La main de la corde s'illumina au-dessus d'un seau au passage de la lampe. La corde enroulée paraissait solide. *Si tu veux en avoir le cœur net, il n'y a pas deux solutions. Tu dois descendre.*

— Vous êtes costaud, vous pourrez tenir la manivelle pour m'assurer une descente progressive, dit-elle à Larsson.

Le grand soldat la dévisagea.

— Vous n'allez pas aller là-dedans ? C'est un coup à se tuer !

— J'ai vu quelque chose, faites-moi descendre.

— Non, dans ce cas c'est à moi…

— Vous êtes bien trop grand ! Comme tout le monde ici Et je suis légère, allez, aidez-moi à enjamber le muret.

Elle lui tendit la main. À contrecœur, il déposa sa mitraillette pour la soutenir et l'assister pendant qu'elle mettait les pieds dans le seau en bois. *Son cerclage en acier semble en bon état*, remarqua-t-elle avec appréhension.

— Allez-y doucement, hein ? fit-elle.

Larsson commença à tourner la manivelle et dut y mettre les deux mains dès qu'Ann lâcha la margelle pour transmettre tout son poids à la corde qui grinça. Philip, l'interprète, s'approcha et se pencha pour guider le géant qui se concentrait pour doser sa force et les coups de manivelle.

— Allez-y. Encore. C'est parti.

Ann vit le monde monter autour d'elle avant que le mur de pierre l'encercle totalement. Alors elle ressentit pleinement la descente. Le cercle qui l'emprisonnait n'avait pas un diamètre supérieur à un mètre.

Elle comprit que sa marge de mouvement était bien plus restreinte qu'elle ne l'avait supposé. Tourner sur elle-même se révélerait déjà difficile. Mieux valait ne pas imaginer pire.

L'air devint subitement plus frais. Une odeur de vieille cave se réveilla. Au-dessus d'Ann, la surface prenait la forme d'un rond clair, avec la tête de Philip. La voix du petit homme résonna :

— Encore… Allez-y… Encore…

Pourtant Ann sentait qu'elle s'éloignait de lui. Du monde.

346

Plus elle s'enfonçait dans le boyau étroit, plus les sons lui parvenaient étouffés.

Elle sortit la tête de ses épaules et éclaira sous elle.

L'eau se rapprochait. La mousse recouvrait les parois, et quelques insectes se faufilèrent dans des fissures.

— Ça va, mademoiselle ?

C'était Philip. Il semblait très loin, à l'autre bout d'un corridor minuscule.

— Oui, lança Ann.

Sa voix résonna si fort qu'elle en fut mal à l'aise. Pourtant Philip ne bougea pas, comme s'il ne l'avait pas entendue.

Elle était passée dans un autre univers. Ce puits ouvrait une porte vers les entrailles du monde, où les ombres prenaient une densité palpable, où les sons mouraient depuis la surface, où la lumière n'avait aucun pouvoir. Ann regarda sa lampe-torche, un tube coudé de couleur kaki qui peinait à imposer sa présence.

Elle descendait.

Une substance molle souleva le fond du seau en émettant un bruit sourd et mouillé.

— Stop ! s'écria Ann.

La corde s'immobilisa. Le seau touchait l'eau noire.

— Remontez-moi un tout petit peu ! exigea-t-elle.

Ils obéirent et Ann se stabilisa à trente centimètres au-dessus du disque ondulant. Elle lâcha la corde pour passer son bras et saisir la lampe avant de poser sa main sur la pierre froide, arrachant un peu de mousse au passage.

Elle voulut se pencher

Le seau se déroba aussitôt et se déséquilibra. Ann enfonça ses ongles dans l'interstice des pierres et dut plaquer son avant-bras pour se rattraper tandis qu'elle

347

basculait. Elle serra la lampe de toutes ses forces et le rebord du seau vint taper contre l'autre côté du mur.

Figée dans une position hasardeuse, mais indemne. Très lentement, elle chercha à stabiliser son centre de gravité et retrouva un aplomb. Personne ne se manifesta en haut. Elle était réellement loin de tout.

Avec précaution, Ann braqua la lampe vers l'eau.

Elle était noire, opaque.

Non, pas noire… cuivrée. Ann força sur ses yeux pour discerner les nuances qui l'interpellaient. Ses genoux commençaient à lui faire mal, et le bord du seau s'enfonçait dans ses mollets. Elle n'y voyait pas assez.

En se tenant fermement à la corde, elle entreprit de s'accroupir sans basculer, pour tendre le bras et toucher l'eau. Glaciale. Son souffle l'encercla comme un vent tourbillonnant, puis mourut.

Elle creusa sa paume pour en recueillir un peu et remonta la main pour l'inspecter.

Le liquide était rouge.

Du sang ! Ann scruta l'eau qui ondoyait.

Quelque chose bougeait, tout au fond.

Tout alla très vite.

Une grosse bulle d'air éclata avec un gargouillis.

Brusquement, une forme terrifiante remonta vers la surface.

Une main blanche surgit en éclaboussant Ann, une main ouverte aux doigts blêmes qui jaillit des tréfonds du puits pour l'agripper.

Ann se mit à hurler et sut qu'elle allait basculer.

Tout se mit à tournoyer tandis qu'elle tombait vers cette peau huileuse et froide.

45

Elle eut un réflexe fulgurant et parvint à saisir la corde tout en enfonçant ses doigts dans la pierre. Ses ongles se retournèrent et la douleur la foudroya.

Elle vit la lampe s'échapper et reporta immédiatement son attention sur son équilibre. Elle tenait bon. À quelques centimètres à peine du bras qui remontait vers elle.

La lampe émit un son bref en sombrant dans l'abîme rougeâtre. Son pinceau étincelant capta des mouvements sous la surface.

Et Ann vit d'autres membres apparaître. Des jambes reliées à des torses et enfin des visages qui plantèrent leurs regards froids en elle.

Tous mutilés.

Frewin venait à peine de sortir de la maison lorsqu'il entendit Ann hurler, loin, très loin. En face, Baker et Conrad s'extrayaient de la grange lorsqu'ils perçurent le cri. Ils se raidirent avant de se précipiter.

Frewin vit Larsson et Philip penchés au-dessus de la margelle du puits et accourut.

— Ann ! s'époumona-t-il. Ann !

La lumière provenant du fond du puits avait disparu, s'étouffant brutalement.

— Ann !

— Je suis là, fit-elle en bas, je suis là.

Sa voix semblait distante d'une trentaine de mètres, faible et apeurée. Elle provenait de ce trou totalement obscur.

— Il faut me remonter, dit-elle sur le même ton ému. J'ai remué l'eau et j'ai libéré ce qui était coincé. Remontez-moi.

Frewin ne décela aucune panique en elle, mais une peur enfantine, paralysante. Il attrapa la manivelle en même temps que Larsson et ils l'actionnèrent ensemble. La corde commença à s'enrouler, en émettant des grincements inquiétants.

Puis Ann apparut, les lèvres serrées.

Frewin la saisit et la souleva d'un coup pour l'extraire de la fosse effrayante. Il se rendit compte que ses doigts étaient en sang. Elle s'était arraché plusieurs ongles.

— Ça va, dit-elle tout bas.

Mais ses yeux étaient emplis de larmes.

— Ça va, répéta-t-elle. Il y a des cadavres. Beaucoup de cadavres. Il va falloir les ramener.

Les trois fils de la ferme, âgés de dix à quinze ans, et le père furent hissés et allongés sur des civières. Ils étaient livides, la peau brillante et caoutchouteuse. Une énorme bouche avait été ouverte sur leur gorge. On les avait saignés comme des porcs, au-dessus du puits comme en témoignaient les coulures sur la margelle, avant de les jeter dedans.

Les deux femmes sortirent de la maison de la même manière, dissimulées sous un drap. Frewin avait veillé à préserver ce qu'il restait d'intimité à leurs corps saccagés.

Un camion flanqué de la croix rouge les avait rejoints à la demande du lieutenant, accompagné de quatre brancardiers. On embarqua les six cadavres à l'arrière.

Ann avait une main bandée et se tenait entre Frewin et Matters qui les avait rejoints avec l'ambulance militaire.

— Je confirme ce qu'a dit Mlle Dawson, rapporta Matters, ce sont les mêmes empreintes de rangers qui font des allées et venues entre la maison et le puits. J'ai vérifié plusieurs fois.

Frewin acquiesça, l'air sombre.

— Il s'est rendu dans la ferme en pleine nuit, pendant qu'ils dormaient. La porte était ouverte, ça lui a simplifié la tâche. Avant il a fait un tour dans la grange, Conrad m'a dit qu'on avait mal rangé plusieurs outils et qu'il semblait en manquer un sur l'établi. Le tueur a pris un marteau qu'il a ensuite laissé là-haut dans une chambre. Il a sûrement commencé par le petit gosse, il l'a étouffé dans ses draps, lui écrasant la tête sur l'oreiller. Ensuite il a fait de même avec les autres garçons avant de s'occuper de la fille. Puis les parents, pour finir. C'est là qu'il a usé du marteau, pour défoncer le crâne du père. Un coup brutal, extrême, pour lui perforer les os, enfoncer la masse de métal dans le cerveau.

Ann se contracta, Frewin y mettait des détails inutiles… Elle réalisa soudain qu'il procédait à voix haute aux premières déductions. Ses yeux fixes indiquaient qu'il était encore dans la chambre. En bon observateur il parvenait à ébaucher une chronologie à partir de ce qu'il avait remarqué des lieux, des indices et des corps.

Il analysait les circonstances de la boucherie. Le langage du sang.

— Et pour terminer, un autre coup de marteau, continua Frewin. Cette fois en plein visage de cette femme qui s'éveille, terrorisée. Il a le temps de massacrer le père, toujours à coups de marteau, un instrument pratique, dévastateur. Il y a plein de gouttes sur les murs et au plafond, les projections de coups répétés. Et la mère a été massacrée de la même manière sauf qu'il a terminé avec une bouteille. Elle devait se trouver dans la chambre, sur la table de chevet. Il s'est servi de l'objet qui traînait là. Il l'a enfoncé dans le sexe de la mère, et a forcé le passage en frappant à coups de marteau sur le culot, ce qui explique les grosses fissures dans le verre.

Ann soupira pour expulser son dégoût. Matters demeurait impassible.

— Elle était vivante lorsqu'il lui a fait ça, ajouta-t-il. Il y avait beaucoup trop de sang dans les draps, le cœur battait encore. Le tueur est alors retourné dans la chambre de l'adolescente qu'il avait commencé à étrangler avec une ceinture, elle n'était pas morte à ce moment, « juste » groggy. Il la tire dans la chambre des parents et là, il la viole avec un couteau tout en tirant sur la ceinture qui lui enserre le cou. Jusqu'à la mort.

— Mon Dieu…, murmura Ann. Pourquoi cet acharnement ?

— C'est vrai, ça ne colle pas à la personnalité que nous avions profilée jusqu'à présent ! déclara Matters. Cette fois il n'a presque pas fait de mise en scène, et il est resté pour la mort, on peut même dire qu'il a fait durer le plaisir.

Frewin guetta la maison où scintillaient plusieurs lanternes allumées par ses hommes.

— En effet, il a changé bien des choses.

Frewin planta ses prunelles rougies de fatigue et de tension dans celles de Matters.

— Comment a-t-il pu tuer toute une famille à lui seul ? protesta le sergent. Je suis monté avec les brancardiers, rien que les marches font un boucan énorme dès qu'on avance ! Ça aurait dû les réveiller…

— Il n'y a pas de pot de chambre à l'étage et pas de toilettes non plus, exposa Frewin. Ils devaient descendre s'il fallait se soulager la nuit. Du coup le grincement des marches n'a alerté personne, c'était habituel. L'assassin se sera montré le plus discret possible pour étouffer les enfants, chacun leur tour, avant de broyer les crânes des parents.

Matters scruta son lieutenant avec admiration. C'était ce genre de précision qui le rendait si brillant, le lieutenant Frewin remarquait ces choses-là immédiatement et en tirait la déduction qui s'imposait. L'absence de toilettes et de pots de chambre à l'étage… tout un quotidien rétabli en une fraction de seconde : l'habitude d'entendre les grincements dans les marches la nuit… Frewin avait *ça* dans le sang, cette faculté de prendre les toutes petites choses de la vie et de les replacer dans un contexte criminel. C'était ça qui inquiétait ses détracteurs. Sa facilité à penser au mal, à l'analyser. Comment se montrer si pertinent sans être soi-même déséquilibré ? Pouvait-on cerner, disséquer et appréhender le langage du sang sans être soi-même contaminé ?

— Il a enfoncé des objets dans les deux femmes de la maison, poursuivit-il, il ne les a pas violées lui-même.

Apparemment. On verra à l'autopsie mais je n'y crois pas. Avant de nous pencher sur cette question il faut que nous soyons tous conscients de ce qui s'est passé ici. Il n'a pas tué pour lui, il s'est écarté de ses méthodes et de ses victimes habituelles, ici tous les hommes ont été cachés, il n'a laissé que les femmes parce qu'il les déteste, il n'a aucun respect pour elles, au point de préférer les abandonner dans des postures dégradantes que se donner le mal de les descendre jusqu'au puits. Il ne voulait pas accomplir de mise en scène macabre qui corresponde à ses fantasmes, non, rien qu'une tuerie pour passer ses nerfs, et surtout nous faire souffrir. Juste nous punir.

— Nous punir ? répéta Matters. Pour l'avoir provoqué, c'est ça ?

— J'en ai peur.

Ann comprit qu'une souffrance incommensurable tournoyait en Frewin. Il avait fomenté le plan pour pousser le tueur à bout, le contraindre à commettre une erreur. Et, plus malin qu'ils ne l'avaient envisagé, l'assassin avait retourné le plan contre eux. Il ne s'en était pas physiquement pris à l'auteur du rapport. Il s'en était pris à lui en lui donnant tort, en le blessant dans son orgueil. En détruisant des innocents. Une évidence pour un être intelligent. *Très intelligent !* corrigea Ann. *Au point d'avoir une analyse pertinente de la situation, de ses actes même ! Au point d'être capable de ne pas se laisser emporter par ses émotions et de fomenter un coup pour frapper encore plus fort l'adversaire, sur le même terrain : la psychologie et l'orgueil.*

— On l'a sous-estimé en croyant qu'il était seulement subtil, commenta Ann. C'est un boucher à l'intelligence supérieure.

Frewin hocha la tête. Il s'était fait battre à son propre jeu.

— Nous savons au moins qu'il a lu le rapport, exposa Matters. C'est donc bien un type de la 3e section.

Frewin ne répondit pas. Il ne savait plus. L'abattement l'empêchait de réfléchir correctement. Oui, tout pointait du doigt la 3e section depuis le début. Cependant il y avait plusieurs éléments qui le tracassaient. Le bas, arme pratique pour une femme. Le symbole féminin sur le lieu du crime de Fergus Rosdale. Le moyen qu'utilisait le tueur pour amener ses victimes jusqu'à lui sans attirer ni attention, ni méfiance, ce qu'une femme pouvait aisément réaliser dans ce contexte militaire. Et maintenant la présence de la mère et la fille, mutilées. Pourquoi avait-il laissé les femmes dans une position si humiliante ? Après un tel acharnement sur elles. La haine ? Assurément. Et pourquoi pas la jalousie ? On s'en était surtout pris aux parties génitales. Si c'était une femme l'auteur de cet acte odieux, qu'avait-elle cherché à exprimer ? Le langage du sang…

La rage de ne pas avoir de sexualité ? De ne pas avoir d'enfant ? Non… il y a mutilation du sexe, pas du ventre ni des seins… Rien que le sexe.

Frewin sentait que c'était là la clé délicate de ce qui rongeait la tête du tueur. Malgré tous ses efforts, il ne parvenait pas à comprendre ce que cet acte signifiait. La rage, oui, mais de quelle origine ?

Il y avait tant de suspects Pourtant l'hypothèse d'une femme, même si elle ne remplissait pas tous les blancs, lui semblait de plus en plus envisageable. Qui était le coupable ? Quelqu'un qui avait lu le faux rapport ou en connaissait l'existence. Les hommes de la

PM en faisaient partie. *Non, pas eux...* Pourtant Frewin ne parvenait pas à gommer de sa mémoire une remarque de Monroe : *« Sauf si c'est l'un d'entre nous. »*

Je suis fatigué...

Conrad vint les rejoindre.

— J'ai suffisamment d'empreintes de pas pour certifier la pointure, lieutenant, c'est du 44.

— Vous êtes sûr ?

— Catégorique, j'ai comparé avec celles de Monroe, ce sont exactement les mêmes, il fait du 44. Et... je pense qu'il a une démarche un peu particulière.

— Pourquoi ça ?

— Les empreintes sont toutes penchées vers le talon, l'avant de la chaussure s'enfonce très peu dans le sol.

— Parce qu'il portait les corps, avança Frewin.

— Non, je ne crois pas, les traces qui repartent vers la maison, quand il devait être « à vide », sont les mêmes. Je pencherais pour un type qui marche en appui sur les talons, ça ne se verrait pas à l'œil nu je crois, sauf si on observe attentivement.

— Très bien, je veux la liste de tous ceux qui font cette pointure dans la 3e section, ordonna Frewin.

— Vous ne relevez pas les empreintes digitales ? interrogea Ann. Il doit y en avoir un tas.

— Et avec quoi le ferions-nous ? De toute façon, nous ne pourrions les comparer avec toutes celles de la section, ça prendrait un temps fou, et surtout ça demanderait un minimum de matériel que nous n'avons pas.

— Et ce type est suffisamment malin pour mettre des gants, comprit Ann. Et pour la suite ?

— On va prendre le temps de digérer ce qu'on vient de voir et l'étudier. Tuer est un acte qui demande d'ouvrir une véritable brèche dans ce qu'est un individu, pour y puiser l'énergie d'aller jusqu'au bout. Je ne peux pas croire qu'il ait tué six fois entre ces murs sans y laisser une part de lui-même. À nous de savoir la trouver et de la lire. Sous quelque forme que ce soit.

Frewin guetta l'ambulance qui démarrait pour rentrer au village, chargé de sa sinistre cargaison.

— Et j'en ai marre de prendre des gants avec la 3e section, pesta-t-il. Ce matin je vais me faire un plaisir d'aller secouer tout le monde. Tant pis si ça déplaît à Toddwarth et à l'état-major. Je vais vider leurs affaires et tout savoir sur chacun d'eux.

Il se tourna vers Matters :

— Et trouvez-moi Lisa Hiburgh, la petite amie de Rosdale !

46

Ann devait gagner du temps.

Ne pas laisser Frewin investir la 3e section tout de suite car le groupe allait se resserrer, en vertu de leur lien fraternel et du sentiment de persécution qui ferait de tout être extérieur un ennemi potentiel. Ann avait encore l'espoir de glaner des informations en se rendant parmi eux. Risbi lui devait des explications, elle avait abandonné ses documents dans sa tente et pouvait exiger de les récupérer.

Le soleil émergeait à peine sur l'horizon blanchâtre qu'elle sortit rejoindre l'hôpital de fortune installé dans la salle des fêtes, où on l'envoya dans la maison mitoyenne prendre une douche chaude qu'elle savoura. Elle enfila sa blouse blanche sur ses bas, il faisait trop frais pour s'en passer, et chaussa ses petits mocassins blancs. Elle emprunta l'un des vélos réquisitionné par les officiers des communications pour se déplacer dans le village et pédala jusqu'à l'orée de la forêt. Là elle bifurqua sur un chemin de terre et roula dans une ornière sur près de trois cents mètres. La compagnie Raven s'était installée dans un champ en jachère, la 3^e

section à l'écart, comme à son habitude et comme le voulaient désormais la tradition et le privilège de ce corps d'élite. Des marmites dégageaient une fumée odorante tandis que plusieurs silhouettes sillonnaient le camp, torse nu malgré la température du petit matin. Ann reconnut Cal Harrison et découvrit qu'il arborait des tatouages marins sur les bras et le dos. Il la toisa lorsqu'elle freina et gara son vélo contre une table pliante. Sans se démonter elle vint à sa rencontre :

— Bonjour, je cherche la tente du soldat Risbi.

Harrison, sans un sourire, lui désigna la structure de toile la plus proche.

— Juste là. Qu'est-ce que vous lui voulez ?

— Rien, sinon récupérer des documents qu'il a trouvés.

Harrison avait un regard inquiétant, ses yeux étaient sans vie, d'un bleu sans aucune transparence, comme la banquise, si froide qu'elle en prend une teinte abyssale. Ann le remercia du bout des lèvres et s'écarta. Tous les hommes de la section avaient le visage fermé, l'expression fatiguée de ceux qui reviennent du combat sans leurs camarades, et avec des cauchemars plein la tête. Elle aperçut Barrow, qui avait tenté de la brusquer dans la tente de Risbi. Sa pilosité écœura Ann. Il se fendit d'un rictus à son passage, mais ne broncha pas.

Ann passa une main dans l'embrasure du dortoir où logeait Risbi, et avant d'entrer s'écria :

— C'est le personnel médical, messieurs, j'entre.

Sur quoi elle pénétra dans le rectangle chauffé par le sommeil d'une poignée de mâles et marcha droit au fond où elle vit Risbi en train de lacer ses chaussures, sa séparation ouverte et attachée par un petit cordon.

Il se redressa dès qu'il l'aperçut, visiblement mal à l'aise.

— Bonjour, soldat, fit-elle. Je viens récupérer mes…

— Je les ai déjà rendus à votre collègue, la coupat-il. Dès que j'ai pu, je suis allé à l'hôpital dans le centre du village, pour les rendre. Je ne vous ai pas vue alors j'ai tout donné à une infirmière.

Ann fut prise au dépourvu, elle balbutia :

— Ah ? J'ai… Je n'ai pas été prévenue.

Risbi se gratta les cheveux qu'il avait très courts sur le crâne, l'air ennuyé.

— Euh… Le soir où vous êtes venue, je suis désolé pour Barrow.

— Vous pouvez oublier. Ce type n'est qu'un pauvre crétin.

Risbi se mordilla l'intérieur de la joue, cligna des paupières.

— C'est que…, finit-il par dire, il a jeté un œil à vos papiers, je suis désolé. Je lui ai dit que ça ne le regardait pas mais il est un peu con quand il s'y met.

— Qu'est-ce qu'il a dit quand il a lu tout ça ?

— Je crois qu'il y avait un rapport de la Police Militaire dedans et… avec ce qui s'est passé entre la PM et Cal, je veux dire le soldat Harrison, on est tous un peu tendus sur le sujet. Alors ça a bien fait marrer Barrow. Voilà, je suis désolé si ça vous cause des ennuis.

Ann secoua la tête.

— Peu importe, je n'avais qu'à pas m'arrêter là ce soir, ou avoir plus de tête. Vous dites que vous avez tout rendu à mes collègues alors ?

Risbi acquiesça.

— Très bien. Et votre blessure ? Ça va mieux ?

— Oui, ça cicatrise. Merci.

Il avait les yeux rouges sur des cernes bruns, comme la plupart des membres de la section. Ann contempla ce petit homme chétif et fut prise d'une bouffée de sympathie pour lui. Ce qu'ils enduraient était inhumain. Trimballés de camp en camp, pour partir tuer d'autres hommes, dans le bruit et la peur. Lorsqu'ils se posaient comme maintenant, ils ne dormaient pas, les oreilles encore sifflantes, l'odeur de la poudre encore collée à la peau, et le goût de la terre et du sang dans la bouche.

— Je suis désolée pour vos amis, dit-elle doucement.

Elle perçut une altération dans le regard du jeune homme. Il l'observait avec étonnement et une gratitude évidente.

— Toute cette tension, l'omniprésence de la mort, ça rend les soldats nerveux. Quand ils peuvent se lâcher, ils oublient un peu les limites. Je vous dis ça pour que vous sachiez que je ne vous juge pas. Même Barrow, qui ne sera certes jamais mon ami, quelque part, je n'arrive pas à lui en vouloir complètement. (Elle haussa les épaules et ajouta pour plaisanter :) Il me donne la nausée, c'est tout !

Risbi étouffa un rire nerveux.

— Lui, pourtant, si vous le connaissiez vraiment, il y aurait de quoi lui en vouloir ! C'est un véritable obsédé sexuel ! Et un… type malsain quand il s'y met.

— Pourquoi dites-vous ça ? demanda Ann, le plus innocemment possible.

— Il fait des trucs bizarres, Rod. Rod c'est son prénom, Rodney Barrow, « le sadique » on l'appelle. Et ça le fait marrer ce con !

— Mais pourquoi dites-vous qu'il est malsain ?

— À cause de ses occupations. Il ne parle que de femmes à poil, de ce qu'il leur ferait, il faut toujours qu'il rapporte tout au sexe. Et…

Comme les mots s'étouffaient dans sa gorge, Ann insista :

— Et ?

— Et il n'est pas net. Il fabrique des pièges à écureuils quand on est au repos comme en ce moment, pour les attraper et les dépecer. Ça l'amuse. Il dit qu'il s'entraîne pour quand il tombera sur un « enfoiré d'en face », qu'il lui fera la même chose. Au début on croyait tous qu'il disait ça pour jouer les gros durs, pour impressionner et se faire sa place. Mais j'ai l'impression que tout ça c'est vrai, il croit à ce qu'il dit.

— C'est un vrai coriace, comme Harrison et Hriscek, c'est ça ? Ils se fréquentent beaucoup tous les trois ?

— Un peu le même genre, mais c'est plutôt une relation de rivalité machiste qu'une amitié entre eux. Harrison, c'est le gros dur par excellence, le « rebelle » comme on dit. Hriscek, il est plus inquiétant, il dit pas grand-chose, en revanche quand ça sort, c'est l'explosion, c'est sa nature de forain, je crois, ajouta-t-il avec une pointe de moquerie.

Ann hésita puis se lança :

— Dites, j'aurais un service à vous demander. Un service un peu particulier.

Risbi croisa les bras sur sa poitrine, et fronça les sourcils.

— Oh, ce n'est pas parce que vous m'avez rafistolé l'autre jour que…

— Vous ne me devez rien, c'est juste que j'ai besoin d'aide et je ne sais pas vers qui d'autre me tourner.

Risbi fit une grimace qu'Ann interpréta comme un signe positif, un « je ne devrais pas m'embarquer là-dedans » avant qu'il ne dise :

— Allez-y, crachez le morceau, qu'est-ce que vous voudriez me demander ?

47

Ann entra dans l'église en milieu de matinée. Frewin était debout sur l'estrade du chœur, cerné de tableaux, et parlait à ses hommes rassemblés sur des bancs pour cet office très particulier. Ann devina que la PM préparait son intervention dans le camp de la 3ᵉ section pour fouiller chaque tente, vider chaque caisse d'effets personnels. Frewin s'apprêtait à déclarer la guerre à la compagnie Raven.

Ann s'installa discrètement en retrait pour saisir les paroles du lieutenant et découvrit qu'il n'était pas en train d'établir un plan d'assaut mais plutôt de disséquer les crimes de la veille. Les mots de Frewin résonnaient dans la nef, et elle remarqua qu'il manquait Donovan et Matters.

— … plus le temps passe et plus il brouille les pistes. En revanche, il y a des actes qu'il ne peut contrôler, et certains de ses gestes trahissent ce qu'il est réellement.

— Quelque chose de concret pour une fois ? demanda Baker.

— La personnalité d'un individu n'est pas concrète, Baker, alors n'attendez pas que nos analyses le soient.

Je comprends votre frustration, et croyez-moi, je la partage, mais il faut être patient, plus nos analyses s'affineront et plus nous cernerons l'homme en question, jusqu'à ce que nous sachions que c'est lui. Je pense notamment à ce qu'il a fait la nuit dernière, avec ces deux femmes. Rien n'est anodin, s'il n'a pas pris la peine de jeter leurs corps dans le puits comme pour les hommes, c'est qu'elles ne valaient pas l'effort à ses yeux.

— Ou qu'il voulait nous les montrer ! Toujours son désir de mise en scène, proposa Conrad.

Frewin secoua la tête.

— Je ne crois pas, pas cette fois. Il n'y avait aucun style, pas d'effet visuel, pas d'originalité dans la manière d'exposer les corps, sous trois kilos de bandes adhésives par exemple. Non, là ce n'étaient que violence, mutilation, carnage au niveau des parties génitales des deux femmes. Le visage était soit détruit pour la mère, soit caché derrière la croupe et sous du tissu pour la fille. On ne nous le montrait pas, on n'exposait que le résultat d'une colère. Ce qui était mis en avant c'était leur sexe, la chemise de nuit relevée. Des sexes torturés, saccagés. Et s'il y avait une vague mise en scène, elle ne reposait que sur des objets trouvés sur place, bouteille et bougie, rien de particulier sinon leur forme rappelant un pénis. Là encore ce n'est pas anodin. Mais surtout, le tueur a pris la peine d'amener la fille dans la chambre des parents. Ça c'est important.

— Pourquoi ? voulut savoir Baker qui ne comprenait pas où tout cela allait les mener.

— Parce que la ceinture qui a servi à étrangler la fille a été prise dans sa chambre, il y avait deux boîtes en carton ouvertes sur une commode, l'une était vide, l'autre contenait une ceinture usée. Je pense que le tueur est entré dans la pièce pendant qu'elle dormait, il a fouillé dans ses affaires, ce qu'il pouvait inspecter sans prendre le risque de la réveiller. Il a trouvé ces ceintures et a pris la plus belle, celle du dimanche. C'est pour ça qu'il ne l'a pas tuée comme les autres enfants : en les étouffant dans leurs draps et oreillers. La vue de la ceinture a dû réveiller quelque chose en lui.

— Il était battu à coups de ceinture quand il était môme, hasarda Monroe.

Frewin tendit l'index vers lui.

— Exactement. Nous savons que les liens entre violence, sexualité et crime sont essentiels. L'excitation des meurtres des garçons était à son comble quand il est entré dans la chambre de la fille. Là, il a voulu prendre un peu plus de temps. Les corps de ses victimes encore chauds dans les pièces attenantes, il avait besoin de remobiliser ses esprits, se poser un moment. Il la regarde dormir mais n'éprouve aucune empathie. Elle n'est qu'un objet qui le renvoie à sa colère. Alors il scrute les meubles, ouvre des boîtes à portée de main. La vision des ceintures réveille en lui des souvenirs douloureux, liés à un traumatisme fondateur de sa personnalité. La rage le reprend. En bon provocateur de la société qu'il est, il choisit la belle ceinture du dimanche, la symbolique est trop tentante. Il étrangle la fille, jusqu'à ce qu'elle cesse de taper des bras et des jambes contre son matelas. Elle n'est pas morte mais dans un état second. Alors il passe dans la chambre des parents pour leur fracasser la tête à coups de marteau, celui qu'il a pris dans la grange. Tous ses actes sont liés à des opportunités dans ce massacre. Le marteau, la ceinture, les draps, la bouteille, la bougie, rien que des éléments fournis par le décor, ce qui contraste avec ses mises en scène sophistiquées et méthodiquement préparées des crimes précédents.

— Et c'est lorsqu'il a neutralisé le père et amoindri la mère qu'il va chercher la fille…, termina Conrad tout bas.

— Oui, je pense ; car malgré son état il est possible qu'elle ait gémi tandis qu'il la violait avec un couteau, comme la mère d'ailleurs, ça aurait pu réveiller du monde dans la maison, donc il fallait qu'ils soient déjà tous morts. Et il faut s'interroger sur la raison de cet acte. Pourquoi aller chercher la fille pour la torturer et l'achever dans la chambre des parents plutôt que d'en finir avec elle sur son propre lit ?

— La chambre parentale revêt une importance symbolique, comprit Conrad.

— C'est en effet l'explication la plus plausible. La ceinture, la chambre des parents… à ce stade les conclusions semblent évidentes. Le tueur a exclu toute présence masculine tout en laissant une trace – sexuelle – dans les deux femmes, comme pour dire que, même absent, l'homme est là, et pas n'importe quelle partie de l'homme : son sexe. La présence masculine n'a pas besoin d'être concrète, physique, elle est omniprésente par le truchement des objets enfoncés en elles. Et voilà le trauma bien présent. Cet homme a été battu et violé par son père. Pour moi ça ne fait plus aucun doute.

— Et dans les faits, ça nous conduit à quoi ? questionna Larsson.

— À réduire la taille des cercles qui cernent sa personnalité, jusqu'à ce que nous sachions précisément comment il est. Tout cela doit nous alerter sur le comportement du tueur avec les autres hommes, avec son rapport à l'autorité. Car la hiérarchie, dans les rapports que le tueur doit entretenir avec ses officiers, est une forme de substitut paternel, qu'il le veuille ou non, c'est trop évident. Avec ce qu'il a vécu, il ne doit pas être à l'aise avec les contraintes, les ordres. Gardons bien cela en tête.

Monroe imprima à ses traits de dur à cuire une grimace qui accentua son expression dégoûtée lorsqu'il dit :

— Il est bizarre, ce mec, maintenant qu'on sait qu'il veut… tuer la chance des gars qui sont supposés avoir plus de bol que lui les jours de combat, on peut dire que c'est aussi un moyen de se venger de la chance qu'il n'a pas eue quand il était gosse, non ?

Frewin haussa les sourcils. Le risque avec l'analyse du langage du sang c'était que tout le monde, une fois initié, voulait y aller de sa petite déduction, quitte à entrer dans le grand n'importe quoi ou la facilité, comme le faisait Monroe. Le lieutenant préféra ne pas relever et allait poursuivre lorsque Baker se pencha pour intervenir :

— C'est bien beau tout ça, mais jusqu'à présent tout ce qu'on déduit ne nous aide pas à cerner le bonhomme. Chaque fois on suppose tel ou tel trait de caractère mais on a toujours toute une liste de suspects et aucun sur lequel on puisse pointer le doigt.

— Jusqu'à maintenant ! lança Ann, très théâtrale. Avec ce que vient d'exposer le lieutenant Frewin, je crois qu'on peut réduire notre liste à quatre noms.

Tous les visages se tournèrent vers elle. Elle quitta la colonne de pierre contre laquelle elle s'était appuyée et monta sur l'estrade pour tirer le tableau dressant la liste des membres de la 3ᵉ section encore valides. Elle ajouta « 44 » en face de sept noms et le montra à tous.

— *capitaine Lloyd Morris D 44*
— *lieutenant Philip Piper*
— *adjudant Henry Clark D*
— *sergent (infir.) Parker Collins D 44*
— *caporal Douglas Regie D*
— *caporal Adam Houdan* ʼ
— *soldat Vladimir Hriscek D 44*
— *soldat Martin Clamps D*
— *soldat Jeremy Brodus D*
— *soldat Cal Harrison D 44*
— *soldat Peter Brolin*
— *soldat James Castello 44*
— *soldat John Traudel D*
— *soldat Rodney Barrow D 44*
— *soldat Steve Risbi*
— *soldat John Wilker D 44*

— Ils chaussent tous du 44, la pointure du tueur, exposa Ann. Et parmi eux, Hriscek, Harrison, Barrow et Wilker sont soit des solitaires, soit des fortes têtes, et tous ont des problèmes avec l'autorité. On pourrait peut-être y ajouter Traudel pour le gabarit imposant, mais apparemment il obéit sans poser de questions et se mêle à tout le monde sans effort.

— Toujours le même, gronda Monroe. Ce Harrison devient pesant ! Je dis : il faut lui tomber dessus, arrêtons de tergiverser !

Frewin leva la main pour imposer le silence et s'adressa à Ann :

— Je commence à connaître ce regard, vous avez une idée derrière la tête, n'est-ce pas ?

Ann ne se fit pas prier :

— Il ne faut pas y aller de front, ça va souder définitivement la section contre le reste du monde, on n'en obtiendra plus rien, même moi. De plus je crois que c'est risqué, on ne sait pas quoi ni où chercher. Attendons, il y a encore des données à collecter pour en savoir plus. Katarina Weiss n'a pas encore terminé ses thèmes, je viens de passer la voir, c'est pour aujourd'hui si tout se passe bien. Et vous vouliez interroger la petite amie de Rosdale, je crois ? C'est une bonne chose car nous n'avons pas percé le mystère de son symbole féminin dessiné à la hâte avant de mourir. Ce n'était pas anodin de sa part, alors creusons là. Vous voyez, il y a encore beaucoup de pistes avant de se précipiter sur Harrison et consorts.

Frewin acquiesça froidement.

— Et votre hypothèse d'un tueur… femme ? dit-il devant ses hommes.

Ann fut décontenancée, elle ne s'attendait pas à ce qu'il partage avec eux une théorie aussi surprenante. Elle passa en revue les hommes qui la dévisageaient, curieux d'en savoir plus.

— C'est… juste une éventualité à ne pas omettre.

— Une femme ? s'indigna Baker, c'est impossible…

— Au contraire ! le coupa Frewin. Si le tueur était une femme, cela expliquerait bien des choses.

— Vous y croyez, lieutenant ? demanda un Larsson stupéfait.

— À défaut d'y croire, je la garde dans un coin de ma tête, comme vous devriez tous le faire dorénavant. On ne sait jamais.

— Mais il n'y a pas de femme ou presque ! contra le géant blond.

Frewin désigna Ann d'une main.

— Si. Et Katarina Weiss, et d'autres secrétaires ainsi que des infirmières. Certes tout désigne la 3ᵉ section depuis le début, et à moins d'une femme très bien informée, c'est une hypothèse impossible, cependant je vous invite tous à garder cette idée, aussi folle soit-elle, dans un coin de vos cervelles.

— Pourquoi pas l'un des nôtres tant qu'on y est ? s'énerva Monroe.

Frewin approuva :

— Et c'est la seconde fois que je vous entends l'envisager, Eliot. D'ailleurs, vous chaussez du 44, tout comme Conrad, Matters, Donovan et moi-même. J'ai vérifié.

— C'est la pointure la plus courante dans l'armée, rappela Conrad.

Frewin contempla ses hommes, bousculés d'être ainsi suspectés, et les gratifia d'un de ses rares sourires chaleureux pour les rassurer. Sourire qui disparut aussitôt quand il enchaîna :

— Quoi qu'il en soit, Ann a peut-être raison, attendons au moins ce soir pour intervenir dans la 3ᵉ section.

— On va encore attendre ! protesta Monroe dans son coin.

Frewin haussa le ton d'un coup :

— Moi aussi j'ai envie de mettre les choses au clair avec ces gars, mais la tempérance de Mlle Dawson n'est peut-être pas une mauvaise chose ! Maintenant, rompez. Allez me rassembler les témoignages de toute personne susceptible d'avoir vu ou entendu quelque chose cette nuit aux abords de la ferme.

Frewin émit un sifflement sec et désigna la porte de l'église. C'était la première fois que Ann le voyait aussi impérieux avec ses soldats. Il savait les contenir et reprendre le contrôle dès que son autorité était malmenée. Ils obéirent et quittèrent la nef vivement en passant par la sacristie.

Frewin se tourna vers l'infirmière.

— Comment avez-vous obtenu cette liste des pointures ? s'enquit-il.

— J'ai gentiment demandé. Ça marche parfois, vous savez ?

— C'est le soldat dont vous m'aviez parlé ? Il peut nous servir ? Nous transmettre d'autres infos ?

Ann fit signe qu'il fallait oublier.

— Il l'a fait parce que j'ai été sympa avec lui et qu'un de ses camarades m'a… taquinée, mais il a obtempéré cette fois à condition que je lui « foute la paix ensuite ». Donc, non, on peut rayer cette option.

Ses yeux fixaient le lieutenant avec une vigueur déconcertante. Frewin sentait qu'elle n'était pas satisfaite de cet échange. *De la relation que nous avons en ce moment. Des silences concernant ce qui s'est passé entre nous l'autre nuit. De mon attitude…*

— Écoutez, Ann, je…, commença-t-il.

La porte s'ouvrit en grand, la lumière du jour explosa dans l'église. Matters entra au pas de course.

— Je viens d'avoir Donovan par radio, il se met en route depuis le camp de base sur la plage. Il sera là en début d'après-midi.

Le jeune sergent prit le temps de respirer et compléta :

— Il vient avec Lisa Hiburgh.

48

Lisa Hiburgh était une jeune femme d'une vingtaine d'années, à la chevelure rousse et bouclée. Une femme extrêmement fine, d'une élégance et d'une grâce qui faisaient se retourner les soldats. Puis Frewin remarqua qu'elle avait des yeux d'un vert vif qui complétait sa plastique séduisante. La secrétaire ne cessait de regarder l'intérieur de l'église, ébahie par son architecture gothique. Matters, Donovan et Ann étaient assis en retrait, laissant le lieutenant conduire la discussion qui durait depuis une demi-heure et que Frewin prenait soin d'éloigner de Fergus Rosdale ou de tout autre sujet ayant un lien avec son enquête. Jusqu'à présent il ne la questionnait que sur sa vie, sa région d'origine, les raisons de son entrée dans l'armée, sa famille… Matters prenait en note tout ce qui se disait, c'est-à-dire rien de bien intéressant. Lorsqu'il la jugea prête, plus à l'aise et bavarde, Frewin entra dans le vif du sujet :

— En tout cas je vous remercie de nous accorder cette visite, fit-il.

— C'est la moindre des choses, et ça ne perturbera pas l'état-major, nous sommes une tripotée là-dedans, chaque officier a ses secrétaires plus toutes les autres. Enfin bref, on peut bien s'absenter sans que ce soit une gêne. Et puis… je sais que vous enquêtez sur la mort de Fergus.

Frewin acquiesça doucement en l'observant.

— Vous vous rendez compte qu'ils ne m'ont même pas proposé de rentrer au pays ? fit-elle remarquer avec une colère froide qu'elle ne parvenait pas à dissimuler. Je n'ai pas non plus eu le droit de voir son corps.

— Vous le souhaitiez ?

Elle planta ses iris d'émeraude dans les yeux de Frewin.

— Si je le souhaitais ? Bien sûr ! Vous n'aimeriez pas dire au revoir à celle que vous aimez si elle venait à disparaître ?

Frewin éluda la question :

— Depuis combien de temps vous fréquentiez-vous ?

Elle hésita.

— Dix jours, on s'était rencontrés au réfectoire, un midi. Je sais, dix jours c'est rien, vous allez me dire. Eh bien, pour moi c'était fort, et Fergus était un type brillant.

Frewin approuva et chercha à la mettre en confiance :

— Peu importe le temps, c'est ce que vous ressentez qui compte. Je voulais juste savoir. Dites-moi, il vous avait semblé un peu… étrange ou différent les jours précédant sa disparition ?

Elle avala sa salive avant de répondre.

— Non. Pas plus étrange que tous les hommes qui attendaient de partir pour la guerre. C'est difficile à dire dans ces circonstances. Pourquoi ?

Frewin leva les épaules :

— Je cherche à comprendre pourquoi il est allé sur le *Seagull* en pleine nuit.

Lisa Hiburgh battit des paupières plusieurs fois, rapidement.

— Vous avez une idée ? insista Frewin.

— Non. Vos gars m'ont déjà interrogée à ce sujet.

— Oui, le jour où ils sont venus vous annoncer son décès, vous n'étiez pas à même de répondre à leurs questions, ce que je peux comprendre. C'est pourquoi je vous revois. Alors, aucune idée, il ne vous avait parlé de rien ?

— Absolument rien.

— Et savez-vous s'il était en contact avec quelqu'un en particulier, qu'il aurait pu décider d'aller voir cette nuit-là ?

— Non, pas à ma connaissance.

— Il avait des amis sur la base ?

— Des hommes de sa compagnie, je crois.

La jeune femme se faisait moins bavarde, ses phrases plus courtes, *comme si elle cherchait à se débarrasser du sujet*, pensa Frewin. Il décida d'insister :

— Fergus était-il triste ou mélancolique ? Était-il dépressif ?

— Non, pas du tout... Peut-être un peu anxieux avec l'imminence de l'assaut, certainement pas dépressif ! Pourquoi ? Vous ne croyez tout de même pas qu'il se serait... suicidé ?

— Je dois envisager toutes les hypothèses, mentit Frewin qui voulait secouer les barrières mentales de la jeune femme.

— Pas lui ! Pas Fergus, il n'aurait jamais fait ça.

— Je ne dis pas que vous le connaissiez mal, mais dix jours, si c'est suffisant pour éprouver de l'affection pour un individu, c'est un peu court pour le cerner parfaitement, vous ne pensez pas ?

— Peut-être mais... je... j'ai un bon instinct avec les gens, et je sentais que Fergus n'était pas de ce genre. Pas dépressif. Il n'aurait jamais fait ça.

Frewin décida de continuer à la perturber mais changea d'approche pour toucher une corde plus profonde :

— Je suis désolé de vous poser la question, Lisa, cependant sauriez-vous si Fergus voyait quelqu'un d'autre que vous ?

— Vous voulez dire : une autre femme ?

— Ou même un homme, tout est envisageable.

Elle secoua la tête.

— Bien sûr que non ! Je vous l'ai dit, je ne le connaissais pas depuis longtemps mais je le *sentais* bien, il n'était pas comme ça.

— Pourtant il est monté de son plein gré sur le *Seagull* en pleine nuit et vous n'étiez pas au courant.

— Non, non, non, ce n'est pas ce que vous croyez, il n'avait pas de maîtresse !

— Pas ce que je crois ? Pourquoi ? Vous en savez plus que moi ?

Elle eut un regard de femme acculée, qui s'emplit aussitôt de colère, de la rancune d'avoir été piégée.

— Allons, fit Frewin sur un ton posé et chaleureux, si vous décidiez de ne plus me cacher ce que vous savez ?

Elle ouvrit la bouche et ses émeraudes se dérobèrent pour sonder les ombres de l'église. Comme rien ne venait, Frewin l'incita à se confier :

— C'est grâce à vous que nous pourrons peut-être approcher la vérité, savoir ce qui s'est réellement passé cette nuit-là, dans ce réfectoire. Vous seule pouvez nous éclairer.

— Fergus était un homme bien, rétorqua-t-elle avec une agressivité soudaine. Vous avez vite fait de le juger, parce que vous ne le connaissiez pas comme moi !

— Si vous ne me dites rien, je ne pourrai que supposer le pire, Lisa. Je ne cherche pas à nuire à la mémoire de Fergus, si c'est ce qui vous inquiète.

Elle déglutit à nouveau et fixa le lieutenant, le regard moins dur, plus en demande.

— Un type est venu me voir le jour de sa disparition. Un ami de Fergus. Il était embarrassé, il devait me confier un secret et me demander de l'aider. Fergus supportait mal la pression de la guerre, il était mal, ça c'est vrai. Mais il n'était pas suicidaire, lieutenant, croyez-moi ! C'était un agneau, avec un bon fond, et la guerre le rendait malade. Alors c'est pour ça qu'il a commencé à en prendre, pour oublier, et pour calmer ses nerfs.

— De la drogue ?

Elle hocha la tête, les larmes aux yeux.

— Oui. Je n'ai pas voulu le croire sur le coup, mais ce type connaissait bien Fergus apparemment. Et il m'a dit qu'on pouvait l'aider. Il voulait le voir, lui parler, mais depuis quelque temps Fergus l'évitait. Alors on a fomenté cette rencontre de nuit sur le *Seagull*.

— Vous ou l'homme ?

— C'est… lui.

— Et pourquoi le *Seagull* ?

— Il m'a dit que ce serait plus facile pour lui, et si je disais à Fergus de m'y rejoindre ça ne lui semblerait pas louche parce que c'était le navire sur lequel je devais embarquer.

Frewin guettait ses réactions, l'air suspicieux.

— Lisa, pourquoi nous avoir caché tout ça ?

— Parce que vous auriez considéré Fergus comme un drogué et pas comme un homme ! Vous auriez sali son image !

Frewin ne répondit pas et se pencha vers elle.

— Lisa, connaissez-vous le nom de cet homme qui est venu vous voir ce jour-là ?

Elle prit l'air blessé.

— Bien sûr que je le connais. C'est un soldat de la compagnie Raven. Hriscek, il s'appelle. Vladimir Hriscek. Il m'avait fait jurer de ne rien dire. Voilà, j'espère que vous êtes content, j'ai trahi mon serment. Dieu seul sait ce que je mérite maintenant.

49

Ann écoutait cette petite rouquine raconter comment elle avait cru Vladimir Hriscek. Frewin lui fit décrire le personnage : grand, blond, visage marqué, et plusieurs fausses dents grises sur le devant. Aucun doute, c'était bien lui. Hriscek lui avait demandé de fixer un rendez-vous à Fergus pour la nuit suivante, dans le réfectoire du pont C du *Seagull*. Voilà pourquoi Rosdale n'avait pas allumé la lumière. Il croyait rejoindre sa conquête.

Lisa ne devait pas s'y rendre elle-même, Hriscek serait seul pour parler à Fergus, pour l'aider à lutter contre la drogue. Parce qu'ils avaient été amis. Lisa Hiburgh avait cru à ce mensonge, elle avait facilité la tâche au tueur. En début de soirée, Hriscek était venu la voir pour annuler le rendez-vous, lui-même ne pouvait s'y rendre, mais c'était trop tard, Lisa ne pouvait plus joindre Fergus. Hriscek l'avait rassurée en expliquant qu'ils remettraient la rencontre au lendemain. En réalité il s'était joué d'elle, il savait que passé une certaine heure, Fergus était inaccessible, coincé dans sa compagnie à moins de s'éclipser en douce. En venant annuler sa présence au rendez-vous Hriscek faisait en sorte de ne pas être soupçonné par la secrétaire une fois le meurtre découvert. Elle croirait à un crime de circonstance, le hasard ou une rixe ayant mal tourné, pas à une manipulation de Hriscek. C'était un plan perfide mais extrêmement risqué. D'abord il fallait compter sur la naïveté de Lisa Hiburgh, et ensuite sur son amour pour Fergus et sa crainte qu'il passe pour un drogué, afin qu'elle taise tout ce qu'elle savait C'était assurément un plan reposant sur beaucoup de chance.

Ça ne ressemble pas à notre tueur. Il est plus malin que ça. Il prépare mieux ses coups, ça ne colle pas...

Ann se leva et vint à côté de la secrétaire, sous le regard surpris de Frewin, pour lui demander :

— Hriscek était seul lorsque vous avez manigancé ce stratagème ?

Lisa la dévisagea comme si elle venait d'entrer dans la pièce.

— Oui, finit-elle par répondre.

— Et vous ne l'aviez jamais vu auparavant ?

— Non, je ne crois pas.

— Alors comment saviez-vous qu'ils étaient de bons amis Fergus et lui ?

— Parce qu'il me l'a dit, répondit Lisa sur un ton fatigué. Il m'a demandé si j'avais remarqué comme il était stressé, ce qui était le cas. Il m'a expliqué que c'était à cause de la drogue.

— Pourtant, vous l'avez dit vous-même tout à l'heure, tous les hommes étaient sur les nerfs avant la bataille. Fergus était peut-être simplement à cran, comme tout le monde...

— Où voulez-vous en venir ? s'énerva soudain Lisa.

Ann leva les mains en signe d'apaisement.

— Nulle part, je cherche juste à comprendre ce qui s'est passé et…

— Mais qui êtes-vous ? C'est la blouse des infirmières, ça, non ? Pas de la Police Militaire.

Frewin semblait ne pas apprécier l'intervention d'Ann, mais il avait laissé faire plutôt que de montrer des signes de dissension et donc de mettre Lisa Hiburgh en position de force. Lorsqu'il vit que la secrétaire pouvait prendre l'ascendant sur quelqu'un de son groupe, il revint dans la discussion :

— Mademoiselle Dawson travaille avec nous. Je vous saurais gré de ne pas hausser le ton, je vous rappelle que vous êtes dans une église.

Ann manqua pouffer à cette remarque, lui qui portait si peu de respect à la spiritualité du lieu.

— Je suis désolée si je vous ai un peu brusquée, s'excusa-t-elle. J'ai une dernière question et je ne vous embête plus.

Frewin croisa les bras devant lui, pas à l'aise avec la présence de l'infirmière à ses côtés pour conduire l'interrogatoire. Il se raidit lorsqu'il vit Ann s'agenouiller et poser ses mains sur celles de la secrétaire et lui murmurer à l'oreille :

— Avez-vous eu une relation avec d'autres soldats avant Fergus ? demanda-t-elle tout bas. Ça restera entre nous, mais croyez-moi, c'est important de me répondre en toute franchise.

Lisa sembla perturbée, et jeta un bref regard vers le lieutenant. Ann insista :

— Je sais ce que c'est que de manquer de chaleur, Lisa. D'avoir besoin d'un peu de tendresse. Dites-moi, comment s'appelle-t-il ? Peut-être y en a-t-il eu plusieurs, ce n'est pas une honte, parfois on…

— Non, pas plusieurs. Il y a eu un gars avant, je croyais qu'il s'occuperait de moi, qu'il serait affectueux, hélas c'était un coq qui séduisait, rien que ça. Il s'appelle James Costello, un pauvre type !

Ann se fendit d'un léger sourire qui pouvait passer pour de la compassion, mais qui n'était rien d'autre que la joie de triompher. Tout s'expliquait. Costello faisait partie de la 3e section, compagnie Raven. Un ami de Harrison et Hriscek, connu pour se vanter d'un peu tout, une « grande gueule » comme ils disaient. Il avait parlé de Lisa Hiburgh à ses camarades, de sa candeur, la facilité évidente de la mener en bateau. Hriscek s'en était souvenu au moment de fomenter son meurtre. Comment avait-il procédé ? En dressant une liste de tous les soldats ayant un thème astral leur assurant le maximum de chance ? Pourtant Rosdale n'était pas dans la même compagnie que Hriscek. *Il n'a pas pu tuer l'un des siens la première fois. Ils vivaient trop en groupe, sur le* Seagull. *Impossible d'en attirer un dans un piège sans se faire démasquer. Alors il a tué dans une des compagnies annexes qui devaient débarquer avec lui, il a choisi les soldats les plus chanceux selon leur thème astrologique, et Rosdale figurait parmi ceux-là. Il s'est alors souvenu des moqueries à l'encontre de cette fille qui était l'actuelle petite amie de sa proie. Et le tour était joué.* Combien de temps avait-il passé à préparer son coup ? Combien de victimes potentielles surveillait-il avant de voir tous les éléments converger en Fergus pour lui simplifier la tâche ?

Pourtant, au fond d'elle, Ann n'arrivait pas à se convaincre de la culpabilité de Hriscek. Il avait pris des risques énormes pour ce premier meurtre. Tout reposait sur Lisa Hiburgh : si elle déballait cela à la PM, il devenait identifiable. Or le tueur était intelligent et ce crime ne reflétait pas cette force.

Une main lui enserra le bras.

— Je peux vous parler ? demanda Frewin en l'entraînant à l'écart. Que faites-vous ?

— Je glane ce qu'elle ne confiera pas à un homme. Écoutez, la piste Hriscek ne me semble pas aussi bonne que ça…

— Ann, elle vient de l'identifier, tout concorde, il est droitier, très costaud, il chausse du 44, c'est un violent qui a des soucis avec l'autorité, c'est un proche de Harrison, et même s'il entretient des liens amicaux avec lui, tout ça n'est qu'une apparence pour l'égoïste psychopathe qu'il est. Tout s'imbrique !

Ann veilla à ne pas hausser le ton malgré l'excitation :

— Le meurtre de Rosdale repose sur la complicité innocente de cette femme, et sur sa capacité à ne rien dire ensuite. Si Hriscek était réellement l'assassin, il se serait mis dans une position très dangereuse en agissant ainsi, ça ne ressemble pas aux autres meurtres, si bien préparés par un individu à l'intelligence hors norme !

D'un coup d'œil, Frewin s'assura que Lisa Hiburgh ne les entendait pas, il vit que Matters s'était approché d'elle pour détourner son attention.

— C'était son premier meurtre, rappela-t-il. Un tueur, aussi futé soit-il, ne commet jamais un meurtre parfait du premier coup. Il a fallu qu'ils se préparent, lui et ses fantasmes de mort, et lorsqu'il a vu une opportunité, il a foncé, c'était trop beau ! Ann, les hommes de ce genre se contiennent pendant des années jusqu'au jour où la tension qui les anime devient trop forte. Il suffit de circonstances extérieures stressantes pour favoriser cette explosion, et c'est le passage à l'acte. C'est ce qu'il a fait. Avec plus ou moins de réussite. Avant d'analyser ce qu'il venait d'accomplir et de soigner ses crimes suivants, pour les parfaire. Et c'est par cette capacité à maîtriser davantage encore ses autres crimes qu'il prouve son intelligence.

Ann demeura silencieuse. Frewin n'avait pas tort. Elle voulait faire de Hriscek un tueur parfait. Elle reconnaissait bien là son obsession, cette hantise qui la gagnait au fil des mois, depuis qu'elle sondait la part ténébreuse de l'homme. Hriscek n'était qu'un être humain, avec ses failles, son évolution. *Hriscek a tué Rosdale. Et les autres. Parce que, astrologiquement, ils devaient avoir beaucoup plus de chance que lui les jours de combat. Parce que Vladimir Hriscek a un rapport à la vie construit sur la violence et que tuer est la forme d'expression la plus aboutie dans cette dynamique. Parce que tuer est l'émotion la plus forte et la plus vibrante qu'il puisse ressentir, lui qui ne ressent presque rien sinon les montées de colère, de haine ou les humiliations de son enfance.*

Brusquement, des idées s'associèrent dans l'esprit d'Ann. Astrologie… tuer… Enfance… parents… *Ses parents étaient forains.* Ann avait enregistré l'information sur le coup, sans vraiment s'y attarder. *Ils étaient forains, un milieu qui n'est pas éloigné des diseuses de bonne aventure, voire de l'astrologie !*

Constatant qu'elle ne répondait pas, Frewin la laissa réfléchir pour retourner auprès de Lisa Hiburgh.

Être sûre. Je dois être certaine de mes informations.

Ann recula pour sortir de la lumière des cierges et quitta l'estrade du chœur pour fuir l'église, sous l'expression curieuse de Donovan.

Hriscek était peut-être leur homme après tout.

Elle sortit rapidement par la porte de la sacristie et fut aveuglée par la lumière grise de l'après-midi. Un immense halo scintillant qui la força à lever un bras devant son visage.

Un bras qui ne lui permit pas de voir la silhouette imposante, qui approchait face à elle.

L'ombre la percuta de plein fouet.

50

Ann bascula en arrière et son dos vint heurter le mur de pierre décrépi par les siècles. Le choc chassa l'air de ses poumons et une décharge courut jusqu'à son crâne.

En face, on grogna en se relevant péniblement.

— Je ne vous avais pas vue ! J'étais le nez dans mes notes.

Ann cligna les yeux pour s'habituer à la luminosité et reconnut les contours larges de celle qui se tenait debout en époussetant ses manches. Sa voix était un peu rauque pour une femme, voilée par le tabac. Katarina Weiss.

— Faudra que votre lieutenant me paye un bon dîner une fois rentrés chez nous ! lança-t-elle. Avec tout le boulot qu'il m'a demandé en si peu de temps. Notez que c'est plus agréable tout de même que mon quotidien à l'état-major !

Ann fit rouler son épaule droite, endolorie.

— Vous avez fini de dresser les thèmes de la 3ᵉ section ?

— Oui, bon, j'ai fait dans les grandes lignes.

— Et… vous avez pu établir une liste des chanceux et des autres pour chaque journée où la section était engagée dans les batailles ?

Katarina dodelina de la tête.

— Oui, enfin, comme je vous l'avais dit, ça ne marche pas comme ça, avec des taux de chance. C'est plutôt l'accumulation de conjonctures positives qui favorise la réussite dans tel ou tel type d'action, et lorsque ces conjonctures favorables sont nombreuses on peut parler de « jour de chance ».

Elle avait dressé des guillemets imaginaires autour des trois derniers mots.

— Faites voir, demanda Ann en se postant à côté de la secrétaire.

Katarina tourna ses pages de notes et de calculs pour arriver à une succession de noms, dates et lieux de naissance et la synthèse appropriée pour chaque individu. Ann tendit le bras devant Katarina et tira la page où le nom de Hriscek apparut. Les explications étaient plutôt techniques, à grand renfort de noms de planètes dont Ann ignorait tout.

— Qu'est-ce que ça veut dire ? Qu'avez-vous remarqué à propos de Vladimir Hriscek ?

Katarina fronça les sourcils et reprit la page des mains de l'infirmière pour se rafraîchir la mémoire.

— Ah, oui, celui-là. Eh bien, s'il vous fallait un… classement, je dirais qu'il est dans le haut du panier. Chaque fois, pour l'instant. Pas tout à fait en haut mais dans les premiers tout de même.

Ça correspond, songea Ann. *Il n'était pas le plus chanceux du groupe les jours de bataille mais pour s'assurer d'être vraiment parmi les plus en veine, il a supprimé le plus chanceux chaque fois. Pour que les balles perdues, les obus, les mines et les grenades l'épargnent. Hriscek tue pour survivre.*

— Merci, lâcha-t-elle en s'éloignant, portez tout cela à l'intérieur, au lieutenant Frewin.

Katarina ouvrit de grosses billes lorsqu'elle vit l'infirmière sauter sur son vélo pour pédaler avec vigueur et disparaître au carrefour du lavoir.

Ann avait remonté sa jupe blanche jusqu'au-dessus des genoux pour pédaler et ses bas étaient éclaboussés de petites taches de boue lorsqu'elle abandonna sa monture dans les fourrés proches du camp de la 3ᵉ section. Elle marcha entre les fougères et les troncs bruns pour arriver par les tentes les plus au sud, afin d'approcher celle ou logeait Steve Risbi sans avoir à traverser devant tout le monde. Le rouquin aux petits bras striés de veines nettoyait son fusil de précision, assis sur une souche. Ann le rejoignit.

— Encore vous ! s'exclama-t-il, plus pour dire quelque chose que par lassitude. Je vais finir par me poser des questions.

— Je suis désolée, Steve, vous êtes le seul vers qui j'ose me tourner. J'ai besoin d'un tout dernier renseignement.

Il secoua vivement la tête.

— Non, c'est terminé, j'en ai marre de jouer l'indic, et je vais vous dire : j'en ai marre de vous voir me tourner autour. Me prenez pas pour un con, je sais bien que vous traînez avec la PM, c'est ce qui se dit à votre sujet. Alors si la PM veut savoir quelque chose, qu'elle vienne me le demander.

Ann inspira, les lèvres serrées.

— Ce n'est pas facile, avoua-t-elle enfin. Tout le monde ici est ligué contre la PM.

— Il y a de quoi ! Même si on n'apprécie pas tous Harrison, fallait pas l'embarquer comme ça, ce n'est pas un saint, c'est vrai, mais il y a des manières, même dans l'armée, même pendant la guerre ! On est tous du même camp, enfin c'est ce qu'on croyait.

Ann s'agenouilla pour regarder Risbi dans les yeux et parler sur le ton de la confidence :

— Ce n'est pas la PM qui cherche à nous liguer les uns contre les autres, c'est le type qui a massacré plusieurs d'entre nous. Ne l'oubliez pas. Et tout porte à croire que c'est quelqu'un de cette section. Alors, je vous le demande une dernière fois : aidez-moi.

— Je vous trouve sympa, c'est pour ça que je ne vous ai pas envoyée chier jusqu'à maintenant, mais faut plus venir me voir. Les gars m'ont dit qu'ils vous ont vue avec le lieutenant de la PM.

— C'est vrai, et méfiez-vous de ce qu'on vous raconte. Il y a parmi vous un tueur, de la pire espèce. C'est la dernière fois que vous me voyez, je vous le promets si c'est ce que vous voulez, mais aidez-moi. Je veux savoir si j'ai bien entendu : les parents de Hriscek sont forains, c'est bien ça ?

Risbi lâcha son fusil et soupira en observant la lisière de la forêt.

— Vous n'arrêtez jamais, hein ? railla-t-il. Écoutez, pour tout ce qui est de Hriscek, c'est pas à moi qu'il faut s'adresser. Allez plutôt voir Costello, Harrison ou Collins, ils le connaissent bien mieux que moi.

— Lequel me parlera ?

Risbi haussa les sourcils.

— Collins peut-être, c'est l'infirmier, le plus futé des trois.

Ann se releva.

— C'est Hriscek votre suspect ?

— À voir.

— Si c'est lui, je vous souhaite bien du courage, Harrison à côté c'était une grand-mère anémique.

Il reprit son arme et vérifia la lunette de visée. Ann scruta ce petit bonhomme sans muscles mais tout en sérénité, capable de donner la mort à plus de cent mètres. Il avait l'air malheureux ici, dans cette guerre. Un autre de ces hommes qui n'avaient rien à faire là, comme elle en croisait si souvent. Rien d'un gros dur, rien d'une âme belliqueuse.

— Merci, Steve, vous êtes un type bien.

Il ricana et se fendit d'un ironique :

— C'est ce que ma copine m'écrit chaque semaine ! Si vous saviez comme on s'en fout d'être un type bien, ici !

Le sergent Parker Collins fumait une cigarette avec délectation, adossé à un hêtre. Un bouquet de fumée entoura son visage lorsque Ann s'approcha.

— Est-ce qu'un infirmier qui fume donne le bon exemple ? fit-elle en arrivant à sa hauteur.

— Est-ce que des politiciens qui déclarent la guerre donnent le bon exemple ?

— Touché.

— Qu'est-ce que je peux faire pour vous ?

— À vrai dire, beaucoup. Il paraît que vous connaissez Vladimir Hriscek ?

— À force de soigner ses blessures, oui. C'est un forcené du fusil celui-là. Il n'a peur de rien, pas même de se faire trouer la peau. Mais il a du bol le salaud ! Jamais que des égratignures !

Ann dissimula son sourire à l'évocation de la chance.

— Il paraît que ses parents sont forains, c'est bien ça ?

— Pourquoi ? Vous avez le béguin ?

— J'aime bien savoir qui sont les gens que je fréquente, rebondit-elle.

— Oui, je crois bien qu'ils étaient forains, ils sont morts au début de la guerre. Dans un bombardement il me semble.

— C'est moche pour lui. Et savez-vous s'il s'intéresse lui-même à… l'astrologie, des choses comme ça ?

Parker Collins se fendit d'un large sourire.

— Vous voulez qu'il vous lise les lignes de la main, c'est ça ?

— Il le fait ?

— Y a des gars de la section qui aiment bien avoir son avis sur leur ligne de vie ! Ça se comprend ! Quand on sait qu'il avait cloué le bec à Gazinni en lui disant que la sienne s'arrêtait tout net au milieu ! Le pauvre vieux s'est fait descendre trois jours plus tard.

Cette fois il n'y avait plus de doute. Le gabarit nécessaire aux meurtres, droitier, chaussant du 44, la personnalité asociale idoine, et la connaissance de la chiromancie qui témoignait d'un intérêt pour ces sciences ésotériques. Il était « ami » de Costello et avait entendu parler de son ex-petite amie, Lisa Hiburgh, et de sa naïveté. Il savait que Cal Harrison avait le profil du suspect idéal et avait brouillé les pistes en déposant la tête coupée de Rosdale dans sa caisse. Hriscek avait une sacrée réputation de casse-cou, il était connu de tous, même dans les autres compagnies. Il pouvait avoir attiré Gavin Tomers et Clifford Harris à l'écart sur un simple mot. Il avait une aura suffisante pour qu'on vienne le voir s'il le demandait. Hriscek était leur homme.

— Il est dans sa tente ? demanda-t-elle.

— Non, Hriscek et quelques autres sont avec le capitaine Morris et recadrent les fortes têtes, je crois. Faudra attendre un peu, ma p'tite dame.

Il avait assené sa dernière réplique sur un ton graveleux.

Ann lui fit un clin d'œil et s'écarta.

Elle avait plus urgent à faire que de lui apprendre le respect.

La tente du tueur lui tendait les bras.

51

Ann marchait entre les ballots d'équipement et les sacs de sable empilés près des camions. Elle passa devant une première tente, puis à la seconde, d'un bref mouvement elle s'assura que personne ne l'observait, et entra.

Il faisait plus chaud à l'intérieur. Des pans de toile fermaient les différentes alcôves des soldats. Ann n'avait aucune idée de l'endroit qu'occupait Vladimir Hriscek. Une grosse mouche noire bourdonnait quelque part, prise au piège de ces murs ondoyants. Ann écarta le premier pan et examina le lit de camp, le gilet militaire plié dessus, le quart et la gourde qui trônaient sur une caisse. Elle fit un pas dans la chambrette et souleva la veste kaki qui servait d'oreiller afin de lire le nom inscrit en lettres jaunes sur la caisse. « Martin Clamps », suivi du matricule.

Elle sortit pour passer au lit suivant et chercha l'identité de son occupant sur le rectangle métallique qui abritait ses affaires personnelles. Elle sonda ainsi toutes les cases jusqu'à la dernière. « Vladimir Hriscek », disait la peinture jaune. Ann posa un genou à terre pour ouvrir le couvercle et fouiller parmi le linge et quelques lettres froissées. Rien de particulier.

Des semelles crissèrent de l'autre côté du mur de toile. Ann sentit son cœur s'affoler. Si Hriscek venait à la surprendre là… Elle préféra ne pas y penser et chassa ce genre de pensées pour se concentrer. Qu'y avait-il autour d'elle ?

Rien de plus… La pièce était chiche en matériel, et donc en cachettes. *Sous le lit !* Ann se pencha et palpa l'espace sombre sous la couche. Ses doigts bandés rencontrèrent une petite boîte en fer. Elle la tira et en défit le couvercle aussi avidement que s'il s'agissait de nourriture après un jeûne.

Un tout petit livre très épais reposait sur le dessus.

Almanach du demi-siècle – tout ce qu'il faut savoir de l'astronomie des 50 dernières années, lut-elle. Puis une série de dépliants cartonnés suivaient. *Éphémérides astronomiques*. Enfin, une liste pliée en quatre qu'Ann ouvrit sur une série de noms, dates et lieux de naissance. Toute la compagnie Raven y figurait, les trois sections.

Ann trouva du fil de pêche et quelques hameçons dans le fond.

Tout était là. Une fouille ordinaire n'aurait rien donné, qu'aurait-on pensé de ces découvertes ? Mais les circonstances étaient différentes. À présent ces objets sortaient du cadre quotidien pour devenir les preuves qui achevaient d'accuser Hriscek.

Ann hésita. Devait-elle remettre la boîte et prévenir Frewin de venir avec ses hommes ? Et si Hriscek décidait de s'en débarrasser entre-temps ? *Il l'aurait déjà fait depuis longtemps s'il le voulait Seulement il ne sait pas que nous avons compris son manège, lui, le tueur de « chance ».*

Elle se redressa en entendant un groupe passer juste de l'autre côté de la tente. Elle devait filer, Hriscek n'allait plus tarder.

Une seconde plus tard Ann marchait dans le « couloir » central lorsqu'elle perçut les voix qui se rapprochaient de l'entrée. *C'est fichu*, comprit-elle en voyant les silhouettes se profiler en ombres chinoises. *Pas d'autre issue.* Elle parcourut des yeux son environnement à toute vitesse et se souvint de Risbi qui l'avait fait entrer en soulevant la base de la toile. Elle se précipita dans la case de Hriscek et se mit à genoux pour soulever la paroi.

Les hommes entraient dans son dos. Si Hriscek était parmi les premiers et allait droit dans son coin, elle serait prise.

Ann passa la tête d'abord.

Puis les épaules.

Les voix étaient à présent dans la tente et il lui sembla qu'elles venaient vers elle.

Ce fut au tour des hanches de s'extraire.

Ann prit appui sur ses mains et fit glisser ses jambes.

Elle était presque sortie lorsque son pied fut agrippé.

Un raclement métallique.

La caisse ! Elle avait tapé dedans. Une voix s'interrompit à l'intérieur.

Ann ramena ses pieds et bondit sur ses jambes pour s'éloigner tandis qu'on entrait dans la chambrette.

Elle fonça vers la forêt pour disparaître le plus vite possible, faire le tour pour retrouver son vélo. Elle ne voulait pas traverser le camp et gagner directement le chemin. *Sortir. Ne plus être vue. Ne pas croiser ces hommes.*

Elle écarta les premières fougères et osa tout de même un rapide coup d'œil en arrière.

Ce qu'elle vit lui glaça le sang.

Hriscek était en train de passer par le même chemin qu'elle, il la guettait pendant qu'elle fuyait. Il l'avait entendue, il avait foncé sous la toile. Il se lançait à ses trousses.

Fais demi-tour, cours te réfugier dans une tente, demande de l'aide aux autres soldats ! Aussitôt elle pensa que ce n'était pas une bonne idée. Qui croiraient-ils ? Une infirmière hystérique dont Barrow se vantait probablement d'avoir possédé le corps ou l'un des leurs qui demanderait quelques minutes tranquilles avec elle, loin des regards ?

Ann poussa sur ses cuisses et se jeta en avant, à toute vitesse. Parmi les troncs.

Dans la forêt.

Et lorsqu'elle vit la végétation s'épaissir, une image funeste s'imposa à elle. Celle d'une proie fuyant son prédateur.

La chasse venait d'ouvrir.

52

Ann courait entre des pelotes de ronces aux formes monstrueuses, grosses comme des chevaux.

Après trente mètres, haletante, elle s'agrippa à un chêne et se recroquevilla derrière. Hriscek l'avait-il suivie dans la forêt ?

Le bruit de sa respiration l'empêchait d'écouter. Elle entra en apnée un instant, l'oreille tendue.

Le bruissement léger du vent dans les feuilles.

Deux arbres au loin qui grincent en se frottant.

Une brindille qui craque soudain.

Il est là ! Ann risqua un regard en direction du bruit.

Hriscek trottinait vers elle, sa tête pivotant de droite à gauche, à sa recherche, exposant son visage froid et ses cicatrices.

Il serait sur elle dans quelques secondes.

Elle fit volte-face et se remit à courir. Immédiatement, elle entendit qu'on la prenait en chasse. Elle accéléra. Repoussant les branches basses de ses bras bientôt écorchés. Les pas dans son dos devenaient lourds. Il était tout près.

Des ornières apparurent dans le sol. La forêt s'épaississait, en panaches, buissons, tentacules de ronces, mer de fougères et de troncs cerclés de carcans de feuilles plus ou moins opaques. Elle n'avait pas assez d'avance pour se jeter à l'abri d'une cachette naturelle, il la verrait faire.

Elle perçut le souffle de son poursuivant. Tout proche.

Ses cuisses lui faisaient mal. Ses muscles commençaient à cramper, sa jupe entravait sa course mais elle n'avait pas le temps de s'arrêter pour la déchirer. Elle n'arrivait plus à respirer.

Le tapis végétal craquait derrière elle. *Juste* derrière elle.

Elle se sentit à portée de main de son chasseur.

Elle esquiva un rameau qui faillit la renverser.

Malgré le manque d'oxygène dans son cerveau, une idée germa.

L'air entrait dans ses poumons mais ne ressortait pas. Sa tête se mit à lui tourner. Ses jambes se raidirent, elle commença à ralentir, les muscles brûlants.

Elle aperçut une branche large et à bonne hauteur. Elle changea de cap pour foncer dessus.

Quelque chose passa au travers de sa chevelure.

Il est là ! Il essaye de me tirer par les cheveux !

Ann se précipita sur la branche et l'attrapa à pleines mains. Elle se rua dessous et la détendit en arrière, bandée comme un arc.

La branche fouetta l'air en sifflant.

Hriscek la prit en plein plexus.

Ses pieds décollèrent du sol et il s'effondra à la renverse. Ann avalait l'air, la bouche grande ouverte. Elle dérapa dans les herbes sauvages, les jambes tétanisées par l'effort et la peur. Elle n'avançait plus.

Hriscek grogna et se remit sur ses pieds.

Ann titubait d'arbre en arbre, incapable d'aller plus vite. Un feu ardent se propageait à chaque mouvement, depuis ses cuisses et ses mollets jusque dans ses poumons. Son regard se voilait.

Elle n'avait pas réussi à mettre Hriscek K.O. Il fallait trouver autre chose. Vite.

Elle ne parvenait plus à réfléchir.

Un choc violent au bassin la projeta en avant. En une seconde, elle s'écrasa au milieu des aiguilles de pin. Le peu d'oxygène qui restait dans son torse fut expulsé par l'impact. Elle ouvrit la bouche, sans plus savoir si c'était pour crier ou chercher à respirer.

Une masse puissante fondit sur elle.

Les bras de Hriscek l'enserrèrent comme des serpents de plomb. Le poids de son corps la cloua au sol, le nez dans la mousse verte. Il s'assit sur elle. À peine eut-elle le temps de reprendre ses esprits et de regonfler ses poumons qu'on tirait ses bras en arrière pour coller ses poignets contre ses reins. Elle était prise au piège.

— Petite… salope, fit Hriscek en reprenant son souffle. Qu'est-ce… que tu foutais… dans ma tente ?

Il tira sur ses bras et la douleur la foudroya depuis les épaules. Elle cria.

— Lâchez-moi, parvint-elle à gémir entre deux inspirations.

— Je vais t'apprendre à fourrer ton nez… où il ne faut pas ! Qu'est-ce que tu cherches en réalité… Ça serait pas ça, hein ?

Et il passa sa main sous la jupe qu'il lui remonta sur les fesses.

— En plus elle met des bas ! Ça m'excite, ça, tu sais ? C'est la guerre, ça excite les mâles, on te l'a jamais dit ?

Ann sentit ses gros doigts glisser sous sa culotte pour lui palper la croupe. Hriscek n'était plus qu'un animal. Elle comprit ce qui allait suivre.

Il tira sur la culotte pour l'arracher. Ann se riva au sol.

Hriscek tira plus fort, la culotte se déchira et l'étreinte qu'exerçait son autre main sur les poignets de la jeune femme se desserra un peu. Elle saisit sa chance et d'un mouvement brusque dégagea un bras sur lequel elle prit aussitôt appui pour pivoter avec un hurlement de rage et faire face à son agresseur.

Hriscek avait lâché l'autre poignet dans la surprise et demeura coi une seconde. Puis un rictus émergea sur son faciès blanc zébré de cicatrices roses. La notion de domination venait de rejoindre la violence des pulsions sexuelles. Cocktail explosif.

— On va jouer tous les deux, bava-t-il.

Ann lança ses bras au-dessus de sa tête, saisit une racine et s'y cramponna pour glisser sous Hriscek. Tout alla très vite. Fort de sa supériorité physique, il prenait tout à la plaisanterie, sachant qu'il pouvait l'arrêter dès qu'il le voulait. Pourtant il ne prévit pas son geste. Elle lança son genou de toutes ses forces alors qu'il se relevait et écrasa ses parties génitales.

Hriscek retomba aussi sec, plié en deux, bouche ouverte.

Ann retrouva la force de se hisser sur ses jambes tremblantes, se débarrassa d'un coup de pied de sa culotte pendante, et se tourna pour fuir.

La première jambe s'élança en avant.

La seconde ne décolla jamais.

Hriscek broyait sa cheville qu'il tira brutalement à lui.

Ann fut propulsée vers le sol à toute vitesse, et ses bras ne purent amortir le choc.

Un flash blanc irradia dans tout son crâne, accompagné d'une décharge qui la sonna tandis que sa mâchoire heurtait la terre.

Ann cligna des paupières en roulant sur le dos. Le grand blond aux yeux morts vint se poster au-dessus d'elle, les veines du front saillantes de rage. Il la souleva par le col pour lui lancer une gifle monumentale qui créa une nouvelle décharge dans la tête de la jeune femme. Plus que sa joue claquée au sang, ce fut cette électricité dans le corps qui la terrassa. Et la première pensée qui la traversa quand il sortit son couteau ne fut pas de craindre pour sa vie ou son intégrité physique mais de se dire : *C'est ça être sonné. Ce connard m'a sonnée.*

Lorsqu'elle le vit tendre son couteau entre ses jambes et découper un chemin dans la jupe, le souvenir de ce que le tueur avait fait subir aux femmes de la ferme refit surface. La nausée émergea et la tête lui tourna. Elle serra les dents, inspira une longue bouffée d'air, et tout ce qu'elle put faire ensuite fut de hurler. Un cri guerrier, qui trouva une énergie supplémentaire en raclant les cordes vocales. Et Ann balança poings et pieds devant elle.

Deux immenses mains repoussèrent les coups pour s'abattre sur son visage. La première sur la joue blessée, l'autre sur la tempe... une onde de choc terrible vers son cerveau. Ann sursauta et s'effondra. Terrassée.

La suite ne fut plus qu'une succession d'images, d'informations que la douleur effaçait. Elle sentit à travers un filtre ouaté Hriscek lui écarter les jambes pendant qu'il défaisait sa propre ceinture. Il l'attrapa par un genou et la mordit au mollet avant de rire bruyamment.

Puis quelque chose surgit sur le côté. Une ombre colossale.

Ann vit l'expression de Hriscek virer de la jubilation perverse à l'inquiétude.

L'ombre fut sur lui en une seconde. Elle déplia un bras qui fondit sur le visage de Hriscek avant qu'Ann comprît ce qu'il advenait.

On frappa son agresseur une seule fois.

Mais avec une telle violence que sa tête se dévissa sur le côté. Ann crut qu'on la lui avait arrachée.

Le coup avait claqué aussi fort qu'une hache, jusque dans la semi-conscience d'Ann. Des fragments minuscules jaillirent d'entre les lèvres du soldat et furent projetés loin devant. Ann perçut un gémissement et Hriscek s'abattit en arrière, comme s'il avait été tué net.

La silhouette serra les poings au-dessus de sa victime, prête à l'achever. Au lieu de quoi elle se tourna pour faire face à Ann.

Craig Frewin lui tendait la main.

53

Le médecin descendit les marches qui desservaient le clocher de l'église où Hriscek était enfermé dans un réduit du premier étage, sous la surveillance d'Adam Baker.

— Il doit être transféré à l'hôpital sans plus tarder, dit-il en s'adressant à Frewin dont on venait de bander la main droite. Je pense qu'il a au moins deux fractures de la mâchoire, la pointe de l'os zygomatique brisée, et j'ai compté cinq dents déchaussées en plus des trois qui se sont cassées sous le choc. Ce type n'est pas en bon état.

— Sa vie est menacée ? demanda Frewin.

— Non, mais il a besoin de soins.

Frewin hocha la tête.

— Merci, docteur, je vais faire ce qu'il faut.

— Franchement, vous avez dû vous acharner pour le démonter de cette manière !

Ann resta silencieuse. Elle l'avait vu porter un coup. Un seul et unique coup. Avec la haine de celui qui frappe pour tuer.

Matters raccompagna le médecin jusqu'à la porte.

— Vous êtes sûre de ne pas vouloir être examinée ? demanda Frewin à Ann.

— Non, pas la peine. Je n'ai que quelques ecchymoses.

Ses joues étaient encore tuméfiées, écarlates. Elle avait pris soin de désinfecter et de panser elle-même sa morsure au mollet.

Le lieutenant n'était pas à l'aise. Avait-elle été violée avant qu'il n'arrive ? Il n'osait poser la question et savait que quoi qu'elle ait subi, au regard de ce qu'il avait vu les blessures les pires étaient à l'intérieur.

— Une chance que Donovan vous ait entendue crier, confia-t-il. Nous venions pour le boucler après que Katarina Weiss nous avait informés de ses conclusions. Et un des types, je crois qu'il s'appelle Risbi, nous a dit qu'il venait d'apercevoir Hriscek qui partait vers la forêt.

Ann acquiesça et changea de sujet aussi vite :

— Vous le ferez surveiller à l'hôpital ?

— Soyez rassurée, il ne pourra pas faire un geste sans que nous soyons sur son dos. Mais maintenant que le doc m'a confirmé que sa vie n'était pas en danger, on va le laisser mariner ici avec son mal de crâne. Comme ça il sera parfaitement mûr pour répondre à nos questions demain matin.

Ann hocha la tête. Après tout, Hriscek avait bien mérité de souffrir quelques heures dans son placard. À cet instant elle n'éprouvait aucune compassion pour son agresseur.

Il y eut un moment de flottement.

Frewin la regardait. Fixement.

Il parla le premier :

— On l'a eu. C'est fini.

Elle se fendit d'un sourire douloureux. La partie gauche de son visage était entièrement tuméfiée et une tache rouge marquait la tempe opposée.

— Je pense qu'il serait bon de vous changer les idées, proposa-t-il. Que diriez-vous de venir avec nous, partager un vrai dîner ?

— Nous ?

Frewin se tourna vers les hommes présents : Matters, Conrad et Monroe.

— Oui, nous tous. Exception faite de Baker qui fait du baby-sitting ce soir.

Ann allait refuser. Elle ne voulait pas d'un dîner avec « nous », rien qu'un repas paisible avec Frewin et personne d'autre. Pourtant elle se ravisa. Trop d'émotions dans la journée pour rester seule dans cette église lugubre.

— Il est sous bonne garde ? s'inquiéta-t-elle.

— Il est ligoté, dans un placard du premier étage du clocher dont la seule issue est une porte en chêne fermée de l'extérieur par un verrou sérieux. Baker est assis à côté, armé jusqu'aux dents, et un garde de la PM fait le planton devant l'entrée principale pendant qu'un autre veille à la porte de la sacristie, un œil sur la trappe de la crypte où dorment une quinzaine de prisonniers sages comme des enfants la veille de Noël. Le tout au milieu d'un village rempli de soldats. Sans parler de ses blessures qui doivent l'assommer de douleur. Donc : oui, il est sous bonne garde.

Ann fit la moue.

— Bien. Je vous accompagne.

Ils dînèrent dans la grande salle du restaurant du village, dont une partie était occupée par les services des transmissions. Ainsi rassemblés dans un box enfumé où flottait le parfum du veau et des pommes de terre, ils discutaient en riant, l'immense Larsson en tête pour fêter leur triomphe. Seul Frewin partageait la retenue d'Ann. On avait ouvert des bouteilles de vin pour l'occasion, Monroe, Donovan et Conrad étaient déjà passablement ivres, tandis que Matters s'efforçait de garder sa dignité, un peu à l'écart des conversations, comme toujours.

Frewin s'était installé en bout de table, à côté de la jeune femme. Le vin les avait réchauffés et faisait tomber les dernières barrières d'anxiété qui les retenaient depuis presque deux semaines. Son agression de l'après-midi planait dans l'esprit d'Ann comme un fantôme. Mais curieusement l'effet traumatique n'était pas proportionnel à ce qu'elle avait vécu. Sa vie passée l'avait confrontée à pire et tout cela venait confirmer sa théorie. L'être humain pouvait s'habituer à tout. Le pire demeurait dans la chair comme dans l'âme, non plus comme un souvenir, avec le temps, mais comme une réelle altération de la personnalité. Elle avait été à deux doigts de se faire violer, on l'avait battue, et Ann n'en était pas plus affectée que cela.

Aussi parce que cette ordure a morflé. Parce qu'il a été stoppé dans son élan et qu'il est maintenant hors d'état de nuire !

Mais Ann savait que c'était avant tout son expérience, son existence, qui l'avait façonnée ainsi. Son père – *cette ordure* – avait fait son éducation. Lui inculquant, sans le vouloir, une capacité d'encaissement supérieure à la normale.

Elle tendit l'oreille vers les conversations. Curieusement, personne n'avait parlé de Hriscek. On exorcisait ses crimes en l'ignorant le soir de son arrestation. Ann but une gorgée de vin. Frewin observait ses hommes avec l'attitude d'un père pour sa progéniture.

— Vous avez tous fait du bon travail, confia-t-elle.

Surpris, Frewin la contempla un instant avec de répondre.

— *Nous* avons fait du bon travail.

— Je voulais vous dire, il y a une boîte en métal sous son lit, avec…

— Je sais, Matters l'a trouvée. Hriscek est fichu, même ses compagnons de la 3e section vont le balancer maintenant, avec tout ce qu'on a contre lui. C'est la cour martiale et le peloton d'exécution à l'arrivée.

Ann soupira.

— La loi du talion, n'est-ce pas ?

Frewin l'arrêta en levant la paume vers elle.

— La suite n'est plus de notre ressort.

— Un peu facile. Il sera abattu et nous en porterons une part de responsabilité, qu'on l'admette ou non. C'est ça, faire partie d'un système : diluer les responsabilités à l'extrême. Jusqu'à ce qu'il n'y ait plus de coupable de rien. Finalement, les seuls vrais coupables de quelque chose, ce sont les criminels, ceux qui transgressent les lois. Pratique.

— Pratique pour quoi ?

— Pour taire les embrasements, pour dissoudre les colères, pour qu'on ne pointe jamais du doigt une personne qui cristalliserait les frustrations. On dilue les responsabilités pour détruire les révoltes, et nos colères individuelles ne seront jamais que de l'amertume collective, pas un soulèvement. Le pouvoir a fait des progrès depuis les révolutions.

Frewin s'amusa de cette tirade séditieuse.

— Un esprit dissident flotterait-il derrière ce visage de porcelaine ?

— J'ai grandi au milieu d'insurgés contre tout, alors oui, probablement. Il y a des choses que la famille vous transmet.

— Un père aux rêves utopiques qui a déteint sur sa fille ?

Ann plongea vers son verre de vin. Un père idéaliste en politique. *Un sac à merde !* Un quêteur de liberté. *Qui ne fera plus jamais de mal à personne !*

Frewin perçut un malaise et se resservit en gardant le silence. Plongés dans une conversation plus légère, Conrad se mit à rire à gorge déployée, imité par Larsson et Monroe. Donovan et Matters se tournèrent pour profiter de l'humour de leurs compagnons.

— Je suppose que maintenant vous allez retourner auprès du major Callon ? avança Frewin en guettant Ann.

Elle sortit brusquement de ses songes. Quelque chose la mettait en état d'alerte dans son environnement, bien qu'elle ne parvînt pas à identifier quoi.

— Hum… Justement, j'aurais…, balbutia-t-elle en cherchant ce qui n'allait pas. J'aurais souhaité rester encore un peu.

— Ann, je ne peux pas faire durer cette affectation éternellement, maintenant que le coupable est démasqué, je…

Cette fois le sentiment d'inquiétude la quitta tandis qu'elle se concentrait pleinement sur la gravité de ce que Frewin lui disait.

Elle posa sa main sur la sienne, discrètement.

— S'il vous plaît. Je n'ai pas participé à tout cela pour rien.

— Pour rien ? Mais nous avons arrêté ce type ! Et vous n'y êtes pas étrangère, vos…

— Ce que je veux dire c'est que je serai présente lors des interrogatoires. Je veux pouvoir y participer. Et… poser des questions.

Frewin reprit sa main et se cala dans le fond de la banquette.

— Pourquoi ? Allez-vous me dire enfin pourquoi vous faites tout cela ?

Le regard d'Ann voletait de visage en visage dans la pièce, ses yeux avaient la douceur et la fragilité d'un papillon ne sachant où se poser. Il revint frôler de ses ailes les prunelles noisette de Frewin. Cette tache noire qu'il avait dans l'iris. Les lèvres de la jeune femme tremblèrent et elle se pencha pour lui chuchoter contre la joue :

— Faites-moi l'amour ce soir et je vous le dirai.

Était-ce une bonne idée après ce qu'elle venait de vivre ? *C'est ma réponse, ma force. Puiser dans la tendresse charnelle l'énergie indispensable pour me reconstruire comme j'ai toujours su le faire… Menteuse ! Tu sais que c'est plus pervers que ça.* Ann esquiva les doutes et préféra s'avouer aussitôt que c'était pour ne pas être seule cette nuit. Sentir la vie contre elle. La présence de l'autre dissipait ses propres errances.

Lorsqu'elle se redressa elle le vit impassible, engoncé dans sa carrure et son assurance. *Tout ça n'est qu'une façade, Craig. Je t'ai déjà aperçu derrière. Je sais que tu n'es pas ce mur infranchissable que nous voyons.* Comme il ne réagissait pas elle sut qu'elle l'avait ébranlé.

— Ce soir ou jamais, ajouta-t-elle tout bas.

Son impression que quelque chose n'allait pas la reprit. Cette fois elle sut ce que c'était.

Un son répétitif dans l'atmosphère sonore. Au travers des rires et des exclamations de la table, par-delà l'agitation des services de transmissions, à l'avant du restaurant, une rumeur se propageait.

Dans la rue.

Les battements d'un cœur en fer.

Haut perché dans les cieux.

La cloche sonnait.

Sans discontinuer depuis une minute.

Elle appelait à l'aide.

54

L'église carillonnait, sa lourde cloche gémissait tandis que ses entrailles brûlaient. Un immense feu illuminait les vitraux de l'intérieur, donnant aux scènes bibliques des couleurs éclatantes et des mouvements aux martyrs agonisants.

Ann arriva en courant malgré sa blessure au mollet, suivie de Frewin et du reste de son équipe. Ils s'immobilisèrent tous sur le parvis, figés.

De là où ils se tenaient il leur semblait que l'incendie remplissait une partie de la nef, montant et descendant vers la voûte, claquant comme une gigantesque mâchoire. Et en songeant à Hriscek qui était toujours dans le clocher Ann eut une pensée : L'Enfer revenait chercher son serviteur. L'Enfer qui ne voulait pas qu'il parle. Ils allaient tout perdre. Hriscek était la chance qu'Ann pourchassait, une chance de sonder la noirceur, pour comprendre ses propres ténèbres. Et elle disparaissait.

Elle s'élança vers la porte.

Frewin hurla :

— Ann ! N'y allez pas !

Et comme elle s'engouffrait dans le bâtiment crépitant, il se jeta dans son sillage.

Le battant entrouvert soufflait une chaleur infernale. Frewin glissa sur un liquide sombre. *Du sang.* Une mare. Il se tourna vers ses hommes pour crier :

— Allez chercher le personnel médical et faites évacuer les habitations alentour au cas où ça se propagerait. Tout de suite !

Avant qu'ils ne puissent répondre il entra dans le brasier.

Des barils d'essence étaient renversés dans les allées, au milieu d'une dangereuse mer bleue et ondoyante surmontée d'énormes crêtes rouges. Frewin aperçut Ann : la tête couverte d'un tissu mouillé, elle passait sous une arche enflammée. Il voulut se précipiter, s'aspergea de l'eau du bénitier, et courut pour retrouver l'infirmière dans ce maelström vertigineux, il passa sous l'arche brûlante à son tour tandis que l'église craquait au-dessus de lui. Frewin leva la tête pour se rendre compte que toute la balustrade en bois était en feu. Elle courait en demi-cercle sur une moitié de la nef, dominée au-dessus de l'entrée principale par d'immenses panneaux dissimulant l'orgue. Un fabuleux brasier occupait la partie supérieure de l'église, les flammes des balcons, de part et d'autre, grimpaient si haut qu'elles se rejoignaient au sommet pour former un ciel magistral de destruction.

Et le feu, en rongeant l'édifice, mangeait bruyamment. Un ronflement formidable qui sourdait de ses milliers de langues improbables, absorbant la matière. Le bois craquait pour fuir, la pierre se fendait en sifflant, et le verre explosait. Le feu avalait tout sans rien épargner.

Un amas de poutres se décrocha et s'effondra devant Frewin en projetant des myriades d'étincelles.

Le lieutenant se recroquevilla instantanément pour se protéger.

Malgré ses vêtements trempés, la chaleur commençait à l'enserrer. Il chercha Ann dans ce chaos lumineux, obligé de mettre un bras devant son visage pour se préserver. Elle avait disparu.

— Ann ! s'écria-t-il en vain.

Le festin des flammes était bien trop colossal pour que sa voix le transperce. Frewin allait continuer quand il remarqua une forme allongée. Des jambes.

Il accourut pour constater qu'il s'agissait du soldat détaché à la surveillance de l'entrée. Il était égorgé, une plaie humide lui déchirant tout le cou. Frewin ne remarquât pas une grande quantité de sang. *On l'a tué dehors avant de le traîner ici.*

Sans plus attendre, il se précipita vers le chœur où Ann s'était évaporée. Les pignons brûlants étaient moins ardents ici. Frewin tourna sur lui-même à la recherche de l'infirmière. L'estrade était épargnée pour l'heure, l'incendie se propageant par les côtés. Une porte grinça et Frewin fit volte-face. Les deux accès conduisant au clocher étaient ouverts, un de chaque côté de l'abside. Il y avait peut-être une chance pour que Baker soit encore en vie. Frewin allait emprunter l'escalier le plus proche lorsqu'une symphonie maléfique se mit à résonner dans toute l'église.

Grave et sinistre, la mélopée chantait l'apothéose de la désolation. L'orgue jouait tout seul. Le feu projetait de l'air à toute vitesse dans la tuyauterie d'étain, produisant des notes à l'intensité variable.

Frewin se rapprocha de la petite tourelle pour accéder aux marches. Un craquement sourd suivi d'une petite explosion dans la pierre à proximité de son visage le stoppa net.

Un coup de feu ! comprit-il immédiatement. Et il se jeta au sol.

Une autre détonation claqua, la balle vint s'encastrer à un mètre de lui. Frewin roula pour se mettre à couvert derrière la chaire dont le côté opposé commençait à brûler. Il sortit son arme de son étui et défit la sécurité. Il lui semblait que les tirs provenaient d'en face, vers la sacristie. Quelque chose fumait abondamment sur sa droite et il y risqua un coup d'œil. Des flammes léchaient une statue de la Vierge, faisant fondre sa peinture qui coulait en dessinant des larmes noires sur son visage.

Et les coups de feu reprirent.

55

Frewin se colla contre le bois de la chaire tandis qu'un impact la faisait trembler. Il n'osait riposter, de peur de toucher Ann dont il avait perdu la trace. Qui pouvait bien lui tirer dessus ? Le pyromane responsable de tout ça ? Se pouvait-il que Hriscek se soit enfui ? Frewin jura du bout des lèvres. Il se redressa légèrement pour distinguer le chœur et la porte conduisant à la sacristie. Les rideaux incandescents lui masquaient une partie de la vue.

Un point de lumière apparut une fraction de seconde en même temps qu'une nouvelle détonation, juste derrière l'autel. La balle siffla pour ricocher contre la statue en lui arrachant les lèvres.

Frewin ouvrit le feu. Quatre pressions sur la détente en visant l'angle de la table consacrée.

Une silhouette jaillit de sa cachette et fonça vers la porte de la sacristie. Frewin tira encore. Il vida son chargeur, conscient de la difficulté de toucher quelqu'un en mouvement. D'un geste sûr, il éjecta le rectangle de munitions et en fit glisser un plein avant d'armer son pistolet. Il risqua un coup d'œil et ne vit rien.

Deux coups de feu sonnèrent depuis la sacristie. Frewin rentra la tête dans les épaules. *Des tirs de barrage, c'est un militaire, aucun doute. Il tire sans viser pour empêcher qu'on le suive.*

La chaire se consumait vite, il devait s'éloigner. Déjà la fumée lui encrassait les poumons et il se mit à tousser. Frewin avisa une dernière fois le sanctuaire pour s'assurer que personne ne le visait et se mit à courir jusqu'à l'estrade du chœur où il s'adossa à la balustrade.

L'orgue continuait de délivrer sa musique infernale pourtant il sembla à Frewin qu'on y avait ajouté une chorale tout aussi macabre. Des hurlements humains, des cris de souffrance abominables venaient compléter le requiem. Le lieutenant ferma les yeux une seconde.

Les prisonniers.

Il chercha dans la fournaise l'emplacement de cette trappe intérieure et la trouva sous des barils ardents. De l'essence coulait par les orifices, remplissant peu à peu la crypte et déversant sur ces pauvres hommes pris au piège un bouillon d'enfer. Celui qui avait tué le garde de l'entrée principale avait également supprimé celui du côté de la sacristie et personne n'avait pu évacuer les prisonniers. Frewin devait sortir sans plus tarder, sauver ceux qui pouvaient encore l'être. *Et Ann ?* Il ne pouvait la laisser là. Frustré par ses limites, Frewin tira deux balles devant lui et bondit vers la sacristie. Il se jeta contre le mur qu'il longea jusqu'à la porte. Il se pencha rapidement, pistolet braqué, pour sonder la pièce.

Un corps était étendu au milieu, entre les lits de camp. Frewin reconnut la masse de Hriscek. Il pointa son arme dans toutes les directions pour s'assurer qu'il n'y avait personne d'autre. Le cadavre du second soldat, celui qui gardait la trappe extérieure de la crypte, était étendu dans un coin, égorgé aussi. Frewin accourut au-dessus du grand blond et dégagea son revolver d'un coup de pied. Les membres du soldat étaient secoués de convulsions. Frewin posa un genou à terre.

Deux balles l'avaient fauché dans le dos. En plein cœur. Il l'avait eu. Il n'avait pas manqué sa cible.

Frewin prit le visage couvert de cicatrices roses dans sa main et fixa Hriscek droit dans les yeux. Il n'y vit aucune peur, mais de la confusion. La vie quittait sa chair et il ne comprenait pas ce qui lui arrivait, tandis qu'une poigne phénoménale enserrait son cœur et le pressait jusqu'à ce qu'il cesse de battre.

— Tu es en train de crever, lui dit Frewin.

Il n'éprouvait aucune pitié pour cette brute. Pas après ce qu'il avait fait à ses hommes, ce qu'il avait fait à Ann. Toute cette douleur était bien trop vive.

Hriscek cligna les yeux lentement. Sa respiration s'accéléra. Un filet de bave coula dans la paume du lieutenant qui n'y prêta pas attention. Le corps musculeux se mit à trembler plus fort. Hriscek ne parla pas. Il n'y parvint pas.

Les cillements se firent plus lents, le souffle plus court. Cette fois Frewin décela une lueur de peur dans le regard. Puis les paupières s'immobilisèrent. Hriscek était mort.

Frewin relâcha la tête qui frappa le sol.

Et un énorme craquement déchira la nef, suivi d'un fracas monstrueux. Frewin revint dans le chœur, il n'avait plus qu'une inquiétude : Ann.

Toute la balustrade s'était effondrée, projetant des esquilles embrasées un peu partout. Mais plus grave encore : le métal des fûts d'essence encore intacts cédait sous la température et des centaines de litres de carburant se déversaient dans l'église. L'incendie avait gagné une large partie du chœur, et Frewin réalisa qu'Ann ne pourrait bientôt plus sortir. Il vit qu'une nappe enflammée glissait vers l'estrade, vers les alcôves, telle une marée des Enfers fondant vers le crucifix dominant l'église.

La chaleur devenait suffocante.

Les hurlements provenant de la crypte n'étaient plus audibles et l'orgue se remit à gémir. Ses tuyaux d'étain fondaient.

Frewin hurla de toutes ses forces :

— Ann ! Ann ! Restez là-haut, nous allons vous faire sortir par le toit ! Ne descendez pas !

La vague de feu se propagea pour engloutir les cierges, lutrins et ex-voto. Le roulis de ses flammes embarquait tout sur son passage et se dirigeait droit vers le lieutenant. Il poussa sur le chambranle et fonça vers la porte tout au fond de la sacristie.

Lorsqu'il gagna l'extérieur, l'air frais lui fit l'effet d'une douche glacée au réveil. Tous ses sens chauffés à blanc furent anesthésiés. Avant de reprendre leurs droits. Ses poumons devinrent douloureux, une quinte de toux le secoua.

Personne de ce côté du bâtiment. Il était seul. Des ombres couraient au loin sur le parvis. Craig tituba sur plusieurs mètres avant de se ressaisir. Il fallait sortir Ann de cette fournaise.

Un autre fracas énorme résonna à l'intérieur. Une boule de feu émergea par la porte qu'il venait de laisser ouverte pour grimper vers les cieux et se dissoudre dans un nuage noir.

Frewin se précipita sur la trappe pour faire sauter le cadenas et l'ouvrit en grand. Des volutes grises se précipitèrent dehors, suivies d'une odeur infecte de viande brûlée. La lueur d'un feu bleuté émergeait tout au fond.

Ann, il fallait sauver Ann, il ne pouvait plus rien pour eux.

Et tandis qu'il s'écartait, il entendit un choc sourd depuis la sacristie. Il se tourna et ce qui suivit lui sembla durer une éternité.

Une forme humaine sortit en courant, agitant les bras devant elle. Elle portait un manteau jaune en mouvement, avec de longues pièces d'étoffe lumineuses flottant dans l'air. Toute une parure de flammes rongeait son corps. Aucun cri n'émanait d'elle. Elle courait pour fuir la douleur.

Craig la reconnut et il tomba à genoux.

Il vit la jupe couverte d'essence fusionner avec la peau.

La chevelure fondre sous l'effet de la chaleur.

Et Ann s'écrasa de tout son long. Ce fut alors qu'elle hurla.

Brièvement.

Car le feu s'engouffra dans sa gorge et se déversa vers ses profondeurs pour absorber ce qu'il restait de vie en elle.

56

Frewin jeta sa veste militaire sur le corps d'Ann pour étouffer les flammes. Il se brûla les mains, son tee-shirt se mit à noircir et il dut s'y reprendre à plusieurs fois pour éteindre ce qu'il restait de l'infirmière. Il n'y avait qu'une possibilité pour que le feu ait pris sur elle : on l'avait aspergée d'essence.

Les vitraux se brisaient derrière lui, des sifflements et des craquements accompagnaient le grondement de l'incendie.

Des soldats conduits par Matters arrivèrent en courant. Le jeune sergent se couvrit la bouche avec les mains en voyant le cadavre fumant.

Deux hommes allumèrent des lampes pour éclairer l'intérieur de la crypte et durent descendre pour l'inspecter. Quand ils remontèrent, l'un s'agenouilla pour vomir tandis que l'autre secouait la tête en fixant Matters.

— Et... Adam ? demanda-t-il à son lieutenant.

— Je ne l'ai pas vu, je n'ai pas pu monter à l'étage, répondit Frewin, les yeux perdus dans le vague. Hriscek avait réussi à sortir. Il nous a tendu un piège. Il a égorgé les deux gardes mais ne s'est pas enfui, il a attendu qu'on arrive pour me tirer dessus. Je l'ai abattu. Ann avait disparu là-haut. J'ai peur que Baker y soit resté aussi.

Matters soupira en rejetant la tête vers le ciel.

Frewin contempla la forme recroquevillée de l'infirmière, sa peau fendue sur un mélange de chair rouge et noire. Son visage dévoré, aux lèvres fondues, aux paupières éclatées, au nez ouvert comme un fruit trop mûr tombé de l'arbre.

— On va la porter jusqu'à l'hôpital, que son corps soit pris en charge pour être rapatrié, dit-il.

— Lieutenant…

Frewin se tourna vers son sergent et vit Matters qui fixait les cieux. Le jeune homme tendit l'index vers le toit de l'église. Frewin scruta à son tour la masse obscure et fumante jusqu'à distinguer une silhouette perchée entre les abat-sons du clocher. Tenue blanche. Cheveux blonds.

Frewin ne put décrocher un mot. Il la reconnaissait.

C'est impossible.

Elle agitait les bras pour qu'on la voie, ses cris ne parvenant pas à percer le fracas de l'incendie.

— C'est miss Dawson ! s'exclama Matters.

Ann. Elle était en vie. Prisonnière des flammes grimpantes mais en vie. Soudain, toute son énergie revint et il ordonna :

— Matters, foncez prévenir le génie, il nous faut des échelles, beaucoup d'échelles !

Au fil des minutes, Frewin vit Ann perdre de sa vigueur. Il lui avait fait des signes jusqu'à ce qu'elle le repère. Maintenant elle savait qu'on allait venir la chercher. Une fumée opaque sortait par le clocher et Frewin pouvait voir la jeune infirmière tousser sans discontinuer. Le temps leur manquait. Lorsqu'elle s'assit, à bout de forces, Frewin s'élança contre un contrefort tiède. Malgré quelques difficultés il parvint à se hisser, en s'arrachant deux ongles, jusqu'au premier petit toit, au pied des culées d'arc-boutant qu'il entreprit d'escalader. Cette fois l'entreprise était plus périlleuse ; s'il glissait il chuterait de cinq mètres. Plusieurs vitraux avaient disparu et il ne restait que des triangles acérés de verre rouge, vert, bleu et jaune. Les flammes se hérissaient au-delà, tels des succubes affamés qui le guettaient avec appétit. Frewin parvint à atteindre le niveau des premières gargouilles, la gorge irritée. Il se releva sur la gouttière minérale et prit soin de longer le toit en direction du clocher. Il sentit ses semelles accrocher les tuiles brûlantes, il ne pouvait y poser les mains. Il avait du mal à respirer. L'oxygène commençait à lui manquer. Puis il s'arrêta.

Sans échelle il ne pouvait aller plus haut. Ann était encore à une demi-douzaine de mètres de lui.

— Ann, vous m'entendez ? s'écria-t-il. Je suis juste là, on arrive, tenez bon.

La main de la jeune femme apparut, inerte.

Matters s'extirpa d'un gros camion militaire d'où surgirent six soldats qui levèrent la tête vers le couple enfumé. Aussitôt ils s'agitèrent et des échelles se déplièrent depuis l'arrière du véhicule pour permettre à deux d'entre eux de grimper jusqu'au lieutenant. On hissa d'autres échelles pour parvenir aux ouvertures dans le clocher et Frewin passa le premier malgré ses difficultés respiratoires. Il trouva Ann à demi consciente, qui se mit à gémir quand il l'attrapa pour la mettre sur son épaule. Un soldat le tenait par en dessous, la main sur la ceinture, et ils commencèrent à redescendre. Frewin avait la tête qui lui tournait, la fumée l'aveuglait, piquant ses yeux inondés de larmes, par réaction. Il se cramponnait à l'échelle d'une main, tenant Ann de l'autre. Les mètres le séparant du sol semblaient des kilomètres.

La terre se mit à bouger. À vaciller.

Craig serra plus fort le montant qui le séparait du vide.

Ses jambes ne le portaient plus, ses muscles souffraient du manque d'air.

Une violente quinte le prit par surprise et lui infligea des spasmes qui le déséquilibrèrent. Frewin se cramponna et la toux passa. Sa respiration était sifflante. Mécaniquement il reprit ses efforts.

Puis le toit fut sous ses pieds. Le soldat l'aida à marcher jusqu'à l'autre échelle et il recommença.

Le paysage se cernait de noir, le son lui parvenait de loin, à travers des épaisseurs de coton.

Les lumières baissaient. Même les flammes toutes proches lui parurent moins chaudes, moins impressionnantes.

Ann ne pesait plus rien sur son épaule. Et il posa le pied sur le sol sans s'en rendre compte. Matters et un autre homme se précipitèrent pour prendre l'infirmière et retenir le lieutenant. Mais il était trop lourd pour eux et il s'effondra.

Son champ de conscience se rétrécissait. Il pensa alors à Ann, qui n'était pas morte. Et à Hriscek. Tout était terminé. Ils avaient mis un terme à un massacre. La guerre se poursuivrait, pourtant le contexte serait celui de deux clans qui s'affrontent, la mort viendrait d'en face, plus de l'intérieur. Ce massacre-là aurait un sens... c'est du moins ce qu'on leur disait, et ça suffisait à Craig. Demain ils retireraient des cendres des cadavres calcinés dont l'un serait grand, avec des dents déchaussées et manquantes. Hriscek partait avec ses secrets, néanmoins il partait et c'était tout ce qui comptait pour Frewin. Demain ils... Mais serait-il là demain, lui ? Tandis que toutes ses forces s'évanouissaient, Frewin réalisa qu'il ne contrôlait plus ses membres. Il était un spectateur passif coincé dans son corps et tous ses sens continuaient de disparaître. Il ne sentait aucune douleur, ne voyait presque plus rien.

Le lieutenant ne savait plus s'il respirait encore, ses paupières pesaient une tonne.

Le raclement du feu resta en suspens dans son esprit, et Craig comprit l'origine de ce bruit curieux.

Les flammes riaient.

Le feu riait en ravageant l'église.

Puis la nuit coula des étoiles jusque dans son crâne et Frewin sombra.

SIX MOIS PLUS TARD

« Chacun, extérieurement, devant les autres, se montre plein de dignité. Mais chacun sait bien tout ce qui se passe d'inavouable en nous dès que nous nous trouvons seuls avec nous-mêmes. »

Six personnages en quête d'auteur
PIRANDELLO.

57

Un trou sale et glacé.

Ils vivaient dans des trous depuis vingt et un jours. Toujours les mêmes : des anfractuosités humides, aux parois de terre et de racines, au fond desquelles des caisses en métal servaient de sièges et des morceaux d'écorce isolaient tant bien que mal les couvertures du sol. On y dormait presque assis, le dos contre la pente.

Trois mètres plus haut, à la surface, la forêt s'était cristallisée.

Un fourreau de velours blanc recouvrait chaque tronc, le givre prolongeait les rameaux d'une perle irisée tandis qu'un tapis de neige recouvrait le sol, absorbant les sons.

Le lieutenant Frewin était assis au-dessus d'une petite lampe-tempête qui lui réchauffait les mains. Matters, en face, était recroquevillé sur sa couche inclinée, les jambes resserrées contre le buste et les bras enserrant ses genoux. Il revenait tout juste d'une corvée de provisions supplémentaire, et sa « mission » s'était éternisée, à force d'aller toujours plus loin pour obtenir ce qu'il demandait. Il tremblait. Les autres soldats de l'équipe de la PM étaient en train de recueillir les listes d'appel des différentes sections. Trois semaines d'attente dans le froid, au cœur de cette gigantesque forêt, émaillées de combats de plus en plus sanglants, faisaient fondre les résistances, et les désertions commençaient à se multiplier. Frewin et les siens organisaient des patrouilles aux alentours des positions arrière, essentiellement vers les fermes, abandonnées ou pas, pour retrouver les fugitifs qui n'allaient pas très loin ; un abri sec et l'absence de coups de feu suffisaient bien souvent à les satisfaire. Frewin les arrêtait et les envoyait vers l'arrière où on statuait sur leur sort.

Et puis deux jours plus tôt il avait reçu l'ordre de prendre ses hommes et de s'enfoncer plus avant dans les terres, vers la ligne de front, au contact des compagnies Alto et Raven, de vieilles connaissances. Les désertions s'y multipliaient, essentiellement des nouvelles recrues qui venaient renflouer les effectifs décimés de ces compagnies, vaillantes mais exposées. Les nouveaux ne tenaient pas la pression. Le froid, l'humidité, l'attente et soudain les explosions, les ombres furtives et mortelles des ennemis dans la brume du petit matin. Et partout les cris de souffrance des corps déchirés, ces hurlements qui semblaient lancés par les plaies béantes comme des bouches grandes ouvertes. Le sang sur la neige. La roue insupportablement aléatoire de la survie. Quelques heures. Puis le silence perturbé par les oreilles sifflantes. La bouillie rose et brune de neige fondue et de tripes. Les copains dont la chair fume, comme si la vie s'évaporait. Les bleus ne supportaient pas longtemps cette existence. Spécialement au sein de ces deux compagnies aguerries, où les vétérans partageaient une sorte de fraternité du feu, dénuée de sympathie pour les autres.

— Je tuerais pour un café bien chaud, confia Matters, engoncé dans sa veste militaire d'hiver.

Frewin acquiesça sans un mot. Matters attendit un peu puis se lança :

— Lieutenant, vous ne trouvez pas l'état-major un peu culotté de nous envoyer au contact de Raven après ce qu'il s'est passé cet été ?

— Ils le font exprès, Matters. À compagnie spéciale, équipe de la PM spéciale. Nous les avons côtoyés, et les huiles pensent que nous saurons comment nous y prendre avec ces gros durs.

— Tout de même… Y en a encore dans la 3e section qui pensent qu'on a buté Hriscek exprès. Ils ont admis qu'il était certainement le tueur mais ils ne peuvent pas nous sentir pour autant, ça risque de faire des étincelles !

Frewin repensa au cadavre fumant qu'ils avaient extirpé de la sacristie. Les deux tiers inférieurs étaient calcinés, le haut avait gonflé, l'épiderme s'était craquelé sous la chaleur, pourtant on pouvait reconnaître les traits rudes de Hriscek, émaillés de cicatrices. Mais ce n'était rien à côté de ce qu'ils avaient trouvé dans la crypte. Les prisonniers avaient littéralement fondu. L'essence enflammée leur avait coulé dessus avant de se répandre pour ravager le sous-sol. Même en temps de guerre on ne pouvait souhaiter un sort pareil à ses prisonniers. Enfin il y avait cette femme que Frewin avait d'abord prise pour Ann. C'était Lisa Hiburgh, la secrétaire qu'ils avaient interrogée dans la journée. Donovan lui avait proposé de rester dormir dans l'église en attendant le lendemain, qu'une voiture puisse la raccompagner.

Les faits s'étaient expliqués d'eux-mêmes. Hriscek était parvenu à sortir de sa « cellule ». Il avait neutralisé Baker, avant de descendre assommer Lisa Hiburgh – la seule qu'il n'avait pas égorgée – et de s'en prendre aux deux gardes qui veillaient à l'extérieur. Et plutôt que de s'enfuir, il avait tendu un piège à Frewin et aux siens. Ivre de vengeance, Hriscek avait mis le feu à l'église pour les attirer à lui. Le feu avait gagné en importance, probablement au point de le surprendre lui aussi, et si Ann n'était pas entrée, le plan de Hriscek aurait même échoué. Il aurait été contraint de s'enfuir par-derrière et de reporter son duel avec Frewin à plus tard. La suite était connue de tous. Jusqu'à ce que Lisa se réveille. Frewin supposait qu'elle était recouverte d'essence et qu'elle avait dû commencer à prendre feu, la douleur l'extirpant de son inconscience. Pendant ce temps, Ann était montée à l'étage, sans trouver trace de Hriscek, et les flammes l'avaient prise au piège.

Frewin préférait ne plus y songer mais Matters se chargea de renouer avec le sujet :

— Vous sentiez le feu de cheminée quand on vous a transporté à l'hôpital ! s'amusa-t-il avec un reniflement. Quelle soirée ç'a été ! Miss Dawson aussi a eu de la chance de s'en tirer à si bon compte !

Matters guetta son supérieur, sans réaction à l'évocation de l'infirmière.

— On ne la voit plus du tout depuis cette histoire, vous savez ce qu'elle est devenue ?

Frewin devinait plus qu'une curiosité polie dans cette question, l'envie de savoir ce qui liait le lieutenant à l'infirmière. Matters avait remarqué qu'Ann et

Frewin s'étaient longuement parlé après le drame de l'église, il y avait eu des gestes, des attentions qui ne trompaient pas. Frewin hésita.

Que pouvait-il répondre ? Qu'après ce qu'ils avaient vécu il avait demandé à Ann de ne plus venir le voir ? Qu'il s'était laissé aller à un peu de tendresse au milieu de toute cette barbarie mais qu'il avait retrouvé sa tête et que c'était une relation impossible ? Tout ça était vrai, alors pourquoi ne pas le dire à son sergent ? Il avait rassuré Ann après l'incendie, il avait veillé sur sa convalescence rapide, puis dressé un mur entre elle et lui dès qu'elle avait abordé leur *relation*. Il avait été froid, cruel même. Parce qu'il avait senti qu'elle ne céderait pas. Ann avait un caractère bien trempé, elle n'accepterait pas qu'il se défile, elle le lui avait jeté à la figure : il fuyait sa vie, craignant le souvenir de sa femme. Avait-elle tort ? Il lui avait dit que ça n'avait rien à voir. Qu'il avait couché avec elle pour s'assurer de son aide, sans autre forme d'émotion. Ses prunelles s'étaient enflammées. Elle ne l'avait pas cru, Frewin le savait, mais c'était de voir jusqu'où il pouvait aller qui l'avait fait enrager. Sans un mot, elle s'était détournée pour quitter la tente. Il ne l'avait plus revue depuis six mois.

Ça ne regardait pas Matters.

— Non, répondit Frewin sèchement.

L'air gelé s'immisça dans son col, le long de sa colonne vertébrale, et lui arracha un frisson.

Frewin rapprocha ses paumes du verre chaud derrière lequel dansait une flamme jaune et rouge qui projetait son halo rassurant au fond de ce trou sinistre. Une minute passa avant que Matters ne reprenne la parole :

— Je peux vous poser une question indiscrète, lieutenant ?

— Essayez toujours, lui répondit-il doucement.

— Ça... ça ne vous manque pas cette tension, l'adrénaline de l'enquête ? Je veux dire : ces bouffées d'émotion qu'on ressent pendant l'investigation, le piment du danger, tout ça !

Frewin leva les yeux de la lampe et fixa son sergent.

— Non.

Matters parut déçu.

— Ah ? Je pensais que... vous aimiez cela. Vous êtes sacrément bon dans ce domaine, c'est quand même pas le hasard.

— Vous voulez en venir où, sergent ?

— Eh bien... je...

— Allez-y, parlez librement, dites ce que vous pensez, nous sommes entre nous ici.

Matters hocha la tête et fit la moue avant de se lancer :

— Vous n'êtes jamais aussi bon dans votre métier que lorsqu'on enquête sur un crime. Et je ne suis pas le seul à le constater, c'est votre réputation ! Alors... je me demandais si... Ça ne vous inquiète pas d'être tellement capable de cerner le mal ?

Frewin ferma les paupières un court instant. On y était. Matters abordait enfin le sujet. Il devait en avoir entendu, des rumeurs au sujet de son lieutenant ! Le « troublant lieutenant Frewin ». Celui qui ne parlait pas beaucoup. Qui ne souriait pas souvent. Cet officier dont la femme était morte une nuit en tombant dans l'escalier. Tout le monde connaissait l'histoire : Patty Frewin et son mari avaient fêté son retour pour une permission, ils avaient bu, et au moment de monter à l'étage, Patty avait trébuché à mi-parcours, pour dévaler jusqu'en bas, le crâne ouvert. Elle était morte en quelques minutes, dans les bras de son époux. Mais il existait une autre version qui circulait dans les bases où Frewin avait sa réputation. Il était bien trop habile à cerner les criminels pour ne pas avoir en lui une part de culpabilité, disait-on. Toujours la même rengaine : « C'est parce qu'il est *mauvais* qu'il est apte à les traquer avec tant d'adresse, il pense comme eux. » Frewin n'était pas sourd, il avait déjà entendu ces rumeurs. Certains allaient jusqu'à sous-entendre qu'il avait tué sa femme.

Frewin serra les poings.

— Matters, croyez-vous qu'un aliéniste ait besoin d'être lui-même fou pour soigner ses patients ? Les médecins doivent-ils être malades pour reconnaître une maladie ?

— Non, mais on leur enseigne à reconnaître…

— Oui, ils apprennent ! C'est ce que je fais. J'apprends des hommes, chaque jour que je vis sur cette Terre, j'apprends en observant. J'ai cette faculté, l'empathie, je pratique l'analyse des émotions, des comportements. J'ai lu, beaucoup, énormément, sur ces sujets. Vous savez ce qui fait la différence entre un bon et un mauvais médecin ? La passion qu'il met dans son métier. Je suis un passionné, Matters.

Le sergent approuva en baissant un peu le menton. Il commençait à s'inquiéter, avait-il été trop loin ?

— Et c'est justement cette passion qui engendre les rumeurs les plus folles à mon sujet. Mais c'est le serpent qui se mord la queue, me direz-vous : suis-je fasciné par l'aspect criminel de l'homme parce que je suis une personnalité sombre ou est-ce que cette personnalité s'est développée au contact des criminels ?

Le silence qui suivit ne fut entrecoupé que par le vent qui sifflait entre les arbres de la forêt. La lumière du matin était grise, presque crépusculaire.

— Je n'étais pas comme ça au début, reprit Frewin. L'armée… J'ai changé. Pour survivre, pour me faire ma place. Le jeune homme que j'étais, encore fragile, a pris sa trajectoire à ce moment-là, et ce milieu… *viril* a fait de moi ce que je suis aujourd'hui. Tout comme il est en train de vous changer peu à peu.

Matters se redressa. Pourtant il ne pipa mot, incapable de formuler les pensées qui l'assaillaient.

Ils demeurèrent une heure ainsi, à lutter contre la température, percevant de temps à autre les voix des camarades dans les trous proches. Conrad apparut enfin, au sommet de leur abri de fortune, flanqué de Monroe et Donovan.

— Lieutenant, on a un problème, dit-il d'un ton grave. On a perdu Larsson.

Frewin se leva.

— Comment ça « perdu » ?

— Eh bien, il est allé au contact de la compagnie Raven pour avoir un rapport des officiers sur les troupes, et il n'est pas revenu.

Tout en parlant, Conrad ôta son casque pour masser ses tempes.

— Vous êtes allé voir ?

— Oui, j'en reviens tout juste. Le capitaine Morris a bien fait son rapport à Larsson, puis il l'a vu repartir par la forêt, vers la base arrière où nous avions tous rendez-vous il y a une heure. J'ai préféré rentrer pour vous en aviser.

— Vous avez bien fait.

Devant l'inquiétude qui gagnait les hommes, Matters préféra temporiser :

— Il s'est peut-être arrêté en route pour se réchauffer, il est peut-être allé voir des gars dans une tranchée ?

— Pas son genre, rétorqua aussitôt Frewin. Il sait que nous sommes sur le front. Le retard d'un homme peut signifier une présence hostile dans nos lignes. Prenez l'équipement lourd, on part à sa recherche.

Matters soupira et attrapa son fusil. Il n'aimait pas cette idée de patrouille à proximité du front. Les pluies d'obus pouvaient s'abattre sans prévenir. Non, vraiment, il n'aimait pas cette idée.

Un mauvais pressentiment l'habitait, et sa récente blessure à l'épaule se mit à le brûler comme pour lui rappeler le goût douloureux du métal dans la chair.

58

Les rangers s'enfonçaient dans la neige avec un crissement cotonneux. En file indienne, Frewin en tête, le petit groupe progressait entre les branches basses, fusils et mitraillettes à l'épaule. Ils marchaient à la cadence des nuages qu'ils exhalaient comme un train à vapeur perdu en pleine forêt.

Quelquefois des brindilles craquaient sous leurs pieds, ils se raidissaient en guettant les fourrés alentour, puis reprenaient leur marche. Déjà une heure qu'ils arpentaient la bande large de trois kilomètres sur dix qui séparait l'arrière-base de la compagnie Raven d'où était parti Larsson. Le géant ne pouvait s'être perdu, il vantait son sens de l'orientation infaillible et l'avait maintes fois prouvé. Frewin était inquiet. C'était une forêt dense et sombre, pourtant il avait confiance en son soldat. Pouvait-il avoir été attaqué ? Le moindre coup de feu aurait sonné le branle-bas de combat dans toutes les compagnies proches. Et Larsson mesurait un mètre quatre-vingt-quinze, tout en muscles, pas le genre de gabarit qu'on provoque au corps à corps. Que lui était-il arrivé ?

Les cinq hommes évoluaient tête rentrée dans les épaules, la crainte d'offrir une cible mouvante chevillée à l'esprit. Il existait plusieurs accès reliant les compagnies du front à la base arrière, dont une route, mais située au sud, à l'opposé d'où était parti Larsson, à presque huit kilomètres. Il ne pouvait y être descendu. En toute logique, il ne restait que deux chemins dont l'un se trouvait assez loin. L'équipe avait sillonné le premier, sans rien trouver. Une patrouille avait certifié n'avoir croisé aucun « géant de la PM » de toute la matinée.

À présent, ils avaient rallié l'autre sentier et le remontait en direction de la ligne de combat. Tout était pourtant calme. Aucune explosion, aucun crépitement d'arme. À peine le croassement lugubre d'un corbeau de temps à autre.

La végétation était noire et blanche, parure de léthargie hivernale. L'absence de couleur et la lumière anémique rendaient le paysage triste. Ils avançaient le plus discrètement possible, dans une cuvette de neige tassée où les empreintes de pas se recouvraient. Au détour d'un virage fermé par un grand sapin, ils s'immobilisèrent. Un cerf se dressait au milieu du passage. Un grand mâle aux bois splendides, au poil roux et brun.

Il leva la tête vers eux, ses nasaux exhalant de la vapeur, son regard obscur dardé sur ce groupe d'hommes en armes. La même incertitude les garda face à face de longues secondes. Figés. Puis l'animal déplia ses pattes et bondit entre deux bosquets d'épineux. Il galopa en serpentant parmi les arbres, et disparut.

Sans un mot, les soldats reprirent leur route, gardant pour eux cette image de beauté, comme si le fait d'en parler risquait d'en altérer la grâce.

Dix minutes de plus à arpenter cette croûte blanche, et ils se rapprochèrent de la compagnie Raven qui devait être à moins d'un kilomètre maintenant.

Ce fut Frewin, ouvrant la marche, qui remarqua la trace. Un sillon de cinquante centimètres de large et profond de vingt quittait le sentier pour s'enfoncer dans la forêt.

— Qu'est-ce que c'est ? fit Conrad en s'agenouillant pour l'examiner.

— On dirait qu'une chenille est passée par là, avança Matters.

— Pas assez lourd. Tu connais des engins militaires qui n'ont qu'une seule chenille et qui ne pèsent rien, toi ? railla Monroe.

Frewin posa un genoux à terre aux côtés de Conrad.

— Ce n'est pas mécanique, dit-il.

Conrad approuva en sondant le périmètre.

— Non… (Il se leva pour attraper un gros morceau de bois qui était planté à côté.) Je pense même que c'est avec ça qu'on a creusé le sol.

— Pour quoi faire ? gémit Donovan qui sentait l'anxiété gagner ses compagnons sans en comprendre l'origine.

— Effacer des traces de pas, précisa Frewin.

Il leva la mitraillette qu'il tenait contre lui et s'engagea sur le sillon.

Son index passa devant la détente, tous ses sens aux aguets. Frewin ne sut si c'était un tour de son imagination ou si le paysage se métamorphosait subitement. Il prenait des allures de conte angoissant.

De grosses racines sombres se tordaient dans l'air avant de se courber et d'enfoncer leurs têtes aveugles

438

dans le sol, semblables à des vers obèses, à l'épaisse peau couleur de terre.

Des branches dépouillées et crochues cherchaient à agripper les vêtements.

Des herbes jaunes et asséchées s'extirpaient de la neige.

Des ronces noires comme le mal.

Et plus un son. Pas même un oiseau au loin.

La végétation elle-même s'était tue.

Ton anxiété se transmet à la perception de ton environnement... ce n'est rien, se raisonna Frewin. Pourtant une haie de buissons aux lianes couvertes d'épines fermait à présent tout leur flanc gauche. *C'est normal, tu t'éloignes du sentier, tu t'enfonces dans des friches.*

Le sillon continuait, serpentant maladroitement entre les plantes.

Frewin s'arrêta brusquement. Un casque était renversé au milieu du tracé. Une kyrielle de gouttes rouges répandues tout autour.

Et au fond, une flaque de sang stagnait. Frewin perçut la tension qui montait derrière lui. Les hommes juraient, Matters priait. Tous reconnaissaient le casque de Larsson sur lequel le géant avait calligraphié cette simple phrase : « QUI VEUT VIVRE À JAMAIS ? »

Un filet de sang partait en ligne droite dans la neige. Il devint évident qu'il n'était pas le résultat d'une blessure mais plutôt disposé ainsi à dessein. *Pour nous inviter à suivre cette direction ?* songea Frewin. Ce n'était pas bon. Pas bon du tout. Il était arrivé quelque chose à Larsson. Et le lieutenant craignait le pire.

Frewin désigna un grand sapin et ordonna :

— Monroe, grimpe là-dedans et couvre-nous, on va suivre cette trace.

Monroe approuva avant de se raviser.

— Je vais plutôt me mettre là-haut, j'aurai une vue dégagée et plus de stabilité, affirma-t-il en trottinant vers un gros rocher gris qui bordait ce qui ressemblait à une petite clairière vers laquelle la ligne de sang se dirigeait.

Pendant ce temps, Frewin continuait à progresser sur cette neige retournée, longeant la rigole pourpre qui lui indiquait la voie à suivre. La végétation se clairsema pour finalement s'ouvrir sur un dégagement d'une vingtaine de mètres de diamètre. D'un geste de la main, Frewin envoya Conrad inspecter la gauche pendant que Donovan partait sur la droite. Monroe, quant à lui, apparut en haut du rocher qui surplombait le paysage d'une demi-douzaine de mètres.

Le sang partait droit vers le milieu de la clairière, coupé brutalement par une autre ligne rouge perpendiculaire. Frewin n'en vit pas davantage, le regard aussitôt happé par la forme posée sur une souche en face de lui.

Larsson...

Il était assis sur le tronc cassé en biseau, comme un roi sur son trône, le dos appuyé contre ce qu'il restait d'écorce. Un roi terrifiant.

Ses globes occulaires jaillissaient de leurs orbites, près de tomber, à peine retenus par le nerf optique. On lui avait déchiré les paupières et toute la peau autour des yeux. Ses joues et ses lèvres manquaient également, dévoilant les mâchoires entrouvertes. On avait arraché tout son visage. L'émail de ses dents brillait dans le froid.

Frewin remarqua un lambeau de peau flottant sur le bord du menton comme une feuille rousse dans le vent.

Sa gorge béante disparaissait sous la matière organique qui s'en était échappée avant que le froid ne la fige. Tout le haut de son uniforme était imbibé.

Larsson... égorgé.

— Oh, merde, murmura Matters dans son dos. Merde.

Les traces au sol avaient été effacées par le même stratagème qui les avait conduits jusqu'ici. Une partie de ce tapis blanc cependant n'avait pas été saccagée et on y distinguait des traits et des ronds vermillon. Il n'y avait pas eu de combat ; le sang le confirmait : une seule et unique projection, presque rectiligne dans la neige, celle de la perforation, lorsque la lame avait déchiré le film protecteur du cou pour lacérer veines et jugulaires. On voyait une mare rouge plus compacte ensuite, presque aux pieds de Larsson. *Lorsqu'il est tombé à genoux*, devina Frewin. *Les mains sur la gorge pour tenter de stopper l'hémorragie. Le liquide a coulé entre ses doigts, sur lui, par terre.*

Qui était capable d'abattre ainsi Larsson ? Comment avoir raison d'un tel colosse sans se faire massacrer ? Car il n'y avait pas d'autres marques, l'agresseur ne semblait pas avoir saigné. Pire, on avait recueilli le sang du soldat mourant dans son propre casque pour dessiner ce trait rouge le long du chemin.

— Lieutenant ! s'écria Monroe du haut de son perchoir.

Frewin se tourna vers lui. Monroe braquait un index vers le sol et dessinait un cercle avec, pour entourer Frewin.

— Que dit-il ? demanda le lieutenant froidement.

Matters secoua la tête.

Puis ils comprirent. Monroe désignait la ligne de sang qui les avait conduits ici. Frewin fit un tour sur lui-même.

Elle les entourait.

Ils étaient au cœur d'un cercle tracé avec le sang de Larsson. Un cercle dont partait une ligne droite, barrée par une autre ligne perpendiculaire.

Et soudain, Frewin comprit ce que Monroe voyait d'en haut.

Un symbole.

On s'était servi du sang de leur compagnon pour représenter le symbole féminin. Le même que celui retrouvé sur la première scène de crime, celui de Fergus Rosdale.

Ce fut à cet instant précis que les coups de feu éclatèrent et que le sommet du rocher où se tenait Monroe explosa en une multitude de fragments.

La forêt se mit à gronder.

Et la mort les arrosa de toutes parts.

59

Le menton enfoncé dans la neige, à quelques centimètres de la mare de sang, Frewin identifia au moins
trois armes différentes. Trois tireurs. Ils attaquaient par
le nord.

Frewin pivota pour s'assurer que Matters était bien
couché à ses côtés, indemne, et chercha ses hommes
du regard. Donovan rampait pour se rapprocher d'eux.
Monroe avait disparu du sommet de son rocher dès les
premiers coups de feu. Frewin craignait qu'il ne soit
touché. Restait Conrad, invisible.

— Ils sont juste devant nous, rapporta Matters, là
dans les buissons. Je crois qu'il y a quatre tireurs. Deux
mitraillettes et deux fusils.

Pire que les déductions de Frewin.

— Qu'est-ce qu'on fait ? demanda le sergent qui ne
parvenait pas à dissimuler sa peur.

Frewin tenta de mettre de l'ordre dans ses esprits.
Les balles claquaient dans l'air et faisaient gicler la
neige. Il devait prendre la bonne décision. Conrad était
absent, il devait se trouver tout près de leurs assaillants.
Ils l'ont eu en premier, avec Monroe, des cibles faciles.

S'il ordonnait de se replier par le sud, ils pourraient peut-être passer par le rocher et tenter de récupérer Monroe, mais ils abandonneraient Conrad.

— Lieutenant ? insista Matters.

Deux balles émirent un bruit gras et humide en venant se ficher dans le corps de Larsson, au-dessus d'eux. Il fallait faire vite.

Frewin se prépara à s'accroupir.

— Tir de barrage, cria-t-il à Matters par-dessus le vacarme.

Il se mit à genoux et pressa la détente. Le canon de son arme se mit à cracher son métal incandescent. Visant la forêt, Matters l'imita aussitôt. Frewin ne se préoccupa pas de chercher une cible potentielle parmi les feuilles, il ausculta le bord de la clairière, à la recherche de Conrad. Rien. Le doyen de la PM avait disparu, il n'y avait pas même son corps. Il se jeta ventre contre terre dans la foulée.

La riposte ne se fit pas attendre. Une pluie d'impacts arrosa le tronc, envoyant des esquilles de bois en si grand nombre qu'un nuage de poussière brune se forma. Larsson encaissa une salve de coups, sa chevelure sauta, détachant un large morceau de la boîte crânienne qui vint se planter face aux yeux du sergent. Sous la pression des balles, le corps se mit à glisser et s'affaisser en avant, Matters eut à peine le temps de rouler sur le côté pour l'éviter. Le lieutenant, lui, le reçut sur le dos.

En une seconde, Matters réalisa qu'il n'était plus à couvert. Une première balle le frôla. Une seconde fit éclater la neige à dix centimètres de sa tête, lui envoyant violemment des flocons dans les yeux. Le jeune sergent roula en sens inverse, aveuglé. Deux sifflements à proximité de son oreille.

C'est alors que son casque résonna comme une cloche et qu'il perçut une pichenette sur le sommet du crâne. Et il comprit. Cette fois l'acier était en lui. Dans son cerveau. Il ne le sentait pas encore. Et curieusement, plus que la douleur, ce fut la peur qui l'inonda. Une terreur sourde, primitive, car Matters sut qu'il était en train de partir. Il vit le lieutenant devant lui, repoussant le cadavre de Larsson pour brandir sa mitraillette au-dessus de lui et tirer. Il remarqua les cartouches qui s'envolaient en fumant depuis la fenêtre d'éjection. La flamme crépitante devant l'arme. Le rugissement des balles lui semblait lointain. Il mourait et c'était ainsi : les sensations qui disparaissent, le son, le toucher. Il n'avait plus froid. Et ses paupières commencèrent à se fermer. Tout cela n'avait pas pris dix secondes.

Toute sa vie disparut en ce laps de temps.

Et il ne sut plus rien.

Frewin vida son chargeur et roula sur le flanc pour le changer. Personne ne prit la relève pour occuper l'ennemi. Ni Matters, ni Donovan. Il enfonça le rectangle dans son logement, arma et refit partir quelques coups sans viser. Puis Donovan apparut sur sa gauche.

— Faut pas rester, mon lieutenant ! On va se faire massacrer !

— On se replie vers le rocher pour récupérer Monroe ! hurla Frewin en faisant à nouveau feu. Tirez, bon sang !

Donovan pointa son fusil dans la même direction que son supérieur et déclencha deux projectiles avec la même absence de conviction que s'il avait dû abattre une fourmi à trois cents mètres de distance.

Trois geysers blancs jaillirent juste devant le soldat qui lâcha aussitôt son arme pour abriter sa tête derrière ses bras. Frewin lança une nouvelle série de décharges assourdissantes et chercha Matters du regard. Il trouva le sergent derrière lui, le visage enfoncé dans la neige. *Pas Matters, non, pas lui aussi !*

Ils allaient tous y passer, réalisa-t-il. Petit à petit, ils se feraient tous abattre. Donovan ou lui en voulant rallier le rocher. L'autre suivrait en voulant retrouver Monroe. C'était fini.

Puis les bois explosèrent.

Coup sur coup, deux grenades embrasèrent les buissons, illuminant d'un flash instantané ce qui n'était qu'obscurité là où Frewin se tenait. La saccade brutale d'une mitraillette suivit, quelque part sur la gauche. On riposta d'un coup de feu et une troisième grenade sauta dans la foulée. Puis plus rien.

Un voile de fumée s'échappa d'entre les branches.

Presque une minute sans bruit avant qu'un coup sec ne résonne. Frewin reconnut le son plus mat et sec d'un pistolet. À nouveau le silence.

Deux sapins s'agitèrent et une voix rauque, caractéristique, en émergea :

— C'est moi, Conrad, ne tirez pas !

Et il sortit de la lisière, mitraillette sur l'épaule.

— Je les ai eus, ces fumiers ! brailla-t-il sans se rendre compte que les grenades l'avaient rendu sourd. Tous, même celui qui bougeait encore ! Je lui ai collé un pruneau entre les yeux !

Et si le ton qu'il employait se voulait hilare, l'expression de son regard fit peur à Frewin.

60

La peur est le plus puissant des moteurs.

La peur transforme les hommes. Elle peut les détruire, ou bien les rendre invulnérables. La peur dope les esprits, ou les réduit en bouillie. Elle est instrument d'asservissement, elle n'a pas de limite. Qui contrôle la peur, contrôle l'homme, voire des foules entières.

Matters en avait fait la cruelle expérience. La peur s'était emparée de tout son corps, jusqu'à sa conscience, pour le faire tourner de l'œil. Il avait cru prendre une balle en pleine cervelle, alors qu'elle avait ricoché sur le casque, laissant un éclat de peinture arraché. Il avait survécu. Sans une égratignure. Tout comme Monroe qui avait trébuché dès le début de l'assaut, il s'était sonné en voulant se retenir. Le temps qu'il retrouve la pleine possession de ses moyens et tout était fini. Conrad, quant à lui, avait surpris la patrouille ennemie juste avant qu'elle n'ouvre le feu sur ses camarades. Il n'avait pu que se cacher pour la contourner. La patrouille aurait pu passer sans même les remarquer si Monroe n'avait pas interpellé son lieutenant en découvrant la figure tracée avec le sang de leur compagnon. Conrad les avait vus sursauter et se rapprocher brusquement sans parvenir à prévenir les siens.

Deux grenades avaient fait taire leur ardeur belliqueuse, avant qu'il n'arrose les corps gémissants de sa mitraillette. Un adversaire un peu à l'écart avait riposté et Conrad avait lancé sa dernière grenade pour régler le problème. C'était en marchant parmi les cadavres qu'il avait découvert un survivant. Il s'en était occupé avec son pistolet. Une balle.

Si dans les premières minutes il s'était montré survolté par sa réussite, il avait sombré depuis dans un mutisme de mauvais augure.

Frewin avait conduit tout le monde à l'hôpital de campagne : une succession de longues tentes guère plus chaudes que leur trou. Monroe et Matters s'y firent ausculter malgré leurs protestations et Frewin retourna dans la clairière avec des hommes de la compagnie Drake. Ils revinrent en fin d'après-midi, portant une civière dissimulée sous un drap kaki. Une heure plus tard, toute l'équipe de la PM était convoquée dans ce qui était devenu leur quartier général de fortune : un profond trou entre des sapins.

L'hiver approchant, la nuit était déjà tombée, soulignant une succession d'œillets de lumière orangée dans la forêt. Des pores coruscants qui tremblaient à la surface de cette peau blanche, et des grappes de soldats agglutinées autour des minuscules clartés luttant pour survivre dans le froid. Ils se resserraient pour contempler ces petites flammes avec passion, priant pour qu'elles ne meurent pas comme s'il s'agissait de leur espoir.

Frewin serpenta entre les anfractuosités, saluant deux hommes qui montaient la garde, jusqu'à atteindre l'abri de la PM où deux lampes-tempêtes brillaient au fond, irradiant un faible halo. Lorsque Frewin y descendit, il vit les visages pâles de Matters, Donovan, Monroe et Conrad. Quatre hommes, voilà tout ce qui lui restait. Quatre autres étaient partis dès le début de cette longue succession de batailles. Clauwitz, Forrell, Baker et Larsson. On lui promettait des renforts depuis deux mois, sans résultat. Heureusement l'équipe du capitaine Stanley, l'autre unité de la PM affectée à ce régiment, assurait une large partie du travail.

Frewin trouva à s'asseoir sur une caisse de munitions vide, servant de table et de tabouret. Ses hommes étaient emmitouflés dans des couvertures.

— Je ne vais pas y aller par quatre chemins, commença-t-il, on a un sérieux problème sur les bras.

Frewin vit des regards entendus se croiser, ils en avaient déjà parlé entre eux.

— Larsson a été assassiné, et ce n'est pas par l'ennemi. Le symbole dessiné avec son sang n'était pas là par hasard. Le choix de Larsson non plus.

— C'est exactement comme sur le *Seagull*, pour le meurtre de Rosdale, rappela Matters d'un ton lugubre.

— Oui, et nous n'étions pas nombreux à savoir pour cc dessin.

— Il y avait nous et miss Dawson, fit remarquer Matters.

— Exact, répondit Frewin l'air soucieux.

— Ainsi que l'officier Coolidge qui était à bord.

Frewin hocha la tête en se souvenant d'un trentenaire qui n'avait presque plus de cheveux. Matters avait déjà bien réfléchi.

— Il est pourtant à exclure que Coolidge soit responsable de ça, protesta le lieutenant.

— Pourquoi ? demanda Monroe, une cigarette entre les lèvres.

— Parce qu'il n'a probablement pas quitté le navire et qu'il y est encore à l'heure où nous nous gelons ici, à plusieurs centaines de kilomètres.

— Et miss Dawson ? insista Matters.

Le ton accusateur déplut à Frewin qui s'empressa un peu trop de la défendre :

— Franchement, vous la voyez faire ça ? Sans parler du rapport de force entre elle et Larsson ! Non, et c'est bien pour ça que nous avons un sérieux problème.

Il leva les yeux pour scruter chacun de ses hommes. Tous soutinrent son regard. Tous savaient ce qu'il voulait dire. On n'avait pas tué Larsson. On l'avait *massacré*.

— On chope celui qui a fait ça et on lui fait payer très cher ! s'exclama Monroe. Et là : pas de procès, rien que lui et nous !

— Monroe ! Pas de ça ! On ne part pas en vendetta, le sermonna le lieutenant.

L'intéressé marmonna entre ses dents avant de s'enfoncer un peu plus sous son épais châle improvisé. Frewin savait que ses hommes n'allaient pas bien. Le regard noir de Conrad après ce qu'il avait fait aujourd'hui, la rage à peine contenue de Monroe et l'apathie des deux autres le rendaient soucieux. Ils ne pouvaient pourtant pas s'arrêter, c'était la guerre, et même si Larsson n'était pas tombé comme les autres, il ferait partie des soldats morts au front. Tout le monde perdait un ou plusieurs camarades à chaque bataille.

— Larsson était… exhibé, constata Matters avec de l'émotion dans la voix.

Frewin le fixa. Peut-être plus encore que l'état du cadavre, c'était ce point précis qui le perturbait.

— Et ça nous rappelle quelque chose.

— Hriscek est mort, il est même bouffé par les vers ! protesta aussitôt Donovan.

— Aucun doute là-dessus, admit le lieutenant, nous avons tous vu ce qu'il restait de lui, ses traits gonflés et ses membres brûlés. Ce qui ne nous laisse pas beaucoup de choix.

Matters haussa les épaules sous sa couverture et lança :

— Justement, ça ne nous en laisse aucun ! Qui a fait ça à Larsson ?

— Quelqu'un qui savait pour le symbole féminin, exposa Frewin. Qui savait que Hriscek exhibait les corps de ses victimes.

Le ton montait peu à peu.

— Mais il n'y a que nous ! rétorqua Matters.

— Alors il nous faut reconsidérer l'enquête effectuée. Il n'y a que deux options : soit ce n'était pas Hriscek…

— Impossible !

Frewin continua sans tenir compte de l'interruption :

— Soit il avait un complice.

Les visages des uns et des autres étaient éclairés par en dessous, allongeant les ombres de leur visage et leur conférant un air inquiétant dans la lumière tiède des flammes.

Cette fois ce fut au tour de Donovan d'intervenir :

— Vous l'avez dit vous-même : c'est presque impossible, trop difficile que deux pervers se rassemblent, qu'ils se reconnaissent et puissent partager un fantasme aussi élaboré, c'est ce que vous aviez dit.

— Je sais, pourtant il nous faut envisager cette option, j'ai pu me tromper, même si… ça me semble toujours aussi improbable aujourd'hui. Les crimes étaient… *sont* si particuliers, ils vont tous dans une direction commune, celle de la frustration, de la haine du système, de la femme, il y a un degré de sophistication tel que je ne peux pas croire qu'ils soient le fruit de deux cerveaux. Deux pervers qui se rencontrent élaborent leurs fantasmes criminels ensemble, même si l'un des deux prend l'ascendant sur l'autre, on devrait trouver des éléments allant dans des directions sensiblement différentes sur le crime, un peu de l'un et un peu de l'autre… Le langage du sang ! Encore une fois, messieurs, je vous le dis : un homme ne peut froidement en tuer un autre sans qu'une part de sa personnalité et des raisons de son geste ne s'imprègne dans son crime.

— Alors quoi ? protesta Conrad que toutes ces explications fatiguaient dans ce contexte endeuillé. Si Hriscek n'avait pas de complice ? Et puisqu'il est bien mort, qui a fait ça ?

— On pourrait envisager…, balbutia Donovan, que Hriscek n'ait pas été le tueur. Que d'une manière ou d'une autre, on nous a trompés.

— Et il se serait arrêté de tuer pendant six mois ? déclara Monroe, pas convaincu.

— Si nous étions tout près de l'identifier, alors oui, envisagea Matters. Il aurait mis au point un stratagème perfide pour accuser Hriscek et une fois débarrassé de nous, il a attendu que tout se calme pour recommencer.

Le sergent chercha du soutien en guettant Frewin. Celui-ci réfléchissait, envisageant les différentes possibilités.

— Quoi qu'il en soit, je vais vous demander d'être sur vos gardes, ordonna-t-il. Nous ne sommes pas assez nombreux pour nous déplacer par groupes et j'ai besoin de tout le monde pour continuer d'assurer notre mission. Aussi, lorsque vous serez seuls, méfiez-vous de tout. Je vais demander à Toddwarth des renforts immédiats en espérant cette fois qu'il ne nous fera pas mariner six mois de plus. Pour l'heure : prudence.

— C'est… tout ? s'étonna Donovan. On ne va pas enquêter sur la mort de Larsson ?

— J'ai déjà annoncé son meurtre et notre implication dans l'enquête, rapporta le lieutenant. Je vais m'en occuper.

— La compagnie Raven est la plus proche de l'endroit où on l'a retrouvé, exposa Matters avec ce que Frewin identifia comme de la colère dans la voix. Et Larsson en revenait. Il y avait la 3e section tout près. Ça recommence.

Ils se turent un instant, dans l'étrange silence de la forêt. La présence militaire avait fait fuir les animaux ayant échappé aux combats.

— Il y a une dernière éventualité, fit Monroe d'un ton grave. C'est que ce soit l'un d'entre nous.

Et plus étrange encore que le calme de la forêt, personne ne s'indigna. Ils s'observèrent, la face déformée par les ombres.

Des visages de monstres.

61

Au petit matin, les combats avaient repris quelques kilomètres plus à l'est. On entendait les crépitements discontinus des mitrailleuses et les déflagrations des grenades.

Avant que ses hommes partent vers leur affectation, Frewin insista sur les consignes de sécurité :

— N'oubliez pas, vous serez seuls lors de vos déplacements dans la forêt pour rallier chaque compagnie et faire le point avec les officiers sur les désertions. Ensuite, toute inspection ou toute patrouille dans la région s'effectue avec une équipe de la compagnie Drake depuis l'arrière-base. Plus de zèle, on ne va nulle part sans une escorte.

— Tant qu'on y est, ils pourraient transférer leur état des troupes par radio, non ? proposa Monroe.

— Négatif, l'état-major s'y oppose formellement. L'état de chaque compagnie est considéré comme une information sensible, ses morts, ses blessés et ses déserteurs, tout ça ne doit pas être connu de l'ennemi, et les radios ça s'écoute. C'est votre tâche, messieurs, allez-y.

Il vit ses quatre hommes remonter la pente glissante de leur trou et se disperser vers leurs missions respectives, sans un mot mais avec la même nervosité. Tous portaient des armes lourdes et Matters vérifia à deux reprises si son fusil était bien chargé avant de disparaître derrière les frondaisons de sapins.

Frewin fouilla dans la petite caisse qui contenait ses maigres affaires. Il souleva un peu de linge et, sur le côté, entre un carnet de notes et toutes les lettres adressées à Patty, il extirpa la liste des hommes de la 3e section, compagnie Raven. Toujours les mêmes. Il l'avait conservée sans savoir pourquoi, lui qui n'était habituellement pas très sentimental, peut-être en guise de trophée. Elle était pliée en quatre, froissée.

Si Hriscek n'était pas notre homme, c'est qu'on s'est foutu de nous avec une habileté hors du commun ! Il devait retracer toutes les déductions qui les avaient conduits à Hriscek. Pourtant, il se contenta de mettre la liste dans une poche de sa veste et se hissa à son tour hors de la cavité.

Il avait une promenade à faire avant tout. Rendre visite au capitaine Morris.

L'impact des affrontements était plus palpable sur le bivouac de la 3e section qui n'était qu'à six cents mètres du front. Le capitaine Morris était absent, avec une partie de ses hommes en soutien de la 2e section au combat. Il ne trouva que le sergent Parker Collins qui courait entre les tentes.

— Hé ! le héla Frewin.

— Je dois filer, lieutenant, je recharge mes besaces, fit-il en exhibant deux sacs marqués de la croix rouge qu'il se mit à remplir de compresses.

— Ils sont tous au contact ?

— Oui, haleta-t-il, et ça frappe fort là-bas.

— Hier, la 3e section était présente ici ?

Parker Collins acquiesça.

— Sauf Regie, Clamps et Traudel qui étaient de patrouille le matin, et Clark, Brodus et Costello l'après-midi, sinon on était tous là.

— Libres de vos mouvements ?

Collins tiqua, et cette fois il s'arrêta pour étudier le lieutenant.

— Pourquoi ? Vous nous soupçonnez encore de quelque chose ?

— Répondez, sergent.

L'expression de Collins vira à l'exaspération.

— Oui, libres de nos mouvements. Voyez-vous, la compagnie Raven se tape toujours le sale boulot, alors quand on n'est pas le nez dans la merde, les patrons nous foutent la paix, vous devriez en prendre de la graine d'ailleurs.

Larsson avait été tué le matin. Regie, Clamps et Traudel pouvaient être rayés de la liste des suspects. À moins qu'ils n'aient agi à trois, ce que le lieutenant ne pouvait concevoir. C'étaient des crimes de solitaire. Un tueur et un seul, il le sentait.

— Désolé mais faut vraiment que j'y aille ce coup-ci, fit l'infirmier en fermant ses sacs et pressant le pas loin du lieutenant.

Frewin le guetta pendant qu'il s'éloignait puis fit demi-tour. Il chercha le sentier qui filait sur le flanc nord, le même qu'avait emprunté Larsson la veille pour repartir et, lorsqu'il le débusqua entre deux nids de ronces, il s'y engagea. Il avait sermonné son équipe sur la prudence et réalisa qu'il ne portait que son pistolet au ceinturon. Ni arme lourde, ni grenade.

Dans la rumeur des assauts, Frewin n'entendait que le crissement de ses semelles sur la neige et le faible vent qui bruissait dans les branches. Il remonta jusqu'au chemin perpendiculaire que le tueur avait « nettoyé » pour revenir dans la clairière. Le sang maculait toujours le manteau blanc. Personne n'avait effacé le dessin qui prenait des airs de provocation. Frewin s'écarta un peu pour avoir une vision d'ensemble.

Le tueur s'était éloigné du sentier avec sa proie, pour être tranquille. Larsson ne s'était pas débattu, l'étroitesse du sillon que leurs pas effacés avaient marqué suggérait même qu'ils marchaient en file indienne. Frewin connaissait Larsson. Il n'était pas du genre à suivre gentiment. Il se serait débattu s'il avait senti le moindre danger ou la plus petite contrainte. Alors pourquoi avait-il suivi le tueur jusqu'ici ? Frewin ne voyait qu'une hypothèse : il avait confiance.

Ils avaient marché ensemble jusqu'à ce tronc. Et là, le meurtrier était parvenu à égorger un colosse d'un mètre quatre-vingt-quinze tout en muscles, sans résistance.

Incompréhensible.

Sauf si Larsson avait une confiance aveugle en son tueur. Un des nôtres...

Il secoua la tête comme pour effacer cette pensée ignoble de son cerveau. Pourtant il fallait bien se rendre à l'évidence. *Il doit y avoir une autre explication !* Il contempla le trait de sang. Ce symbole provocateur. Si son auteur n'était pas un de ses hommes, alors il ne pouvait s'agir que du tueur de Rosdale. Personne d'autre ne savait pour le dessin. Et s'il l'avait refait ici c'était par pur défi. *Si le tueur savait pour le symbole féminin sur la scène de crime de Rosdale, pourquoi ne l'avait-il pas effacé ? Parce qu'il lui servait. Parce qu'il en était l'auteur. Pour nous conduire à interroger Lisa Hiburgh, pour arriver à Hriscek. Une mise en scène. Une manipulation de plus. Machiavélique.*

Frewin sortit la liste des soldats de la 3ᵉ section. Si le tueur n'était pas Hriscek alors celui-ci était parvenu à une manipulation redoutable pour tromper la PM. Et il était resté inactif pendant six mois.

On était sur tes talons, c'est ça ? On te tenait presque et tu as manigancé tout ça pour qu'on se contente de Hriscek ? Pire, la ruse avait été mise en place lors du premier crime. Dès le début, le tueur s'était ménagé une porte de sortie. *Mais il n'a plus tué depuis six mois ! On était tout proches de lui. Au point qu'il se soit contenu tout ce temps.* Qu'avaient-ils pour lui faire peur à ce point ? Étaient-ils tout près de le démasquer avant que le piège Hriscek ne se referme sur eux ?

Ils traquaient le coupable dans la 3ᵉ section. Un type costaud, un droitier, chaussant du 44. Frewin ressortit la liste.

Quatre suspects pouvaient correspondre.

L'infirmier Parker Collins, Cal Harrison, toujours lui, Rodney Barrow et John Wilker, qu'Ann avait insisté pour mettre au nombre des « gabarits imposants ». Comment l'un de ces gars avait-il bien pu mettre Larsson en confiance ? Un gradé ? Collins était sergent. L'infirmier pouvait inspirer plus facilement la sérénité. Au point d'entraîner Larsson à l'écart et de lui trancher la gorge sans difficulté ? *Peu probable…*

Cherche des évidences ! J'ai regardé le cadavre de Larsson hier après-midi, il n'avait pas de marque d'entraves aux poignets. Il était libre de ses mouve-

ments ! Alors pourquoi ne s'est-il pas opposé à son agresseur ?

Une attaque éclair ? Et si Larsson s'était engagé de lui-même à l'écart du chemin principal pour atteindre cette clairière ?

Frewin fit un tour sur lui-même. L'égorgement avait eu lieu au milieu, le tueur ne pouvait être caché. *Non, il le voyait. Il ne s'est pas méfié.*

Le lieutenant secoua la tête, il ne comprenait pas ce qui avait pu se passer. Hriscek avait semblé le coupable idéal, tout convergeait sur lui. *Pourtant nous n'avons jamais su comment il était parvenu à sortir de sa geôle pour maîtriser Baker.* Si Hriscek n'était pas ce tueur qu'ils pourchassaient, alors le vrai meurtrier pouvait être venu cette nuit-là pour le libérer avant de s'enfuir. Frewin soupira.

Il replia la liste de noms qu'il tenait dans une main et rebroussa chemin jusqu'à l'arrière-base, à près de quarante minutes de marche.

Là il parvint à joindre le major général Toddwarth par téléphone. Frewin ne lui demanda plus rien. Il exigea. Des recrues pour son unité et carte blanche pour mener l'enquête sur la mort de Larsson.

— Je pense que l'assassin de cet été n'était peut-être pas Hriscek.

Non, c'est terminé, je ne veux plus entendre parler de cette histoire ! Larsson est tombé sur une patrouille ennemie, probablement celle qui vous a attaqués, cesse de voir le démon partout !

— C'est l'acte d'un pervers, pas d'une meute de soldats, aussi féroces soient-ils.

— Craig, je refuse d'entendre ce discours. Je vais faire ce qu'il faut pour t'envoyer des renforts, en contrepartie je veux que tu arrêtes avec cette obsession criminelle. C'est un ordre.

Frewin n'eut aucun mal à imaginer son supérieur en train de lisser nerveusement sa fine moustache comme il le faisait si souvent lorsque les choses n'allaient pas dans son sens. Toddwarth était buté et changeait rarement de position, il était inutile d'insister, comprit Frewin.

— Très bien, admit-il, mais si un autre meurtre similaire est commis, tu ne pourras plus m'empêcher de rouvrir l'enquête, avec tous les moyens qui s'imposent. Et celui-ci sera sur *ta* conscience.

Lorsqu'il revint au piteux abri de son équipe, en fin d'après-midi, il trouva Donovan en train de manger une ration froide.

— Les autres ne sont pas revenus ?

Donovan répondit par la négative :

— Monroe est en patrouille avec des gars de la compagnie Drake, ils cherchent deux déserteurs qui ont été aperçus dans une grange au sud, Matters est encore à l'arrière-base, ils avaient besoin d'un sous-off de la PM pour une histoire administrative avec des prisonniers, j'ai pas bien compris, et Conrad a répondu à un appel.

— Un appel pour quoi ?

— Je ne sais pas, on demandait un gars de la PM à la radio.

Frewin hésita avant de s'asseoir et de se réchauffer. Il était préférable de vérifier, il se pouvait que Conrad ait besoin de soutien hiérarchique.

— Où se trouve l'opérateur radio ? demanda-t-il.

— Il y en a un à cinquante mètres par là, ils sont dans une tranchée, répondit Donovan.

460

Frewin ne tarda pas à repérer la fosse profonde de deux mètres dans laquelle veillaient plusieurs hommes. Un recoin surprotégé de sacs de sable abritait une radio et un sous-officier de permanence.

— Vous avez reçu un message pour la PM ?

Le jeune homme sonda ses souvenirs en levant les yeux vers le haut comme s'il *regardait* dans sa mémoire.

— Ah, oui, il y a une bonne heure de ça. Un appel de la compagnie Raven, ils revenaient du front.

Le capitaine de compagnie avait dressé le dernier état de ses troupes et devait le transmettre à l'arrière-base – on utilisait des hommes de la PM pour laisser les soldats de liaison se concentrer sur les communications entre sections au combat. Ce qui ne plaisait pas à Frewin, c'était que Conrad soit seul dans la forêt aux alentours de la compagnie Raven. *Conrad est un grand garçon, il sera prudent.* Aussitôt une petite voix malicieuse rétorqua : « *C'est ce que tu avais dit de Larsson, non ?* »

Frewin préféra ne pas céder à la paranoïa.

— Bien, prévenez-moi s'il y a quoi que ce soit d'anormal.

Sur quoi il rentra manger à son tour, pour rapidement se mettre une couverture sur les épaules quand le soleil déclina.

Monroe rentra alors que le ciel était encore gris et Matters arriva pour la nuit. Les lampes brûlaient en projetant leur nimbe doré.

À vingt heures passées, Frewin se leva et ordonna à Monroe de le suivre. Ils partaient à la recherche de Conrad.

— Ça fait quatre heures qu'il est parti, bien plus qu'il n'en faut pour tout faire et rentrer.

— Il est peut-être tombé sur une autre mission entre-temps, voulut le rassurer Matters.

— Probablement. Cela dit, ça ne coûte rien d'aller vérifier.

Tous sentaient la nervosité de leur lieutenant.

Monroe prit une mitraillette et Frewin s'empara d'une lampe électrique pour traverser la forêt obscure. Le froid ne tarda pas à s'inviter. Il plaquait son souffle mordant sur les joues et les oreilles malgré les casques, et s'engouffrait dans le cou.

L'arc de lumière suffisait à peine pour les guider, la végétation réduisant le champ de vision à une fente étroite. L'écho des affrontements s'était tu avec le crépuscule et ne demeurait plus que le doux frottement des branches et des épines de sapins.

Ici, à cette heure de la nuit, le monde entier semblait n'être plus qu'une plaine blanche recouverte d'une fourrure végétale Les villes avaient disparu, les montagnes et les mers s'étaient évaporées. La guerre ne laissait qu'une interminable forêt ténébreuse.

Les premiers flocons se mirent à tomber après dix minutes. Glissant avec la grâce de danseurs, pollen des cieux couvrant la terre et les arbres.

Frewin emmena Monroe sur le sentier qui conduisait à la compagnie Raven. Le temps de l'atteindre, le pollen devint pétales, plus épais, recouvrant peu à peu les traces de pas sur le sol. Bientôt ce fut un déluge qui s'abattit sur la région, tissant un rideau dense. Et la lampe du lieutenant ne servit qu'à éclairer ses pieds.

Monroe vint à sa hauteur, épaule contre épaule.

— Je crains qu'on ne puisse pas rentrer tout à l'heure, on risque de se perdre ! s'écria-t-il pour que sa voix porte.

— Je sais, mais on ne laisse pas Conrad.

Monroe approuva, retrouvant un peu de motivation par solidarité.

Courbés en avant, ils progressèrent plus lentement, éprouvant de plus en plus de difficultés à suivre le sentier.

Puis ils parvinrent au camp de la compagnie Raven, et Frewin s'engagea dans la partie de la 3ᵉ section. Il y trouva le capitaine Morris, sous une tente sèche, en discussion avec ses deux lieutenants, Piper et Clark, ainsi qu'avec l'infirmier Parker Collins.

Morris confirma la présence de Conrad en fin de journée, vers dix-sept heures, il était reparti avec l'état des troupes pour l'arrière-base.

— Vous ne l'avez plus revu depuis ? insista Frewin.

— Non, pas moi en tout cas.

Les autres répondirent à l'unisson. Conrad n'était pas réapparu.

— Et vos hommes, qu'ont-ils fait en fin d'après-midi ?

Morris fronça les sourcils.

— Ils se sont reposés, pourquoi ?

Ignorant la question, Frewin enchaîna :

— Vous n'avez rien remarqué de particulier ?

— Quoi ? Votre soldat manque à l'appel et c'est la 3ᵉ section qu'on vient voir ? Vous avez du culot, lieutenant !

Parker Collins s'invita dans la conversation :

— Si je peux me permettre, moi j'ai entendu quelque chose peu après le départ de votre homme.

— Quoi ? Qu'avez-vous entendu ? s'inquiéta Frewin.

— C'était une petite demi-heure après son départ, je pense. Une explosion sourde. On aurait dit une grenade.

Ça m'a surpris parce que ça ne venait pas de l'est où sont les combats, mais de derrière nous. Et puis comme il n'y a pas eu de coups de feu ni rien, j'ai laissé tomber.

— Du sentier par lequel Conrad est reparti ?

— Oui, ça pourrait être dans ce coin.

Frewin le remercia du bout des lèvres et s'empressa de ressortir dans le froid et la tempête naissante. Monroe l'interpella en le prenant par le bras :

— Je ne crois pas que ce soit prudent d'y aller maintenant ! s'écria-t-il.

— Ça ne vous perturbe pas, cette histoire de grenade et l'absence de Conrad ?

— Si, mon lieutenant, et si vous me dites qu'on y va, je vous suis, mais je ne crois pas que ce soit une bonne idée.

— On y va, Monroe. Bonne idée ou pas.

Et ils repartirent dans leurs propres traces, presque effacées par la neige. Frewin était hanté par une intuition noire. Un cauchemar éveillé qu'il ne parvenait pas à arracher de la toile de sa conscience depuis les mots de Collins dans la tente.

L'apothéose de la revanche. Le summum de la provocation.

Le tueur signant sa toute-puissance en narguant la PM de la plus arrogante des récidives.

Ils devaient foncer jusqu'à la clairière.

Le vent soufflait en tourbillonnant, abattant des torrents de flocons sur ces deux silhouettes. Des congères se formèrent jusque dans les replis de leurs uniformes. Leurs doigts devinrent gourds malgré les gants. Ils marchaient comme des pantins, de moins en moins alertes à mesure qu'ils perdaient la bataille contre la morsure de l'hiver.

Frewin reconnut l'embranchement conduisant à la clairière grâce à un arbre difforme qu'il avait repéré la veille. Chaque pas devenait un effort. Ils s'enfonçaient jusqu'à mi-mollet dans cette poudreuse glaciale.

Ils dépassèrent le rocher noir.

Brusquement, il y eut une accalmie, le vent retomba d'un coup et les flocons cessèrent de tournoyer.

La lampe fendit l'obscurité. Elle effleura les buissons, le tronc.

Avant de se poser sur une masse sombre. Humaine. Effondrée dans la neige.

Frewin se précipita, et patina sur ce qu'il prit pour de la glace sous la couche fraîche. Il agrippa le col et tira le visage hors de son carcan étincelant sous les rayons de la lumière.

Conrad avait la bouche ouverte, les yeux mi-clos, vitreux.

Frewin vit que ses mains étaient attachées dans son dos, par ses propres menottes. Et c'est en voulant redresser son soldat inerte qu'il découvrit l'horreur.

Le torse se souleva en craquant dans les mains du lieutenant. Il manquait tout le devant de son abdomen.

On avait arraché le ventre de Conrad. Toutes ses tripes étaient sous la neige. Répandues en de multiples fragments visqueux. Il y en avait partout. Projetées sur plusieurs mètres. La neige peinait à tout recouvrir, comme par dégoût.

Au-delà du massacre. Telle fut la pensée du lieutenant. *Bestial. Immonde*.

Frewin comprit ce qui l'avait fait glisser. Il marchait sur le sang glacé du pauvre homme.

Conrad était mort.

Exactement là où on avait tué Larsson.

Et le message était on ne peut plus clair : Frewin et les siens étaient en voie d'extinction.

Rien ne pourrait plus arrêter leur prédateur.

Plus rien.

62

La lumière du matin était pâle, presque retenue, n'osant éclairer ce monde barbare où les hommes s'entretuaient.

Frewin conduisait la Jeep qu'il s'était fait remettre à la base sur leur position arrière, et il fonçait sans ralentir, la route semblait interminable. Parfois il croisait deux ou trois camions de ravitaillement roulant en sens inverse, mais le paysage ne changeait pas d'un iota : bois à perte de vue. Il atteignit le camp suivant après trois heures de route. Ici les allées étaient un mélange boueux de terre et de neige. On rassemblait les blessés de toutes les lignes de front et on régulait les approvisionnements en carburant des différentes unités motorisées. L'odeur du sang se mêlait à celle de l'essence, et Frewin fut rapidement pris d'une violente nausée. Tout son corps réagissait aux relents de kérosène par un rejet total, et il ne tarda pas à disparaître entre deux tentes pour vomir jusqu'à ce que son estomac soit douloureux. Le souvenir de l'église était encore vivace, profondément inscrit dans sa chair. Il revit l'incendie qui semblait sourdre de la terre à l'image d'une brèche ouverte sur les enfers.

Il parvint à l'hôpital qui se scindait en une cinquantaine de longues tentes hautes et larges comme des hangars. Un bon millier de mutilés étaient rassemblés là avant d'être renvoyés soit chez eux, soit dans les tranchées en fonction de leur état. Le lieutenant mit une demi-heure de plus à chercher en vain celle pour qui il avait fait tout ce chemin. Il interpella un officier du personnel médical qu'il s'était fait indiquer une seconde plus tôt :

— Je cherche l'infirmière Ann Dawson, vous savez où je peux la trouver ? Elle fait partie de l'unité médicalisée mobile du major Callon.

L'officier le toisa un instant avant de réfléchir.

— Ça me dit quelque chose… Ah, oui, le major Callon est arrivé ce matin avec son équipe. Vous devriez les trouver à proximité des blocs opératoires, vers le fond de l'allée B.

— Merci. (Frewin allait repartir quand il s'immobilisa pour demander :) Savez-vous d'où ils viennent ?

— Aucune idée, ils vont là où on a besoin d'eux, essentiellement à proximité du front. Je suis pressé, désolé.

Frewin le remercia une fois encore et partit dans la direction indiquée. Il repéra enfin Ann après cinq minutes. Elle entrait dans une tente dont tout un pan était ouvert. Toujours aussi belle. Ses boucles blondes nouées au-dessus de sa nuque, son air volontaire d'où transpirait la douceur. Des gestes précis, gracieux. Frewin s'approcha. Elle rangeait des flacons de médicaments sur une étagère dans ce qui servait de réserve.

— Bonjour, dit-il doucement, presque embarrassé.

Elle s'arrêta, le bras en suspens, sans se retourner. Puis elle termina son geste avant de lui faire face. Elle le considéra de la tête aux pieds sans entrouvrir les lèvres. Ses prunelles étaient impassibles. Frewin n'y lut ni surprise, ni courroux, ce qui n'était peut-être pas bon signe compte tenu de sa personnalité. Mieux valait affronter une bonne colère, qu'ils pourraient apaiser à force de mots, qu'une indifférence stérile.

— Larsson et Conrad sont morts, annonça-t-il.

Il détecta un plissement autour de ses yeux tandis qu'elle encaissait la nouvelle. Elle croisa les bras sur sa poitrine, un mauvais signe de plus.

— Vous avez fait tout ce chemin pour me l'apprendre ? répondit-elle froidement.

— Ils ont été assassinés. Par quelqu'un qui en savait beaucoup sur les crimes de cet été. Avez-vous discuté de tout ça avec…

— Je vous arrête tout de suite, lieutenant : je n'en ai parlé à personne. Ici tous me considèrent comme une gentille folle qu'il est préférable d'éviter. J'ai *une* amie et elle n'a pas envie d'entendre ces choses-là, l'horreur que nous affrontons chaque jour lui suffit. Donc non, ça ne vient pas de moi.

Frewin approuva lentement.

— C'est bien ce que je pensais. Ça recommence, Ann. La même boucherie, le même langage du sang. Je jurerais que c'est la même personne.

— Qu'est-ce que vous voulez ? Mon assistance pour « apporter ce point de vue féminin qui vous manque » ? Pour me jeter ensuite ? Après m'avoir baisée une fois de plus ?

— Cette fois il s'en prend à nous, directement. Il ne chasse plus autour de lui, il abat ceux qui l'ont traqué.

— Et ? Qu'est-ce que vous voulez que je vous dise ? Dommage ? Que je suis navrée pour vos gars ? C'est le cas. Toutes mes condoléances. Fichue guerre.

— Ann, il sait beaucoup de choses, à un point où ça devient troublant. Et vous étiez parmi nous pendant l'enquête.

— C'est bon, je suis une grande fille, je saurai me défendre.

— Celui qui fait ça est plein de ressources, il est capable de tout, je pense que vous seriez plus en sécurité avec nous, Ann.

— Je suis à deux cents kilomètres de vous et vous souhaitez m'emmener dans la forêt, tout près de lui ? Ce serait me jeter dans la gueule du loup, non ?

— Il est machiavélique et très organisé, il trouvera un moyen de venir jusqu'à vous, même ici. Je crois qu'il est préférable d'être en permanence ensemble.

Frewin s'approcha.

— Vous savez où nous sommes ? demanda-t-il, étonné qu'elle soit si renseignée à leur sujet.

Et soudain, tout le mur de fierté s'effondra. Et ce fut Ann. Celle qu'il connaissait sensible et entière.

— Qu'est-ce que vous croyez ? Que j'allais tirer un trait sur tout ça en un instant ? Bien sûr que je le sais. Je m'informe, j'essaye de vous suivre à distance. Ça fait deux ans que j'attendais ce moment, participer à une enquête de ce genre.

— Mais pourquoi ?

Elle s'esclaffa.

— C'est vous qui me demandez ça ? Vous êtes sacrément culotté ! Vous, le « mystérieux lieutenant Frewin » qui ne dit jamais rien sur lui, et vous venez comme ça après ce qui s'est passé entre nous, me demander des confidences !

Elle en secouait la tête d'incrédulité. Frewin inspira profondément.

— Je suis désolé, admit-il, vaincu. Je n'aurais pas dû…

Elle continua dans ce revirement sans fard, le mur factice d'indifférence tombé :

— Vous savez le pire ? Je suis prête à tout vous dire. Mais vous me reprenez dans l'enquête. Jusqu'au bout. Quelles que soient les circonstances. Je pourrai participer aux interrogatoires du coupable. Sans restriction.

Frewin hésita. Il connaissait sa capacité à s'impliquer et à faire mouche dans ses déductions. Ils avaient besoin de toute leur puissance d'investigation. Et vite. Ainsi elle serait avec eux, même si elle avait raison sur son éloignement, il pressentait que le tueur était capable de venir jusqu'ici et de frapper aisément en l'absence de surveillance. *Ne te mens pas. Tu savais qu'elle te proposerait un marché dans ce goût-là, et tu es venu pour ça. Pour la reprendre. Ça t'a manqué. Elle t'a manqué.* Frewin se déroba à ce face-à-face avec lui-même en s'adressant à Ann :

— Prenez vos affaires, je m'arrangerai avec votre hiérarchie. Nous trouverons une excuse pour justifier la réquisition d'une infirmière par la PM. Ne vous en faites pas. Je vous attends à l'entrée du camp, ne traînez pas nous avons du chemin.

— C'est moi qui ferai la conversation.

Et, dans un excès d'orgueil et avec une pointe de défiance, elle trouva utile d'ajouter :

— Rassurez-vous, cette fois vous n'aurez pas besoin de me faire l'amour pour me garder dans l'enquête.

63

La Jeep cahotait sur le chemin rendu boueux par la neige. De part et d'autre du véhicule, des bandes interminables d'arbres défilaient depuis déjà plus d'une heure.

— Comment vont vos hommes ? interrogea Ann.

— Ils sont fatigués. Marre de manger des rations sans les cuire, d'être sales, de dormir au froid et à l'humide, de cette tension. Mais je présume que ce n'est rien à côté de ceux qui combattent tous les jours. Et ils en sont conscients, ils ne se plaignent pas.

En réalité, Frewin savait qu'ils souffraient bien plus qu'ils ne l'avouaient. Après les pertes de Clauwitz, Forrell et Baker, le massacre de Larsson et Conrad avait ajouté la peur à la peine, sapant leur moral, délitant l'équipe.

Le visage de chacun défila. Le trop jeune Matters, bien plus fragile qu'il ne le laissait paraître. Donovan, qui, même s'il n'était parmi eux que depuis sept mois, commençait à s'intégrer, prendre ses marques et se montrer efficace, fort de sa volonté de toujours bien faire. Et enfin Monroe, que Frewin avait démasqué depuis longtemps : il fonçait tête baissée dans l'action pour vaincre ses angoisses de soldat. Tous se ressemblaient et se complétaient à la fois, bourrelés de doutes, chacun colmatant les failles de l'autre avec ses certitudes. C'était pour cela qu'ils avaient formé un groupe soudé. Des êtres blessés, isolés des leurs par la guerre et qui s'étaient reconstruit une famille ici, sous son commandement. Une famille qu'un homme détruisait petit à petit.

Ann laissa passer un autre silence, ils occupaient la majeure partie de leur discussion depuis le départ.

— Vous ne vous êtes jamais renseigné sur moi ? dit-elle enfin. Je n'en ai pas l'impression.

— Je suis certain que vous avez déjà entendu les rumeurs qui courent à mon sujet, répondit-il. Si c'est pour entendre ce genre d'inepties à quoi bon ? J'aurais peut-être pu avoir accès à votre dossier militaire, et encore. Je préfère que les gens me parlent d'eux directement.

— Tout passe par l'instinct avec vous, n'est-ce pas ? C'est viscéral.

— Pas tant que ça… Je crois davantage aux regards, aux gestes, aux intonations qu'aux racontars ou aux rapports écrits, c'est tout.

Un nouveau silence sous le ronronnement du moteur. Puis :

— Ça fait presque deux ans que j'ai un œil sur toutes les enquêtes conduites par la PM, quand c'est possible, confia Ann sans quitter la route des yeux. Être à l'infirmerie est pratique pour ça, vous y passez toujours à un moment ou un autre, il suffit d'être attentive. Et… j'ai demandé à certaines de mes collègues de me prévenir dès que la PM débarquerait. Vous imaginez le genre de réputation que je me suis faite avec ça…

Frewin demeura impassible, concentré sur sa conduite.

— Bref, reprit-elle, c'est comme ça qu'une nuit, je me suis retrouvée avec vous, à ausculter ce corps sur le *Seagull*.

Ann tira machinalement sur son manteau pour s'enfouir dedans, avant de continuer :

— Ce qui vous titille, c'est de savoir pourquoi, n'est-ce pas ? Pourquoi une infirmière est à ce point fascinée par le meurtre, pourquoi elle a autant de facilités à s'immerger dans l'enquête, pourquoi elle connaît si bien l'âme criminelle ?

Elle lâcha un petit rire sec, nerveux.

— Si je vous dis que c'est en moi depuis que je suis toute petite, vous me croirez ? Bien sûr, je n'en ai pris conscience que depuis deux ans, pourtant c'était déjà en moi, ne demandant qu'à être exploité.

— Pourquoi deux ans ? Que s'est-il passé ?

Elle ne répondit pas. Ses épaules se soulevèrent et elle prit une inspiration avant de se lancer :

— Dans ma famille mon père était un dieu tout-puissant. Ce qu'il voulait, nous le faisions, sans discussion possible. Il ne savait pas s'exprimer autrement que par les ordres, et gare à celui qui n'obéissait pas. Je vous épargne les détails mais je suis certaine que vous voyez le tableau. Les référents émotionnels dans lesquels je me suis construite petite et adolescente sont la peur, la violence. Pour sortir de là, pour compenser l'humiliation il vous faut un caractère fort, ça je peux vous l'assurer. Soit il émerge de cette vie, soit vous vous enfoncez. Et d'une certaine manière j'ai… l'impres-

474

sion de savoir de quoi vous parlez quand vous faites le portrait de ces tueurs. Ces hommes qui ont grandi dans ce trauma permanent. J'ai le sentiment parfois de partager le même vécu, sauf que je suis retombée du bon côté, c'est tout.

Elle avala sa salive et Frewin lui jeta un rapide coup d'œil. Elle ne semblait pas aussi sûre d'elle que ses mots le laissaient croire.

— Vous savez, depuis quelque temps, tout le monde emploie le mot « psychopathe ». Comme s'il s'agissait du nouveau Graal. La psychologie, la psychanalyse, la science, toutes ces disciplines relèguent nos peurs enfantines, religieuses, au dernier rang, cherchant à faire de nous des êtres moins craintifs. Pourtant, on s'est construits dans la peur, c'est un des facteurs essentiels du développement de notre espèce. Depuis la Préhistoire, nous avons toujours eu peur des prédateurs, et s'ils n'existent plus vraiment dehors, la nuit dans la forêt, néanmoins l'homme a besoin de se rattacher à cette peur comme on tient la rampe d'un escalier en descendant. C'est un besoin primaire, des milliers d'années d'évolution avec cette peur pour garde-fou, et on tente de nous la faire disparaître du jour au lendemain ? On n'efface pas la mémoire collective aussi facilement !

— Vous pensez que les psychopathes représentent cette nouvelle peur ?

— Je pense qu'à force de nous expliquer que le monstre sous le lit ou dans le placard n'existe pas, que notre inconscient est à l'origine de nos troubles, la place d'une peur irrationnelle, irréfléchie, a été occultée sans tenir compte des besoins de notre espèce.

— La peur comme un besoin humain ? s'étonna Frewin.

— Oui, le garde-fou qui protège la race. Sans la peur, l'homme deviendrait incontrôlable, toute l'espèce humaine deviendrait folle, les uns et les autres se maîtriseraient de moins en moins, les instincts sauvages les plus ignobles reviendraient à la charge, parce que la peur régule nos pulsions et nos capacités à les asservir. C'est la peur qui permet à une espèce aussi dominante et puissante de vivre en communauté. La peur des prédateurs extérieurs nous oblige à nous entraider depuis l'aube de la civilisation, la peur de l'autre. Faites-la disparaître et l'homme retourne à son premier instinct : satisfaire ses désirs. De nourriture, de sexe, de conquête de territoire et ainsi de suite, rien que des besoins narcissiques où l'autre n'est au mieux qu'un partenaire – consentant ou pas – au pire un rival pour les réserves existantes. Sans la peur… c'est le chaos à moyen terme.

— Et vous pensez que l'engouement actuel pour ces disciplines du comportement provient de là ?

— J'en suis convaincue. On remplace le monstre du placard par le *psychopathe*. C'est un besoin humain, point. On ne craint plus de s'endormir le soir sans avoir regardé sous son lit. Alors on doit trouver une autre raison d'avoir peur. Le psychopathe émerge. Parce qu'il est à la fois comme vous et moi, un être humain à l'apparence *normale*, mais qu'il est capable d'atrocités impensables et pire : qu'il les commet tout à fait consciemment, par *désir*, par *besoin*. Alors d'une certaine manière c'est un monstre à son tour. Un être qui vit entre deux mondes, le nôtre et le sien qui nous échappe, celui du sang.

Frewin comprenait où elle voulait en venir et entra dans le jeu en se faisant l'avocat du diable :

— Ne serait-ce pas un mécanisme dangereux pour la société justement, que de ne nous faire craindre un danger *de l'intérieur* ? Cela ne risque-t-il pas de nous rendre trop méfiants les uns envers les autres justement et de fragiliser ces liens sociaux qui forment notre civilisation ?

— C'est bien la perversité de cette peur. Et si au lieu de continuer à nous souder elle finissait par nous séparer ?

— Vous ne dressez pas un état des lieux très optimiste.

Elle désigna la forêt d'un mouvement brusque.

— Parce que cette guerre vous rend optimiste, vous ? Nous autres, êtres *évolués, civilisés* ! Autant d'évolution, de découvertes, de prétentions scientifiques sur ce que nous sommes et pourtant il faut que nous réglions nos problèmes par des guerres aussi barbares ? Encore aujourd'hui ? Et ça va durer combien de temps ce comportement sauvage ? Dans cinquante ans on se fera encore des guerres ? Et dans trois cents ans ? Et dans mille ? Serons-nous encore là à ce rythme ? Je crois que c'est révélateur, Craig, il n'y a qu'à voir : le premier jeu auquel se livrent les enfants c'est jouer à se tuer. C'est *en nous*, qu'on le veuille ou non, l'homme est un prédateur. Le plus terrifiant de tous.

Elle reprit son souffle pour ajouter, plus bas, sur un ton sinistre :

— Tous ces comportements destructeurs ne peuvent avoir survécu à autant d'asservissements spirituels, moraux, à autant de siècles d'évolution. S'ils persistent à mesure que l'humanité prend l'ascendant sur la planète bien plus que toutes les autres espèces animales ayant foulé ce sol, malgré les carcans formateurs de la civilisation, alors il faut voir les choses en face. Tout converge vers une évidence. Ces psychopathes, ces êtres comme le tueur que nous cherchons ne sont pas là par hasard. Aujourd'hui on ne peut plus le nier. Ils portent un message.

Les yeux d'Ann fixaient l'horizon blanc avec mélancolie.

— Ce message, c'est que la domination du monde par une espèce ne peut se maintenir que par sa capacité à entretenir sa supériorité bestiale. Pour régner encore, il nous faut rester des monstres.

— Si je vous suis, vous affirmez que la peur est bénéfique pour l'homme, mais que celle que nous sommes en train de développer pour continuer d'exister n'est pas la bonne. C'est ça ?

— C'est ce que je crains. Je crois que, sur les quelques décennies à venir, l'homme va se rendre compte de son animalité, et que cette prise de conscience sera suivie d'une sorte de… rejet de soi en tant qu'entité. Les espoirs si nécessaires à notre développement seront noirs ; comment s'aimer et batailler pour la survie de l'espèce quand on réalise que celle-ci est monstrueuse ? Et je crains que dans cette dynamique émerge un retour aux fondamentaux : l'individualisme poussé à outrance, la quête des plaisirs personnels avec un recul de l'empathie.

— Le même schéma que ces tueurs qui nous hantent ? conclut Frewin d'un air sombre.

— Pourquoi pas ? Ils sont le révélateur de ce qui nous attend. Je regarde autour de moi depuis le début de cette guerre et j'en tire des conclusions étranges. En fait je dirais plutôt : lucides. Tous les êtres humains sont névrosés, plus ou moins gravement, mais c'est une constante. Nous sommes imparfaits pour survivre à un monde imparfait. Avec les guerres, les hommes sont confrontés à des tensions émotionnelles si fortes que parfois leurs névroses prennent le pas, peu à peu, sur leur éducation d'êtres civilisés. Les guerres sont des accélérateurs d'évolution comportementale instinctive. Et ce que je vois au quotidien va dans le sens de ma conviction.

Frewin ne répondit pas. Il reconnaissait sa propre réflexion dans tout ce qu'elle affirmait. *Elle ouvre les yeux, voilà tout. C'est une passionnée qui n'attend pas que le paysage de sa vie défile, elle le décortique, et s'agite si fort qu'elle en modifie le tracé.* Ses doigts se crispèrent sur le volant. *Ce n'est pas tout. Elle le dit : nous avons tous nos névroses et sa force est de savoir utiliser les siennes. Elle n'a pas entamé cette conversation sur son père violent par hasard, c'est une écorchée vive.*

— Et si notre espèce parvenait à faire comme vous ? dit-il. Trouver la force d'affronter ses propres traumatismes pour en faire une force ?

Ann pivota pour scruter son chauffeur.

— Ça ne suffit pas, rétorqua-t-elle avec froideur. Se servir de sa part d'ombre permet d'être lucide, de parler le langage secret des monstres, mais pas de s'affranchir de ses ténèbres.

— Alors quoi ? Nous sommes condamnés, c'est ça la morale de votre analyse ?

Ann passa une main sur son front.

— Trouvons celui qui a tué Larsson et Conrad, murmura-t-elle sur un ton las. Peut-être qu'en lui nous verrons une réponse.

Frewin quitta la route du regard pour observer la jeune femme à ses côtés. Elle l'avait entraîné dans cette conversation pour éviter de parler d'elle, de cette enfance tragique, devinait-il. Elle n'avait pas répondu non plus sur ce qui s'était passé deux ans plus tôt, qui lui avait fait prendre conscience de sa fascination pour le crime. Frewin comprit qu'elle ne lui en parlerait jamais. C'était son secret.

Il vit dans son inquiétude ce qu'il pressentait depuis le début : elle ne pourchassait pas un tueur pour en savoir plus sur les meurtriers en général, ou même sur le destin des hommes. Elle le faisait pour elle.

Pour savoir qui elle était.

Elle espérait, en contemplant les abîmes d'un tueur, illuminer les siens. Aussi profonds soient-ils.

Quelle que soit leur source.

Alors Frewin sut pourquoi ils étaient si proches. Il l'avait pressenti, mais sans jamais poser de mots dessus.

Ils traquaient la même créature.

Leur humanité.

64

Le crépuscule d'hiver ne s'attardait pas, le soleil se dépêchait d'embraser la forêt et glissait en toute hâte vers d'autres contrées pour laisser place au froid nocturne.

La Jeep de Frewin arriva avec la nuit. Matters l'attendait au chaud sous une tente, buvant du café brûlant. Il salua à peine l'infirmière et enchaîna aussitôt :

— Conformément à vos ordres, on est retournés ce matin dans la clairière, pour inspecter le terrain. Avec toute la neige qui s'est amassée, impossible de relever la moindre trace exploitable. Sauf… aux pieds de Conrad, où Donovan a découvert un trou recouvert mais pas bouché par ce qui était tombé. Quelqu'un avait posé dans le sol un objet ou un socle rectangulaire, vingt centimètres sur quinze, profond d'environ dix.

— Une idée de ce que ça pouvait être ?

— Monroe a suggéré une caissette de munitions et Donovan a pensé à une grosse bible.

— Et vous ? Vous avez pensé à quoi ?

Frewin savait que son sergent avait de bonnes intuitions dans ce domaine

— Je… L'emplacement m'a fait songer à l'équipement du tueur. D'après moi, il transporterait ce dont il a besoin sur chacun de ses meurtres, dans une petite boîte, ou une caisse en acier comme le disait Monroe. C'est là-dedans qu'il conserve ses… instruments.

Matters avala sa salive et reprit son souffle pour annoncer :

— On sait comment Conrad est mort. Le médecin a bien voulu l'examiner. Il pense qu'on lui a ouvert le ventre avec un couteau. Une entaille très profonde. On lui a tiré des intestins hors de la cavité pour y enfoncer une grenade dégoupillée. Conrad avait les mains attachées dans le dos, il n'a rien pu faire. Le médecin a retrouvé des morceaux de l'engin explosif un peu partout à l'intérieur.

Frewin revit les images de leur découverte en pleine tempête, la nuit précédente. Les entrailles éparpillées. Le tronc béant de son soldat luisant sous l'éclairage bleuté de sa lampe.

— Il n'a pas pu s'enfuir ? questionna Ann. Ou se défendre ?

Matters secoua la tête.

— Il ne s'est probablement pas rendu compte qu'on lui enfonçait la grenade, toute cette douleur… comment Conrad a pu se faire piéger ? Ce n'était pas son genre, il était plutôt méfiant d'habitude.

Frewin s'aperçut qu'il n'y avait personne d'autre de la PM avec eux et s'en inquiéta.

— Où sont Monroe et Donovan ?

— Ils remballent nos affaires, on doit partir, lieutenant. La nouvelle est tombée il y a deux heures à peine. L'ennemi recule, entre quinze et vingt kilomètres à l'est. Toutes nos positions sont avancées et on part pour un château dans la forêt, libéré cet après-midi. La compagnie Raven est sur place pour sécuriser l'endroit, ce soir on dormira au chaud et au sec.

La Jeep emmena les quatre survivants de la PM et l'infirmière avec leur équipement sur une route boueuse, au milieu d'un long convoi de camions roulant au pas. Ils mirent une heure pour atteindre les remparts fissurés d'un petit château en forme de triangle, avec trois tours, une à chaque angle. Une communauté religieuse s'y était installée depuis une centaine d'années. La cour intérieure abritait une église, deux granges et une longue étable dans laquelle des rivières de sang glacé avaient coulé.

Surprenant le regard interloqué de la PM, un sous-officier qui était là depuis un moment déjà leur expliqua :

— Quand l'ennemi a organisé son repli, il n'a même pas cherché à défendre cette place, il s'est barré, en égorgeant tous les chevaux et en fusillant les prêtres qui vivaient là.

— Ils ont buté tout le monde ? répéta Monroe.

— Trois ou quatre étaient encore vivants à l'arrivée de la compagnie Raven, je ne sais pas s'ils le sont encore.

Frewin s'écarta en remarquant le capitaine Morris qui installait les autres soldats. Une vingtaine de véhicules étaient en cours de déchargement.

— Ah, lieutenant, dit-il en le reconnaissant.

Il jeta un coup d'œil au carnet qu'il tenait en main.

— La PM, équipe du lieutenant Frewin, on vous a mis dans cette tour-là, avec les officiers et les communications.

— C'est la 3ᵉ section qui gère l'organisation logistique maintenant ?

— Nous sommes arrivés les premiers, avant la nuit, on a pu préparer le terrain. Je vous ai mis à l'opposé de nous, comme ça vous n'aurez pas à nous blâmer de quoi que ce soit si vous perdez encore un de vos gars.

Frewin ne releva pas.

— Des blessés ou des morts dans votre section ?

— Il n'y a pas eu de contact avec l'ennemi. Ils étaient déjà tous partis. Ils se sont regroupés dans une plaine dégagée à dix kilomètres d'ici, où une division de blindés pouvait manœuvrer. Maintenant ils sont indélogeables.

Frewin ne le salua pas et retourna auprès des siens pour porter leurs affaires jusque dans leurs quartiers. Ils entrèrent dans la tour sud, celle qui jouxtait l'étable sanglante – et Frewin se demanda si Morris n'avait pas fait exprès de les mettre là – dont le rez-de-chaussée abritait un réfectoire. Ils prirent l'unique escalier pour grimper dans les étages. Le premier étage accueillait l'infirmerie, ils y virent Parker Collins au chevet d'un vieil homme agonisant. Ann entra et Frewin préféra la suivre. Elle proposa son assistance mais Collins fit signe que c'était inutile. Il se leva pour chuchoter avec elle et Frewin.

— Les autres sont morts et celui-là n'en a plus pour longtemps, il n'y a rien qu'on puisse faire. Je lui ai donné un peu de morphine pour l'aider, c'est tout.

— Ils ont parlé ? demanda Frewin.

— Pas dans notre langue, je n'ai rien compris, sauf celui-là, il parlait bien anglais, mais il s'est vite mis à délirer. J'ai pu échanger quelques mots au début, il m'a raconté qu'on les a rassemblés dans la cour en début d'après-midi et que soudain les balles se sont mises à les découper, ce sont les mots qu'il a utilisés. Nos gars ont vérifié s'il n'y avait pas de cadeaux de bienvenue, des charges explosives planquées quelque part, mais rien.

— Si je peux vous aider, faites-moi signe, prévint Ann malgré le regard mécontent de Frewin.

Ils reprirent leur ascension, le second étage servait aux communications tandis que le troisième, déjà plus silencieux, abritait les chambres des officiers. Des lanternes à huile étaient suspendues à des clous dans les murs pour illuminer les marches et les corridors de pierre froide. Enfin, le quatrième étage n'était occupé par personne. Le couloir s'enroulait le long du mur extérieur pour desservir une succession de portes ouvrant sur des cellules réaménagées au fil des décennies par la communauté religieuse. Ils avaient fait en sorte de pouvoir héberger plusieurs centaines de personnes dans tout le château. Quelle était leur vocation ? Offrir l'hospitalité aux pèlerins de passage ? Créer un immense rassemblement spirituel ? Frewin se contenta de poser sa caisse en métal et son ballot militaire dans une chambre, d'ôter le crucifix en bois qui ornait le mur au-dessus de son lit et de le jeter dans le tiroir de la table de chevet. Toutes les chambres étaient aveugles puisque à l'intérieur de la tour. Il y avait une bougie enfoncée dans un chandelier sur le pupitre servant de bureau et une autre sur la table de chevet. Une grosse armoire en chêne brut était collée au mur et Frewin remarqua que le plafond était en bois. Ils étaient au dernier niveau, il ne restait que les combles au-dessus d'eux.

Frewin ressortit dans le couloir frais, le vent s'infiltrait en hurlant par les meurtrières. Il vit qu'Ann était dans la cellule mitoyenne à la sienne. Suivaient Matters, Donovan et Monroe. Une dizaine d'autres chambres demeuraient inoccupées et personne n'avait jugé opportun d'y mettre des lampes.

— Ils nous évitent ou quoi ? fit Monroe sur le palier de sa porte.

Frewin répondit sans le regarder, fixant l'obscurité :

— Ils savent que quelqu'un s'en prend à nous. Personne ne veut être au milieu de cette sordide histoire. Le capitaine Morris ne nous a pas mis là par hasard. (Cette fois il se tourna vers son soldat.) Nous sommes des pestiférés, Monroe. Faites-vous à cette idée.

— Vous croyez qu'on va l'arrêter, celui qui a buté Conrad et Larsson ?

— On va tout faire pour.

— Et… pour notre sécurité, on pourrait faire des tours de garde la nuit, non ?

— Nous ne sommes pas assez nombreux. Avec les journées que nous allons avoir, il nous faudra de l'énergie sans quoi ces surveillances vont nous épuiser en quelques jours seulement. Et là, nous serons des proies vulnérables. Il y a une porte à l'entrée de l'étage qui sépare notre couloir de l'escalier, on va la verrouiller de l'intérieur avec un cadenas, je garderai la clé. Si quelqu'un veut entrer, il devra la faire sauter et ça ne manquera pas de nous réveiller.

Monroe approuva sans grande conviction. Frewin sentait en lui autant d'anxiété que d'envie d'en découdre avec le coupable. Monroe aimait l'affrontement. Foncer dans le tas ne lui avait jamais fait peur. Tant qu'il savait ce qu'il affrontait.

— Allez, on va se trouver quelque chose à dîner, et cette nuit tout le monde dort avec une arme sous l'oreiller, conclut Frewin. Demain on reprend toute l'enquête de zéro. Je suis certain que s'il s'est arrêté de tuer pendant si longtemps c'est qu'il voulait qu'on l'oublie. Nous étions tout proches de lui. Tout proches.

Monroe acquiesça doucement.

Si proches, songea Frewin, que s'il n'avait pas connu aussi bien chacun de ses hommes, il aurait juré que le tueur était l'un d'eux.

65

Frewin ouvrit les yeux avant l'aube, vers six heures. Il devança le réveil pour aller s'asperger le visage d'eau au baquet qu'il avait monté avant de se coucher. Il passa dans le corridor froid pour y allumer les lanternes. Un courant d'air incessant balayait les murs, faisant trembler les flammes.

Il allait rentrer dans sa cellule lorsqu'un détail attira son attention, à plusieurs mètres de lui. Une tache sombre, devant la porte de Donovan. Il l'avait remarquée parce que les lueurs ambrées se reflétaient dessus en dansant. Frewin s'approcha et posa un genou à terre, pris d'une subite angoisse. Il effleura le liquide du bout des doigts et remonta son index à la lumière.

Du sang.

Il se redressa d'un bond et ouvrit la porte.

Il faisait noir, pourtant Frewin sut ce qu'il allait découvrir.

L'odeur insidieuse, fraîche, de la chair, accompagnée de celle, plus âpre, presque violente – remugles d'aliments, et de moisissures –, des entrailles. Le parfum du sang.

Frewin attrapa une lampe à son clou et entra en la tendant devant lui.

Donovan était allongé dans son lit.

Il regardait le lieutenant avec une expression stupéfaite.

Frewin approcha et le regard resta suspendu en l'air, derrière Frewin cette fois.

La gorge du pauvre soldat n'était plus qu'une bouillie de lambeaux rouges. Les draps semblaient avoir toujours été de cette couleur vermillon tant ils avaient bu à même la blessure.

Puis tout alla très vite sous le crâne du lieutenant.

La porte ouvrant sur leur étage était toujours fermée à son réveil, il l'avait vue. Il disposait de la seule clé.

Le coupable ne pouvait être qu'ici. Dans l'une de ces chambres. Il s'était laissé enfermer la veille au soir.

Frewin voulut prendre son arme et sa main agrippa l'air à son ceinturon. Il s'était levé sans accrocher son étui. Son cœur s'accéléra. Il n'avait même pas inspecté la pièce. Il n'avait aucune idée de ce qui se trouvait dans son dos, dans l'angle ou derrière la porte. Frewin pivota et tendit la lampe devant lui pour percer les ombres.

Elles reculèrent subitement, se réfugiant dans les coins, sous le lit.

Personne.

Frewin se précipita hors de la chambre et tambourina aux portes de ses soldats, sans négliger Ann. Sans un mot. Il se dépêcha de prendre son pistolet et retourna attendre tout le monde dans le couloir. Les visages apparurent, froissés par le sommeil.

— Habillez-vous, et armez-vous, vite, murmura-t-il en guise d'explication.

Il patienta moins de deux minutes et tous revinrent, même Ann à qui il demanda de prendre une lampe supplémentaire. Sur le même ton du secret il leur expliqua :

— Donovan est mort. La porte est toujours verrouillée, ça signifie que le coupable est forcément à cet étage, avec nous. On va avancer et faire toutes les cellules, les unes après les autres. Monroe, tu prends la mitrailleuse. On ne se sépare pas, Ann, vous restez en retrait.

Il la vit hésiter puis acquiescer.

Frewin et Monroe en tête, ils ouvrirent toutes les portes, canons en avant. Jusqu'à la dernière.

Rien. Ils ne trouvèrent rien ni personne. Ils avaient tout inspecté, jusque sous les lits, laissant Matters et Ann pour couvrir le couloir et empêcher tout mouvement arrière. Il était impossible que l'assassin de Donovan ait pu leur échapper. Lorsqu'ils ressortirent de la dernière pièce, Monroe observa ses camarades avec un air étrange.

— Je vire parano, là, dit-il en guise d'avertissement.

Ils s'arrêtèrent pour le dévisager.

— Ce n'est pas un fantôme, le type qui a flingué Donovan, ajouta-t-il. Et si on ne l'a trouvé nulle part, alors c'est que c'est l'un d'entre nous !

Il releva lentement la gueule de sa mitraillette et la pointa vers Ann.

— Monroe ! Baissez cette arme, ordonna Frewin.

— Lieutenant, c'est impossible autrement, c'est forcément…

— MONROE ! s'écria Frewin avec une telle intensité qu'ils en tremblèrent.

Il fit un pas vers son soldat. Ann vit les muscles rouler sous le tee-shirt. Elle se mit à craindre le pire. Si Frewin levait la main, non seulement la puissance de son coup infligerait des dégâts terribles mais surtout cela risquait de très mal se terminer.

— Dois-je vous rappeler que je ne chausse pas du 44, dit-elle, et que je n'ai pas la force physique pour faire ce qui a été fait à vos compagnons ?

— Elle a raison, enchaîna Frewin. Si l'assassin n'est plus là, alors c'est qu'il existe un autre accès.

— Un passage secret ? railla Monroe.

— Et pourquoi pas ? intervint Matters, soulagé de voir la situation se décrisper. On est dans un château, non ?

— Et comment veux-tu que l'assassin en connaisse l'existence ? Il a débarqué hier avec nos troupes ! Pourquoi le trouverait-il lui, et pas nous ?

— Parce qu'il l'a cherché toute la soirée, proposa Frewin. Peu importe, pour l'heure il nous a échappé. Et il faut s'occuper de Donovan. On verra à prendre des mesures particulières pour la nuit prochaine, que personne ne dorme seul.

Monroe soupira, manifestement pas convaincu par cette idée de passage secret.

Ils retournèrent au chevet de Donovan et Frewin ordonna de tout fouiller, en détail. Ne trouvant absolument rien sinon le sang de leur compagnon, ils finirent par descendre le cadavre sur une civière empruntée à l'infirmerie du premier. Dehors, un fumet écœurant emplissait la cour en même temps qu'un soleil pâle parvenait à franchir le mur de nuages. On brûlait une demi-douzaine de carcasses de chevaux.

Le colonel Schloebbel, un grand quadragénaire à barbe grise finement taillée, arrêta Frewin et Ann dans l'escalier.

— Lieutenant, Toddwarth est resté sur nos positions arrière, je serai votre officier supérieur ici. L'équipe du capitaine Stanley va assurer la sécurité et la garde des prisonniers, compte tenu des circonstances. Je vous demanderai de prendre en charge les rapports quotidiens d'état des troupes et de gérer les désertions.

— Un autre de mes hommes a été assassiné cette nuit, fit Frewin une fois le discours terminé.

— Dans le château ?

— Oui.

Le colonel sembla dévasté.

— Nous… allons trouver un moyen d'assurer votre protection, je vais voir avec le major Genko ce qu'on peut faire…

— Pas pour le moment, colonel. J'ai une petite idée et pour cela il me faut un peu de temps, de liberté d'action et de la discrétion.

L'échange se poursuivit quelques secondes avant que Schloebbel accepte de donner à Frewin tout ce qu'il réclamait sans pour autant l'ébruiter.

En remontant, Ann demanda :

— Pourquoi avoir refusé des hommes pour nous protéger ?

— Parce que je ne veux pas modifier les habitudes du tueur. Nous nous efforçons de les décrypter pour le cerner, si on l'oblige à en changer nous perdrons du temps. Je veux coincer ce salopard sans tarder.

— À quoi bon poursuivre dans cette voie, qu'avons-nous appris ?

— Des détails, rien que des détails, mais accumulés, ils finiront par le trahir.

— Peut-être, cependant il faut aussi envisager que nous fassions fausse route depuis le début et reconsidérer ce que nous pensons savoir de lui.

— Il s'est donné énormément de mal pour faire accuser Hriscek, et nous y avons cru, puis il s'est empêché de tuer pendant six mois, Ann. Six mois d'abstinence alors qu'il était en pleine euphorie ! Ce n'est pas le fruit du hasard, nous étions à deux doigts de l'arrêter, j'en suis certain, nos déductions nous rapprochaient de lui et il s'est senti si menacé qu'il est parvenu à se calmer pendant tout ce temps.

Frewin avait l'air grave, le front barré de rides de fatigue. Ann lui attrapa la main pour l'arrêter au milieu de l'escalier en spirale.

— Je vois bien que vous avez une idée en tête, quelque chose qui vous tracasse, dites-moi ce que c'est. Je ne suis pas venue pour vous suivre comme un bon chien docile. Parlez-moi !

Il se passa la langue sur les lèvres pour dire tout bas :

— Pourquoi avoir tué Donovan cette nuit ? Pourquoi pas Monroe ou moi ? Nous étions les deux chambres les plus excentrées. Jusqu'à présent le tueur s'en est pris aux costauds de l'équipe, à croire qu'il cherche à nous affaiblir peu à peu. Pourquoi ne pas avoir continué ?

Ann raisonna à voix haute :

— S'il vient vraiment par un passage dissimulé dans une des cellules vides, alors la chambre de Monroe était la première qui s'offrait à lui ; en effet c'était illogique qu'il s'attaque à Donovan.

— Sauf si le passage débouche dans la chambre de Donovan. Nous avons cherché un indice ce matin, pas un mécanisme caché. On va tout retourner si besoin est, il faut qu'on trouve cette porte dérobée.

Ann approuva et tandis que Frewin reprenait son ascension une nouvelle hypothèse lui vint à l'esprit.

— On peut envisager une autre explication, révéla-t-elle. Que Monroe soit le…

Frewin fit volte-face et planta ses prunelles dans celles de l'infirmière. Il ne voulait pas de cette atmosphère de suspicion permanente, pas dans son équipe.

Ann baissa la tête et se mit à monter sans rien ajouter.

Pourtant, au regard de ce qui venait de se passer cette nuit, il fallait se rendre à l'évidence : il n'était pas normal que le tueur s'en prenne à Donovan en sautant la chambre de Monroe. Et ce dernier était droitier. Elle ferma les paupières un court instant en se remémorant sa pointure. *Du 44 !*

Au dire de Frewin, ni Larsson ni Conrad ne s'étaient méfiés de leur assassin, on les avait massacrés sans qu'ils voient venir le coup. Aucune trace de lutte significative. *Et si leur assassin était celui qu'ils prenaient pour leur ami ?*

N'en déplaise à Frewin, elle aurait un œil sur Monroe désormais.

Car si la mort venait de l'intérieur, ils ne survivraient pas longtemps.

Il n'y avait plus qu'une certitude maintenant.

Tout le monde était suspect.

66

Frewin retourna la chambre de Donovan.

Les draps ensanglantés avaient été jetés dans un coin, s'auréolant peu à peu d'une lisière noire sur le sol. Le lieutenant repoussa l'armoire, pendant qu'Ann palpait la moindre aspérité des murs. Il souleva le pupitre, la table de chevet, tira le lit en arrière. Rien n'y fit. Le tapis roulé sur lui-même n'avait rien révélé, il ne dissimulait aucune trappe. Si un passage dérobé existait à l'étage, il n'était pas ici. Et cela reposait la question qui taraudait Frewin : pourquoi avoir choisi de frapper ici plutôt que dans une autre chambre ? Pourquoi ne pas neutraliser facilement, dans son sommeil, un adversaire robuste ? Donovan était plutôt fluet, myope, même éveillé il ne représentait pas une menace directe. Si le tueur était arrivé du côté de l'escalier, alors la première chambre était celle de Frewin. Si sa porte secrète ouvrait dans l'une des cellules vides, alors la première qu'il aurait trouvée occupée en arrivant était celle de Monroe.

Matters et Monroe réapparurent après s'être acquittés de leurs tâches matinales : gérer le décès de leur compagnon, prévenir l'état-major, et déléguer tout le travail de la PM à l'équipe du capitaine Stanley qui logeait dans la tour est, avec la compagnie Alto. C'était le seul endroit où l'on avait trouvé de quoi faire des geôles pour les prisonniers à venir.

Frewin remarqua leurs mines défaites. Ils se plaignaient peu et pourtant ils venaient de perdre trois de leurs amis en quelques jours seulement. *Ils ont besoin de souffler*, se dit-il. *Pas le temps*, trancha aussitôt son esprit pragmatique.

— Le Dr Lachamps a accepté d'examiner le corps de Donovan, l'informa Matters. Il vous attend cet après-midi, mais il a insisté : il ne fera pas d'autopsie, il n'a ni le temps ni la formation adéquate. Je vous transmets le message.

— On fera avec. Vous allez dans la tour nord, leur ordonna Frewin. Interrogez chaque homme de la 3e section, pour savoir s'ils ont entendu quelque chose, comment ils dorment, s'ils sont en dortoir, qui est avec qui, je veux tout savoir.

— Ils ne diront pas grand-chose, protesta Monroe.

— Forcez-les. Ils ne nous aiment pas beaucoup ? Donnez-leur de vraies raisons de ne pas nous apprécier. Trouvez des moyens de pression : confiscation du courrier, annulation de permissions sur nos lignes arrière, tout ce que vous jugerez opportun.

— C'est une déclaration de guerre ! avertit Matters.

— L'un d'eux nous fait la guerre, je vous le rappelle ! Agissez, je m'arrangerai avec le colonel Schloebbel.

Une fois seul avec l'infirmière, Frewin se laissa tomber sur la chaise en bois, face au pupitre. Ann était occupée à rallumer une bougie neuve.

— Quelque part dans tout ce qu'on sait, je suis certain qu'il y a l'indice crucial, avoua-t-il.

— Vous n'avez plus vos notes ?

— J'ai mon carnet personnel, tout le reste a brûlé dans l'église.

Il passa la main dans ses cheveux en bataille.

— Que savait-on de lui il y a six mois ? soupira-t-il. Il faut reprendre les crimes les uns après les autres.

— C'est un vicieux, calculateur et manipulateur !

— Vrai. Il nous a piégés en mettant la tête de Rosdale dans la caisse de Harrison. Il nous a piégés en orientant notre enquête sur Hriscek. Il savait que tôt ou tard nous apprendrions qu'il avait grandi dans un milieu de saltimbanques, il a suffi de mettre ces almanachs et autres dans ses affaires. Avant ça, le tueur est parvenu à manipuler Hriscek pour qu'il parle avec Lisa Hiburgh et qu'ils envoient tous les deux Fergus Rosdale dans ses griffes. Ann, ce type pourrait être votre meilleur ami, vous ne le suspecteriez même pas tant il est doué ! Tout son être, chaque molécule de son corps converge vers un seul et unique objectif : tuer sans être pris pour tuer encore et encore.

— Vous voulez me faire peur, c'est ça ?

Ann enchaîna :

— Pour résumer on sait qu'il est dans la 3e section, tous les crimes ont été commis dans sa proximité. Ou… je sais que ça ne vous plaît pas comme hypothèse mais il faut l'envisager : il peut être l'un d'entre nous. La PM jouit d'une liberté de mouvement sans pareil, et était toujours dans les parages des crimes.

Frewin ne releva pas et préféra souligner :

— Je ne sais pas encore si cette mise en scène astrologique était sincère ou si elle devait contribuer à brouiller les pistes. Les premiers crimes étaient destinés à… soigner sa chance, puis il y a eu des meurtres de colère, la famille à la ferme, lorsque nous… je l'ai provoqué. Et maintenant il tue les soldats de la PM pour se venger.

— Ou pour se faire du bien. La PM représente son unique… prédateur, il doit l'éliminer pour continuer librement ce qu'il fait.

— S'il nous craint, c'est que nous sommes proches de lui, de l'identifier. Que sait-on ? Qu'avait-on déduit qu'il pouvait craindre ? s'énerva-t-il.

— Droitier, chaussant du 44, costaud, résuma Ann.

— Ça nous ramène à quatre noms : l'infirmier Parker Collins, Cal Harrison, Rodney Barrow et John Wilker.

Se souvenant des informations qu'elle avait glanées, Ann précisa :

— Harrison, Barrow et Wilker ont des problèmes avec l'autorité et sont plutôt solitaires, surtout le dernier.

Frewin avait les coudes posés sur les genoux et il pencha la tête pour méditer.

Soudain il se redressa.

— Il se fout de nous !

— Pardon ? balbutia l'infirmière.

— Les rares indices qu'il a semés sur son passage sont tous bidon. Le symbole féminin était un piège, pour nous conduire à Lisa Hiburgh qui allait accuser Hriscek. Je crois que les traces de chaussures à la ferme étaient aussi des fausses !

Il se leva et entreprit de faire les cent pas dans la petite pièce.

— Sur le meurtre de Larsson, reprit-il, il a pris soin d'effacer ses empreintes de pas ! Il y a pensé parce qu'elles sont compromettantes. Il n'en a rien fait à la ferme parce qu'elles ne sont qu'un leurre !

— Il apprend de ses crimes, opposa Ann. À la ferme il y avait trop de sang, il n'a pu tout dissimuler. Ensuite il a décidé de tirer des leçons de ses erreurs.

Frewin n'était pas d'accord, il secouait vivement le menton :

— Rappelez-vous les constatations de Conrad en examinant les traces de pas : elles s'enfonçaient sur le talon, il pensait que le tueur avait une démarche un peu particulière, son poids sur les talons.

— Oui, et d'ailleurs nous n'avons jamais exploité cet indice.

— Parce qu'il était trop aléatoire. Et heureusement, car je pense que c'était un piège de plus. Si les empreintes avaient cette forme caractéristique c'est parce que le tueur marchait avec des chaussures qui n'étaient pas à sa pointure. Il a bourré le devant avec des chaussettes ou autre, pour nous faire croire à un tueur chaussant du 44. Il lui a suffi de subtiliser les rangers d'un compagnon cette nuit-là, pendant qu'il dormait.

Ann croisa les bras.

— Ou au contraire, puisqu'il est si calculateur, il fait tout pour vous amener à le croire ! fit-elle remarquer.

— Non, il aurait continué à laisser des traces de chaussures, je pense que s'il s'est embarrassé d'un nettoyage après avoir tué Larsson c'est qu'il n'avait pas le choix. Il n'a pas pu « emprunter » les chaussures d'un autre cette nuit-là. C'est un soldat de la 3e section qui connaît bien les habitudes de ses camarades, suffisamment pour entendre Costello se vanter de la naïveté de Lisa Hiburgh. Il connaissait suffisamment Hriscek pour créer des indices factices qui l'accusaient, tout comme il se doutait qu'un type comme Harrison serait le coupable idéal à nos yeux. Il est proche d'eux.

Ann approuva d'un hochement de tête.

— Parker. Parker Collins, l'infirmier. Il les connaît tous, il les soigne. Par expérience, je peux vous assurer que les soldats parlent beaucoup à ceux qui les pansent. C'est lui qui savait pas mal de choses au sujet de Hriscek ! Il m'avait déjà orientée sur lui en m'expliquant que Hriscek aimait décapiter les poules quand il était petit, mais je n'avais pas relevé.

— Possible. On va l'avoir à l'œil.

— Oh, bon sang…

Ann se couvrit la bouche d'une main.

— La tête de Rosdale ! Nous avons pensé que c'était une manipulation visant à accuser Harrison ! s'écria-t-elle. Et s'il était vraiment le meurtrier, ne pouvant s'empêcher de conserver un… souvenir de son premier meurtre ?

Sentant qu'Ann se perdait dans toutes les directions, Frewin lui rappela :

— Ses compagnons lui ont fourni des alibis.

— Vous savez comme moi qu'ils se couvrent mutuellement ! Il est possible que ces alibis soient pure invention ! Harrison connaît tout le monde, est droitier, baraqué, et chausse du 44.

— Justement, ça ne colle pas, pourquoi la mise en scène de « fausses empreintes de pas » dans ce cas ? Et c'est valable pour Parker Collins.

— Pour vous faire douter, que vous pensiez exactement comme vous êtes en train de le faire !

Frewin inspira à pleins poumons en faisant la moue.

— Non, c'est un raisonnement trop tordu. Il n'est pas à ce point retors, il…

— Parce que toute la préparation autour de Hriscek pour le faire accuser n'était pas tordue ? Si Hriscek n'était pas coupable, ça signifie que le tueur est venu cette nuit-là, c'est lui qui a tué les deux gardes et Baker, avant de libérer Hriscek, qui sait, peut-être même que c'est lui qui l'a abattu !

Frewin se remémora la scène. Les détonations au milieu du chaos de flammes. Impossible de savoir s'il avait touché ou non sa cible. Hriscek avait disparu dans la sacristie. Deux coups de feu avaient résonné, Frewin avait pensé à un tir de barrage pour l'empêcher d'avancer, il s'en souvenait parfaitement, déduisant que son agresseur était un militaire rompu à ce genre d'exercice. *Et si ces tirs étaient ceux du tueur, attendant dans la sacristie que Hriscek le rejoigne ? Deux balles mortelles avant de s'enfuir, me laissant croire que dans la frénésie de l'assaut j'avais pu toucher Hriscek ?* La mise en scène parfaite. Et le gage de tranquillité pour le vrai tueur. Un plan machiavélique.

Frewin avait les mains sur les hanches, dominant l'étroite cellule de son imposante stature.

— Parker Collins était au chevet des prêtres mourants, remarqua-t-il. Ils ont eu la possibilité de lui parler du passage secret.

Frewin passa brusquement de la réflexion à l'action. Il fixa Ann :

— Je rejoins Matters et Monroe pour aiguiller les interrogatoires avant d'aller à l'examen du corps de Donovan. Pendant ce temps, descendez à l'infirmerie, voyez ce qu'on peut vous dire sur Collins, si quelqu'un sait ce qui s'est passé entre lui et les prêtres. Je repasserai vous chercher cet après-midi. En attendant, je ne veux personne seul à cet étage, c'est trop dangereux.

Ann approuva pour la forme.

Car dans les faits elle avait une tout autre idée.

67

Ann descendit avec Frewin, pourtant elle resta moins de cinq minutes au premier étage, le temps de s'assurer qu'il avait disparu à l'autre bout de la cour.

Puis elle fit demi-tour.

En grimpant les marches, elle réalisa que plus elle montait, moins il y avait de vie. L'infirmerie grouillait de murmures, d'ordres, de gémissements depuis qu'on y apportait les blessés du front ; le deuxième étage laissait filtrer une rumeur plus diffuse, des voix monocordes penchées sur leurs micros, des bips d'émetteurs-récepteurs radio, tandis qu'au troisième ne régnait plus que le calme des discussions posées, entre une poignée d'officiers. En arrivant tout en haut, Ann poussa la porte de leur quartier vide où ne circulait que la musique traînante et spectrale du vent. Une lampe à huile seulement demeurait allumée dans le couloir, sa clarté timide mais chaleureuse contrastant avec les meurtrières d'où coulait une lumière grise. Les portes des cellules ne fermaient pas à clé. Ann marcha jusqu'à la cinquième et la poussa. Il y faisait noir, seule une frange terne s'invitait par l'ouverture. Ann trouva les allumettes près d'une bougie et en craqua une pour donner vie à la mèche. La chambre de Monroe était aussi spartiate que les autres. Son lit parfaitement fait, sa caisse en métal comme unique preuve de sa présence ici.

N'en déplaise à Frewin, Ann ne parvenait pas à se défaire de ses inquiétudes. Et si le mal venait de l'intérieur ? Elle avait parlé avec les hommes de la PM pour avoir des détails sur les meurtres de Larsson et Conrad. Chaque fois, Monroe avait eu des opportunités, des moments seul, supposé en mission quelque part... Avait-on vérifié ? Il était connu pour être un peu rustre, le plus violent de tous dans l'équipe. *Le plus solitaire ? Non... ils le sont tous dans ce groupe !* Elle ironisa à ce sujet : *Avec Frewin comme modèle, difficile de ne pas suivre !*

Elle s'agenouilla devant la caisse d'effets personnels et l'ouvrit.

Vêtements parfaitement pliés. *Maniaque ou tout simplement bien coulé dans le moule militaire ?* Elle souleva le linge pour le poser sur le lit en prenant soin de ne pas le froisser. Elle trouva en dessous une plaquette de chocolat et trois paquets de cigarettes. Puis un magazine érotique. Elle le feuilleta pour s'assurer qu'il n'avait rien dissimulé entre les pages, sans résultat. En le reposant, elle fut subitement prise d'un sentiment de culpabilité. Elle fouillait l'intimité de Monroe. Sans égard pour lui, elle se permettait de violer ce qu'il avait de plus secret. *C'est pour l'enquête. Je ne suis pas une voyeuse ! Certes je n'ai pas la vertu dans le sang, mais je ne suis pas une voyeuse !*

Sur quoi elle sonda le fond de la caisse. Agir pour ne pas penser. Des lettres : les parents de Monroe, sa sœur, et deux amis. Pas de femme.

Ann soupira. Devait-elle lire ce courrier ? Elle éprouvait à présent des remords à suspecter ainsi Monroe. À quoi s'était-elle attendue ? À trouver une autre tête coupée ? Un mot de regrets, avec confession à l'appui ? *Termine ce que tu as commencé.*

Elle parcourut en diagonale les feuillets pas toujours lisibles, pleins de fautes d'orthographe. Rien. Une correspondance banale entre un soldat en guerre et ses proches.

Ann s'assit, ses genoux commençaient à lui faire mal.

Le vent continuait de siffler doucement dans le couloir derrière elle.

Elle n'avait rien contre Monroe, pas un soupçon, rien.

Soudain, elle se pencha pour saisir les vêtements sur le lit. Elle les inspecta très attentivement, à la recherche d'une trace, de gouttes de sang. Là encore, elle fut bredouille. Il y avait bien de la terre séchée mais c'était tout. Elle se contorsionna pour examiner sous le lit, sans plus de résultat. L'armoire, la table de chevet et le pupitre étaient désespérément vides.

Ann se redressa. *Puisque tu en es là, pourquoi ne pas en faire autant avec les autres ?* Elle sortit avec son petit chandelier à la main, et hésita. Devait-elle fouiller les affaires de Frewin ? À quoi cela pourrait-il bien servir ? Il était inconcevable qu'il soit suspect. Pourtant le doute subsistait en elle, un combat entre son esprit logique qui lui disait que c'était une perte de temps, et surtout immoral, et une curiosité maladive lui intimant de ne pas passer à côté de cette opportunité. Elle avait une excuse pour y aller. *Un prétexte !* C'était un moyen d'approcher un peu plus le lieutenant. *Je ne peux pas faire ça ! Je n'en ai pas le droit !* Il n'était pas correct avec elle, il se comportait mal.

Elle s'ouvrait à lui et il ne lui renvoyait qu'un mur. Elle avait l'occasion de percer ce mur, d'en savoir plus sur lui, c'était tout à fait légitime.

Parce que moi je lui ai dit qui je suis, vraiment ? Ce que je fais ?

Ann secoua la tête, elle s'écœurait.

Que dirait-il s'il apprenait que depuis mon adolescence je suis vicieuse, moi aussi ? Que depuis toutes ces années, je me laisse ensevelir par mes désirs ? Mes désirs ? Des pulsions animales, oui ! Coucher avec des inconnus, toujours et encore, pour me sentir exister, pour avoir l'illusion d'être aimée, même si c'est une heure. Que dirait-il si je lui avouais que je veux traquer ces tueurs parce qu'ils portent tant de noirceur en eux que ça me fascine ? Que j'espère me comprendre en cherchant à les comprendre ? Pourquoi suis-je incapable de refréner mes pulsions ? Pourquoi est-ce que je sombre dans la dépression sans arrêt si je ne couche pas avec un homme ? Suis-je perverse à ce point ? Oui. Faut-il le lui dire ?

Elle se rendit compte qu'elle était devant la porte de sa cellule.

Qu'est-ce que j'attends ? Je sais déjà que je vais y aller, pas la peine de trouver des bonnes et des mauvaises raisons, ma décision est prise.

Sur quoi elle entra, le ventre noué. Elle se dégoûtait. Depuis son adolescence, il en allait ainsi. Elle portait le vice en elle, une frénésie d'orgasmes, de tendresse, qui étaient ses remparts contre la détresse. Et pourtant, à chaque nuit passée avec un autre homme, elle se détestait un peu plus. Et le cercle infernal ne cessait jamais. Elle était prête à tout dans ces moments-là, souvent le soir. Un effroyable sentiment de solitude, puis la chaleur éclatait entre ses cuisses, avant de gagner son cerveau sous forme d'obsession lancinante. Dans ces instants, elle devait trouver un partenaire, à tout prix. L'entraîner dans sa folie, lui mentir, le manipuler, pour qu'il lui donne ce qu'elle voulait : quelques heures d'oubli. C'était son Mal à elle. Une malédiction la contraignant à vivre en dehors du monde, incapable de se stabiliser car dès les premières lueurs de l'aube, la honte reprenait le dessus et elle fuyait, éprouvant plus de pitié que d'affection pour l'homme à ses côtés. Parfois l'expérience durait plusieurs jours, mais s'achevait toujours de la même façon : l'homme lui inspirait du dégoût.

Au fil des années, Ann avait compris que c'était une réaction à son enfance. À son père. Poser des mots dessus n'avait pas suffi. Sa trajectoire de gamine avait été bouleversée, son père l'avait entraînée toute petite dans les recoins du Mal, il l'y avait emmenée et elle en était revenue transformée.

Son corps enflammé dès l'adolescence.

Pour Ann, il existait une évidence : les traumatismes ouvraient la porte au Mal, qui s'engouffrait alors dans l'esprit. Ce Mal cosmique, cette entité qui équilibrait l'étincelle insaisissable de la vie. Si l'évolution était la caractérisation de la vie, l'entropie était celle du Mal. Et les traumas contribuaient à cette destruction chaotique de l'être. Ils en étaient une représentation sensible.

Alors Ann avait cherché à vaincre ces fêlures ténébreuses en elle. Se raccrochant à une phrase découpée dans un livre : « *Rien n'est figé. L'individu est au moins maître de lui-même.* » Elle voulait y croire. Parvenir à l'appliquer.

Elle avait sondé les têtes des uns et des autres, en quête d'une solution, d'un espoir, tout en continuant de livrer son corps en pâture à ses déviances. Pour gagner un peu de répit, nuit après nuit. Jusqu'à rencontrer Yann Darshan, deux ans plus tôt. Un soldat doux et énigmatique qui était parvenu à l'apaiser. Pour la première fois, elle avait entretenu une *relation*. Sans se faire dépasser par ses pulsions. Tout était compliqué car c'était la guerre et ils étaient en campagne, loin du pays, cependant leur lien avait tenu, plusieurs semaines. Yann était parfois étrange, absent, il lui arrivait même de devenir inquiétant, mais cela passait en un instant. Puis un matin, on vint lui demander si elle le connaissait. Un officier du renseignement l'interrogea, puis ceux de la PM. Yann Darshan venait de mourir, il avait déclenché une fusillade en ouvrant le feu lors de son arrestation pour les meurtres de cinq hommes au cours des trois derniers mois. Yann était un meurtrier, récidiviste. Qui tuait pour le plaisir. Elle n'avait rien vu venir. Jamais elle ne s'était doutée de quoi que ce soit. Elle avait compris alors pourquoi il ne la regardait jamais dans les yeux. Et son obsession apparut. Sonder les criminels. Les approcher au plus près. Ann sut que c'était le chemin de sa rédemption, et plus les criminels seraient abjects, plus grande serait leur part d'obscurité. Alors, en explorant leur regard, cette vitre sur leurs abîmes, peut-être saurait-elle si elle était comme eux. Était-elle une fillette traumatisée ou une mauvaise femme qui tirait l'humanité vers le bas ?

Depuis deux ans, elle demandait aux autres infirmières de la prévenir dès que la PM demandait une assistance médicale. Elle voulait être au contact du crime, de la violence. Avec plus ou moins de succès jusqu'à cette affaire sordide.

Ces deux dernières années, elle avait continué de s'assumer, ses jours et ses nuits entrecoupés par des pulsions incontrôlables. Jusqu'à ce qu'elle rencontre Craig Frewin. Depuis qu'elle le fréquentait, ses pulsions s'étaient atténuées. *Focalisées*. Il cristallisait son désir obsessionnel. Il était tout ce qu'elle voulait. Lui et personne d'autre. Même après avoir assouvi son envie, c'était vers lui qu'elle souhaitait revenir. Elle avait retrouvé cet apaisement, le goût de l'autre, un plaisir à partager, plus du tout centré uniquement sur elle.

Ann était déjà en train d'ouvrir la caisse appartenant au lieutenant. Des gestes automatiques, presque fébriles. De quoi avait-elle peur ? De découvrir qu'elle était attirée par un tueur ? Se pouvait-il que Frewin soit ce meurtrier qu'ils traquaient tous ? Un assassin plus malin qu'eux jusqu'à présent. Aimant jouer. Qu'y avait-il de plus spectaculaire et jouissif pour une personnalité de ce type que d'être au centre des recherches, celui qui orchestrait sa propre traque ?

Il faut que j'arrête ça. Impossible, pas lui.

Se rassurait-elle ? Yann avait réussi à se jouer d'elle pourtant… *Mais je n'étais pas comme je suis aujourd'hui. Je n'y connaissais rien !*

Était-ce si différent ?

Frewin emportait avec lui de la lecture et de quoi écrire essentiellement. Des livres de psychologie et deux romans de Conan Doyle.

Les doigts d'Ann effleurèrent toutes les lettres qui tapissaient le fond. Plusieurs dizaines. Presque une centaine. Toutes adressées à la même personne : Patty Frewin, sa femme.

Ann referma le couvercle en acier.

Comment pouvait-elle tomber amoureuse d'un type qui aimait un fantôme ?

Tomber amoureuse... Elle se l'avouait enfin.

Ann soupira et sortit de la pièce. À quoi jouait-elle à la fin ? Elle passa devant sa porte, en colère, sans savoir si c'était contre elle ou contre Frewin.

À côté se trouvait celle de Matters.

Le jeune sergent qui fuyait sans cesse son regard.

Elle devait y aller aussi. *Il est maigre, incapable de tuer des montagnes comme Larsson ou Baker, encore moins de porter le corps de Rosdale pour le suspendre aux poutrelles du réfectoire !*

Ne négliger personne.

Alors elle pénétra dans sa chambre, bougie à la main. Le lit était à peine fait. *À moins qu'il ne soit à peine défait ?* Et Ann remarqua que le jeune homme était le seul à dissimuler sa caisse sous son lit. Elle posa son bougeoir sur la table de chevet et tira sur les poignées en fer pour la faire apparaître. Un petit cadenas pendait depuis son logement. Par chance, il était ouvert. Matters ne devait pas le verrouiller chaque fois, seulement pour les déplacements. Elle l'ouvrit. Vêtements, bible... Rien d'anormal à première vue.

Puis le fond en bois.

Un double-fond qu'elle ouvrit sans peine. Il n'abritait qu'un objet, déjà très curieux en soi, et un carnet en cuir brun. Ann devina qu'on y avait fait le ménage récemment, il y avait des traces de doigts dans la poussière.

Matters cachait son journal intime et un martinet aux lanières tachées de sang séché.

68

Le médecin qui examina le corps de Donovan avait une cinquantaine d'années, un visage allongé, strié de rides profondes, des sourcils foisonnants, du même gris que ses cheveux bouclés.

— C'est tout ce que je peux dire. Il est mort égorgé. On a planté la lame violemment dans sa gorge, presque à l'os, et on a tiré jusqu'à lui arracher tout le devant du cou.

— Il n'aura pas pu crier ? demanda Frewin.

— Ça non, certainement pas.

— En revanche il y a eu une projection importante de sang, n'est-ce pas ?

Le médecin approuva. Frewin était intrigué par ce fait. Il n'avait pas pris le temps d'y réfléchir, perturbé par la mort de ses hommes. Pourtant, si le tueur s'était tenu au-dessus de Donovan pour l'égorger, il avait été aspergé, c'était une évidence. Or ils n'avaient retrouvé qu'une seule flaque de sang en dehors de la chambre. Pour quelqu'un qui devait en être couvert, c'était peu. Qu'avait-il fait ? Nettoyé derrière lui ? Certainement pas, ils auraient remarqué les marques au sol. Il ne s'était pas changé, ils n'avaient rien vu. Alors comment pouvait-il fuir dans un couloir sans laisser de sang dans son sillage ?

Il a attendu. Le sang a séché sur lui. Et la petite tache devant la porte ? *Le sang sur ses chaussures ou sur l'arme avant qu'il ne la range...*

Cela signifiait que le tueur était rentré dans ses quartiers avec ses affaires souillées. Et personne pour le remarquer ?

— L'arme est certainement un couteau de chasse assez long, à lame large, précisa le médecin.

— Comme celui des soldats ?

— Tout à fait.

Frewin vit par-dessus l'épaule de son vis-à-vis la silhouette d'Ann qui écartait un rideau pour entrer dans cette salle d'opération improvisée. Il remarqua aussitôt l'excitation qui l'animait.

— Je dois vous parler, tout de suite, dit-elle.

Frewin remercia le médecin et la rejoignit.

— Qu'y a-t-il ?

— Il faut que vous voyiez ça, se contenta-t-elle de répondre.

Elle l'entraîna jusqu'au quatrième où elle prit une bougie pour le conduire jusqu'à la cellule du fond que personne n'occupait. Elle le fit entrer et referma la porte. Les deux visages se rapprochèrent de la flamme, leurs traits lissés par ses caresses orange.

— Regardez, lança Ann en posant la bougie sur le sol.

Ils attendirent quelques secondes avant de constater que la flamme dansait en penchant régulièrement vers l'intérieur de la pièce. Les oscillations s'accélérèrent jusqu'à menacer de la souffler.

— Il y a un courant d'air, comprit Frewin. Le passage est ici.

Ann n'attendit pas plus longtemps. Elle fonça sur l'armoire qu'elle ouvrit pour tirer sur l'angle en haut à droite. Le fond pivota sur un trou béant et obscur.

— Vous êtes brillante.

— J'étais dans ma chambre, la bougie à la main, lorsque j'ai pensé à sonder les salles en laissant la flamme m'indiquer ce qu'elle percevait. Et voilà !

— Vous êtes déjà descendue…, devina-t-il.

Un petit rire échappa à l'infirmière.

— Préparez-vous car ces moines étaient… surprenants.

Un escalier étroit s'enroulait vers les profondeurs du château. Frewin était parti chercher sa lampe électrique pour ouvrir le chemin. Les marches n'en finissaient plus et Frewin avait les jambes presque douloureuses en débouchant sur un couloir humide et poussiéreux, à plusieurs mètres sous la surface. Des toiles d'araignées tapissaient les murs et le plafond arrondi, flottant dans les courants d'air. Le sol était en terre battue.

Frewin leva le bras au-dessus de sa tête pour éclairer le plus loin possible. Le boyau partait sur plus de vingt mètres, découpé par intermittence par d'autres ramifications.

— C'est immense ! chuchota-t-il.

— Attendez, vous n'avez pas vu le meilleur.

Ils marchèrent jusqu'au premier embranchement où le passage s'élargissait. Des casiers recouvraient les parois sur toute la longueur, des centaines d'alvéoles abritant des bouteilles de vin. Frewin fit un pas sur le côté pour entrer dans une salle d'une dizaine de mètres de large, également occupée par des bouteilles. Par moments, un ou plusieurs tonneaux superposés coupaient cette perspective de ruche, mais partout où il posait le regard, Frewin découvrait une formidable collection de vins.

— Qu'est-ce qu'ils faisaient ici ? s'étonna-t-il.

— J'ai inspecté quelques bouteilles, il semblerait qu'ils rassemblaient des vins de toutes les régions, de tous les pays et de toutes les années.

Tout de même ! Des centaines, des milliers de bouteilles cachées ici ! Et Frewin de se souvenir qu'il y avait peu, l'ennemi occupait encore cet endroit. Il avait fallu jouer de chance et de discrétion pour dissimuler cette réserve.

— Je ne suis pas allée plus loin, avoua Ann. Il y a tellement de couloirs et de salles, cependant je pense que nous devrions trouver un accès à chaque tour du château.

Frewin approuva.

— Parker Collins s'est fait confier le secret de ce sanctuaire par un des religieux avant qu'il ne meure. Ou bien il est notre homme, ou bien il l'a répété à la 3ᵉ section pour qu'ils se servent. Ils gardent ça pour eux, et le tueur l'a appris.

Leurs voix résonnaient lugubrement dans ce labyrinthe souterrain.

— Remontons, je vais préparer une inspection plus détaillée avec Monroe et Matters.

Ann demeura muette à l'évocation du sergent Matters. Elle savait combien Frewin refusait l'idée qu'un de ses hommes puisse être suspect. Rien encore ne l'accusait et Ann voulait parcourir son Journal pour en savoir plus. Le temps pressait. Si Matters n'était pas l'agneau que tous voyaient en lui, alors elle devait s'empresser de le démasquer, avant qu'il n'ait le loisir de frapper à nouveau.

— Il faut surtout rester discrets au sujet de cette découverte, que personne ne sache que nous avons mis le pied ici, ajouta-t-il.

Ann le contemplait dans la pénombre de leur lampe. Cet homme si singulier, avec toutes ces lettres qu'il continuait d'écrire à sa femme morte. Ann se félicita de n'avoir rien montré de ses émotions. *Quelles émotions ?* Elle ne savait plus vraiment. Était-ce de la peine ? De la colère ? *Pourquoi de la colère ? Il ne me doit rien, il n'a aucun compte à me rendre !* Pourtant ces lettres l'avaient profondément heurtée, elle le savait. Et soudain, en épiant ses lèvres, son nez, ses yeux et ses mains, Ann reconnut l'émotion qui prédominait : la jalousie. Elle désirait Frewin. Exclusivement.

Elle cilla pour se reprendre.

Trop accaparé par son plan, il termina sans rien voir du trouble de la jeune femme :

— Nous allons lui tendre un piège.

69

Deux gardes surveillaient l'entrée de la tour sud, deux autres patrouillaient dans l'escalier. On avait fait passer le message : il n'y aurait plus de morts cette nuit, la PM dormirait enfin au calme, l'accès au bâtiment était sécurisé. Juste ce qu'il fallait pour titiller l'ego du tueur. Pour que justement il décide de passer à l'acte, en remontant par les souterrains, croyant y être en sécurité. Frewin en était certain : il voudrait frapper encore, dévaster la PM autant qu'il le pourrait. Et tant qu'il aurait l'illusion du pouvoir grâce au passage secret, il attaquerait. C'était trop tentant.

« Il aime exhiber ses crimes, avait rappelé le lieutenant. Il ne résistera pas à l'envie de tuer alors qu'on clame haut et fort que c'est impossible, sécurité renforcée. Il croit détenir sa toute-puissance, il va en user. »

Frewin avait sillonné le dédale pour découvrir deux autres entrées : une dans la tour est, et l'autre dans la tour nord, celle de la 3e section. Il avait alors décidé de ne pas faire appel à d'autres hommes, craignant que ça ne se remarque ou que les soldats n'ébruitent la mission, ce qui aurait ruiné le plan. Sa stratégie reposait sur la discrétion. Aussi, ils ne seraient que trois en bas.

Matters serait en poste à côté de l'entrée de la tour est, au cas où le tueur les prendrait par surprise en préférant cette voie. Monroe surveillerait celle de la tour nord, la plus probable, tandis que Frewin serait au milieu. Ils avaient découvert que le lacis de couloirs et de salles était en fait articulé autour d'un grand espace central où l'on devait passer obligatoirement pour aller d'une issue à l'autre. Dès que Monroe ou Matters verrait le suspect entrer, ils le suivraient à bonne distance pour lui couper toute retraite jusqu'à ce que Frewin puisse le mettre en joue au centre.

Ann avait accepté sans rechigner, à la grande surprise de Frewin, de rester dans sa chambre, en échange de quoi elle assisterait aux interrogatoires du tueur.

Frewin était loin de se douter qu'elle courait contre le temps. Cette occasion d'être seule lui permettait de retourner dans la cellule de Matters pour parcourir son Journal. S'il s'avérait que le sergent était suspect, elle devrait trouver un moyen de prévenir Frewin aussitôt. L'idée de les voir tous les trois enfermés là-dessous, seuls et confiants, la perturbait au plus haut point.

Ainsi chacun avait fomenté son petit plan.

Avec l'espoir infini que tout se passerait comme prévu.

Ann était seule depuis une heure.

Ils étaient descendus avec le crépuscule, Frewin ne voulait prendre aucun risque. Ils patienteraient jusqu'au petit matin s'il le fallait.

Ann s'empara de son bougeoir et passa la tête dans le couloir froid et venteux. Seules deux lampes à huile étaient allumées. Et personne en vue.

Elle se glissa dans la cellule mitoyenne de la sienne, sans un bruit, et retrouva le journal intime au fond de sa caisse. Elle se redressa et hésita sur la suite.

Ma chambre ou ici ? Qu'est-ce qui est le plus prudent ?

Ann opta finalement pour rester. Elle s'installa sur la chaise face au pupitre et ouvrit le petit livret relié en cuir. Matters avait une écriture ronde, avec des boucles larges et peu d'assurance dans les traits. *Une écriture d'enfant...* Les premières pages remontaient à presque un an. Ann passa dessus en vitesse, cherchant à saisir un mot ou une phrase qui pourrait l'éclairer sur la personnalité du sergent. Matters parlait de ses états d'âme, parfois de sa mère qui lui manquait. Il se plaignait beaucoup du confort tout en répétant toutes les cinq pages comme il était chanceux d'apprendre son métier aux côtés du lieutenant Frewin.

Après une heure de lecture, Ann commença à s'interroger sur le type d'intérêt que Matters portait à son supérieur. Il frisait la fascination par moments. Puis il devint plus équivoque. Son attrait pour Frewin devenait malsain.

Ann ne réalisa pas que les mots l'aspiraient, buvant son temps, elle ne survolait plus, elle lisait. Soudain il fit mention de sa Faiblesse. C'était un soir, le sergent semblait déprimé, et il se confiait avec désespoir :

« Ça revient. J'y pense encore et encore, je chasse cette Faiblesse de ma tête, de mon corps, et pourtant ça revient, c'est comme vouloir arrêter la marée en construisant une digue de sable à mains nues... Je sens que ça me déborde de toute part. J'ai honte. Je ne veux pas craquer. Pourtant j'y pense, c'est une obsession. J'ai ces envies qui m'aveuglent, des images qui

jaillissent violemment dans mon crâne. Même la nuit, j'en rêve. Que dois-je faire pour les taire ? »

Plus loin, Matters revenait sur le sujet :

« Aujourd'hui j'ai trouvé un moyen de me calmer. J'ai profité de ma permission pour acheter un martinet. Je vais m'en servir les soirs de faiblesse. Sur les cuisses, pour que ça ne puisse pas se voir. J'ai eu honte en entrant dans l'échoppe, et si je n'avais encore plus honte de mes idées diaboliques, je serais ressorti aussitôt. Il faut que je me contrôle. Mon Dieu, quel monstre suis-je ? Quel genre de pervers immonde ? »

Plus elle avançait dans les pages, plus Matters faisait mention de cette « faiblesse » ou « maléfique déviance » qui le rongeait. Il parlait à un moment du « Mal », comme le faisait Frewin ou elle-même. *Le Mal est pratique, c'est le fourre-tout des hommes*, songea-t-elle.

Elle se reconcentra sur le Journal. Récemment, Matters s'était alarmé en découvrant qu'il se laissait de plus en plus aller. Il lui était arrivé de sortir la nuit. Pour obéir à ses pulsions.

Alors apparut « le Soigneur ».

Un être capable de l'apaiser.

Au début Matters avait tout fait pour l'éviter, pour ne pas lui céder.

Mais c'était plus fort que lui. Il avait déjà laissé libre cours à ses instincts noirs, un an plus tôt, plusieurs fois. Heureusement, il ne s'était jamais fait prendre. À force d'obstination, il était parvenu à faire taire le monstre en lui.

Pourtant, le goût de la perversion ne s'oubliait pas. Il le hantait.

Et le Soigneur était apparu pour lui redonner l'envie.

Alors Matters s'était abandonné à lui.

Il avait fait le Mal.

Il était devenu le plus ignoble des êtres.

La lecture devint une fièvre, enserrant l'infirmière dans un étau de mots. Elle dévora les dernières pages.

Et l'excitation la gagna.

Elle jeta le journal sur le lit et se rua vers la porte.

70

Une odeur de terre se mélangeait à l'humidité. Des gouttes tombaient depuis la voûte et formaient une petite flaque aux pieds de Kevin Matters. Il était assis sur une pierre ronde, à l'angle de deux corridors.

Le temps ressemblait à ces champignons qui couraient sur les étais de bois : dilatés jusqu'à se perdre dans les fissures. Il ne savait plus depuis quand il attendait dans ce couloir obscur. Le lieutenant leur avait dit de se poster là pour avoir une vue sur le passage et d'éteindre leur lampe afin de ne pas être repérés et de pouvoir suivre à distance leur éventuelle cible. Mais Matters n'en pouvait plus de l'obscurité. Elle devenait si oppressante au fil des heures que les sons prenaient substance : le goutte-à-goutte devant lui était devenu presque visible, à force de l'entendre, de l'anticiper. Matters avait fini par rallumer sa lampe, en l'orientant vers le bas, pour scruter les parois et distraire un peu son ennui.

Si quelqu'un devait arriver par l'escalier de la tour est, Matters était certain qu'il l'entendrait descendre et aurait le temps de couper sa lumière. Simple question d'attention.

Devait-il vraiment attendre qu'on s'approche ? Y aurait-il quelqu'un pour venir dans ces souterrains ce soir ? Il n'en était pas convaincu. *Pourquoi crois-tu ça ? Parce que tu sais qui est ce tueur ?* Matters se dandina sur place, pas à son aise. Il refusait d'aborder cette question qui flottait à la lisière de sa conscience depuis un moment déjà.

Et s'il connaissait le tueur ?

Arrête. N'y pense pas, c'est stérile. Ça ne rime à rien, tu ne peux pas le connaître... En était-il si sûr ? Alors pourquoi ne parvenait-il pas à se débarrasser de cette boule dans le ventre ? Que *sentait*-il au-delà des certitudes ? Qu'avait-il en tête ?

C'est impossible !

Déjà mieux. On accepte l'existence de l'hypothèse.

Non, bien sûr que non.

Son nom. Allez. Dis-le.

Ça n'a aucun sens ! Qu'est-ce que je fais ? Je n'ai pas à y penser !

Son nom, juste son nom, dis-le.

Le Soigneur. Non. Non, non, je perds les pédales, c'est tout.

Tu le sais. Il y a quelque chose qui ne tourne pas rond. Cesse de t'aveugler. Tu as le doute en toi depuis ce matin.

Matters soupira bruyamment.

Je dois me concentrer, j'ai une mission ici.

Tu sais que les preuves commencent à s'accumuler. Les fuites proviennent de la PM, il ne peut en être autrement. Le tueur a toujours une longueur d'avance, comme s'il savait ce que Frewin veut faire. Il y a un moment où il ne faut plus s'aveugler.

Il est très malin, voilà tout.

Pas à ce point, tout de même.

C'est un génie du Mal.

Le Mal ? Pratique n'est-ce pas ? Pour ranger tout ce que tu ne veux pas voir, que tu n'es pas capable d'assumer. Et si le Mal n'était constitué que des démons intérieurs que l'homme n'est pas prêt à voir en face ?

Qu'est-ce qui me prend ? Je joue à quoi ?

À te voir en face. Au jeu de la vérité. Ta conscience contre le mensonge dans lequel tu te construis. Et c'est l'heure de savoir lequel des deux va prendre le dessus pour les années à venir.

Je ne connais pas le tueur !

En es-tu si sûr ?

Je ne sais pas ce que tu veux !

Tu l'as laissé entrer en toi. En tes amis.

Arrête !

Pour assouvir tes viles passions, tu as ouvert la porte au monstre, pour qu'il les dévore pendant leur sommeil.

Non !

Coupable tu es. D'avoir cédé.

Non...

Mais tu as encore une chance de te racheter.

Matters tremblait.

Encore une infime chance de ne pas laisser le monstre triompher.

Matters pleurait à chaudes larmes.

Il savait tout ça. Il le savait...

La dualité s'étouffa en lui alors qu'il se levait de sa pierre.

Il sut ce qu'il devait faire.

Et il s'élança dans les ténèbres.

71

Monroe caressa du bout des doigts sa victime.

Il lui avait arraché la peau, tout doucement, pour ne rien perdre de cet instant, portant ses entrailles à ses narines pour les humer profondément. Être enfermé là-dessous pendant si longtemps, sans lumière, l'avait rendu fou.

Il avait fini par céder à son obsession et s'était emparé d'une cigarette qu'il avait portée à ses lèvres. Impossible de l'allumer ici, l'odeur l'aurait fait remarquer. Alors il l'avait triturée en tout sens, jusqu'à ce qu'elle se ramollisse dans ses mains. Puis il avait décortiqué le papier, méthodiquement, pour répandre le tabac dans sa paume et le respirer à pleins poumons.

Au début il portait sa mitraillette en bandoulière, contre son flanc, prêt à intervenir. Peu à peu, il l'avait repoussée jusqu'à la poser contre le mur. Sa lampe éteinte, dans sa poche, il attendait d'entendre quelqu'un approcher. Le plan du lieutenant lui semblait réalisable mais dépendait du tueur. Et s'il ne descendait pas cette nuit ?

Il va venir. Le lieutenant l'a dit : l'occasion de détruire un peu plus la PM tout en passant à travers les mailles de la sécurité va être jouissive à ses yeux, il ne pourra pas refuser une invitation pareille.

Pourtant, déjà deux heures, peut-être trois, qu'ils attendaient, et toujours rien.

Et s'il était passé par la tour est ? Ça semblait illogique, il aurait dû sortir de la tour où ils étaient logés pour traverser la cour devant tout le monde et entrer au milieu de la compagnie Alto et de l'autre équipe de la PM, celle de Stanley. Pourquoi un tel détour et si peu de discrétion ? Non, non, il passerait par là.

Peut-être qu'il était déjà passé ? Dans l'après-midi ? S'il était déjà en bas, caché quelque part… alors le lieutenant et même Matters pouvaient être tombés sous ses coups !

Ils sont plus malins que ça, ils ne se laisseront pas surprendre.

De toute façon il n'est pas là. Il n'a pas pu venir plus tôt, il ne peut pas disparaître de sa compagnie si longtemps, ce serait suspect.

Un bruit sourd résonna depuis l'escalier en colimaçon, dévalant jusqu'à lui, comme le raclement de deux pierres l'une contre l'autre.

Cette fois Monroe se redressa, il jeta le cadavre éventré de sa cigarette et attrapa sa lampe à deux mains, sans pour autant l'allumer.

Il se pencha pour tendre l'oreille vers le couloir.

Rien.

Le vent.

Brusquement, il perçut le froissement de semelles contre les marches. On descendait. Il se leva et allait se plaquer dans un angle lorsqu'il vit qu'il oubliait son arme. Il tâtonna dans la nuit pour la retrouver et la serrer contre lui.

Il était à présent bien enfoncé dans une zone à l'écart.

L'intrus se rapprochait. Il était presque arrivé en bas de l'escalier. Monroe, le cœur emballé, s'obligeait à souffler bruyamment par le nez. Il se concentra pour se calmer.

Les pas changèrent de sonorité, cette fois presque indécelables tandis qu'on marchait dans le couloir. Monroe devina la lueur d'une lampe

Il se rapprochait.

Monroe serra sa mitraillette.

La lumière augmenta à moins de cinq mètres de lui. Et une silhouette apparut.

Monroe était tellement crispé, prêt à surgir pour se défendre qu'il ne vit pas qui passait. Il devina seulement sa démarche rapide. *Trop d'obscurité et d'émotion*, se dit-il.

Lorsque l'individu fut à quinze bons mètres, Monroe sortit de sa cachette pour se glisser dans son sillage, progressant tout doucement, afin de ne pas trébucher sur une pierre ou dans une flaque. Sa main droite se guidait sur le mur et il s'efforça de perdre le moins de distance possible tout en étant discret.

Son cœur battait toujours aussi vite.

Le plan était lancé.

Le tueur qu'ils traquaient depuis plusieurs mois était dans ce tunnel.

72

Ann traversa la cour, passant entre les camions et les véhicules blindés, et grimpa les marches qui conduisaient à la tour nord. Elle monta au troisième et dernier étage occupé, afin d'atteindre le chemin de ronde desservant les cellules. Les voix de dizaines d'hommes se mêlaient tout bas. La première porte était ouverte et elle vit le capitaine Morris en discussion avec le lieutenant Piper.

— Bonjour, capitaine, je cherche votre infirmier, Parker Collins.

Morris fronça les sourcils et la toisa.

— Il est dans la troisième pièce, avec le caporal Regie.

Ann le remercia et allait partir lorsqu'il lui lança :

— Tâchez de ne pas semer la zizanie parmi mes hommes, infirmière !

Piper émit un rire gras, écœurant, et Ann fonça vers la troisième porte. Elle frappa et entra sans attendre de réponse. Douglas Regie leva la tête, surpris de cette intrusion, et ses yeux s'écarquillèrent en découvrant qu'en plus il s'agissait d'une femme. Ann s'approcha de lui en remarquant que l'autre lit était vide.

— Je cherche Parker, dit-elle.

— Pas là. Vous lui voulez quoi ? Vous et lui, vous…

Ann ignora le ton libidineux et rétorqua :

— Vous savez où je peux le trouver ? C'est important. Très important.

Regie fit la moue.

— Non, je l'ai vu qui traînait dans les couloirs, il devait discuter avec je ne sais qui.

Ann se demanda s'il s'agissait encore de méfiance à son égard, de la fraternité qui régnait dans la 3e section ou s'il n'en savait vraiment rien. *Pas étonnant que les interrogatoires ne puissent rien donner avec ces types… ils se soutiennent tous, quitte à mentir ! Ils se fournissent des alibis.*

— Je dois lui parler, question de vie ou de mort, insista-t-elle sur un ton tout aussi dramatique.

— Je viens de vous le dire : je ne sais pas où il est !

Elle recula.

L'absence de Collins n'était pas anodine. Le tueur était démasqué. Tout était en train de se dévoiler.

Les illusions tombaient.

Elle devait agir. Vite.

Question de vie ou de mort, se répéta-t-elle.

De mort.

73

Frewin se massa la nuque pour se remettre d'aplomb.

La lueur venait d'apparaître dans le couloir nord, celui de Monroe. L'ombre chinoise d'un individu marchant d'un bon pas.

Frewin sortit son arme, défit le cran de sûreté et se prépara à viser. Tout irait très vite. L'homme allait entrer, Frewin lui laisserait atteindre le milieu de la pièce, pour qu'il n'ait plus aucun abri, et il lui ferait les sommations.

À la moindre hésitation, il tirerait. Au sol d'abord, puis dans les jambes si nécessaire. Il ne prendrait aucun risque. Le tueur devrait obéir sans broncher.

La silhouette apparut avec plus de précision. Grande. Puissante.

C'est lui.

Tenant sa lampe de la main droite.

Puis il entra dans la grande salle et ralentit.

Frewin reconnut son visage aussitôt.

Parker Collins.

Il balaya les nombreux casiers en bois, de son faisceau aussitôt capturé et multiplié par les culots de bouteilles. Soudain tout l'espace devint lumineux, irradié par autant de petites étoiles.

Avance encore un peu...

Monroe devait être derrière, prêt à lui couper toute retraite.

Collins avançait plus lentement, admirant ce spectacle surprenant, et sa trajectoire dévia quelque peu pour le rapprocher de Frewin.

Le lieutenant pouvait distinguer son regard à présent. Les pupilles en mouvement, sondant son environnement. Il tenait sa lampe devant lui, arrosant les murs par saccades.

Frewin eut une désagréable sensation d'angoisse. Il percevait quelque chose qui n'allait pas.

Collins était au milieu maintenant, il fallait intervenir.

Frewin hésita.

Collins ne semblait pas rassuré. Il éclairait autour de lui.

Il n'a aucune assurance. Il n'a pas l'aplomb dont le tueur fait preuve pour être capable de surprendre, maîtriser et massacrer ses victimes. Ça ne va pas.

Et l'évidence lui sauta aux yeux.

Une fois encore, ils s'étaient fait devancer.

Collins n'était pas le tueur. Il n'était qu'un leurre envoyé ici pour ouvrir la voie, pour s'assurer que personne ne l'attendait en bas.

Prévenir Monroe ! Qu'il n'intervienne pas et surtout qu'il veille à ses arrières, le vrai *tueur est peut-être juste sur ses talons !*

Frewin alluma sa propre torche électrique et la braqua sur l'infirmier.

— Collins, dit-il doucement.

L'intéressé sursauta en étouffant un cri de peur.

— Qui est là ?

— Lieutenant Frewin de la PM, lui répondit-il en s'approchant.

— Vous m'avez fichu une trouille bleue !

— Qui vous a envoyé ici ? Répondez !

Le visage de Collins se figea.

Et le chaos des balles explosa dans le souterrain.

74

À plus de sept cents mètres par seconde, la balle fendit l'air en déplaçant son onde de choc comme un manteau redoutable. Elle perfora la joue droite en faisant gicler un peu de sang et traversa les dents qui se fendirent en incrustant leur émail dans les chairs tendres de la gencive. Dévié de sa trajectoire première, le projectile rompit le palais pour ressortir au niveau de la pommette, laissant dans son sillage des os éclatés jusqu'au front. Un lambeau de peau vola pour accompagner le métal brûlant et retomba dans la poussière en émettant un petit bruit mou.

Les autres balles sifflèrent pour venir fracasser les bouteilles et se planter dans les tonneaux.

Parker Collins tomba comme un pantin brutalement séparé de ses ficelles. Son sang se mit à couler.

L'écho des coups de feu claquait encore aux oreilles de Frewin.

Il était sur le sol, à peine avait-il eu le temps de se jeter sur le côté.

L'odeur capiteuse du vin monta à ses narines. Une dizaine de jets rouges arrosaient la pierre, les murs semblaient saigner.

Frewin reprit ses esprits.

On venait de vider un demi-chargeur de mitraillette sur eux.

Il avait lâché sa torche qui avait roulé à trois mètres de lui, au centre de la pièce.

D'où venaient les tirs ? Du couloir nord, il en était presque certain. Monroe avait une mitraillette. Se pouvait-il qu'il…

Frewin se mit à ramper pour enfin s'adosser au mur et se mettre à couvert. Il tenait encore son pistolet dans la main.

Il tourna la tête vers l'infirmier.

Son sang et le vin formaient deux arabesques croissantes qui se rejoignirent et se mélangèrent.

Parker Collins n'était plus.

Matters était tout essoufflé. Autant par la cadence qu'il s'imposait que par l'anxiété qui le gagnait.

Il était presque arrivé lorsque les coups de feu claquèrent. Instinctivement il se jeta contre les parois avant de réaliser que les tirs ne lui étaient pas destinés.

Il demeura figé une longue minute, la tête penchée sur le côté pour tenter de discerner l'orientation des sons. L'attaque provenait de sa droite.

Sa main attrapa son pistolet et il s'avança doucement en direction des détonations. Un long couloir. Puis une pièce basse de plafond, pleine de tonneaux.

Matters braqua son pinceau blanc sur les angles pour déshabiller les ténèbres, sans pour autant se rassurer. Il avança dans le couloir suivant.

En passant l'ouverture, une sensation de froid se logea contre sa pomme d'Adam et une main se posa sur son arme pour la lui prendre. L'individu était sur le côté, éloigné de l'angle de tir.

— Inutile de te servir de ça, lui chuchota-t-on.

Matters mit des mots sur ce qu'il ressentait : un couteau était prêt à s'enfoncer dans sa gorge. Il ne montra aucun étonnement.

— Tu as compris que c'était moi, n'est-ce pas ? lui demanda-t-on toujours en chuchotant.

— Oui.

— Depuis quand ?

— Quelques minutes. En repensant à tout. Le tueur savait tant de choses… Il ne pouvait être que l'un d'entre nous.

— Et c'est ce que je suis ? L'un d'entre vous ?

— Non, non, mais tu nous as bien bernés.

Matters ferma les yeux. Il ne savait que faire.

Tout alla trop vite.

Et il ne sortit que des gargouillis et des gémissements noyés quand sa gorge s'ouvrit en grand.

Frewin remobilisa sa concentration. Devait-il rouler jusqu'à l'une des deux lampes ou se rapprocher du couloir d'où provenaient les coups de feu, en espérant intercepter le tireur ?

Monroe, la priorité est à Monroe.

Comment s'étaient-ils retrouvés là ? Son plan paraissait pertinent pourtant… Le tueur avait une capacité à anticiper chacune de ses décisions, qui en devenait incroyable. S'était-il trop précipité ? Frewin s'abrita derrière ses paupières closes un instant. À peine découvert par Ann, le passage secret était devenu pour lui le piège idéal. Il avait été trop vite, sans prendre le temps de se mettre à la place du tueur. Il avait commis l'inexcusable : il l'avait sous-estimé. Après avoir massacré Donovan dans un étage barricadé il s'était douté qu'on chercherait un accès dissimulé. Et qu'on le trouverait. Il comptait là-dessus !

Frewin serra les dents. Comment avait-il pu se fourvoyer à ce point ? *En allant trop vite*. Là aussi, le tueur l'avait battu. En accélérant le rythme de ses frappes, il avait mis Frewin dans une dynamique d'urgence, où le temps leur était compté.

Il y avait une autre possibilité, même s'il refusait de l'entendre.

Que ce soit l'un d'entre eux.

Ses mains étaient moites. Il prit une profonde inspiration et courut à quatre pattes vers le boyau d'où s'échappait encore l'odeur de la poudre. Il se plaqua dos au mur, pistolet contre le cœur, et s'efforça de respirer calmement.

— Monroe ! murmura-t-il. Monroe !

Il y avait une chance pour que son soldat soit quelque part par ici. Frewin envisageait toutes les hypothèses, dont celle d'un Monroe tirant sur Collins en croyant qu'il s'agissait du tueur.

Aucune réponse. Rien que le glouglou des vins s'échappant des bouteilles et des tonneaux perforés par les balles.

D'autres éventualités plus sinistres encore rongèrent ses espoirs.

Frewin tenta une dernière fois d'appeler son compagnon, sans hausser la voix pour ne pas trahir sa position :

— Monroe ! Monroe !

La réponse surgit de l'obscurité, à moins d'un mètre de lui. Une voix posée. Presque triste.

— Monroe est mort.

Frewin se figea. Il la reconnut aux premières intonations.

— Je suis désolé que ça se termine comme ça, Craig.

75

Frewin recula en rampant, semblable à une araignée.

La voix s'immobilisa sur le seuil de la salle. Les lampes renversées projetaient deux rayons au ras du sol, soulignant les irrégularités de la terre. Ann était à peine visible dans ce clair-obscur.

— Je suis désolée, répéta-t-elle.

— Ann ? fit Frewin. Que faites-vous là ?

Ignorant la question, elle dit :

— Monroe a été égorgé, j'ai vu son corps en arrivant. Et Matters également.

Frewin refusait d'y croire. Puis il s'aperçut qu'elle avait les mains dans le dos. *Que cache-t-elle ?*

Un couteau apparut devant la gorge de l'infirmière.

Tenu par une main droite.

Frewin perçut un murmure et Ann fut contrainte de lever un pied. On posa dessous un petit objet rectangulaire et on prit la jambe de la jeune femme pour la reposer dessus.

— Ne bougez plus surtout, lui dit-on tout haut.

Frewin avait déjà entendu cette intonation. Un voix d'homme, assez peu virile.

Steve Risbi !

Et la petite tête ronde du rouquin aux grands yeux vitreux se profila derrière l'infirmière.

— Surprise, lieutenant, articula-t-il avec un rictus de contentement. Je vous ai bien eu, avouez-le.

Frewin ne parvenait plus à respirer.

— Allez, jetez-moi cette arme que vous tenez, faites-le ou je la vide comme un porc.

Le couteau s'agita sur la gorge d'Ann. Le sang de Frewin se glaça.

— Ne me faites plus jamais répéter, lieutenant, vous devriez savoir quel genre d'homme déterminé je suis !

Il leva le coude, prêt à perforer la peau de sa victime.

Frewin lâcha la crosse et repoussa le pistolet à un mètre de lui.

— Voilà qui est bien. On va pouvoir faire connaissance. J'espérais vraiment que vous me tendriez un piège ici. Si vous saviez comme j'étais ivre de joie lorsqu'on a fait passer la nouvelle des gardes postés dans votre tour. C'était le signe.

Le lieutenant inspecta Ann pour s'assurer qu'elle n'était pas blessée et ne vit rien d'anormal.

— Ah, je suis votre regard, fit Risbi, vous vous demandez comment elle a atterri ici ? En fait, moi aussi, j'avoue que je serais curieux d'entendre ça.

Il tourna la tête pour la fixer et releva légèrement la lame de son couteau pour l'inciter à parler.

— Par le… le journal intime de Matters, dit-elle.

Risbi soupira, amusé.

— Je savais qu'il poserait plus de problèmes qu'il n'apporterait de solutions, celui-là. Allez-y, développez, on est entre nous après tout.

Risbi se lâchait, d'une petite voix fluette, aux intonations inquiétantes, qui montait dans les aigus et descendait dans les graves, comme s'il ne parvenait pas à la contrôler. Une joie perverse illuminait ses traits.

Ann avait la tête en arrière, ses lèvres tremblaient.

— Allez, continuez votre petite explication, j'adore ça ! lui ordonna Risbi en jouant avec la lame.

Ann serra les dents avant de reprendre, d'une voix hésitante :

— Matters était homosexuel. (Elle avala sa salive.) Il luttait contre ses pulsions parce qu'il estimait qu'elles étaient dégradantes. Il... il était très croyant. Mais il lui arrivait de temps à autre de craquer et de rencontrer d'autres soldats comme lui.

— Et il parle de moi dans son Journal ? s'étonna Risbi.

— Non, il parle du « Soigneur ». J'ai cru que c'était Collins, l'infirmier.

Risbi eut un large sourire.

— Le Soigneur... Le soigneur d'âmes, c'est comme ça qu'il m'appelait.

Il semblait très heureux dans cette situation impossible, sa lame prête à trancher les veines et artères de la jeune femme. Il savourait sa victoire sur Frewin, assis à terre en face de lui.

— C'est parce que j'écris le courrier de ma section, s'amusa-t-il. Je trouve les bons mots, pour satisfaire les uns et les autres, j'en avais parlé à Matters. Et il m'appelait le soigneur d'âmes, ce crétin !

Comprenant soudain qu'on pouvait se méprendre, il changea d'expression pour ajouter :

— N'allez pas croire que lui et moi... non, non, non ! Je lui faisais croire qu'il me plaisait mais c'était juste pour l'utiliser. Vous savez, quand on veut faire ce que je fais, il faut être à l'écoute de toutes les possibilités. Le milieu des homosexuels dans l'armée est une petite communauté très secrète, et tout ce qui est secret m'intéresse. Les noms circulent vite, de bouche en bouche. Et quand celui de Matters est arrivé à moi, j'ai tout de suite vu mon intérêt ! C'était il y a dix jours, dans les tranchées. La rencontre n'a pas été simple, mais pleine de promesses !

À l'évocation de son sergent, Frewin ne put s'empêcher de glisser un bref coup d'œil vers le couloir est.

— Je vois que vous vous demandez ce qu'il lui est arrivé, anticipa Risbi. J'avoue qu'en descendant, je ne savais pas comment procéder. J'ai été voir Parker ce soir pour lui dire qu'on avait trouvé une autre réserve de vins exceptionnels et qu'il avait intérêt à y aller sans tarder s'il voulait s'en prendre quelques bouteilles avant qu'on ne la vide. Il a mordu à l'hameçon et est venu aussitôt. J'étais derrière, à bonne distance. J'ai vu votre homme le prendre en filature. Je lui ai réglé son compte assez facilement. Oh ! (Il leva un index devant lui, soudain traversé d'une idée capitale :) Vous savez comment on tue un homme facilement ? Là ! (Il désigna la gorge d'Ann.) On enfonce la lame d'un coup, brutalement. Si c'est fait avec force, ça tranche tout. Ensuite, soit on recule si le type se débat, et on le laisse crever à petit feu, soit on s'acharne pour bien tout arracher et que ça aille vite. En général, c'est tellement violent comme assaut que les gens veulent se protéger le cou, c'est un réflexe, et ne cherchent pas à se défendre, ce qui est idiot en soi !

Il ricana bêtement. Fier de son exposé.

Se pouvait-il que le génie qu'ils avaient pourchassé pendant si longtemps ne soit que ce jeune type grotesque ? Une figure du Mal bien décevante pour Frewin. À tel point qu'il ne parvenait toujours pas à croire en la culpabilité de Risbi, attendant un ultime coup de théâtre du *vrai* tueur.

C'est lui. Tout est fini. Il est bien vrai, ridicule et obscène. C'est ça la réalité.

— Pourquoi me dites-vous tout ça ? le coupa Frewin, toujours au sol.

Risbi sembla surpris par la question.

— Pourquoi ? Pourquoi ? (Il haussa les épaules.) Parce que ça vous intéresse ! Nous sommes frères vous et moi, opposés, néanmoins frères de chasse ! Nous nous observons l'un l'autre depuis le début. Notez que vous m'avez épaté cet été. J'ai bien cru que ce serait plus difficile que prévu. Ce n'était pourtant pas faute de tout anticiper, d'être attentif à tout ! Je me suis amusé à vous entraîner vers des fausses pistes, Harrison d'abord, et Hriscek ensuite, là c'était du grand art. Bon, je regrette d'avoir négligé Quentin Trenton, d'après ce que Matters m'a dit, c'est lui qui avait déduit les initiales Q.T. à cause du symbole féminin que j'avais mal dessiné… J'aurais dû y penser ! J'ai compris que vous cherchiez un droitier le premier jour, sur le quai. Pas de chance, lieutenant, je suis ambidextre depuis l'enfance. J'écris, je fais tout de la gauche, mais d'instinct, il y a certaines choses que je fais de la droite.

Il se fendit d'un large sourire, les yeux inexpressifs contrairement au reste du visage.

— Oh ! Et ce soir où j'ai emprunté les chaussures d'un camarade pour aller dans la ferme, et vous avez gobé ma petite mise en scène ! Je chausse du 42, pas du 44 ! C'est pour ça que Matters n'a rien vu d'inquiétant en moi.. Un gaucher, plutôt maigre, qui chausse du 42. Avec tout le respect qu'il semblait vous témoigner, il ne pouvait pas envisager que vous vous plantiez totalement, le pauvre ! Pendant ce temps, je vous montais contre toutes les fortes têtes de la section. Histoire de semer le bordel, et de ressouder les liens entre nous. On se couvrait tous contre la PM, le mensonge pour protéger ses potes plutôt que de vous répondre ! Formidable !

Risbi était euphorique.

— Je n'ai qu'un regret dans ce final, c'est que Matters me soit tombé dessus dans le couloir, lorsque je vous ai tirés comme des lapins avec Parker. Je l'ai vu arriver avec sa grosse lampe et ça a été un jeu d'enfant de le neutraliser. J'aurais voulu le contempler ici, pendant que vous perdiez de votre superbe, lui qui vous adulait. Assister à l'échec de son mentor, ça aurait été un grand moment je pense. Tant pis.

Il ajouta en levant la pointe de sa lame :

— C'est elle qui m'a presque interrompu d'ailleurs. Je l'ai vue approcher, elle aussi avec sa lampe, quel manque de pragmatisme ! On vous repère à vingt lieues avec ça !

Ann grimaça tandis que le bout du couteau s'enfonçait dans sa peau.

Risbi surjouait. Il en faisait trop, il en disait trop. Il y avait un tel manque de personnalité en lui que lorsqu'il se croyait enfin libre d'être lui-même, il n'était qu'une parodie.

— Qu'est-ce qui vous a fait descendre, d'ailleurs ? demanda-t-il comme s'il s'agissait d'une simple conversation entre amis.

Elle déglutit péniblement et lança du bout des lèvres :

— J'ai appris que Collins avait disparu, j'ai pensé qu'il était descendu et que tout était terminé. J'étais inquiète.

Risbi haussa les sourcils, exaspéré.

— Les femmes… Bon, maintenant on passe aux choses sérieuses. Voyez-vous, lieutenant, je vous ai tiré dessus avec la mitraillette de… ah, comment s'appelait-il déjà ?

— Monroe, murmura Frewin.

— Oui ! Monroe ! Je me suis également permis de lui emprunter ses menottes, pour elle.

Il désigna Ann d'un mouvement du menton.

— Comment avez-vous fait pour tuer mes hommes ? Larsson et Conrad ? voulut savoir Frewin qui cherchait à gagner du temps.

Risbi eut un nouveau sourire complice.

— Ce qu'il est bon de parler ! s'écria-t-il. Ah, si vous saviez comme je regrette de ne pouvoir partager tout ça plus souvent ! Vous doutez-vous de ce qui est le plus dur ? Pas la préparation ou les précautions, non, tout ça est même agréable. C'est de garder le silence. Ne pas pouvoir partager ses succès. Être gagnant, être brillant et personne pour fêter ça ! Voilà ce qui me peine le plus.

Il hocha lentement la tête, plissa les lèvres en observant Frewin. Son regard devint mélancolique.

— Je vais vous dire comment je m'y suis pris. Très simple en définitive.

Et, à la grande stupeur de Frewin et Ann, il retira son couteau de la gorge de l'infirmière pour entrer dans la pièce.

76

Les lampes abandonnées au sol diffusaient leur clarté en se croisant, tapissant la terre battue d'un revêtement blanc argenté là où le vin n'avait pas formé des rigoles. Les bords de la salle étaient plongés dans la pénombre et c'est dans cette fange insaisissable que Steve Risbi marchait, dissimulant sa silhouette.

— Avant tout, je dois vous inviter à ne pas faire de folie, lieutenant. D'abord parce que j'ai une arme à la main et que je suis un excellent tireur. Ensuite parce que j'arracherai les jambes et les mains de votre amie si vous m'énervez. (Il se tourna vers elle :) En effet, ma chère, l'objet que j'ai posé dans vos mains en vous demandant de ne surtout pas le lâcher est une grenade, dont voici la goupille.

Il lança la bague métallique vers Frewin et elle tomba à ses pieds.

— Si la pression sur la poignée se relâche, *boum* ! Vous n'aurez plus d'avant-bras, et plus de fesses, si je peux me permettre. Et si d'aventure vous aviez la mauvaise idée de vouloir vous enfuir ou de courir sur moi, vos jambes disparaîtraient en une seconde. Tout à l'heure je vous ai fait lever le pied pour mettre quelque chose dessous. C'est une mine, et elle est armée. Vous marchez sur le détecteur qui est désormais enfoncé. Bougez et c'est instantané, *boum* !

Il donnait ses explications avec un détachement enjoué. Tout ce qui valorisait directement son pouvoir le rééquilibrait.

Risbi sortit de l'ombre pour s'approcher de Frewin. Ils se toisèrent.

— Voilà, c'est aussi simple que ça. Avec vos hommes ce fut identique. Pour le premier, j'étais dans la clairière, je l'avais vu partir, j'ai eu le temps de passer par la forêt pour le devancer un peu, juste ce qu'il fallait pour l'attirer à l'écart. Il m'a vu, j'ai fait croire que j'étais paniqué, et il ne s'est pas méfié. Je suis assez bon comédien, je crois. Je lui ai parlé et…

Brusquement Risbi tourna la tête, son attention captivée par quelque chose. Frewin fut pris au dépourvu, il avait une seconde pour décider quoi faire, l'arme braquée sur lui. Que se passait-il ? Quelqu'un venait d'entrer dans son dos ?

La tête de Risbi pivota pour revenir sur lui, et un immense sourire dévoila ses dents jaunes.

— Je vous ai bien eus, n'est-ce pas ? s'amusa-t-il. C'est exactement ce que je lui ai fait, et votre gars a tourné la tête pour voir ce qui se passait. C'est alors que j'ai enfoncé mon couteau dans sa gorge. De toutes mes forces. Jusqu'à la garde. J'ai sauté en arrière pour éviter toute riposte mais il a fait ce qu'ils font tous : ses deux mains se sont portées à la plaie. Alors j'ai bondi sur lui, un autre coup, puis un autre. (Risbi, ridicule jusqu'au bout, mimait les gestes, les veines des tempes saillantes.) Jusqu'à ce qu'il y ait du sang partout. Je me suis ensuite un peu nettoyé avec la neige, mais comme on était en plein territoire de guerre, les taches sur mon uniforme n'ont pas été remarquées le temps que j'en change. Pour votre second gars, j'ai fait celui qui était piégé par une mine ennemie. Il a voulu partir chercher un artificier et je l'ai retenu en lui disant que je n'allais plus tenir longtemps, mais que j'étais capable de désamorcer l'engin sans problème pourvu que je puisse y accéder. Il a pris ma place, nos pieds ont coulissé sur le déclencheur pour échanger. Alors, immobilisé, je lui ai pris ses menottes, à sa grande stupéfaction, si vous aviez pu voir sa tête !

Risbi se mit à rire, un rire sec, factice comme le reste de ses émotions. Et Frewin sut qu'ils avaient vu juste. Il tuait parce que c'était l'unique plaisir qu'il pouvait éprouver. C'était un être creux, une coquille vide que seul le sang pouvait remplir.

Ses yeux étaient rouges, par manque de sommeil. *À cause de ses sinistres activités*, devina Frewin.

— Je l'ai attaché, mains dans le dos, il n'a pas bronché, trop peur de sauter. Surtout que pour le calmer je l'ai… baratiné, j'adore faire ça. En une seconde, ils ne comprennent plus rien, qui est qui, qui fait quoi et pourquoi ? Vous savez, le meilleur moyen d'immobiliser quelqu'un c'est de semer la confusion dans son esprit, ainsi il ne sait plus quoi faire, mille idées contradictoires jaillissent en même temps avec pour conséquence de ne déboucher sur aucune décision. Je lui disais qu'il y avait un tueur parmi nous tous, et que je voulais m'assurer que ça n'était pas lui. Il était perdu, je venais de passer dans sa tête de victime en péril à meurtrier, et soudain à justicier se trompant ! Il a protesté, bafouillé, pendant une minute. Quand il a réalisé que je me foutais de lui, il était trop tard, j'ai sorti ma lame et d'un geste qu'il n'a pas vu venir, je lui ai ouvert le ventre.

Risbi recula pour disparaître à nouveau.

— Aussi simple que ça !

Risbi marchait paisiblement et, en arrivant au niveau d'un tonneau, il planta sa lame dedans pour laisser surgir un geyser rouge. Il se pencha pour en boire un peu et reprit sa marche.

Quelle faille exploiter ? Frewin n'en percevait aucune. *Tout revoir, vite, se souvenir de chaque crime, les analyser, trouver une brèche !* Et pour cela il lui fallait gagner du temps. Il restait des questions sans réponse. Alors il dit :

— Comment avez-vous pu tuer des hommes aussi forts ?

— Vous dites ça parce que je ne suis pas très baraqué, c'est ça ? (Le ton avait changé. Il n'appréciait pas le sous-entendu qui le rabaissait.) Je vais vous dire : vos bonshommes étaient peut-être des armoires à glace, mais ils couinaient comme n'importe quel con qui a le cou tranché. Faut pas chercher plus loin, lieutenant. Et pour les autres... Vous seriez surpris de voir ce qu'on peut faire quand l'adrénaline vous coule dans les veines. Il paraît qu'il y a des mères qui ont soulevé des voitures pour sauver leurs mômes avec l'adrénaline. Et vous n'avez pas idée du flot de cette hormone qu'on libère quand on tue. C'est.. incroyable. Alors la force pure, vous savez... Ça ne sert pas à grand-chose quand la rage et l'adrénaline se mélangent !

Il aime vraiment cet instant de confidences, se répéta Frewin. *Il va en profiter autant que possible avant de nous tuer.* Néanmoins, Frewin ne voyait toujours pas comment se sortir de là. *Du temps, il me faut du temps !*

— Et la symbolique ? fit-il.

— La symbolique ? répéta Risbi avec dégoût. De quoi vous me parlez ?

— Vos meurtres, d'abord selon les signes astrologiques puis...

Il le coupa :

— Allez ! Vous n'avez pas gobé tout ça tout de même ? Sur le coup, si, c'était fait pour, mais plus maintenant ? Tout ça c'était pour vous conduire à Hriscek à un moment où un autre, lorsque ça sentirait le roussi pour moi. Rien de plus !

Il planta à nouveau son couteau dans un autre tonneau pour goûter le vin.

Il exhibe ses victimes. Il a du plaisir aussi dans l'idée de nous choquer, de montrer ce qu'il fait. Il est fier. Fier... Il y avait quelque chose de capital dans cette déduction. Frewin le sentait sans parvenir à deviner quoi exactement.

— Vous imaginez quoi ? clama Risbi. Que je... tue pour la chance ? C'est une idée qui m'est venue il y a plusieurs mois, j'ai trouvé ça brillant. Mais moi, tuer pour la chance ? Avez-vous seulement idée de ce qu'on ressent quand on fait ça ? Le savez-vous ? C'est pas une satisfaction sexuelle ou un truc comme ça, non, c'est bien plus compliqué.

Il s'aime. Il aime sa vie. Il ne prendra aucun risque pour son intégrité physique, la preuve : il se débrouille pour tuer ses victimes par surprise, par-derrière. Il ne prendra aucun risque... Frewin pensait à la mine sous le pied d'Ann. Le petit trou rectangulaire retrouvé sur la scène de crime de Conrad. Il avait désamorcé l'engin avant de le tuer ? Si vite ? Il avait cette compétence ? Ça ne collait pas. Même ici, dans ce souterrain, si Ann bougeait et que la mine sautait, elle projetterait des fragments un peu partout, Risbi se tenait trop près. *Et il est resté à ses côtés longtemps tout à l'heure, sans nous prévenir, elle aurait pu tout faire sauter !* Ça ne collait pas. Risbi n'avait aucun penchant suicidaire, il aimait sa vie... La mine n'était pas amorcée. La grenade peut-être, mais pas la mine. Il n'aurait jamais pris ce risque.

— Tuer c'est transcender sa forme corrompue pour rejoindre son être naturel, c'est s'affranchir des limites imposées par un système qui fait fi de ce que nous sommes tout au fond : des chasseurs ! C'est cet instinct qui a permis à l'homme de survivre pendant des dizaines de milliers d'années, de se hisser au sommet de la chaîne alimentaire malgré d'autres prédateurs plus féroces en apparence. Et en quelques malheureux siècles on voudrait nous asservir, faire taire ce brûlant penchant à nous exprimer ? Le sang exprime autant de choses que les mots. Voire plus, car essentielle à notre évolution. Sans elle nous ne serions déjà plus rien que des os rongés. Il y a beaucoup plus dans le sang que ce que vous y voyez : un « crime ». Tuer c'est retrouver ses origines, c'est exprimer le plein potentiel de nos gênes, c'est faire parler nos instincts plutôt que nos ficelles de pantins ! Et c'est pourquoi tuer est la jouissance ultime ! Les premières fois on se sent déborder, c'est trop d'un coup, la peur, le carcan moral de nos sociétés est encore trop présent. Mais ensuite, on s'en affranchit et là...

Il leva un bras vers le ciel en un geste théâtral, le couteau brandi à l'instar d'un drapeau. Frewin examinait la pièce, l'appréhension lui creusait le ventre. Son arme était juste à côté. Tout devait aller très vite. Pas d'hésitation. Se concentrer. Des gestes sûrs. Mobiliser l'assurance qui le fuyait, pour se donner la force de le faire.

Risbi continuait son délire :

— Là c'est l'apogée de nos vies. On sait ce pour quoi nous sommes sur cette planète, loin des formatages, des mensonges pour nous éloigner de cette nature. Pourquoi croyez-vous qu'on ait inventé les religions ? Pour nous faire peur ! Pour mettre une distance entre cette nature bestiale et nous ! Tout ça n'est que manipulation, asservissement. Alors que tuer… faites-le une fois, l'acte vous submergera, il vous dégoûtera sûrement. Recommencez, et là… ça deviendra plus intrigant. La troisième fois on commence à se sentir différent. Et c'est trop tard, on ne peut plus faire marche arrière. Croyez-moi !

Frewin devait agir maintenant. S'il avait vu juste, Ann n'était pas en danger immédiat, à moins de lâcher la grenade. Restait l'arme que Risbi tenait, pointée vers lui. *Si j'ai vu juste, sinon…*

Il fallait trouver un moyen de détourner son attention, un court instant. Rien qu'une poignée de secondes, et Frewin pourrait bondir sur son pistolet.

Et cette diversion, Ann la lui offrit.

77

Ann reprenait peu à peu consistance.

Maintenant qu'il le lui avait dit, elle reconnaissait parfaitement les contours de la grenade dans sa main. La poignée était bien calée contre sa paume. Ce qui l'inquiétait davantage c'était cette mine. La peur accentuait la tension dans ses muscles, et elle craignait de voir ses jambes se dérober sous elle.

Les larmes avaient rempli ses yeux jusqu'à déborder, sa gorge s'était serrée à en devenir douloureuse. Puis Risbi s'était éloigné et elle s'était calmée comme s'il portait la peur et la détresse dans son aura. Ce petit homme qui l'avait aidée. Qui avait joué avec elle sous ses airs innocents. Jamais elle ne l'avait suspecté. Et son obsession de plonger un jour son regard dans celui d'un criminel comme lui pour y discerner ses abîmes s'évapora sous l'effet de la terreur. Elle avait vu son regard, froid, triste, néanmoins innocent, avait-elle pensé. Et maintenant il n'y avait toujours aucune flamme à l'intérieur, rien que deux globes blancs aux veines éclatées sur une âme vide. Ce n'était pas ça le Mal qu'elle attendait de sonder. C'était…

Si, tu viens de le voir. C'est ça le Mal. Cette absence de vie. Aucune empathie, aucune émotion pour l'autre. Le Mal c'est cet égocentrisme poussé à l'extrême, rien de plus. Le Mal c'est l'absence de vie dans son regard.

Les mots se posaient tout seuls sur ses angoisses, ses interrogations. Elle les connaissait depuis longtemps déjà. Mais elle n'était jamais parvenue à les voir en face, à s'avouer ses faiblesses et les excuser. Elle ne s'était jamais offert le pardon.

D'avoir un jour dit non à son père. De lui avoir fracassé le crâne avec une bûche, pour en faire un légume. La gamine qu'elle était ne s'était jamais exprimée comme une enfant. Les traumatismes l'avaient faite ainsi, *pour survivre*. Chercher la jouissance et offrir son corps tout le temps était un moyen de se perdre, de refuser son propre pardon.

Et ce tueur venait de le lui donner. Une thérapie violente, instantanée, à travers la peur. Alors qu'elle s'apprêtait peut-être à mourir.

Elle fixa l'ombre de Risbi qui venait d'éventrer un autre tonneau dans l'obscurité. Elle se souvint des nombreux portraits que Frewin et elle avaient dressés de ce tueur. Il avait été si habile, si bon manipulateur qu'une large partie de leurs conclusions n'étaient que des fruits pourris. Pourtant, une série de crimes l'avait montré tel qu'il était vraiment, ceux de cette famille dans la ferme.

C'était lors de ces meurtres qu'il s'était montré le plus barbare. Il avait projeté sa famille sur celle-là !

La stratégie de Frewin pour le pousser à bout l'avait conduit à sortir de ses plans préparés. Malgré toute son attention, ce jour-là sa vraie nature s'était exprimée. Alors elle lui lança d'une voix encore tremblante :

— Et vous, Steve, quel genre d'enfant étiez-vous ? Votre père vous a violé ?

Long silence. Puis Risbi vint vers elle, à vive allure.

— Espèce de salope, qu'est-ce que tu te permets de dire !

— J'ai lu le journal de Matters, il ne dit pas que vous n'étiez qu'amis… Il parle de tendresse…

— Il ment ! s'écria Risbi tout près d'elle.

— Il était rongé par la culpabilité à l'idée de s'être laissé aller à ses noirs penchants avec le « Soigneur ».

— Des sottises ! Les mensonges de ce pédéraste !

Ann s'était attendue à des coups. Il fulminait mais il n'avait pas levé la main sur elle. Elle ne l'avait pas encore poussé à bout.

— Pourtant, les viols répétés de votre père, et ses coups de ceinture quand il vous entraînait dans sa chambre, tout ça a dû beaucoup perturber votre sexualité, non ?

Risbi grimaça de répugnance.

Ann ne pouvait plus s'arrêter, elle voulait l'humilier, même s'il devait la frapper, qu'il s'effondre. Sa haine à son égard croissait. À mesure qu'elle prenait pleinement conscience des différences entre lui et ce qu'elle était. Elle s'était longtemps crue habitée par le Mal. Elle avait été *persuadée* de faire partie de ces créatures maléfiques qui, par l'absence de contrôle de leurs perversions, entraînaient les hommes dans le vice. Et maintenant qu'elle le contemplait, lui, l'incarnation de ce Mal, elle éprouvait une aversion terrible pour ce qu'il dégageait. Ils étaient différents. Elle n'avait rien de commun avec cette chose. Le mal qu'elle faisait, c'était à elle. En se refusant le pardon.

— C'est pour ça que vous détestez les femmes ! Vous êtes un manipulateur. Ce jour où vous m'avez mentionné votre petite amie, c'était des mensonges, vous abhorrez les femmes ! Pourquoi ? Parce que votre mère, peut-être aussi vos sœurs, n'ont jamais réagi quand le père s'en prenait à vous ? Elles se passaient les nerfs sur vous ?

Découvrant que les traits du petit homme tremblaient de rage, Ann comprit qu'elle faisait mouche.

— Oui, c'est ça ! Elles ne bronchaient pas quand votre père vous battait et vous violait, pire, elles en remettaient une couche ! Vous étiez la proie facile, le souffre-douleur de la maison. Vous exécrez les femmes et c'est vers les hommes que s'est tourné votre désir sexuel. Vous et Matters, ce n'était pas que des mots.

— Tais-toi ! hurla-t-il.

Mais c'était trop tard. De rage, il leva le couteau sans même s'en rendre compte et lança son bras vers la gorge tendre d'Ann.

Pour la lui arracher.

Pour voir le sang gicler sur son visage. Boire le sang de celle qui se permettait de l'humilier.

L'impact fut immédiat.

Le sang apparut sur la jeune femme.

78

Ann cilla, sans savoir encore si la douleur accompagnait sa blessure mortelle. Il avait planté son couteau dans son oreille, jusqu'à son tympan. Probablement même dans le cerveau.

Puis elle comprit.

Ce n'était pas son sang mais celui de Risbi sur elle.

Et ses deux oreilles sifflaient. L'écho du coup de feu monta jusqu'à sa conscience au milieu des gargouillements du vin se répandant dans la salle.

Frewin était en face, toujours sur le sol. Il avait roulé jusqu'à son arme dont le canon, braqué vers elle, fumait.

Elle tourna le menton et vit que Risbi la regardait, incrédule. Il avait lâché son couteau et monta la main au niveau de son visage pour la regarder, couverte de son propre sang.

Il murmura quelque chose.

Il répéta, tout bas :

— Non. Non.

Tout d'un coup, Ann fut projetée en avant, Risbi la poussa sur Frewin. Malgré son effort, ses pieds décollèrent de la mine. Elle courut, tête penchée en avant, sur deux mètres avant de s'effondrer. Les bras attachés dans le dos, elle chuta sur la poitrine, le choc lui coupa le souffle tandis que Frewin avait tenté d'amortir la collision en levant les bras. Ann lui rentra dedans, tapant dans son arme qui glissa.

La grenade s'échappa d'entre ses doigts et roula entre ses cuisses.

Elle ouvrit grande la bouche pour inspirer, sans succès.

La grenade !

Frewin se dégagea pour tenter de reprendre son pistolet. Risbi fut dessus le premier. Il frappa dedans avec le pied et Frewin ne put qu'agripper l'autre cheville de leur assaillant. Il tira et tous les muscles de son corps puissant se contractèrent.

Risbi s'envola pour retomber dans la mare de vin qui ne cessait de croître.

En une seconde l'imposante masse de Frewin fut sur lui, son ombre immense recouvrant le jeune homme dont l'expression changea. La peur changea de camp, elle fondit sur ses traits.

Cette même peur qu'il avait infligée et aimé contempler dans le regard des autres.

Ann parvint à rouler sur le flanc, sans pour autant retrouver son souffle. Ses jambes battirent la terre pour lui permettre de s'éloigner de la grenade qu'elle chercha dans cette lumière rasante faite de creux et de bosses, de noir et de blanc.

Du coin de l'œil, elle vit Risbi disparaître sous Frewin tandis que le tueur levait son arme. Sa vision se brouillait tandis qu'elle cherchait à faire entrer l'air en elle. Les mains de Frewin jaillirent à la gorge de son adversaire et le soulevèrent. Ann le vit se redresser et rejeter la tête en arrière en étouffant un cri de rage.

La tête de Risbi pivota à une vitesse incroyable.

Et un craquement sinistre s'en échappa.

Ses yeux se figèrent dans la surprise et la terreur.

Elle sentit sa respiration revenir dans ses poumons comprimés et reporta aussitôt son attention sur la grenade. Elle la trouva à côté d'elle.

Les mains menottées dans le dos, elle se coucha et tâtonna, à la recherche du petit objet mortel.

Au moment où elle l'effleura, la grenade émit un tout petit déclic.

Ann sut alors qu'elle allait exploser dans la seconde.

79

Ann se renversa pour couvrir la grenade de tout son corps. Protéger Frewin.

Elle n'eut pas le temps d'y réfléchir.

Ses paupières se fermèrent.

Il n'y eut pas de choc. Pas d'explosion, rien qu'un souffle sortant d'entre les lèvres de Risbi. Elle ouvrit les yeux et vit que le pied droit du tueur était agité de convulsions. Puis il s'immobilisa.

Frewin se redressa, ses vêtements dégoulinaient d'un liquide rouge. Ses mains en étaient couvertes.

Pas d'explosion.

Ann se rendit compte que la mine n'avait pas sauté non plus. Se pouvait-il que.. ?

Elle se mit en position assise et contempla la petite arme ronde.

La mare de vin, qui continuait de se déverser par tous les trous des tonneaux, s'approcha et entoura la grenade.

Frewin aida Ann à se relever et lui défit les menottes.

Ann ne pleurait pas. Elle n'était pas non plus tremblante de peur.

Était-ce le choc, ou plutôt un équilibre précaire entre l'horreur qu'elle venait de vivre et le bonheur d'être en vie ? D'ici quelque temps elle craquerait, elle devait s'y préparer. Elle s'effondrerait jusqu'à toucher le fond. Alors seulement, elle pourrait commencer le travail de reconstruction.

Elle fit des moulinets avec ses poignets et la première chose qu'elle eut envie de faire fut de se serrer contre Frewin et de l'embrasser. Il la guettait, attendant un geste de sa part. Il venait de tuer Risbi, aussi facilement qu'on craque une allumette. Et à présent, le colosse aux cheveux en bataille attendait qu'Ann lui donne le ton de la suite. Ses prunelles plantées dans les siennes.

Elle sut qu'il n'éprouvait aucun remords. Il avait brisé la nuque de Risbi en une seconde, la seconde la plus déterminante de son existence.

Ce qui troublait cette montagne de muscles, c'était une petite femme blonde. Elle. Il attendait sa réaction, tendu.

Quelque chose de bestial se dégageait de lui. Ann se sentit fondre. Était-ce parce qu'il venait de la sauver ? Une autre idée, plus sournoise, fit son apparition sur le souvenir de ce qu'avait dit Risbi.

Il venait de tuer, et ce qu'il dégageait était primaire, une aura bestiale. Archaïque comme la sexualité.

Non, c'est idiot. Frewin n'est pas un assassin... Elle voulut l'embrasser et pourtant s'interrompit.

Les lettres.

Toutes ces lettres pour sa femme lui revinrent à l'esprit.

Alors Ann lui caressa la joue et baissa la tête.

Puis elle se tourna vers la sortie.

80

Ann admirait la forêt au pied du château, assise entre les créneaux du chemin de ronde, les pieds ballant dans le vide.

Le ciel était gris, sans relief, comme ses états d'âme.

En cet instant, si elle avait dû trouver une saveur au temps ç'aurait été celle de la lavande, capiteuse les premières minutes, et très vite écœurante par la suite.

Risbi est mort.

Ces mots auraient dû sonner comme une promesse triomphale, pourtant ils laissaient une empreinte amère dans le cœur de la jeune femme. Il lui avait permis de se voir comme elle était vraiment, de cesser cette quête d'elle-même. De ses traumatismes d'enfant. Ann n'avait ouvert aucune porte sur le Mal, elle n'avait rien ramené de ses ténèbres sinon une fillette bouleversée et chancelante sur le chemin de l'existence. Ces vacillements l'avaient égarée jusqu'à aujourd'hui. En se donnant aux hommes la fillette blessée avait cru pouvoir se faire aimer comme son père ne l'avait jamais fait, et la femme cherchait à se pardonner d'avoir un jour fracassé le crâne de son géniteur. Ce légume était-il mort désormais ? Ann l'ignorait, et se dit qu'elle s'en fichait. Son être avait boité une bonne partie de sa vie à cause de lui. Maintenant elle devait se redresser. Il n'y avait pas de monstre en elle, Risbi le lui avait appris. Elle ne s'était pas trompée sur ça au moins : contempler l'âme d'un tueur l'avait éclairée sur sa propre nature. Ils n'avaient rien de commun.

Et paradoxalement, Ann se sentait triste d'avoir perdu toute chance de comprendre le petit homme. Sa confidence sur l'acte même de tuer l'avait troublée. Sa vision de la société asservissant l'homme n'était pas sans rappeler l'idée qu'Ann en avait. Était-ce le point commun des enfants abîmés ?

En mourant, Risbi partait avec ses secrets, jamais plus ils ne pourraient le sonder afin d'en saisir la substance réelle. Pourquoi avait-il étranglé Gavin Tomers avec un bas de femme, lui qui les détestait tant ? *Par provocation ? Pour se tester, savoir s'il pouvait le faire ? Ou tout simplement pour conduire la PM sur une fausse piste de plus ?* Comment avait-il attiré Tomers et Harris à lui ? Ann pressentait qu'une enquête approfondie révélerait qu'ils avaient des tendances homosexuelles que Risbi avait utilisées pour les appâter, seuls, dans les lieux de son choix. Cette partie-là de l'enquête serait étouffée, l'armée ne tolérerait pas qu'on parle de ses soldats, ses *guerriers virils*, de la sorte. Il y avait encore bien des progrès à faire dans les mœurs.

Des centaines de questions affleuraient dans son esprit.

L'une prédominait alors que les coups de canon résonnaient dans le lointain.

560

Quelle importance avait la guerre dans tout ce qu'ils vivaient ? Y aurait-il d'autres tueurs comme Risbi ? *Assurément.*

Mais se pouvait-il que la guerre ait été responsable du déséquilibre en Risbi ? Certes il fallait un être aux fondations instables pour sombrer à ce point, mais la guerre et ses absurdités barbares pouvaient l'avoir ébranlé.

Bien des hommes voyaient leur existence basculer au contact des boucheries militaires. La peur fondamentale de mourir émerge des champs de bataille, les hommes combattent alors leurs réticences à tuer leur prochain, jusqu'à ce qu'elles disparaissent. Tuer devient une mécanique. La guerre est une ritualisation industrielle de la mort. Elle détruit les rails de sécurité que la civilisation prend la peine d'installer dans les esprits. Et elle laisse ces êtres aux prises avec leurs pulsions primaires réétablies : survivre. Tuer pour vivre. Au fil des conflits, les soldats apprennent à gommer ce que des siècles de vie en société ont érigé en critères essentiels, par-dessus les instincts animaux de l'homme. L'homme doit brider ses pulsions dans sa vie en société. Ne pas laisser libre cours à ses désirs. La colère, la peur, la rage, tout doit être canalisé. La guerre, c'est faire sauter ces verrous pour tuer sans plus se poser de questions. Et irrémédiablement, les instincts primaires émergent à nouveau. On ne peut dissocier la mort de la vie, la peur du courage, la rage du désir.

Risbi mélangeait tout. Comme tant d'autres êtres fragiles. Ann pensa à Hriscek. Il pouvait tuer sans état d'âme sur le champ de bataille mais ses autres fonctions vitales étaient également débridées. Il avait pourchassé Ann dans la forêt par curiosité et colère. Et que dire du pauvre sergent Matters que ses croyances religieuses poussaient à se haïr à cause d'une sexualité *différente* ? N'était-ce pas là une faille terrible de ce système que de renier l'homme dans sa complexité ?

Ann se rendit compte qu'elle avait réagi à la manière de Matters. Parce qu'elle ne faisait pas comme *les autres*, parce que ses désirs n'étaient pas ceux de la société, elle s'était crue monstrueuse. Elle en avait éprouvé de la peur, et de la haine pour soi, comme Matters. Et si ça avait été de la colère, de la rage contre *les autres*, serait-elle devenue un Risbi en puissance ? L'homme n'est qu'un *enfant* dans l'échelle de l'évolution. Une bête *sauvage* qui se croit évoluée. À force de bourrage de crâne l'humanité tout entière s'est persuadée d'être habitée par une force supérieure, alors qu'elle n'est qu'un prédateur provisoirement au sommet de la chaîne alimentaire. La prétention de la civilisation a lénifié l'impact des instincts de l'homme, que les guerres – si bassement animales – continuent d'entretenir au fond de chaque être. L'humanité dort sur un baril de poudre. Et si les instincts primaires refaisaient surface un jour ? Si les barrières morales de la civilisation éclataient à force de contradictions ? Qu'arriverait-il ? Les hommes s'entre-déchireraient. Les prédateurs historiques qui sommeillent en eux et ont permis à ces fragiles bipèdes de prendre l'ascendant sur les autres espèces de la planète émergeraient. Le réveil des prédateurs serait implacable. Sur plusieurs décennies ? Plusieurs siècles ? Une broutille à l'échelle de l'évolution. Mais le résultat serait dramatique. Une boucherie à l'échelle mondiale. La fin d'un règne.

Parce que toute la civilisation repose sur sa vanité, un système guidé par quelques-uns pour leur propre intérêt, un ordre pyramidal établi sur le pouvoir. Une civilisation protégée depuis son aube par les guerres. Une civilisation aveugle à ses contradictions : la volonté affirmée de guider l'homme vers le meilleur de ses facultés maîtrisées tout en se servant de ses plus bas instincts pour assurer la protection de ses valeurs. Oui, il y a bien quelque chose de pourri au royaume des Hommes, songea Ann. La volonté omniprésente de diriger. De contrôler. De se hisser au-dessus des autres. C'est *en* l'homme. Et toute autre civilisation, quel que soit son modèle, à un moment ou un autre a muté vers ces tares individualistes.

Oui, Risbi s'est peut-être laissé corrompre par la guerre.

Ou peut-être est-il un avertissement.

Le message comportemental d'un individu, pour alerter la dynamique erronée du groupe.

Ann ne savait plus qu'en penser. Aucune certitude mais un pressentiment. L'émergence de pareil comportement pulsionnel ne semblait pas erratique. Elle n'en avait pas observé beaucoup et pourtant elle devinait qu'il existait au sein même de ces déviances une dynamique propre. Et la nature est trop parfaite pour laisser s'organiser et se reproduire de tels schémas marginaux et agressifs. Aucune plante trop toxique ne survit. Aucun animal purement destructeur n'a sa place sur terre. Chaque chose a une raison de s'être développée.

Risbi et les autres prédateurs de ce type sont un avertissement.

Que l'humanité continue d'ignorer.

Ann repassa derrière son oreille une mèche que le vent fouettait.

Frewin partageait cette expérience. Avec lui, elle se sentait moins seule sur cette Terre. Elle avait trouvé un compagnon.

Hanté par le fantôme de sa femme.

Ann soupira, contenant un sanglot.

À quoi ressemblerait l'avenir maintenant ? Tituberait-elle encore sur ses doutes et ses inquiétudes ? *À deux, on se stabilise.* Pourtant elle ne pouvait aimer Frewin. Pas ce Frewin qui écrivait à sa femme morte, lui qui se disait loin de toute croyance religieuse. Elle ne devait pas l'aimer, malgré tout ce qui les liait.

Une petite boule de chaleur éclata dans sa poitrine, comme un mince espoir. Il lui avait demandé de le rejoindre cette nuit, dans la forêt. Qu'allait-il lui dire ?

Quel regard pour elle ?

C'était cet avenir-là qu'Ann redoutait le plus. Au-delà de la guerre, au-delà de l'humanité et son danger potentiel.

Un futur à quatre mains.

Pour ne plus craindre les silences.

81

Ma Patty,

Voici mes derniers mots. Toutes ces lettres que tu vas lire d'un coup, vont te parvenir par la même voie éthérée qui constitue la substance de nos âmes, et je sais que tu vas me lire à présent.

Il m'aura fallu du temps pour t'envoyer ces lettres. Pour trouver le courage de te parler. De m'ouvrir après tout ce que nous avons vécu. Lis-moi jusqu'au bout, je t'en supplie, laisse-moi t'exposer mes conclusions, s'il te plaît.

Ma vie est pleine de colère, d'erreurs. Je crois que c'est le lot de bien des hommes et je n'en ferai pas une excuse, il n'en existe aucune pour ce que j'ai fait.

Qu'est-ce que le Mal, ma Patty ? Je crois pouvoir te répondre aujourd'hui, maintenant que ma vie s'est arrêtée il y a deux ans et que depuis j'ai erré dans le purgatoire des hommes. Le Mal se transmet par une pulsion. Le Mal n'est pas un état qui s'installe, non, je crois que tout homme est neutre, parcouru d'élans de bonté et parfois transpercé par des pulsions maléfiques. Le Mal passe sous la forme d'un flash qui foudroie *l'esprit et le conduit à obéir aveuglément, d'un coup d'un seul, à cette pulsion. Le Mal est sexuel, dans le sens où, lorsqu'il surgit dans l'âme, il n'a de cesse de hanter l'esprit jusqu'à être assouvi, puis il disparaît, retournant dans les entrailles bouillonnantes de l'homme.*

Tu vois, ma Patty, il arrive que des hommes qui ont fait trop souffrir, ou qui se sont perdus eux-mêmes jusqu'à n'être plus que des êtres désincarnés, cessent de partager le même monde que les autres. Ils vivent alors au purgatoire – il existe bien, car il est terrestre. Le mien ce fut cette guerre. Celle que j'ai menée à l'intérieur, pour me comprendre, pour descendre toujours plus bas, dans les profondeurs de ce que je suis. Dans mes abîmes.

Je crois que la personnalité est un puits gigantesque, l'enfant qui grandit y enfouit son vécu, laissant choir le plus bas possible toute la noirceur du monde, pour ne garder que le meilleur sur le dessus. Être adulte c'est boucher ce puits et sauter dessus pour tout bien tasser, jusqu'à la mort. Être adulte, c'est contempler l'enfant que l'on a été qui saute encore et encore, sur ce puits bouché, c'est le mouvement perpétuel d'allégresse, le ressort du rire, de la joie de vivre. L'adulte qui perd de vue l'enfant qu'il a été tandis qu'il saute, encore et encore, sur le puits bouché de sa construction, de son apprentissage, est un adulte vide, triste.

Hélas, parfois, le fond de ce puits est tellement marécageux qu'une faille s'ouvre, et l'enfant ne peut plus sauter de joie. Parfois même, le fond est si pestilentiel que tout s'effondre et que l'enfant tombe avec et se noie. Ces êtres-là sont irrécupérables, Patty. Je le dis sans cruauté aucune, car j'ai longtemps pensé en être un.

Mon puits à moi s'est ouvert lorsque tu es morte.

Mais tu es morte parce qu'il était déjà bien trop fissuré. L'enfant en moi ne sautait plus de joie depuis longtemps. L'adulte était rongé par la morosité. Par les doutes, par les angoisses, autant de brèches ouvertes aux pulsions du Mal. Car le Mal est une entité, j'en suis convaincu. Une entité monstrueuse, faite de cette substance chimérique qui compose les âmes. Une entité qui ne survit qu'en se nourrissant des esprits vacillants. Le Mal m'a dévasté parce que je l'ai laissé entrer. J'ai assouvi ma pulsion

Et je t'ai poussée dans l'escalier.

La fatigue des nerfs et surtout l'accumulation de nos disputes, parce que nous n'arrivions plus à communiquer, ont accumulé la frustration. Elle s'est transformée en rage, car seule la rage peut matérialiser la frustration et la vider de l'esprit en un geste. Et ce jour-là nos mots se sont envolés, nos colères se sont affrontées et j'ai commis l'irréparable.

Je t'ai tuée.

Depuis j'ai erré dans ce purgatoire, tout au fond de moi, l'adulte est descendu dans le cloaque de mon puits. J'y suis allé pour me noyer dans ma propre fange. Pourtant j'ai survécu. J'y ai vu l'horreur du monde, de mon être. Et lentement, plutôt que de m'y enfoncer, j'ai remonté cette poisse à la surface, seau après seau. Aujourd'hui j'ai rebouché mon puits. L'enfant n'y saute pas encore, il a trop peur d'y retomber un jour, mais peut-être que cela adviendra, il faut du temps. Il faut que l'enfant que j'ai été puisse refaire confiance à l'adulte, au travail que l'adulte a accompli. Un jour peut-être.

Je ne te demande pas pardon Patty, il n'en existe aucun pour ce que je t'ai fait.

Je voulais te dire l'homme que je suis, maintenant. Je voulais que tu saches pourquoi j'ai fait cela. Il n'y avait pas d'explication rationnelle à mon geste. Je t'ai tuée parce que je me suis perdu, à un moment de ma vie.

Pourquoi remplissons-nous nos puits de noirceur, d'instabilité ? Parce que l'enfant prend tout, il ne peut faire le tri, il reçoit tout sans discernement, le bon comme le mauvais. Il faut croire que j'ai reçu trop de mauvaises choses, et n'y vois pas une tentative d'excuse. Je l'écris juste pour nous rappeler que les enfants sont vraiment fragiles. Nous ne savons pas à quel point.

Il viendra un temps où (si les religions disent vrai) je serai jugé pour ce crime. J'espère que tu seras quelque part dans cet endroit, quelle que soit la peine, éternelle ou non.

Je n'ai plus peur de mourir désormais, j'irai en paix vers cette suite possible, si elle existe. Je n'ai plus peur de ne plus vivre car le monde m'inquiète.

Cette guerre qui terrasse les nations ressemble bien au purgatoire que l'humanité se serait infligé à force de se perdre. Nous retrouverons-nous ? Pour combien de temps ? Quand je constate les ravages d'une personnalité mal construite, j'en viens à m'interroger sur la race humaine. Et si, en se construisant dans la violence comme elle l'a fait, l'humanité s'était elle-même perdue il y a bien longtemps ?

Et si l'humanité, non dans ce qu'elle est avec chaque être pris individuellement, mais dans le collectif *qu'elle représente, était tout entière déséquilibrée ? Et si nos guerres n'étaient que le reflet de cela ? Vers quoi irions-nous ?*

Quel avenir pour nos enfants ? Ces enfants si fragiles.

Bientôt je serai jugé, ma Patty. Mais en attendant, je vais vivre. Dans ce monde étrange, plein de doutes.

Je vais vivre.

Pardonne-moi.

Craig Frewin posa délicatement son stylo et prit la lettre qu'il plia avec soin. Après quoi il ouvrit son coffre et attrapa l'énorme pile d'enveloppes qu'il fourra dans un sac de toile.

Dehors, dans l'enceinte du château, la faune nocturne stridulait, hululait ; elle appelait, chacun à sa manière, pour s'approprier un morceau de territoire. Craig s'installa sur un tronc effondré et renversa son sac sur le sol. Il prit son briquet et approcha la flamme tremblante sous l'angle de la dernière lettre qu'il venait tout juste d'achever. L'encre n'était pas encore sèche. La flamme grimpa vers le papier, à l'image d'une langue avide de goûter cette saveur nouvelle.

Le coin se racornit brusquement et la peau blanche se mit à jaunir. Une petite fumée, entortillée comme une longue moustache, se détacha du bord. Puis le feu prit.

En quelques secondes l'alchimie des éléments transforma les mots en particules invisibles, distillant leur sens dans l'éther du cosmos. Vers Patty.

Très vite, un bouquet rouge et jaune se mit à éclore. Chaque phrase, qui imprimait concrètement un fragment de pensée dans le monde, se dissipa. Adolescent, Frewin avait appris en cours de physique et chimie que rien dans l'univers ne pouvait se perdre. Depuis, il était convaincu qu'il en allait de même avec le *sens*, la sémantique. Écrire était une manipulation chimique qui consistait à transformer de la pensée en un dessin précis. Brûler ces mots c'était dissoudre le papier et répandre le sens des phrases dans l'ailleurs.

Tandis que les flammes grimpaient en crépitant, Frewin se mit à espérer que quelque part, sa femme, sous quelque forme dissipée que ce soit, pourrait récupérer les sens qu'il lui envoyait.

Car rien en ce monde ne pouvait se perdre. Ni la joie, ni l'amour, ni la repentance.

Ann apparut entre les ombres des arbres. Ils auraient beaucoup à se dire pour ne rien se cacher. Peut-être qu'ils avaient une chance après tout. Frewin voulut y croire.

Un concert d'explosions résonna dans le lointain, irisant l'horizon de bulles rougeoyantes. Rien ne pouvait se perdre. Ni la haine.

La guerre secouait la terre des hommes.

Une humanité déséquilibrée ?

Les mots de Frewin semblaient résonner dans l'écho de ces impacts :

« *Quel avenir pour nos enfants ? Ces enfants si fragiles.* »

Maxime CHATTAM

De Portland, au Caire en passant par le Mont Saint-Michel et la mythique Edgecombe, Maxime Chattam vous convie à un voyage hors norme...

« En quelques livres, MAXIME CHATTAM a prouvé avec éclat que le genre très américain du thriller pouvait faire florès en France. » *Le Figaro Littéraire*

VOTRE PEUR A DÉSORMAIS **UN NOM**

◀ Maxime CHATTAM
L'âme du mal

Le monstrueux bourreau de Portland, qui étouffait et vitriolait ses victimes avant de les découper avec soin, est mort. Pourtant, le carnage continue... Qui est le nouveau tueur ? L'adepte d'une secte ? Un sauvage ou un adepte de la magie noire ? Pour mettre la main sur ce dangereux psychopate, l'inspecteur et profileur Brolin va devoir s'immerger entièrement dans la psychologie du meurtrier. Mais on ne prête pas impunément son âme au diable...

Pocket n° 11757 - PRIX SANG D'ENCRE

« Un rythme dynamique, des personnages attachants, des rebondissements incessants. » **Le monde des livres**

« Un renouvellement spectaculaire du genre. » *Marianne*

Pour en savoir plus : www.pocket.fr

Maxime Chattam ▶
In Tenebris

New York, hiver 2002. Julia est découverte vivante, scalpée, et prétend s'être enfuie de l'Enfer. La jeune détective Annabel O'Donnel prend l'enquête en main, aidée par le profiler Brolin, spécialiste des tueurs en série. Ensemble, ils arpentent les rues de la ville à la recherche du criminel. Mais qui est-il exactement ? Si Julia avait raison ? S'il s'agissait bien du diable ? Brolin et Annabel vont bientôt découvrir une porte, un passage... dans les ténèbres.

Pocket n° 12076

◀ Maxime CHATTAM
Maléfices

Une ombre inquiétante menace la quiétude des forêts de l'Oregon. Tout a commencé avec un employé de l'environnement retrouvé mort, le visage horrifié. Des femmes ont disparu en pleine nuit. Puis, une épidémie singulière s'est propagée : les maisons des environs sont envahies par des araignées aux piqûres mortelles. Un être hors du commun se cache derrière ces crimes. L'inspecteur Brolin et Annabel O'Donnel ont affaire à une nouvelle génération de tueur...

Pocket n° 12249

Pour en savoir plus : www.pocket.fr

*Composé par Nord Compo Multimédia
7, rue de Fives, 59650 Villeneuve-d'Ascq*

Impression réalisée par

C P I
Brodard & Taupin

52331 – La Flèche (Sarthe), le 27-04-2009
Dépôt légal : mai 2009

POCKET – 12, avenue d'Italie - 75627 Paris cedex 13

Imprimé en France